DE DUIK

Ann Packer

De duik

Vertaling Guus Houtzager

2007
DE BEZIGE BIJ
AMSTERDAM

Cargo is een imprint van uitgeverij De Bezige Bij, Amsterdam

Copyright © 2002 Ann Packer
Copyright Nederlandse vertaling © 2002 Guus Houtzager
Eerste druk maart 2002
Tweede druk april 2004
Derde druk maart 2007
Vierde druk mei 2007
Oorspronkelijke titel *The Dive*
Oorspronkelijke uitgever Alfred A. Knopf, New York
Omslagontwerp Studio Jan de Boer
Omslagillustratie Hollandse Hoogte
Foto auteur Jerry Bauer
Vormgeving binnenwerk az-gsb, Den Haag
Druk Hooiberg, Epe
ISDN 978 90 234 2288 4
NUR 302

www.uitgeverijcargo.nl

Mike plaagde me altijd met mijn geheugen, omdat ik na jaren nog wist wat de mensen bij een bepaalde gelegenheid aan hadden gehad, tot hun sieraden en hun schoenen aan toe. Hij lachte dan en vroeg wat voor weer het was geweest, of wie er een alcoholvrij biertje had gedronken en wie een gewoon biertje, en ik kon het hem bijna altijd vertellen. Zo liet ik het verleden weer herrijzen: de mensen met hun kleren aan, of wie er naast wie had gezeten en vervolgens waar we over hadden gepraat en hoe we in een bepaalde periode waren geweest.

Elk jaar brachten we op Memorial Day de middag door bij Clausen's Reservoir, ongeveer honderd kilometer ten noorden van Madison. De plas was maar zo'n anderhalve kilometer breed, maar er stonden hoge oude esdoorns omheen en hij lag ver genoeg weg om de tocht op een echt uitstapje te laten lijken. Mike kwam me dat jaar, het jaar waarin alles anders werd, iets na twaalven ophalen. Nadat we mijn spullen in zijn auto hadden geladen en de snelweg waren opgereden trok hij op tot honderdvijftien, wat naar zijn idee de perfecte snelheid was als je het benzineverbuik, het risico op snelheidscontroles en de veiligheid incalculeerde. Ik had mijn gedachten bij de lange moeizame tijd die we naar mijn gevoel voor de boeg hadden en keek uit het raampje naar de ene melkveeboerderij na de andere, waarvan de grote, goed onderhouden schuren naar de snelweg gekeerd lagen. 'Denk je dat het warm zal zijn?' vroeg hij na een tijdje. Ik keek hem niet aan, ik haalde alleen mijn schouders op. Even later zei hij: 'Ik ben benieuwd wie er het eerste is.' Dit keer pakte ik alleen mijn tasje van de vloer en haalde er lippenbalsem uit. Onze verhouding was verkild, dat wisten we allebei, maar nadat ik mijn lippen had ingesmeerd overhandigde ik hem de stift, waarna hij zijn lippen insmeerde en met één hand de balsem terugschoof voordat hij de stift teruggaf. We waren achteneenhalf jaar bij elkaar, alle kleine vertrouwde gewoontes waren ingesleten. Het was haast alsof we getrouwd waren, maar dat waren we niet – we waren alleen verloofd.

De parkeerplaats was maar halfvol en we vonden een plekje in de schaduw. Van achter mijn stoel pakte ik een grote zak met chips en hamburgers terwijl hij de achterklep openmaakte. Hij droeg lange shorts met een madrasruit en een dennengroen poloshirt, en terwijl ik zijn bewegingen gadesloeg, de snelle, moeiteloze manier waarop hij de koeltas vol bier optilde, bedacht ik hoe zijn vanzelfsprekende kracht me eens had opgewonden, maar nu niet meer.

'Hé!'

Ik keek omhoog en zag Rooster en Stu, die met grote passen de rotsachtige helling afkwamen die tussen de parkeerplaats en het strand in lag.

'Hé, hallo,' riep Mike terug. Hij wierp mij een oplettende blik toe en ik zette een glimlach op.

Toen hij in de schaduw kwam zette Rooster zijn zonnebril af en wreef met zijn arm langs zijn voorhoofd. De zon had zijn sporen al bij hem nagelaten: zijn besproete wangen waren roze, zijn neus was een paar tinten donkerder. 'Het is perfect,' zei hij. 'Warm, een beetje wind, en we konden zonder probleem bij de pier komen.'

'Prima,' zei Mike. Hij keek naar mij, keerde zich toen weer om en zei opnieuw: 'Prima.'

'Heb je nog meer?' vroeg Stu.

Mike tastte in de auto en wierp hem een frisbee toe.

'Ah, de onmisbare frisbee waar niemand mee gaat gooien.'

'Ik dacht dat jij ons dit jaar misschien eens een verrassing kon bezorgen.'

Mike sloot de auto af en we liepen naar de heuvel toe. Het was al stoffig – het voorjaar was droog geweest – en armetierige graspolletjes wreven langs mijn enkels terwijl ik naar boven klom. Boven bleef ik even staan om naar beneden te kijken:

naar Jamie, die zwaaide vanaf de pier, en naar het oogverblindende blauw achter haar.

Ik liep naar het strand toe. Op de dam zaten Bill en Christine naast elkaar, blijkbaar weer herenigd: hun heupen en dijen raakten elkaar en Bills hand rustte losjes op Christines knie. Terwijl ik Mike door het zand volgde wilde ik niets liever dan zo naast hem zitten, totdat ik me herinnerde dat dat was wat ik *niet* wilde. In zo'n stemming was ik: ik moest mezelf er soms aan herinneren hoe die stemming in elkaar zat.

Rooster was al begonnen het vuur aan te maken, en al gauw waren Jamie, Christine en ik bezig de rauwe hamburgers uit te pakken en ze op een papieren bord te leggen. Jamie stond vlak naast me en vroeg met gedempte stem: 'Wat is er?'

Ik haalde mijn schouders op. 'Niks.'

Ze keek me bezorgd aan.

'Echt, niks.'

Nadat we hadden gegeten pakte ik een tweede biertje uit de koeltas en ging aan het einde van de pier zitten. Het blikje was ijskoud, het deed bijna pijn aan mijn handen, maar ik hield het toch vast, terwijl mijn voeten net het water raakten. Ik merkte op dat het lager stond dan normaal. Moest het niet tot mijn knieën komen? Ik dacht van wel, maar ik dacht niet zo ver door en ik weet dat ik het niet heb gezegd.

Achter me speelde Roosters gettoblaster een van zijn compilatiebandjes en ik kon iedereen horen praten, het aanzwellen en verzwakken van hun stemmen, de korte stiltes voordat iemand weer een leuke opmerking had bedacht. Jamie zei: 'Nee, Long Island-ijsthee,' en vervolgens stond Mike bij me. Hij wierp een schaduw over mij en het water heen. Hij gaf me een por met zijn grote teen en kondigde aan: 'Ik ga zwemmen.'

'Mikey,' joelde Rooster.

Ik voelde hoe iedereen naar me keek: Rooster, Stu, Christine – zelfs Jamie. Ze keken en dachten: *kom op, Carrie, doe die jongen een lol.*

Ik draaide me om en keek naar zijn sterke, harige benen en vervolgens omhoog naar zijn gezicht, dat donker leek tegen de felle zon. Hij had alleen nog zijn zwembroek aan, en terwijl hij daar stond te wachten totdat ik iets zou zeggen kwam Rooster naast hem staan. 'Krijg je daar al een zwembandje, jochie?' zei Rooster en hij gaf Mike een tikje.

Mike grijnsde. 'Daar ben ik dan niet de enige mee, hè? Misschien moeten we een afslankclubje beginnen, de zwemband-Spartans. Wat zeg je daarvan?'

Ze lachten allemaal – de Spartans waren de mascottes van onze *high school* geweest. Dat wij al een jaar aan de universiteit afgestudeerd waren en nog steeds grapjes over de Spartans maakten leek mij een symptoom van de kwaal waaraan we met ons allen leden, de kwaal die ons precies dezelfde dingen liet doen als altijd, met precies dezelfde mensen.

'Ik denk dat ik wacht tot na de feestdagen,' zei Rooster.

'De feestdagen liggen zes maanden achter ons.'

'Precies.'

Nu keek Mike mij aan. 'Nou, wat denk jij?' vroeg hij. 'Moet ik duiken?'

'Waarom spring je niet gewoon?' Later hield ik me daaraan vast als bewijs dat ik had geprobeerd om hem tegen te houden, maar eigenlijk was ik alleen balorig.

'Duiken,' zei Rooster. 'Je moet absoluut duiken.'

Ik keek naar Jamie en ze glimlachte naar me. 'Hé meisje,' zei ze en snelde op me af met haar hand laag voor zich uitgestrekt, de palm naar boven gekeerd. Ik strekte me naar haar uit en legde mijn handpalm een ogenblik op de hare.

'Mayer,' zei Stu, 'jij pummel.'

Mike zette zijn honkbalpetje af en reikte het mij aan.

'En je zonnebril?' vroeg ik.

Hij liet het petje op de pier vallen. 'Die komt eraan,' zei hij, 'met alle plezier.' Hij keek naar Rooster en Bill met op zijn gezicht een ontwapenende, geamuseerde en uitdagende uitdrukking. Een intens ogenblik verlangde ik er, toen ik hem zo met zijn vrienden gadesloeg, naar om weer te voelen wat ik niet meer voelde: dat hij precies was wat ik wilde. 'Jullie zijn watjes,' zei hij. 'Ik zal aan jullie denken als ik in dat koele, verfrissende water duik.'

Iedereen lachte weer: het was Memorial Day, het water was ijskoud.

Toen werd ergens op het water een motorboot gestart, en wij waren een moment stil terwijl we over het water uitkeken of we hem konden zien. Ik herinner me het geluid zo scherp, het geluid van de boot en ook het gevoel van het ijskoude bierblikje in mijn hand. Ik wou dat ik toen iets had gedaan om hem tegen te houden – dat ik overeind was gesprongen en had gezegd dat ik die dag nog met hem zou trouwen, of dat ik in tranen was uitgebarsten, of zijn been stevig had vastgehouden. Iets. Maar natuurlijk deed ik dat niet. Ik had mijn blik alweer afgewend toen van over het water het geluid kwam van de motorboot die meer gas gaf.

'Coole gasten,' zei Rooster.

'Je bent gewoon jaloers,' zei Mike tegen hem. En toen dook hij.

Intensive Care

HOOFDSTUK 1

Als een ander iets verschrikkelijks overkomt, gebruiken de mensen vaak het woord 'ondraaglijk'. Meemaken dat je kind of je partner doodgaat of een ander groot verlies doormaken, dat is ondraaglijk, te afschuwelijk om te kunnen dragen, en degeen of degenen die het is overkomen krijgen voor je geestesoog een soort afschuwelijke gloed, omdat ze hun leed dragen of dat proberen: omdat ze het onmogelijke doen. Die gloed kan aanvankelijk verblindend zijn – hij kan alles zijn wat je nog ziet – en hoewel hij verzwakt met het verstrijken van de jaren, verdwijnt hij nooit helemaal, zodat je, wanneer je 's nachts door de achterafstraatjes van je geest dwaalt, soms opeens halt houdt door de plotselinge aanblik van iemand voor je, die zelfs dan nog zijn aanwezigheid kenbaar maakt met een zwak maar verschrikkelijk licht.

Mikes ongeluk overkwam Mike en niet mij, maar nog lange tijd erna voelde ik iets van die gloed, voelde ik dat hij van mij afstraalde, zodat ik zelfs bij het doen van de onbenulligste boodschap, wanneer ik mijn auto voltankte of tandpasta kocht, nog dacht dat iedereen in mijn nabijheid moest kunnen zien dat ik midden in een crisis zat.

Toch huilde ik niet. De eerste dagen in het ziekenhuis werd er heel wat afgehuild – Mikes ouders huilden, zijn broer en zus huilden en Rooster huilde, hij misschien wel het meest van allemaal – maar mijn ogen bleven droog. Mijn moeder en Jamie zeiden me dat het kwam doordat ik verlamd was, en ik denk dat het daar inderdaad deels door kwam, dat ik verlamd en doodsbang was: als ik naar hem keek was het alsof er jaren waren verstreken, alsof ik hem pas net had ontmoet en niet kon verdragen dat ik niet wist wat er ging gebeuren. Maar er speelde ook iets anders mee: iedereen behandelde me zo zorgzaam en bezorgd dat ik me breekbaar voelde, maar ik was niet gebroken. Mike was gebroken, ik niet. Hij was van mij gescheiden, en dat was schokkend.

Hij lag in coma. Door een combinatie van droogte en een nieuwe oeverbedijking had het water in Clausen's Reservoir een meter lager gestaan dan normaal. Als Mike bij zou komen, zou hij te horen krijgen dat hij zijn nek had gebroken.

Maar hij kwam niet bij. De dagen gingen voorbij, en na een week, na tien dagen, was hij nog steeds bewusteloos. Hij lag op de intensive care in een klein kamertje dat vol stond met meer apparaten dan ik me ooit had kunnen voorstellen. Hij lag in tractie, zijn kaalgeschoren hoofd werd vastgehouden door tangen waaraan gewichten waren bevestigd. Omdat hij elke paar uur op zijn buik moest worden gedraaid tegen het doorliggen, was zijn bed een daarop ingerichte tweedelige constructie: het bestond uit twee gigantische strijkplankachtige onderdelen waar hij tussen geklemd en mee omgekeerd kon worden. De bezoekuren waren van drie uur 's middags tot acht uur 's avonds. Tien minuten per uur mochten dan twee mensen tegelijk bij hem, maar het leek alsof de verpleegsters ons wanneer we nauwelijks binnen waren alweer vroegen om te vertrekken. Het was alsof hij, nu hij alleen nog lichaam was, aan hen toebehoorde.

Bij de ruimte van de verpleging was een klein zitkamertje: daar zaten we meestal te praten of te zwijgen, en elkaar aan te kijken of elkaar juist niet aan te kijken. We waren met ons vijven, ons tienen of ons twintigen: een kern van familieleden en naaste vrienden, plus de mensen van Mikes werk die langskwamen na sluitingstijd van de bank, de buren van de Mayers die een kijkje kwamen nemen en mijn moeder die verscheen met tassen vol sandwiches. Er stond een rek met oude tijdschriften naast de deur, die we elkaar van tijd tot tijd aanboden, om iets om handen te hebben. Ik kon niet lezen, maar telkens wanneer het ene, verkreukelde nummer van de *Vogue* bij me belandde bladerde ik het door, en iedere keer stopte ik even bij een artikel over een modeontwerpster uit Londen. Ik weet niet of haar naam ooit tot me is doorgedrongen, maar ik kan me haar kleding nog herinneren: een getailleerd, mosgroen fluwelen jasje, een zilverkleurige jurk met lange, wijduitlopende mouwen en een wijde, losse trui van dieppaarse mohairwol. Ik bracht mijn avonden door met naaien: elke twee of drie dagen maakte ik katoenen shorts of een zomerjurk, en die exotische beelden uit Londen bleven voor mijn geestesoog verschijnen terwijl ik over mijn naaimachine gebogen zat. Ze herinnerden me dan meteen aan het ziekenhuis en de buitenwereld.

Het punt van twee weken werd bereikt, en toen ik die ochtend wakker werd dacht ik aan iets wat een van de doktoren aan het begin had gezegd, namelijk dat iedere week dat Mike bewusteloos was zijn prognose verslechterde. (Ze spraken van 'niet reageert', en steeds wanneer ik dat hoorde moest ik denken aan mezelf in de auto op weg naar Clausen's Reservoir, toen ik niet op zijn vragen had gereageerd.) Twee weken was maar een dag meer dan dertien dagen, maar ik had het gevoel dat we een punt hadden overschreden dat niet overschreden had mogen worden en kon mijn bed niet uit komen.

Ik lag op mijn zij. De lakens waren korrelig en zacht door het gebruik. Ik had ze sinds het ongeluk niet meer verschoond. Ik tastte naar mijn quilt, die op een hoopje aan mijn voeteneind lag. Ik had hem in een zomer tijdens mijn high schooljaren zelf gemaakt: het was een quilt die bestond uit in willekeurige volgorde geplaatste vierkantjes van tien centimeter. Ik had mezelf beperkt tot blauwe en paarse tinten, en als geheel gaf dat een mooi effect. Ik had ergens gelezen dat quiltmaaksters hun werk 'signeerden' met een kleine afwijkende toets, en daarom had ik in één hoek een stukje uit een oud shirt van Mike gebruikt, dat wit was met een zwarte ruit. Ik vond dat stukje en verschoof de quilt zo dat het dicht bij mijn gezicht lag.

Hij moest bijkomen. Dat moest. Het was voor mij een onverdraaglijke gedachte hoe krengerig ik bij Clausen's Reservoir was geweest – hoe krengerig ik het hele voorjaar was geweest. Het was een afgrijselijke rekensom: mijn krengerigheid plus zijn angst om mij kwijt te raken waren gelijk aan *Mike in coma*. Ik besefte scherper dan wat dan ook dat ik hem ertoe had gebracht om te duiken, om indruk op mij te maken. Ik kneep mijn ogen dicht en probeerde me te herinneren wanneer alles nog goed tussen ons was geweest. In februari? In januari? Met Kerstmis? Misschien zelfs toen al niet: hij had me oorbellen met parels gegeven die erg mooi waren, precies wat ik een jaar eerder had gewild, maar met kerst vond ik ze saai en vervelend, en voelde ik me doods van binnen – niet vanwege die oorbellen maar vanwege mijn teleurstelling erover. 'Vind je ze mooi?' vroeg hij op ongemakkelijke toon. 'Ik vind ze práchtig,' loog ik.

Het was nu juni. Ik had een vrije dag, en uiteindelijk stond ik op en zette koffie. Vervolgens spreidde ik het patroon uit van een gebroken wit jasje dat ik wilde maken. Ik streek allereerst het gekreukte papier glad en verschoof daarna de stukken op de lap stof tot ik er tevreden over was. Ik spelde ze vast en knipte ze uit met mijn Fiskars-schaar. Daarna deed ik de inkepingen, een voor een. Ik tekende de merktekens van het patroon op de stof, en aan het einde van de ochtend zat ik achter mijn Bernina en wikkelde garen op een spoel, in de ban van het snelle zoemen en van de wetenschap dat ik urenlang achter de machine zou zitten, met mijn voet op het pedaal.

Ik naaide al elf jaar, sinds mijn eerste handwerklessen op de junior high school, toen ik een gerende rok had gemaakt en verliefd op het naaien was geworden. De onverbiddelijkheid ervan sprak me aan, hoe een lap stof veranderde in een groepje uitgeknipte stukken die geleidelijk de vorm van een kledingstuk aannamen. Ik hield van alle aspecten van het werk, zelfs van de kleine afgeknipte draadjes die je bij elkaar moest rapen en moest weggooien, van de lucht van een oververhit strijkijzer en van de spelden die aan het eind van de dag overal verspreid lagen. Ik vond het heerlijk dat ik er steeds beter in werd en dat ik met ieder werkstuk dat ik maakte dichter kwam bij wat ik had gehoopt te bereiken.

Toen die avond om half negen de telefoon ging had ik een paar keer gepauzeerd voor een glas ijskoud cranberrysap, maar hoofdzakelijk had ik zitten naaien, en het geluid deed me ontwaken uit mijn werk. Verrast door de al vergevorderde duisternis schoof ik van de tafel weg en knipte een lamp aan, terwijl ik keek naar de onderdelen van het jasje die overal verspreid lagen, naar de stroken van het patroon en de geperforeerde randen van de naden. Ik had vreselijke honger, mijn rug en mijn schouders waren stijf en pijnlijk.

Het was mevrouw Mayer. Ze vroeg hoe het met me ging en vertelde dat ze had gehoord dat het misschien zou gaan regenen. Vervolgens schraapte ze haar keel en zei dat ze het prettig zou vinden als ik de volgende dag langs zou komen.

De ochtendzon viel schuin over het trottoir en richtte mijn schaduw op Lake Mendota. Mijn auto voelde al warm aan. Ik ontsloot de portieren en draaide de raampjes open, waarna ik naar het eind van de straat liep en naar het water aan de overkant van Gorham Street bleef staan kijken, dat nog bijna kleurloos onder de vroege ochtendhemel lag. Mike hield van Lake Mendota en van de manier waarop de stad de krommingen van de oevers volgde. Hij betrok mensen graag in discussies over de goede eigenschappen van dit meer en Lake Monona, het andere grote meer van Madison: hij somde dan een aantal superieure eigenschappen van Lake Mendota op, alsof het een team was waarvan hij supporter was.

Mendota en Monona. 'Dat lijken wel slechte namen voor een tweeling,' had een meisje uit New York eens tegen me gezegd, en dat had ik nooit kunnen vergeten. Ik moest erom lachen maar was een beetje gekwetst: ze sprak zo zelfingenomen, gooide haar bruine haar over haar schouder en stak haar kin omhoog. Ik kende haar nauwelijks – ze zat op de universiteit in dezelfde eerstejaars groep voor Amerikaanse geschiedenis als ik – maar toen ik vijf jaar later aan haar dacht, herinnerde ik me dit: dat ze een jasje had gehad dat ik dolgraag had willen hebben. Het had parelmoeren drukknoopjes en was kraagloos, zoals een jasje van glanskatoen, maar het was van superzacht, glad zwart nappaleer.

Aan de overkant van de straat slenterden twee jongens voorbij. Ze droegen allebei zonnebrillen met kleine spiegelende glazen – die van de ene jongen waren blauw, die van de andere groen. 'Dat godverdomme nooit,' hoorde ik een van hen zeggen.

Ik ging terug naar mijn auto. Hij rook naar kokendheet vinyl, en de stoel schroeide aan mijn benen. Ik nam altijd dezelfde route naar de Mayers. Het was een makkelijk ritje van zes à acht minuten naar Gorham, de universiteit en vandaar heuvelop, maar vandaag reed ik juist van Gorham vandaan. Ik stak de landengte tussen de meren over, en toen ik dicht bij Lake Monona kwam reed ik heen en weer door de straten die er parallel aan lagen. Soms remde ik even af om naar een paar van mijn lievelingshuizen te kijken: in de Victoriaanse tijd werden kleuren gebruikt die je niet in andere buurten zag, zoals fuchsia, groenblauw en dieppaars. Bij een klein parkje aan het meer stapte ik uit. Ik liep naar het water, waar een wolk muggen boven de grassige groene oever zwermde. Allebei de meren konden mij in een goede stemming brengen – ze waren zilverachtig blauw wanneer de zon laag stond en oogden 's winters als uitgestrekte bevroren vlaktes – maar vandaag schenen ze me saai en alledaags toe.

Niet in staat tot langer uitstel ging ik terug naar mijn auto. In het ziekenhuis had ik het gevoel dat mevrouw Mayer me voortdurend in de gaten hield in afwachting van het moment dat ik zou instorten. Toen even later de vertrouwde vorm van Mikes huis in zicht kwam, stond ze de boel weer in de gaten te houden. Ze stond voor het raam van de huiskamer met het gordijn opzijgeschoven, alsof ze had gehoord dat ik eraan kwam maar het niet geloofde.

Ik stapte uit mijn auto. Het huis was groot en wit, een perfect

18

symmetrisch huis in Britse koloniale stijl met ramen met zwarte luiken en een ijzeren adelaar op de zwarte voordeur. Ik was er sinds het ongeluk niet meer geweest, maar de voortuin lag er even netjes bij als altijd. Het gazon was zo goed gemaaid dat ik ondanks mezelf moest denken aan een geliefde uitspraak van Mike, namelijk dat zijn vader elke morgen als hij de deur uitging ieder grassprietje persoonlijk begroette. Ik dacht aan meneer Mayer die aan het maaien was, met overal de geur van gras, terwijl hij er niet aan probeerde te denken of Mike het zou halen, en mijn maag trok zich samen van paniek.

Mevrouw Mayer deed open. 'Hallo,' zei ze met een glimlach. 'Ik ben blij dat je er bent.'

Ik probeerde terug te lachen. In het ziekenhuis was het moeilijk geweest om naar haar geteisterde gezicht te kijken, maar dit was haast nog erger: ze was bleek en uitgemergeld, alsof ze eindelijk door haar tranen heen was.

'Zullen we naar de keuken gaan, schat?'

Ik volgde haar door de grote, oude kamers: langs banken waar Mike en ik samen hadden gezeten en tafels waar ik mijn schoolboeken slordig had neergelegd. Het was op een bepaalde manier ook mijn huis.

De airconditioning stond hoog, en toen we in de keuken kwamen zei mevrouw Mayer dat ze thee ging zetten. Ik ging aan de grote eikenhouten tafel zitten terwijl zij haar ketel vulde en theezakjes uit een met hartjes beschilderde glazen pot haalde.

'Voor mijn man wil het deze zomer maar niet aangenaam worden,' zei ze. 'Ik probeer het huis koel te houden, maar elke avond als hij binnenkomt klaagt hij dat het snikheet is. Het is hier kouder dan in het ziekenhuis, vind je niet?' Ze trok haar vest strak, een bouclé-vestje dat ze op een gebloemde overhemdjurk droeg, waarvan de 'vaste' ceintuur aan de voorkant sloot. Het was het soort tijdloze en stijlloze jurk dat ze altijd droeg, precies wat ik eerst leuk aan haar had gevonden, dat ze er graag als een moeder uitzag.

'Het is fris,' zei ik.

De ketel floot en ze goot het water uit, waarna ze onze kopjes naar de tafel bracht. 'Nog even citroen voor je pakken.' Ze liep naar de koelkast en haalde er een citroen uit, die ze vervolgens in schijfjes sneed. Ze legde ze op een schotel met bloemmotief en zette die voor me neer. 'Heb je zin in een broodje? We hebben zoveel eten gekregen dat ik niet weet wat ik ermee aan moet.'

'Voor mij is het goed zo.'

Ze trok de stoel tegenover me onder de tafel vandaan en ging zitten. Ze ging met haar hand over haar haren, en ik zag dat haar permanent was uitgegroeid. Langs haar scheiding waren grijze haarwortels zichtbaar. Ze blies over haar thee en schraapte haar keel. 'Ga je vandaag nog?'

Ik pakte mijn kopje op. Ik overwoog haar uit te leggen hoe het zat met gisteren – met het punt van twee weken, en hoe het bereiken van dat punt me bang had gemaakt – maar ik wist dat zij zich daar ook van bewust was en dat ze ook bang was, maar dat ze desondanks naar het ziekenhuis was gegaan. Ik blies over mijn thee en nam een slok. De citroen erin was zuur en toepasselijk voor de situatie.

'Het betekent veel voor hem om bezoek te krijgen.'

Onze blikken ontmoetten elkaar, waarna ik mijn blik afwendde. Niets betekende iets voor hem, dat was het probleem, de tragedie – dat en het feit dat het gebied tussen zijn vijfde en zesde wervel letsel had opgelopen waardoor zijn armen en benen voor zijn leven verlamd konden blijven. Maar door zo te denken, dat mijn bezoek niets betekende, voelde ik me lomp en negatief.

'Carrie?'

Ze staarde me aan, haar nog jonge gezicht was getekend door de zorgen. *Natuurlijk ga ik*, wilde ik zeggen. Ik wilde met mijn duimen over haar voorhoofd en wangen strelen. Maar toen ik iets zei klonk ik ver weg, zelfs voor mezelf. 'Ik moet werken,' zei ik, 'maar daarna ga ik.'

Ze knikte, strekte haar arm over de tafel uit en pakte mijn linkerhand. Ze raakte de kleine diamant op mijn ringvinger aan. 'Michael was zo gelukkig toen hij deze kocht, het was net als wanneer hij op school iets had gemaakt, hij was zo trots. Julie maakte er een opmerking over, dat hij niet zo groot was of zo, en zijn gezicht betrok helemaal. Hij keek zo treurig en vroeg aan mij: "Mam, denk je dat Carrie hem mooi zal vinden?"' Ze liet mijn hand los. '"Denk je dat Carrie hem mooi zal vinden?" Hij houdt heel veel van je, schat.'

Ik wendde mijn blik van haar af. 'Dat weet ik.'

We dronken in stilte onze thee. Na een poosje zei ik haar dat ik naar boven wilde, naar zijn kamer. Ik ging de trap op en liep de hal door, langs ingelijste foto's van alledrie de Mayer-kinderen, schoolfoto's en kiekjes door elkaar, waaronder twee of drie van Mike in ijshockey-uitrusting, maar met zijn helm af, zodat je zijn brede grijns kon zien.

Bij zijn deur aarzelde ik even, waarna ik naar binnen ging. Er hing een muffe, duffe geur en ik vroeg me, aangezien de airconditioning zo hoog stond, af of zijn ramen sinds het ongeluk wel open waren geweest. Ik liep naar het bed, ging erop zitten en liet mijn vingers heen en weer gaan over de geribde blauwe sprei. Op zijn nachtkastje stond een foto van mij bij de diploma-uitreiking van de high school. Ik pakte hem op en bekeek hem. Het was een bekende foto, maar het meisje dat erop stond leek maar vaag verbonden met degeen die ik nu was. Haar haren waren opgestoken op een manier waarop ik mijn haar nooit meer droeg, ze had meer eyeliner op dan ik in een eeuwigheid had opgehad maar bovenal oogde ze zeker van zichzelf, zeker van het feit dat ze nog jaren op Mikes nachtkastje zou blijven staan en dat ze daar blij om was.

Mike was nooit het huis uit gegaan, en zijn kamer vertoonde de sporen van alle verschillende fasen waarin ik hem had gekend: sportprijzen lagen naast studieboeken en naast de akte-tas die hij een jaar eerder was gaan gebruiken, toen hij was gaan werken. Hij had een baan bij de afdeling nieuwe cliënten op een bank bij het capitool, en terwijl ik om me heen keek bedacht ik dat hij het er onlangs over had gehad dat hij eindelijk zijn ouderlijk huis wilde verlaten. Hij zei dat hij, nu hij goed verdiende, een appartement moest nemen om zichzelf huishoudelijke vaardigheden bij te brengen, zodat hij ons huwelijk niet zou saboteren. Hij had dat drie of vier keer gezegd en ik had nooit antwoord gegeven. Ik vond het afgrijselijk om daar nu aan te denken: Mike die hengelde naar een antwoord – alleen maar *goed idee*, of *nee, je kunt beter nog wat sparen* – en ik gaf hem niets. Zelfs geen huwelijksdatum: ook die vraag had ik ontweken. *Later*, bleef ik denken. *Volgend jaar, het jaar hierna*. Of ik probeerde er helemaal niet aan te denken.

Ik zette de foto terug op het nachtkastje, op precies dezelfde plaats als altijd. Daarna pakte ik Mikes kussen op, bracht het naar mijn gezicht en ademde zijn luchtje in, een mengsel van zijn aftershave, zijn lotion en een lichaams- en klerenluchtje dat gewoon van hem was.

Ik werkte op de universiteitsbibliotheek waar ik tijdens mijn studie een baan als werkstudente had gehad. Toen ik afstudeerde boden ze me een baan van vijfendertig uur in de week aan, en dus bleef ik. Ik kon het baantje nemen of niet nemen, maar ik vond het prettig om op de campus te zijn: om tijdens de pauzes naar de sociëteit te wandelen en State Street op te lopen om etalages te bekijken. Ik werkte in de zaal met zeldzame boeken. Het enige staflid met ongeveer dezelfde leeftijd als ik was Viktor, een postdoctoraal student uit Polen. Toen ik binnenkwam stond hij bij de balie, en ik kon meteen zien dat hij een goed humeur had.

'Carrie, Carrie, kom hier.' Hij gebaarde met een wilde armzwaai dat ik bij hem moest komen. Hoewel hij zat en ik stond, leek hij boven me uit te torenen: hij was zonder twijfel de grootste persoon die ik ooit had gekend, met zijn lengte van twee meter, zijn brede, gespierde schouders en zijn massieve tors. Toen ik hem de eerste keer over Mikes ongeluk vertelde, pakte hij me vast en omhelsde me zo krachtig dat ik bijna buiten adem raakte.

Nu zei hij: 'Vanmorgen zei ik tegen Ania dat we meer contact met elkaar moeten hebben. Bij slavistiek hebben we feestjes, maar die zijn ook weer zo Slavisch. Wanneer kun je komen eten?'

Ik keek om me heen. Viktors bibliotheekstem was in de hele ruimte hoorbaar, en verschillende aanwezigen staarden ons aan vanaf de lange tafels waaraan ze zaten te werken. Blijkbaar wachtten ze af of ik de uitnodiging zou aanvaarden. Eten bij Viktor. Dat was voor het eerst, en ik vroeg me af hoeveel het te maken had met het feit dat Mike in het ziekenhuis lag en of ik, met het oog daarop, al dan niet moest gaan. Ik stond op het punt me te excuseren toen er een deur achter in de zaal openging waar het strakke, preutse hoofd van onze bazin, juffrouw Grafton, uitstak.

'Oeps,' zei ik zachtjes, maar op Viktors gezicht verscheen een brede lach en hij zwaaide joviaal naar haar. Een ogenblik later trok haar hoofd zich terug en sloot ze de deur.

'Ze houdt van me,' zei hij zakelijk, op maar iets lagere sterkte. 'Ik ben lang, sterk en knap. Ze ziet mij en denkt aan haar treurige, dorre, seksloze bestaan, maar ze is een ogenblik gelukkig omdat ik haar herinner aan de tijd dat dat niet zo was.'

'Viktor,' zei ik.

'Denk je dat dat niet waar is?'

'Je bent gewoon té bescheiden.'

'Hij liet zijn hand langs zijn borstelige kaak gaan. 'Ik scheer me nu elke twee dagen voor mijn nieuwe *look*.' Hij pakte mijn hand en liet me zijn kin voelen. 'Ja, ik denk dat jij het leuk vindt.'

Ik lachte. Mike was dol op mijn verhalen over Viktor, en ik bedacht hoe grappig hij dit verhaal zou vinden, maar vervolgens herinnerde ik me dat ik het hem niet kon vertellen. Een zwaar gevoel trok door me heen, als van zand dat door water heen zakt. Ik wendde mijn blik van hem af.

23

'Laten we zeggen: zaterdag over een week,' zei hij. 'We maken dan Tex-Mex klaar. Ania kan fantastisch koken, weet je.'

'Ik weet het niet, ik...'

'Geen "ik weet het niet",' zei hij. 'Ja. Ja!'

'Goed dan, ja.'

Hij lachte triomfantelijk, waarbij diepe groeven in zijn stoppelige wangen verschenen. Hij was achtentwintig maar zag er ouder uit.

Ik liep weg, klaar om aan het werk te gaan, en hij zei mijn naam.

'Viktor,' zei ik, terwijl ik me lusteloos omdraaide. 'Juffrouw Grafton gaat...'

'Je moet een beetje ontspannen, Carrie.' Hij tilde allebei zijn handen op en schudde verdrietig zijn hoofd. 'We praten en we doen ons werk, en het is geen probleem.'

Ik draaide met mijn ogen.

'Hoe dan ook, ik breng je alleen een boodschap over.'

Hij overhandigde me een stukje papier en ik liep een paar passen bij hem vandaan en verdween tussen een paar hoge boekenkasten. In zijn grote, vierkante blokletters stond er: JAMIE. 10.30. KAN LUNCHEN OP ELK TIJDSTIP TUSSEN 12 EN 3 ALS JE ROND 11.45 BELT. BEL ALSJEBLIEFT. DOET JE DE GROETEN. Zuchtend vouwde ik het briefje op en stak het in mijn zak. Jamie werkte in een kopieerzaak drie straten verderop, en soms lunchten we samen als onze werkuren het toelieten. De afgelopen maanden had ik haar meestal laten weten dat dat niet het geval was, dat ik pas laat of helemaal niet mocht lunchen, maar de laatste tijd, sinds het ongeluk, drong ze aan, liet boodschappen zoals deze achter en belde me op mijn werk, alleen om me gedag te zeggen en te vragen of het wel goed met me ging. Ik wist dat ze zich zorgen over me maakte en was daar dankbaar om, of in elk geval geroerd. Ik keek op mijn horloge: het was vijf over half twaalf. Het minste wat ik kon doen was bellen om nee te zeggen, maar het was veel makkelijker om niet te bellen en te doen alsof ik haar boodschap

24

niet op tijd had ontvangen. Ik raakte mijn zak aan en voelde het briefje erin, de vage omtrek ervan. Vervolgens vond ik een kar met boeken die op hun planken gezet moesten worden. Sinds het ongeluk kon ik me meer permitteren, en dat maakte me bang.

Het ziekenhuis was net een stad, met afzonderlijke wijken, winkelbuurten en gangen die leken op hele lange straten. Toen ik er die avond arriveerde bleef ik een paar minuten in een van de lobby's zitten en probeerde mezelf ertoe te brengen op te staan. Een boerengezin stond naast me te overleggen, de mannen droegen geruite hemden met korte mouwen die hun gebruinde armen en rimpelige, donkerrode nekken toonden. Aan de overkant van het gangpad was een heel oude vrouw in een rolstoel alleen gelaten bij een fonteintje, met een gehaakte omslagdoek over haar ziekenhuisgewaad. Mike en ik waren een paar jaar geleden door deze zelfde lobby gekomen toen zijn grootvader bezig was aan longkanker te sterven: zijn oom Dick was te onrustig om een maaltijd te kunnen nuttigen, en daarom waren we voor hem op zoek naar een pak Whoppers, het enige waar hij trek in had. Uiteindelijk vonden we ze in een cadeauwinkeltje in de hal, en Mike maakte op de terugweg het pak open, zodat we allebei een Whopper konden nemen. Nu ik daar twee jaar later weer zat kon ik bijna de moutsuiker weer op mijn tong proeven, die een beetje brandde vergeleken met de zoete, kunstmatige chocolade.

Ik vroeg me af of hij er anders uit zou zien nu ik een dag niet was geweest. Zou het iets makkelijker zijn om te zien hoe hij eruitzag, gestrand op dat vreemde bed? Ik hoopte dat hij op zijn rug zou liggen. Het allermoeilijkst was het hem op zijn buik te zien liggen, met zijn in een gecapitonneerd ovaal gevatte gezicht naar de vloer gekeerd.

Toevallig keek ik net naar de draaideur, en daar kwam Rooster binnen, met zijn nette pak nog aan. Ik stond onmiddellijk op.

Hij was net als mevrouw Mayer vervuld van hoop, en ik wist dat hij afwijzend zou staan tegenover het feit dat ik daar zomaar zat – tegenover alles wat riekte naar pessimisme. Hij bracht zijn uren in het ziekenhuis door alsof ze konden bijdragen aan iets goeds, aan Mikes herstel.

Hij zag mij niet, en ik sloeg hem gade terwijl hij een glimp van zichzelf in een spiegel opving en bleef staan om iets aan zijn das te veranderen. Ondanks mezelf glimlachte ik: het was nog altijd grappig om hem met een net pak aan te zien, misschien omdat hij dat imago zelf zo serieus nam. 'De klanten willen dat jij er beter uitziet dan zijzelf,' vertelde hij me eens. 'Het is iets psychologisch.' Hij werkte nu een jaar als verkoper bij een Honda-dealer op de Beltline. Hij sprak nu over auto's als *units*, zelfs tegen degenen onder ons die zich de tijd nog herinnerden dat hij ze als 'wagens' had beschouwd.

Ik liep naar de andere kant van de lobby en trof hem bij de informatiebalie. Nadat we elkaar gedag hadden gezegd keek hij me een ogenblik wat eigenaardig aan. Ik vroeg me af of hij wist dat ik een dag eerder niet was geweest, of mevrouw Mayer hem dat had verteld.

We namen de lift naar de intensive care, waar het altijd stil en een beetje schemerig was. Verschillende verpleegsters en verplegers zaten in de centrale ruimte op gedempte toon te praten of namen statussen door. Om hen heen lagen de vertrekken voor de patiënten, een kring van kamertjes met open deuren geflankeerd door grote spiegelruiten, zodat het verplegend personeel er vanaf elke plaats op de afdeling naar binnen kon kijken. Ik kon het gelijkmatige gepiep van de hartbewakingsapparatuur en de diepe, ruisende klanken van de beademingsapparaten horen. Tegenover Mikes kamer stond een kamertje leeg. Ik probeerde me te herinneren wie er twee dagen eerder had gelegen. Een oude dame, dacht ik. Was haar toestand stabiel geworden en was ze naar een andere afdeling gebracht? Of was ze doodgegaan en weggebracht?

Rooster bleef staan om met een van de verpleegsters te praten, en ik bleef ook staan. Ze was negenentwintig of dertig, blond en mooi op een ijskoude, noordse manier. Ongenaakbaar, met andere woorden, en dat was precies waar hij op viel. Ik stond achter hem en lachte flauwtjes wanneer ze mijn kant uit keek. De verpleegsters en verplegers wisten wie wij waren. Rooster was de beste vriend. Ik was de verloofde. Ze hadden allemaal nadrukkelijk gevraagd of ze mijn ring mochten zien.

Mike lág op zijn rug, en ik ontspande een beetje toen ik hem zag. De aanblik was niet moeilijker te verdragen dan twee dagen geleden: een volstrekt vertrouwd lichaam dat nu door apparaten werd verzorgd. Het enige wat hem bedekte was een kleine lap over zijn kruis, verder zag hij er bleek en pafferig uit.

'Hallo Mike,' zei Rooster. 'Ik ben het, kerel. Ik ben hier met Carrie.' Hij keek mij aan, wachtte en hief vervolgens zijn kin een beetje op om mij ertoe te brengen wat te zeggen. De verpleging en de doktoren hadden ons aangemoedigd om tegen Mike te praten, maar ik voelde me er ongemakkelijk bij, alsof ik tegen een bandrecorder sprak. Ik zweeg.

'Het is veertien juni,' ging Rooster een ogenblik later verder. 'Tien voor half acht in de avond. Ik ben direct van mijn werk naar je toe gekomen, kerel.' Hij haalde een vel papier uit zijn zak. 'Ik heb vandaag een Civic verkocht aan een vent met een idiote naam. Hij is namelijk tandarts. Drill. Tandarts Richard Drill. Ik zei bij mezelf: dat is er een voor de verzameling. Die moet ik onthouden en aan Mikey vertellen.'

Al zo lang als ik ze kende hadden Mike en Rooster er een theorie over namen op na gehouden. Larry Speakes, de voormalige woordvoerder van het Witte Huis. Dokter Clinch, een chiropractor uit het telefoonboek. Toen ze 's zomers op een keer door Menominee terugreden na een kampeertocht zagen ze een plaquette op een gebouw: dokter Bonebrake, orthopeed. Toeval? Absoluut niet, volgens hen. Hun favoriet was Roosters decaan voor de eerstejaars op het Madison Area Technical College, de heer Tittman, die, zo bezwoer Rooster, een beha droeg.

Rooster vouwde het vel papier op en stak het weer in zijn zak. 'Je weet maar nooit,' zei hij en haalde zijn schouders op.

Ik ging een paar passen dichter naar Mike toe. Nu Rooster buiten mijn gezichtsveld was, kon ik me inbeelden dat ik met Mike alleen was. Ik wilde niet hardop spreken, maar dat betekende niet dat ik niet met hem kon praten. Ik keek naar zijn gezicht, naar het ondiepe kuiltje in zijn kin en naar zijn dunne, bleke lippen. Ik legde mijn hand op de zijne en zei hem dat hij zich geen zorgen moest maken. *Ik ben hier,* zei ik tegen hem. *Ik ben hier, ik ben hier.*

Bij de liften kwamen we Mikes familieleden tegen, die hun avondbezoek brachten om hem welterusten te zeggen. Mevrouw Mayer was duidelijk opgelucht om mij te zien, en zelfs meneer Mayer keek me een ogenblik extra aan en knikte, alsof hij de wetenschap dat ik nu hier was maar gisteravond niet wegstopte voor toekomstige analyse.

Rooster zei dat hij moest gaan, maar ik had het gevoel dat ik moest blijven. Ik ging met hen mee terug naar het zitkamertje en wachtte daar terwijl steeds twee van hen Mikes kamer bezochten. Vervolgens zaten we met ons vijven in het zitkamertje, en hoewel er geen reden was om daar te blijven, maakte geen van ons aanstalten om te vertrekken. Het was bijna acht uur, een lange dag liep ten einde en uit de achterste hoek van het kamertje kwam de geur van oude koffie. Ik wist precies wat ik daar te zien zou krijgen: een vuil koffiezetapparaat, met eromheen gemorst koffiedik, overal lege blauwwitte zakjes van zoetjes en er vlak naast een pak verzurende melk.

'Heb jij de doktoren vandaag nog gezien?'

Ik keek op en merkte dat Julie naar me keek. Ze was negentien en net thuis na haar eerste studiejaar. Ze droeg een lange rok van bedrukte stof en bungelende zilveren oorbellen, en ze rook vaag naar patchoeliparfum. Ik schudde mijn hoofd.

'Ik meen het, mam,' zei ze. 'We kunnen hier niet op onze kont blijven zitten en van hen verwachten dat ze ons steeds volledig op de hoogte houden. We moeten ons actief opstellen.'

Mevrouw Mayer wierp mij een treurig lachje toe.

'Jezus!' schreeuwde Julie. Ze stond op en rende het zitkamertje uit.

'O jee,' zei mevrouw Mayer.

'Ik ga wel,' zei meneer Mayer, maar hij verroerde zich niet.

Ik keek naar John junior. Hij was zestien en vreselijk ontroerend, met golvend bruin haar en grijze ogen – de ogen en het haar van Mike – en precies hetzelfde lijf dat Mike zes jaar eerder had gehad, gespierd maar nog met een smal middel. Ik zag John en zijn vrienden weleens bij de sociëteit, waar ze mensen met identiteitskaarten vroegen om voor hen biertjes bij de Rat te kopen.

'Hoe is het met jou, John?' vroeg ik nu.

'Prima.' Zijn stem klonk hees – ik had het idee dat hij probeerde niet te huilen.

'Hoe bevalt je baantje?'

'Goed. Kom eens langs, dan krijg je een ijsje voor niks.'

'Misschien doe ik dat wel.'

Het weekend voor het ongeluk was hij aangenomen bij een ijssalon in State Street. Ik was bij de Mayers toen hij met het bericht thuiskwam, en razendsnel zei Mike: 'Perfect. Breng voor mij elke avond een grote bak butter pecan mee, of ik neem je te grazen.' Onmiddellijk repliceerde John: 'Als jij elke avond een grote bak butter pecan neemt hoef jij nooit meer te grazen.' Mike vond dat prachtig – nog dagenlang vertelde hij het aan iedereen.

Ik keek naar meneer Mayer: naar zijn gebruinde, kalende hoofd, naar zijn lichtbruine ogen die wazig stonden achter de dikke brillenglazen. Hij had zijn jasje en zijn das thuisgelaten maar droeg nog wel zijn geperste witte overhemd, zijn marineblauwe broek en zijn glanzende zwarte molières. De oranje bank

29

waar hij op zat was te laag voor hem, en toen hij verschoof, zijn knieën van links naar rechts zwaaide en zijn armen dichter naar zijn lichaam toe bracht, wist ik opeens zeker dat hij op het punt stond een verklaring af te leggen.

Ik stond op. Hij was sinds het ongeluk op een domineesachtige manier gaan praten. De ene dag hield hij preken over hoop en geduld, en de volgende dag gaf hij ons college over de wervelkolom en zijn functie. Ik mocht hem graag, maar ik kon er niet naar luisteren – ik werd er te kriebelig van.

'Ik denk dat ik beter kan gaan,' zei ik.

Alledrie zeiden ze tot ziens, en ik voelde dat ze naar me keken toen ik het zitkamertje uit liep. Ik vroeg me af hoe lang ze daar nog zouden zitten voordat ze naar huis zouden gaan.

Bij de liften trof ik Julie, met haar armen voor haar borst gekruist: haar wangen waren rood, haar ogen stonden vol tranen. Ze schoof haar haren uit haar gezicht. 'Ik wil het niet horen, Carrie, goed?'

Ik was even van mijn stuk gebracht. 'Ik was niet van plan iets te gaan zeggen.'

'Mijn moeder is een idioot. Ik snap niet dat ik daar pas op mijn negentiende achter ben gekomen.'

'Beter laat dan nooit.'

Ze glimlachte half maar schudde toen snel haar hoofd, alsof ze niet van haar apropos gebracht wilde worden. 'Weet je wat ze aan het doen was toen ik vanmiddag thuiskwam? Ze was táfelkleden aan het strijken. Weet je wanneer we voor het laatst een tafelkleed hebben gebruikt? Met de kerst! Weet je wanneer de volgende keer zal zijn? Met Thanksgiving!'

'Ze moet iets doen,' zei ik.

'Waarom doet ze dan niet iets aan Mike?' schreeuwde Julie. Vervolgens barstte ze in tranen uit. 'Omdat er niets gedaan kan worden,' snikte ze. 'Er kan niets worden gedaan.'

Ik sloeg mijn armen om haar heen en trok haar tegen me aan. Waarom had ik niet gehuild? Waarom kon ik het niet? Ik voelde me keihard. Ik liet mijn hand door haar haren gaan en voelde haar schouderbladen, en hoe benig en hoekig die waren.

Ze haalde haar hand langs haar gezicht, veegde hem af aan haar rok en keek naar mij op. 'Waarom kon het Rooster niet zijn?' fluisterde ze vinnig.

Alsof het iemand moest zijn: ik had dezelfde gruwelijke gedachte gehad. 'Ik weet het niet,' zei ik tegen haar. 'Ik weet het echt niet.'

Rooster was nog in de lobby toen ik daar aankwam. Hij stond dicht bij de uitgang met dezelfde blonde verpleegster te praten. Ze had haar haren nu los, een stroom van bleke golven, en droeg een schoudertas. Na een poosje keek hij op en zag mij. Vervolgens gebaarde hij me bij hen te komen staan.

'Kennen jullie elkaar eigenlijk?' vroeg hij. 'Carrie, dit is Joan. Ze komt uit Oconomowoc, geloof het of niet.'

Ik knikte. Zijn ouders kwamen allebei uit Oconomowoc. Hij ging er op feestdagen naartoe.

'Je weet wie Carrie is.'

Joan glimlachte me toe. Ze was langer dan ik me had gerealiseerd, zo'n één tachtig, met een gave, lichte huid en uitzonderlijk lichte blauwe ogen. 'Ik vind het heel erg van Mike,' zei ze.

'Dank je.'

'Maar het is nog veel te vroeg om de hoop al op te geven.'

'Precies,' zei Rooster.

Joan liep naar de uitgang, en ik keek toe hoe Rooster naar haar keek. Zijn blik was zelfs nog op haar gevestigd toen ze de deur al uit was en naar de parkeerplaats toe liep. 'Mooi,' zei hij ten slotte.

'Hoezo mooi?' Ik kende hem wel. Mooie benen. Mooi kontje. 'Gewoon mooi.'

Hij legde zijn hand op mijn schouder en een ogenblik later stapten we samen op de deur af. Het was buiten drukkend warm, de lucht was verblindend wit. Vanaf de parkeerplaats kwam de hitte ons tegemoet, dik en doortrokken van uitlaatgassen.

'Laten we wat gaan drinken.'

Ik keek omhoog en merkte dat hij me nauwlettend opnam. Zijn gezicht oogde verhit, zijn rode haren waren nat bij de haargrens. Ik wendde mijn blik af. 'Ik heb echt geen zin.'

Hij bleef staan en zette zijn handen op zijn heupen. 'Kom op, Carrie, wees nou voor één keertje eens een echte vriendin. Eén biertje, dat beloof ik. We gaan ergens heen waar het rustig is.'

'Voor één keertje? Waarom zei je voor één keertje?' Mijn ogen brandden een beetje, en ik bedacht dat het ongelofelijk zou zijn als ik uiteindelijk hierdoor aan het huilen werd gebracht.

'Zo bedoelde ik het niet.'

'Hoe bedoelde je het dan?'

Hij draaide met zijn ogen. Er kwam een ongeduldige trek op zijn gezicht, en hij staarde naar de zee van auto's die in de avondzon stonden te bakken. Ten slotte keek hij weer naar mij. 'Ik bedoelde er helemaal niks mee, goed?'

Ik zuchtte. Rooster kreeg uiteindelijk altijd zijn zin, door pure wilskracht. Ik kon weerstand blijven bieden, maar wat had dat voor zin? 'Goed,' zei ik. 'Eén biertje dan.'

We reden in onze eigen auto's en ontmoetten elkaar weer voor de universiteitsboekhandel. Terwijl we daar stonden te dubben waar we heen zouden gaan, kwamen we Stu tegen, die ons overhaalde om naar het terras van de sociëteit te gaan. Rooster ging in de rij staan om bier te halen terwijl Stu en ik buiten een tafeltje bemachtigden. Lake Mendota was een rimpelig zilveren oppervlak, als een enorme lap zijde die was uitgelegd maar nog niet gladgestreken. Ik herinnerde me hoe beide meren me die ochtend waren tegengevallen, en ik bedacht dat ze waren aangetast door mijn nalatigheid om de dag daarvoor Mike te bezoeken.

'De aarde roept Carrie op,' zei Stu.

Rooster was gearriveerd met het bier. Ik pakte mijn pul en nam een slok. 'Sorry.'

Stu leunde naar voren. 'Hoe gaat het met je?'

Ik nam mijn hand van de tafel en bewoog hem heen en weer. 'En met de Mayers?'

'Beroerd,' zei Rooster. 'Zoals met ons allemaal.' Hij keek naar mij en een kort ogenblik dacht ik dat hij me ergens van beschuldigde.

'Ik maak me zorgen om John,' zei ik. 'Om John en meneer Mayer.'

Rooster fronste zijn wenkbrauwen. 'Ik denk dat het met Julie ook niet zo denderend gaat. En mevrouw Mayer heeft mijn moeder verteld dat ze nog geen uur heeft geslapen sinds het is gebeurd.'

'Ik bedoelde alleen maar dat met name John kwetsbaar is.'

'Johnny is een harde,' zei Rooster. 'Net als Mikey.'

Ik dacht aan Mike op de pier, helemaal opgepept om een duik te nemen in water waarvan hij wist dat het ijskoud was. 'Hard,' zei ik. 'Dat is een goede eigenschap gebleken, ja.'

Rooster en Stu staarden me verbijsterd aan. Er kwam een zwak windje van het meer, en een papieren servetje steeg van onze tafel op, kantelde één keer en bleef weer liggen. Ik voelde me raar, mijn huid bij mijn jukbeenderen tintelde een beetje. *Neem het terug*, dacht ik, maar ik kon het niet. Ik keek naar mijn handen, me bewust van Roosters blik die op mij gericht was.

'Ik kan dit niet geloven,' zei hij en hij zette zijn mok met een harde klap op de tafel. Hij schoof zijn stoel naar achteren en stond op. 'Ik ben hier weg,' zei hij tegen Stu. 'Aan dit gelul heb ik nu geen boodschap, tot ziens.'

Ik keek net op tijd op om hem weg te zien lopen en vond dat er iets triests was aan de manier waarop hij er van achteren uitzag – zijn colbertje spande een beetje om zijn schouders. Ik keerde me weer naar Stu. 'Sorry. Ik weet niet wat me mankeert.'

'Nee?'

'Eigenlijk wel.' Ik dronk wat bier en wenste dat ik thuis aan het naaien was in plaats van hier op het terras van de sociëteit te zitten. Het was vol, en ik dacht aan net zulke avonden op het terras aan het begin van de herfst of het eind van de lente, als de lessen net waren begonnen of net waren beëindigd. Aan avonden met Mike en met een gevoel van rusteloosheid omdat we zaten waar we zaten, omdat er niets verrassends kon gebeuren. Soms zat Jamie bij ons, en dan kon ik haar opwinding voelen, en hoe ze om zich heen zat te kijken en zat te denken: *misschien hij, misschien hij.*

Stu staarde naar het meer, met zijn handen om zijn bierpul gevouwen. Hij had kleine handen die er bijna kinderlijk uitzagen vergeleken met de dikke, gefacetteerde pul.

'Waar denk je aan?' vroeg ik.

Hij keek naar mij, met iets verstoords in zijn blauwgroene ogen.

'Stu.'

Hij glimlachte ongemakkelijk. 'Ik zat eigenlijk na te denken over dat woord "hard". Over hoe Mike, Rooster en ik die keer over het ijs naar Picnic Point zijn gelopen.'

Ik staarde hem aan. 'Waar heb je het over?'

Hij kneep zijn ogen samen. 'Heeft Mike je dat nooit verteld?'

'Heeft hij me wat verteld?'

Hij wendde zijn blik af. Ik had een beetje met hem te doen, zoals hij daar zat in zijn bonte ruitjeshemd en met zijn kapsel. Hij had net een slopend eerste jaar als rechtenstudent achter de rug.

'Stu,' zei ik.

'Wil je wat popcorn?'

'*Stu.*'

Hij schudde zijn hoofd en zuchtte. 'Goed, het was het eerste jaar en ik...'

'Het eerste jaar op de high school?'

'God, nee, op de universiteit.' Hij snoof. 'Wie weet er nu nog iets van de high school?'

Ik. Soms dacht ik dat mijn herinneringen aan de high school mijn grootste probleem vormden. Die eerste heerlijke zoenen, het onvaste gevoel dat ik later verlangen leerde noemen. Mike op zijn best, nog voordat ik een lijst maakte van de dingen aan hem waarvan ik hield, voor het geval ik ze zou vergeten.

Stu nam een slok bier. 'Het was ons eerste jaar op de universiteit, ik zat op Marquette. Het was kerstvakantie en ik verlangde zo naar die jongens dat ik een minuut of vijf na mijn laatste tentamen uit Milwaukee vertrok, al is dat natuurlijk geheim. Hoe dan ook, ik reed naar huis en belde Rooster, hij belde Mike en alledrie kwamen we hierheen. Mike had zoiets van: "Ik zit hier de hele tijd al, laten we ergens anders heen gaan," maar het sneeuwde, het was koud en we konden eigenlijk nergens naartoe. Ik dacht: *wilde ik hierom nu naar huis?* Toen zei Rooster: "Laten we naar Picnic Point lopen." Het vroor tien graden, maar plotseling stonden we alledrie buiten bij elkaar alsof het het beste idee was dat we ooit hadden gehoord. We gingen naar het meer, en omdat het een warme herfst was geweest was het nauwelijks dichtgevroren, maar Rooster liep het ijs op. Ik zei tegen Mike: "Ik dacht dat hij bedoelde dat we er omhéén gingen lopen." En Mike zei: "Hard zijn." Nu kun je hard zijn, maar hoef je nog niet dood te gaan, nietwaar? Dus zei ik: "Nee godverdomme, jullie gaan eraan." Mike keek me aan met zo'n blik van, *nou, laten we hopen van niet, maar als we eraan gaan, gaan we eraan,* en hij liep het ijs op. Wat moest ik dus doen? Ik ging ze achterna. We liepen het hele stuk heen en terug zonder een woord te zeggen, en de volgende dag zakte dat joch door het ijs in Sawyer County, weet je nog? Hij lag een half uur in het water terwijl zijn vriendje hulp ging halen en…'

'Stop, ik weet het nog, ik weet het nog.' Het was een klein jongetje geweest, van een jaar of acht. Toen ze bij hem kwamen was het al te laat: hij leefde nog, maar stierf op weg naar het ziekenhuis. Ik had foto's van hem gezien, maar herinnerde me nu het gezicht van zijn vriendje: hij was op een avond op de tv geweest, en ik kon me nog zijn angstige oogjes voor de geest halen, waaraan je kon zien dat hij zich afvroeg of hij niet had moeten blijven om te proberen de jongen zelf uit het water te halen.

'Ik dacht dat Mike je dat wel had verteld,' zei Stu.

Ik schudde mijn hoofd. Ik keek naar Lake Mendota, waar de laatste zeilboten binnenliepen. Picnic Point lag aan de overkant, een klein schiereilandje dat het water in priemde. Vier of vijf keer per jaar fietsten of reden Mike en ik naar de parkeerplaats die het dichtst bij het begin van het pad lag en liepen het helemaal af. 's Winters pakten we ons in in donsjacks en sneeuwlaarzen. 's Zomers picknickten we er en brachten we er een hele middag door. Bij Picnic Point had ik voor het eerst zijn vinger in me gevoeld. En een paar weken later, op dezelfde stille open plek, waren we samen onze maagdelijkheid kwijtgeraakt, op een badhanddoek die ik nog steeds had. We waren toen zestien. We vonden dat we lang genoeg hadden gewacht.

Ik richtte me weer tot Stu. 'Zou jij de duik hebben gemaakt? Bij Clausen's Reservoir? Als hij naar je toe was gekomen en had gezegd: "Kom op Stu, het is heerlijk." Zou je het dan gedaan hebben?'

'Natuurlijk,' zei Stu. 'Waarom niet?'

Ik leerde Mike kennen in de winter waarin ik veertien was, een paar weken voor Kerstmis. Waarschijnlijk is het zo dat als ik hem niet had leren kennen ik iemand anders had leren kennen, zodat mijn leven een totaal andere richting in zou zijn geslagen. En dat van Mike natuurlijk ook. Weg van Clausen's Reservoir. Weg van de duik.

Jamie en ik deden die middag kerstinkopen. We waren negende klassers en droegen identieke donzige mutsen tegen de kou, de mijne was paars en de hare rood. Omdat ik al een kunstzijden sjaal voor mijn moeder had gekocht en alleen Jamie nog op mijn lijstje had, keek ik die middag toe terwijl zij cadeautjes voor haar familieleden kocht en me overduidelijke hints gaf wat ik voor haar kon kopen. Grote vergulde oorringen. Een lichtblauwe angoratrui. We waren elkaars beste vriendinnen, we konden elkaar heel wat vragen.

Laat op de dag belandden we op de ijsbaan waar de ijshockeywedstrijden van onze school werden gespeeld en namen plaats op de open tribune. Het ijshockey van de eerstejaars kon ons weinig schelen, maar er bestond altijd een kans dat we daar een interessant iemand tegen het lijf zouden lopen: die kans bestond altijd bij alles wat we deden, en daarom is het niet echt overdreven uitgedrukt dat ik, toen ik daar zat met mijn IJslandse trui aan, een gevoel had alsof ik wachtte op het moment dat mijn leven van start zou gaan.

En daar zat Mike. In de box tegenover ons, met zijn helm af: groot, jong en mooi. Ik stootte Jamie aan. 'Nummer vierentwintig,' zei ik. 'Bij het poortje, naast nummer zeven.'

'Nummer zeven zit met wiskunde bij mij in de klas,' zei ze. 'Achterin, nogal luidruchtig. Vierentwintig is goed.'

Een ogenblik lang voelde ik me heel raar – alsof er plotseling een doorzichtige, geluiddichte bel over me heen was gezet, alsof de wereld daarbuiten nog bestond, maar buiten mijn bereik. Daarna was alles weer normaal.

'Ja,' zei ik. 'Dat is hij zeker, hè?'

Ik herinner me niets van de wedstrijd, maar toen hij voorbij was kreeg ik Jamie zover dat ze met me bleef staan wachten bij de kleedkamer, waar een mededelingenbord hing met interessante briefjes die we zogenaamd konden lezen. Ten slotte zag ik in mijn ooghoek de jongen van wiskunde naar buiten komen, en ik fluisterde Jamie toe dat ze hem gedag moest gaan zeggen.

Dat was Rooster. Mike kwam meteen achter hem aan.

Jamie en Rooster praatten een paar minuten over de wedstrijd, en daarna liepen we met ons vieren gezamenlijk het ijskoude, schemerige Madison in, waar we belandden in een zaak op Regent Street die befaamd was vanwege zijn warme chocola. Jamie en ik zaten aan de ene kant van de tafel, Mike en Rooster aan de andere. Onze bestellingen kwamen, met wulpse bergen slagroom uit de spuitbus er bovenop.

Rooster praatte. Jamie en ik waren 'de dames'. 'Waar wonen de dames?' vroeg hij. 'Hebben de dames zin om een keer met mij en mijn op zijn mondje gevallen vriend naar de film te gaan? Let maar niet op hem, hij is gewoon een beetje verlegen.' Ik wierp een steelse blik op Mike en vond dat hij allerliefst bloosde.

De volgende week op school troffen wij vieren elkaar in de lunchroom en aten daar samen. Ik had het idee dat de sandwiches van Mikes moeder iets vertelden over haar, hem en de hele familie Mayer: een perfect kraagje sla sierde de randen van het brood, er zat mosterd op het vlees en mayonaise op de kaas. Ik woonde alleen met mijn moeder en was verrukt. Ik wilde zelfs nog liever zien waar hij woonde dan dat ik door hem gezoend wilde worden, maar het gebeurde allemaal tegelijk, op kerstavond, dankzij een takje mistletoe waarvan hij me later vertelde dat hij het zijn moeder had laten ophangen. Julie was toen tien en John junior zeven: ze deden me denken aan het soort tv-serie waarin de jongere broertjes en zusjes irritant maar schattig zijn.

Rooster en Jamie waren er ook en hielpen met de kerstboom van de Mayers. Ze deden nog steeds of ze elkaar leuk vonden, ter wille van Mike en mij en wat er met ons te gebeuren stond – wat we nauwelijks durfden te laten gebeuren.

De mistletoe hing in de deuropening van de keuken. Ik rook de geur van zijn gesmolten mintsnoepje. 'Ik wist het,' zei hij toen we elkaar hadden losgelaten. 'Wist wat?' Maar hij wilde het me niet vertellen.

Mijn moeder en ik waren toen al meer dan tien jaar met zijn tweeën. We leidden het rustige, stille leven van een meisje en een vrouw die lang geleden door een man zijn verlaten. Het leven bij de Mayers was de exacte tegenpool daarvan, en ik keek nooit terug. Tijdens mijn hele high school-periode ging ik uit school met Mike mee naar huis. Ik bleef daar een paar keer in de week eten en was er in het weekend. Als de Mayers 's zomers een vakantiehuisje aan het Bovenmeer huurden, ging ik ook mee. Hun grote witte huis was altijd rumoerig en vol met kinderen, vriendjes en vriendinnetjes, honden, schaatsen en jassen. Er kwam muziek uit een paar installaties, er stond een tv aan en iemand riep: 'Waar zijn mijn schoenen?' Mevrouw Mayer sloeg elke week tien zakken met levensmiddelen in. Ze was zo hartelijk tegen mij, dat het leek alsof ze me zelf had uitgezocht – net zo'n cadeau voor Mike als de kleine cadeautjes die ze mij steeds gaf: een stuk lavendelzeep, een foto van Mike als jongetje van vijf met cowboylaarzen aan, een met tulpen beschilderd vaasje.

We waren ook weleens bij mij thuis, maar daar was het anders. Wíj waren er anders: tijdens ons voorlaatste jaar op de high school brachten we twee of drie middagen per week in mijn bed door, terwijl mijn moeder veilig aan het werk was. Ze wist het ook: voordat ik 's ochtends naar school ging vertelde ze me precies wanneer ze die dag thuis zou komen, alle boodschappen die ze op weg naar huis nog wilde doen meegerekend. Wanneer ze thuiskwam maakte ze altijd een hoop onnodig lawaai op de trap, voor het geval we haar niet de oprijlaan op hadden horen komen. Soms, nadat we mijn kamer uit waren gekomen met een leugentje over huiswerk, nodigde ze Mike wel uit om te blijven eten, en dan voelde ik me verscheurd: als hij bleef betekende het dat hij langer bij me was, iets waarnaar ik altijd vurig verlangde, maar de maaltijden vonden plaats in de rust en verstilling van ons huis. Ik wist dat hij zich niet op zijn gemak voelde, als enige man aan tafel.

Ik heb drie herinneringen aan mijn vader, precies drie, wat passend is, omdat hij ook drie jaar in mijn leven is geweest. Ik probeerde me andere herinneringen voor de geest te roepen, maar dat was zinloos, een opgave die met zich meebracht dat ik me dingen ging 'herinneren' die ik niet zelf had gezien, verhalen die mijn moeder me had verteld en tafereeltjes die ik had gezien op foto's die later waren verdwenen. Toen ik acht of negen was vertelde ik opgewonden aan mijn moeder dat ik me opeens had herinnerd dat ik op mijn vaders schouders zat en een hoorntje met zwartekersenijs at bij de post van de strandwacht op een groot strand. Ze fronste veelvuldig haar wenkbrauwen en dacht na, totdat er een vlaag van begrip over haar gezicht trok en ze me vertelde dat het niet zo was, dat het niet mijn vader was geweest, maar dat het later was gebeurd, toen ik bijna vijf was: haar neef Brian had ons uitgenodigd om een week met zijn gezin op het strand van New Jersey door te brengen, en ik had op Brians schouders gezeten. Maar ik had gelijk over dat zwartekersenijsje, dat herinnerde zij zich ook.

Het geheugen is iets raars – deels film, deels droom. Je kunt nooit weten of dat wat je je herinnert iets wezenlijks is of iets heel anders, een versierend element. Dit is wat ik me van mijn vader herinner: het is laat in de avond en ik zie vanuit een donkere gang een man in een geruite badjas tegen mijn moeder schreeuwen, die voor hem staat in een lange, roze nachtpon, haar handen ineengeslagen voor haar borst. Ik kijk een hele tijd toe maar ze zien me niet, en hoewel de man schreeuwt is de herinnering geluidloos. Vervolgens sta ik voor een raam met ijsbloemen aan de randen terwijl dezelfde man paaltjes voor een hek in de bevroren grond slaat. Elke klap klinkt door in de besneeuwde wereld voorbij onze tuin, tot in de hoge, bevroren takken van zwarte bomen en tot in de eindeloze lucht. 'Om die vervloekte teef buiten te houden,' zegt hij later, of misschien eerder, maar niet tegen mij, al is er verder niemand aanwezig. Ten slotte haalt hij, heel vroeg op een morgen, het gordijn in mijn slaapkamer op, een scherm van manillapapier dat hij optrekt met een met draad omwikkelde ring, zodat er bleek licht naar binnen stroomt. Hij heeft een net pak aan en is binnengekomen om afscheid te nemen. Aan het voeteneind van mijn bed, laat hij – 'uitgerekend', zoals mijn moeder steeds weer zegt – een gemonogrammeerde puntenslijper uit zijn bureau als souvenir achter.

Dat is het, dat is alles wat ik me herinner. Wat ik niet weet is bijna onbeperkt: zijn geur, de klank van zijn stem, of hij me ooit heeft aangeraakt. Een heel boek vol, een compleet naslagwerk – een deel dat ik bij de Mayers steeds weer vol probeerde te krijgen.

De puntenslijper heb ik niet meer. Toen ik in de vierde klas zat, zes jaar na zijn vertrek, nam ik hem op een morgen mee naar school. In de pauze glipte ik door de achterdeur naar buiten en smeet hem in de afvalbak achter de kantine.

Mike kwam niet bij. Er verstreken vijftien dagen, zestien, zeventien. Op een nacht, toen ik niet kon slapen, verliet ik mijn woning, stak Gorham Street over en ging zitten in James Madison Park, een groot grasveld aan Lake Mendota. De zomer dreigde nu al als de allerwarmste in de boeken te worden bijgeschreven, en hoewel het na twaalven was kon ik de lucht nog steeds op mijn huid voelen als iets onaangenaams dat tegen mijn blote armen en benen drukte, in mijn haren ging zitten en ze zwaar maakte. Er was een bijna volle maan opgekomen, en het maanlicht schitterde over het wateroppervlak. Ik vond Picnic Point aan de overkant, een donkere plek tussen het meer en de lucht.

Ik dacht aan het verhaal van Stu, hoe Mike, Rooster en hij over het ijs waren gelopen, en zei bij mezelf: maar goed dat Mike me dat niet heeft verteld.

Ik trok mijn schoenen uit en ging lopen, zodat het natte gras langs mijn voetzolen kriebelde. Mijn oog viel op iets ronds bij een boom, en ik bukte me om het te bekijken. Een tennisbal. Ik raapte hem op. Hij was ruw, alsof hij zo vaak een hondenbek in en uit was gegaan dat het wollige eraf was geschuurd. Hij was langs een van de naden opengebarsten, en toen ik hem opgooide viel hij met een holle, onstabiele tik terug in mijn hand.

Ik moest denken aan een zomer waarin Mike en ik bijna elke dag hadden getennist. Tegen augustus hadden onze partijtjes weinig wedstrijdachtigs meer en werden de punten en setstanden meer voor de vorm bijgehouden dan omdat het ons werkelijk kon schelen. Het spelen werd een vorm van converseren, een soort fysiek gesprek. Op een dag zei ik dat tegen hem. Hij lachte er eerst om en zei: 'Ja, we zeggen "Daar dan, daar dan."' Maar een paar dagen later bracht hij het weer ter sprake, en ik had het gevoel dat hij erover gepiekerd had. 'Ik weet wat je bedoelde,' zei hij, en vervolgens: 'Jij bent iemand die nadenkt.' Ik wist dat hij graag wilde begrijpen wie ik eigenlijk was.

Ik wilde daar nu niet over nadenken. Ik liep met de kapotte tennisbal naar het water, gooide hem erin en ging terug naar huis. Op de begane grond was het donker en stil, dus liep ik op mijn tenen over de veranda en nam zo geluidloos als ik kon de trap naar mijn etage.

Mike was een paar kilometer bij me vandaan, in slaap. De doktoren hadden gezegd dat het verkeerd was om er zo over te denken – hij sliep niet – maar ik deed het toch: ik stelde me hem voor terwijl hij op zijn rug lag met zijn ogen dicht. Ik dacht de tangen op zijn hoofd, de slangen en het geluid van het beademingsapparaat weg. Ik kleedde me uit en ging naar bed. Toen ik lag dacht ik aan zijn slapende gezicht, zijn slapende gezicht naast me, gewoon op het andere kussen.

Ik sloot mijn ogen en wachtte. Ik kon mijn hand op zijn borst leggen en dichter tegen hem aan kruipen – me ook overgeven aan het donker. Of ik kon zijn schouder kussen als het ochtend was. Hij kon dan wakker worden en doen alsof hij nog doorsliep. Om dan opeens te praten, volledig alert: 'Ik heb diep over iets nagedacht, en ik heb besloten dat ik het echt aan jou moet vertellen.'

'Waarover?'

Hij draait zich naar me toe, nu met open ogen, die zachtgrijs zijn en vaag omrand door bleke wimpers. Hij kijkt me in mijn ogen. 'Ik heb serieus nagedacht over wafels.'

En allebei lachen we, de dag is begonnen.

Ik opende mijn ogen in de duisternis van mijn slaapkamer. Terwijl ik daar alleen lag bracht ik me er, met tegenzin, weer toe te denken aan die middag met hem op de tennisbaan, vier of vijf jaar geleden. 'Jij bent iemand die nadenkt.' We waren uitgespeeld – we hadden het fysieke gesprek van die dag achter de rug. We stonden bij het hek en ritsten de hoezen om onze rackets. Het was ruim vijfendertig graden, we verlieten de tennisbaan en gingen onder een schaduwrijke boom op het gras zitten. Hij draaide de dop van de fles water die hij had meegenomen en overhandigde mij de fles. Het ijs was gesmolten, maar het water was nog koud. Ik nam een enorme teug en gaf de fles daarna terug. Grijnzend spatte hij wat water op zijn voorhoofd voordat hij er zelf van dronk. Hij draaide de fles weer dicht, zette hem naast zich neer en veegde met de onderkant van zijn arm zijn natte haren uit zijn ogen. Hij pakte mijn hand en trok een lijn naar mijn wijsvinger. 'Dat is ook een manier van praten,' zei hij.

Ik keek glimlachend naar hem op. 'Welke woorden zou je dan zeggen?'

Hij aarzelde. 'De gewone vier. Dat ik die altijd uitspreek, ongeacht of ik ze nu uitspreek of niet, omdat ik ze altijd denk.' Hij wendde zijn blik een seconde af en toen hij me weer aankeek waren zijn ogen een beetje betraand. 'Altijd,' zei hij.

Een bijna lichamelijk gevoel van plezier stroomde door me heen, en ik pakte zijn hand. Ik schoof mijn dij tegen de zijne aan en bedacht hoe verschillend onze beide benen waren, het mijne glad en slank, het zijne behaard, stevig en sterk. Hoe verschillend en hoe complementair.

Hij bevrijdde zijn hand en trok me tegen zich aan. 'Ik zweet hier nog steeds als een otter,' zei hij na een poosje.

'Ik ook.'

Hij grinnikte. 'Mijn moeder zou zeggen: "Paarden zweten, heren transpireren en dames blozen."'

'Goed, ik bloos.'

'Nee, het is in orde, je mag zweten. We willen geen – hoe zeg je dat?'

'Geen dubbele moraal.'

'Geen dubbele moraal,' zei hij. 'Wij zijn een stel met één vaste moraal.'

'Dat klinkt erg naar vastigheid.'

'Dat doet het ook.'

We zaten tegen elkaar aan, onze lichaamssappen werden één. 'Weet je,' zei hij, 'ik vind het eigenlijk wel prettig om te zweten. Dat is zo lekker aan ijshockey, je kunt zoveel zweten als je wilt, maar de ijsbaan is zo koud dat je je nooit te vies voelt. Maar zelfs zweten op een ontzettend warme dag is heel lekker. Je voelt je lijf werken.' Hij stootte me zachtjes aan. 'Maar ik spreek hier voor mezelf, hè? Ik wed dat jij zou willen dat je nog deze zelfde minuut onder een koude douche zou kunnen stappen, waar of niet?'

Dat was waar, maar niet helemaal: ik wilde ook daar bij hem zijn.

'Ik zit hier te praten over het genot van het zweten en jij denkt alleen maar: gunst, ik denk dat ik het nog wel een minuut kan uithouden als het voor hem zoveel betekent.'

We lachten geamuseerd naar elkaar. Hij maakte zijn arm van me los, stond op en stak zijn hand uit.

'Wat?' vroeg ik. 'Ik wil best nog even blijven zitten.'

Hij schudde zijn hoofd. 'Laten we gaan.'

'Echt?'

'Ja, in de geest van: "Ga altijd weg op het hoogtepunt van een feestje."'

'Van wie is die, lieve Lita?'

'Van mijn tante Peg.'

'Dat blijft hetzelfde,' zeiden we eenstemmig. Zijn tante Peg wist raad voor elke gelegenheid: met Pasen had ze me eens terzijde genomen en me verteld dat ze zich er niet mee wilde bemoeien, maar dat ze vreesde dat ik niet wist hoe belangrijk het was je man een beetje te laten wérken voor je liefde. 'Laat hem op zijn tenen lopen,' fluisterde ze. 'Wijze raad.' We hadden daar later erg om gelachen, Mike en ik, en nog een poos daarna liep hij elke keer dat hij haar zag op zijn tenen, maar het drong nooit tot haar door.

Ik pakte zijn hand en liet me door hem overeind trekken. 'Maar wij zijn zelf het feestje, nietwaar?' zei ik.

'We nemen het mee,' zei hij. 'Zo moet het, toch?'

'Inderdaad,' zei ik, en we liepen naar onze fietsen terwijl we elkaar bij de hand hielden en onze handen tussen ons in lieten zwaaien – gelukkig. Dat was waar ik van hield: van die zekerheid, van dat planmatige. Het was hetgeen waar ik altijd van had gehouden, dat we samen iets hadden ontdekt en het samen hadden gecreëerd: een feestje dat altijd maar door zou gaan. Al was het niet zozeer een feestje dat altijd maar door zou gaan als wel iets anders, iets wat niet tijdelijk maar ruimtelijk was: als een enorm huis. Ik had dat al eerder gedacht, dat we voor onszelf een zo groot huis hadden gebouwd dat er kamers waren die we nog niet eens hadden ontdekt, kamers die we nog konden ontdekken en samen bewonen. Ik zag een reusachtig huis op een rots voor me, dat er bij ieder licht prachtig uitzag. En toen ik al die jaren later in mijn donkere slaapkamer lag – en Mike niet slapend maar in coma elders in de stad lag, met een apparaat dat adem voor hem haalde en het werk van zijn lichaam deed –, had ik het gevoel dat ik ergens was aangeland waar dat grote oude huis, dat nu al zo lang onzichtbaar was geweest, opeens weer duidelijk in beeld kwam. Zijn liefde. Mijn liefde. De woorden waarmee we daarover praatten, het verlangen om dat te doen. Het kon weer opnieuw beginnen, het kon weer helemaal opnieuw beginnen. Ik voelde dat de tranen bij me opkwamen. Het ging snel en ik spande me, maar dat had geen zin – het gevoel kwam opzetten, het kwam ieder ogenblik naderbij: enorm en onoverwinnelijk. Ik zou weggevaagd worden. Maar net toen ik mezelf er klaar voor maakte – en zelfs verlangde naar de opluchting van het overspoeld worden – ebde het gevoel weer weg. Vervolgens verdween ook het huis en lag ik weer gewoon in mijn bed, alleen, in een toestand die het midden hield tussen ongerustheid en verdoving.

HOOFDSTUK 3

De volgende dag was een zaterdag, en na mijn douche begaf ik me naar de boerenmarkt. Het grote plein rond het staatscapitool met zijn hoge koepel stond vol met kraampjes, en overal stonden pick-uptrucks met hun laadbakken nog vol sla, bonen, basilicum, aubergines, courgettes, kratten klaverhoning en kistjes goudsbloemen. Al kijkend liep ik rond. Elke zomer weer kwamen dezelfde boeren, en ik zag kinderen die een jaar eerder nog niets te doen hadden gehad geld wisselen terwijl achter hen hun ouders aan het werk waren. Zij laadden groente uit of namen een minuut rust onder de schaduw van een grote paraplu van vinyl. Ik liep langs een kraampje met gerookte zalm en een kraampje waar alleen diepgroene broccoli werd verkocht. Toen kwam ik bij een kraampje met morellen, waar de dozen dicht opeengepakt op een klaptafel stonden, en ik bleef als aan de grond genageld staan.

Mike was dol op kersentaart, maar Rooster had er iets speciaals mee – de absolute toptaart, zei hij altijd. Het morellenseizoen duurde niet lang, maar ten minste één keer per zomer verscheen er een vrachtwagenlading uit Michigan op de boerenmarkt en sloeg ik er genoeg in voor een paar taarten. Een klein groepje van ons sloeg dan 's avonds het avondmaal over en kwam in plaats daarvan voor een dessert bijeen op mijn balkon op de eerste verdieping. Zoet vanilleijs gaf de gekookte morellen dan precies dezelfde kleur roze als kauwgom. 'Perfect,' verzuchtte Rooster, en een tijdlang was er niets anders te horen dan het geschraap van vorken op borden.

De afgelopen zomer had Rooster gezegd: 'Maak er drie. Of vier. Kun je er niet een invriezen?' Mike en ik waren hem bij de Coffee Connection tegengekomen, en hij was met ons naar de boerenmarkt gegaan en had ogenblikkelijk het kersenkraampje ontdekt. Ik zei dat ik een extra taart voor hem zou maken die hij mee naar huis kon nemen en kocht een enorm aantal morellen, dozen vol. Vervolgens ging ik naar mijn etage terwijl Mike en hij Mikes vader gingen helpen met schilderwerk. Toen ze een paar uur later verschenen, was ik nog steeds kersen aan het ontpitten – ik sneed de ene kers na de andere open en wipte de pit eruit met mijn vingertop, mijn handen zagen karmozijnrood – en Rooster was ontsteld. Het was op de een of andere manier nooit tot hem doorgedrongen dat het verwijderen van de pitten werk was. Hij kon niet geloven dat het zo lang had geduurd. 'Ik had er geen idee van,' zei hij steeds weer, en die avond bedankte hij me voortdurend, terwijl hij met Mike, Jamie en mij stukken taart zat te eten. Ik was ontroerd en volkomen onvoorbereid op wat er vervolgens gebeurde: ongeveer een maand later kwam hij op een avond alleen langs en overhandigde me een klein papieren zakje. Met een schaapachtige grijns op zijn gezicht zei hij: 'Ik heb een cadeautje voor je meegebracht. Nou ja, voor ons. Voor volgend jaar.' In het zakje zat een metalen voorwerpje dat eruitzag als een klein notenkrakertje: een kersenontpitter die hij uit een catalogus had besteld. 'Je moet mij niet bedanken,' zei hij. 'Je moet jezélf bedanken.'

En nu was het volgend jaar. Er had zich al een rij gevormd, er stonden ten minste zes mensen te wachten om kersen te kopen. Ik keek naar de morellen, die rond en rood in de zon lagen te glanzen en dacht: zou Rooster vandaag langskomen en zich afvragen of ik ze ook heb gezien? Zou hij aan de ongebruikte kersenontpitter in mijn keukenla denken? Zou hij zich afvragen of ik hem nu ooit nog zal gebruiken? Ik had hem gisteren in het ziekenhuis gezien, allebei hadden we ons onbeholpen gedragen na de avond met Stu op het terras, en een ogenblik overwoog ik om in de rij te gaan staan en net genoeg kersen te kopen voor een kleine taart.

Ik liep verder over het plein rond, kocht wat sla, ging naar huis om mijn auto te halen en reed naar mijn moeder. Ze deed open in haar weekenduniform: een chambray hemd dat in een kaki broek was gestopt en vetermoccasins aan haar voeten. Achter haar was het huis in schaduw gehuld, de huiskamer met zijn ramen op het noorden, de smalle trap naar de eerste verdieping. 'Schat,' zei ze. 'Hallo, ik had je niet verwacht.'

Ik was langs een bakker gereden en hield de zak omhoog. 'Ik heb muffins meegebracht. Maar als je al gegeten hebt...'

'Nee, niet echt.'

Ik wist dat ze wel had gegeten: haar leesbril hing aan een kettinkje om haar hals, wat er onweerlegbaar op wees dat ze al had ontbeten en aan haar schrijfwerk voor het weekend was begonnen. Ik woonde al vijf jaar niet meer bij haar, maar na het ongeluk had ik een paar keer bij haar overnacht, zodat ik zelfs wist wat ze als ontbijt had genuttigd: zemelvlokken met taptemelk, en voor driekwart cafeïnevrije koffie. In de provisiekast hadden zo'n zes identieke dozen met graanvlokken gestaan, een aantal zakken pasta en een stapel blikken tonijn van zeker dertig centimeter hoog. Ze was een gewoontedier.

Ze deed een stap naar achteren en zette de deur verder open. Het is ook jouw huis, zei ze altijd, maar ondanks mezelf klopte ik toch aan en had ik toch het gevoel dat het niet mijn huis was. Ik stapte naar binnen en volgde haar naar de keuken. Ik had haar een paar dagen geleden nog in het ziekenhuis gezien, maar ze had daarna haar haar laten knippen. Het zag er aan de achterkant stekelig uit, met meer grijs erin dan ik had verwacht. Ze maakte lange dagen als therapeute bij de studentengezondheidszorg. In het weekend trok ze zich terug in een klein kamertje naast haar slaapkamer en werkte haar haastig neergeschreven notities uit tot vollediger verslagen van de sessies.

Ik sloeg vanachter de keukentafel gade hoe ze haar koffiezetapparaat vulde met koud water, de diepvries openmaakte en de koffiezak met haar speciale mengsel pakte.

'Ik heb vanmorgen echte koffie nodig, mam.'

Ze glimlachte me over haar schouder toe. 'Goed, maar dan heb jij het op je geweten als ik de hele dag loop te trillen.' Ze pakte een andere zak, zette het apparaat aan en ging tegenover me zitten. Ik schoof de muffins naar haar toe. 'Die zien er griezelig verleidelijk uit,' zei ze. 'Wat voor muffins zijn het?'

'Met wortel. Maar maak je geen zorgen, ik heb vetarme muffins genomen.'

'Nou, in dat geval...'

Ik brak een stuk van mijn muffin af en stak het in mijn mond, het knapperige bovenkantje waar Mike zo gek op was. In mijn woning lag vaak een wit zakje met twee of drie muffinkarkassen, alleen de onderkantjes in hun gevouwen papieren velletjes.

'Geen nieuws?' vroeg ze.

Ik schudde mijn hoofd. Geen nieuws, geen hoop, niets.

Ze stak haar arm over de tafel uit en klopte op mijn hand.

Ik wendde mijn blik af, en mijn oog viel op de gordijntjes boven de gootsteen die van afgeleefde, vaalwitte katoen waren. 'Ik moet je iets vertellen,' zei ik.

Er verscheen een rimpel op haar neusbrug en ze keek me vorsend aan. Ongetwijfeld dacht ze dat het iets met Mike te maken had.

'Je hebt nieuwe gordijnen nodig,' zei ik. 'Hier, boven in de badkamer en in je werkkamer. Heb je de laatste tijd weleens naar je gordijnen gekeken? Ze zijn armoedig.'

Haar gezicht ontspande zich in een glimlach, maar ik zag dat ze er geen flauw idee van had waar ik heen wilde. 'En?' vroeg ze.

'En ik dacht erover nieuwe voor je te maken. Als je het niet te druk hebt kunnen we nu meteen stof gaan kopen.'

Ze pakte haar koffiekopje op, nam een slok en zette het kopje behoedzaam neer. 'Dat is een mooi aanbod,' zei ze. 'Maar denk je niet dat je al genoeg aan je hoofd hebt?'

Ik wilde niet nadenken over wat ik aan mijn hoofd had en wendde mijn blik af. Vanuit mijn ooghoeken zag ik dat ze haar kopje oppakte voor een volgende slok en het weer neerzette.

'Nieuwe gordijnen zouden mooi zijn,' zei ze.

Ik keerde me weer naar haar toe. 'Echt?'

'Ik ga op je aanbod in.'

We aten onze muffins, dronken onze koffie en maten de ramen op. Daarna stapten we in haar auto en reden naar een van de grote stoffenzaken aan de andere kant van de stad. Ik was er niet meer geweest sinds het behalen van mijn rijbewijs, en nu ik hem door andermans ogen bekeek werd ik me overbewust van de onprettige kanten ervan: de felle verlichting, de grootte, de stijfselgeur. Er waren talloze rijen met talloze rollen stof: katoenen, kunstzijden en wollen stoffen, alsmede glanzende acetaatzijden stoffen voor voeringen. Dicht bij de ingang stond prominent een display met stoffen voor de vierde juli, met meer dan tien verschillende combinaties van sterren en strepen. Ik had nooit de zin van stoffen voor een bepaald seizoen ingezien, of de behoefte om voor jezelf een blouse met snoepgoedmotieven voor Halloween of een stel servetten met leprechaun-opdruk voor de viering van St. Patrick's Day te maken. Als ik iets maakte beoogde ik duurzaamheid: dat de uren die ik in het werkstuk had gestoken me een veelvoud aan draaguren zouden opleveren. Om over smaak maar te zwijgen.

We gingen naar de achterste muur, waar op reusachtige rollen de stoffen voor woninginrichting hingen. Mijn moeder zocht meteen een streepjesstof uit voor haar werkkamer en een stof met een opdruk van kleine bloemetjes voor de badkamer, maar voor de keuken wist ze het niet zeker. 'Misschien deze met die vruchten,' zei ze. 'Vind je hem mooi?'

'Ja hoor.'

'Ik ben gisteravond bij de Mayers langs geweest,' voegde ze er terloops aan toe.

Ik had over een gebloemde chintzstof gestreken, maar liet hem nu los. Ik voelde me geraakt, want ik haatte de gedachte dat ze met mevrouw Mayer over mij sprak. 'O ja?'

'Ik heb ze een stoofschotel gebracht.'

Ik glimlachte. 'Deed je net alsof je hem zelf gemaakt had?'

'Grappig genoeg was dat ook zo.' Ze keek me aan, met haar

hoofd een beetje schuin. Het leek of ze probeerde te beslissen of ze me iets bepaalds wel of niet moest vertellen.

'Wat?' vroeg ik.

'Ik denk dat ze zich zorgen over je maakt. Dat je hem afschrijft, al drukte ze het niet zo uit.'

Ik dacht aan het bleke gezicht van mevrouw Mayer, aan de waakzame manier waarop ze me een ochtend geleden boven haar thee had aangekeken. Ik probeerde me op de stoffen te concentreren. Een ogenblik leek naaien de treurigst mogelijke bezigheid, een wereld van hoop belichaamd in de schone rollen stof, terwijl je in feite niet meer kreeg dan een nieuw kussensloop, een nieuw wegwerpartikel voor je oude bed.

'Doe je dat?' vroeg mijn moeder omzichtig, en ik vroeg me af wat ze dacht, of ze misschien diep in haar hart hoopte dat dat inderdaad het geval was. Misschien niet dat ik hem afschreef, maar dat ik eraan dacht met hem te stoppen. Ik had nooit het idee gehad dat ze hem helemaal had goedgekeurd – het feit dat ik al zo vroeg vaste verkering met iemand kreeg. Ze zei nooit iets, maar ik zag het aan haar zwijgzaamheid over het onderwerp, aan de manier waarop ze altijd aardig tegen hem was, alsof ze afwachtte tot het uitging. Ik veronderstelde dat als ze onze verkering afkeurde haar eigen mislukte huwelijk daarvan de oorzaak was: niet zozeer omdat ze niet wilde dat ik zou slagen waar zij had gefaald, maar omdat ze vreesde dat haar falen de kiemen voor mijn falen had gelegd en ze mij daarvoor wilde behoeden.

Ik had haar niets verteld over de wankele toestand die voor het ongeluk tussen Mike en mij had bestaan. Ik had niemand iets verteld.

'Nee,' zei ik, en ik keek haar weer aan. 'Dat doe ik niet.'

'Dat dacht ik ook niet.' Ze strekte haar hand uit naar een stof met een blauwwitte harlekijn-opdruk. 'Ik heb haar gezegd dat ze zich met haar eigen zorgen moest bezighouden en jouw zorgen aan jou moest overlaten.'

'Mam!'

'O, niet met zoveel woorden, gekkie. Ik ben een keurige ouder-commissie-moeder geweest, maak je maar niet druk.'

Een 'oudercommissie-moeder' was een aanduiding voor het soort moeder dat mijn moeder nu net niet was. Een oudercommissie-moeder bakte chocoladecakejes met oranje glazuur voor het Halloween-feestje van de klas van haar kinderen. Mijn moeder stuurde mij naar school met een enorme kan vruchtenbowl.

'Wat voor soort stoofschotel was het dan?'

'Kip met champignons. Weet je, koken is eigenlijk heel leuk. Dat was ik vergeten.'

'Is dit het begin van een nieuwe trend? De "werkende vrouw die ook nog tijd voor haar huis heeft"?'

'O, dat betwijfel ik. Hoe dan ook, jij maakt de gordijnen, ik niet.'

Ik haalde mijn schouders op: ik had de vorige avond het linnen jasje afgemaakt en had een nieuw project nodig, zo eenvoudig was het. 'Dat is waar,' zei ik. 'Maar ze zijn niet voor mijn huis.'

'Je trekt niet binnenkort weer bij mij in? Breek mijn hart niet.'

'Ik weet niet wat ik ga doen.'

Ze keek opeens ernstig. 'Dat is goed, weet je dat. Dat is echt goed.'

'Dat weet ik.'

Ze hield haar hoofd scheef en had een bezorgde trek op haar gezicht. 'Heb je plannen voor vanmiddag?'

'Ik ga lunchen met Jamie. En daarna naar het ziekenhuis.'

Ze knikte traag. Ze aarzelde een ogenblik, en sloeg toen haar armen om me heen en trok me tegen zich aan.

Jamie woonde nog in Miffland, het studentenghetto dicht bij de campus, en om vanaf mijn moeder daar te komen moest ik langs de plek rijden die ik beschouwde als de pechplek. Niet één maar twee keer was mijn Toyota vlak voor Hank's Shoe Repair afgeslagen, en allebei de keren had Mike eraan gesleuteld om hem weer aan de praat te krijgen – de tweede keer met zijn nette pak aan, omdat hij toen al bij de bank werkte. Het was voor het eerst sinds het ongeluk dat ik erlangs reed, en ik greep het stuur stevig vast tot ik goed en wel de volgende straat ingereden was. Miffland stond vol grote houten huizen die door de huurders totaal waren uitgewoond, met rommelige voortuinen en overal verwilderde seringen. Het was een buurt waar bepaalde huizen al tientallen jaren of nog langer een reputatie hoog te houden hadden: het dopehuis op de hoek van Mifflin en Broom, kon iemand bijvoorbeeld terloops zeggen. En al waren de junks die jij kende en die er hadden gewoond al lang verdwenen, er hadden zich nu zes soortgenoten gevestigd die de fakkel van hen hadden overgenomen.

Ik trof Jamie zittend aan op haar schuin aflopende veranda in een gebloemd bikinitopje en een afgeknipte spijkerbroek, haar donkerblonde haren in haar nek hoog opgestoken met speldjes. Vijf of zes jongens lagen te luieren op het balkon op de eerste verdieping van het huis naast haar, dat befaamd was om de felgele kleur waarin het lang geleden was geschilderd en die nu was verbleekt tot een smerig okergeel en zo zwaar was afgebladderd dat je het lichtblauw eronder kon zien. De jongens zaten op aluminium leunstoelen voor een stel reusachtige luidsprekers die vanaf de vensterbank van iemands slaapkamer naar buiten gericht stonden. Er knalde gangsterrap uit. 'Something something bitch,' hoorde ik terwijl ik Jamies tuinpad opliep.

'Fijne buren,' zei ik terwijl ik naast haar ging zitten. 'Wanneer ga je verhuizen?'

Ze lachte. 'Ze zijn niet verkeerd. Ze komen volgend jaar in hun tweede jaar en zijn net uit de slaapzalen ontsnapt. Ze komen steeds langs en vragen dan een spons te leen, weet je wel. Het lijkt me niet waarschijnlijk dat ze die ook zullen gebruiken.'

Ik keek omhoog naar de jongens. 'Waarschijnlijk niet.'

Ze zette haar glas neer en keek me aan. 'En?'

Ik haalde mijn schouders op. 'Niets veranderd.'

'Gaat het goed met jou?'

Ik haalde opnieuw mijn schouders op.

Ze pakte haar glas en nam een lange teug. 'Zie je die knul met dat gele T-shirt?'

Ik keek omhoog naar de jongens: de knul met het gele T-shirt keek omlaag naar ons. 'Ja.'

'Hij lijkt me wel cool.'

'Cool?' zei ik. 'Bedoel je niet lekker?'

'Wat is hij dan, een reep chocola?' Ze glimlachte. 'Gewoon een tikje slimmer dan de doorsnee negentienjarige, meer bedoelde ik niet.'

'Jokkebrok.'

'Laat me toch. Waarom ga je niet wat te eten voor ons pakken? Ik wil er nog zo eentje.' Ze overhandigde mij haar glas en ik liep naar de voordeur.

Binnen in de huiskamer was het donker en muf. Jamies huisgenote lag op een afgeleefde bank van goudkleurig fluweel, met haar nachthemd nog aan, de telefoon naast haar en de hoorn tegen haar oor gedrukt. Toen ik voorbijkwam keek ze op zonder notitie van me te nemen. Haar verloofde zat in Los Angeles, waar hij economie studeerde, en ze belden elke woensdagavond en elke zaterdagochtend met elkaar. Op de eerste dag van elke maand liet hij twaalf rode rozen bij haar bezorgen.

In de koelkast vond ik een bakje aardappelsalade en een schaal met tonijn. Ik zette ze op een oud bamboe dienblad en zette er ook nog een pak crackers op. Ik vulde Jamies glas bij met ijsthee en schonk mezelf ook wat in.

'Ze hebben vanavond een feestje,' vertelde ze toen ik weer buiten kwam.

'Wie?'

'Die jongens.' Met haar hoofd gebaarde ze naar de buren. 'Dat riepen ze me net toe.' Ze smeerde met een vork tonijn op een cracker. 'Wat denk je ervan? Het zou je goed kunnen doen.'

Ik glimlachte. 'Maar zelf heb je er helemaal geen zin in.'

'Carrie.'

Ik keek haar aan. We waren al achttien jaar vriendinnen

– elkaars beste vriendinnen, plachten we te zeggen, totdat dat er te dik bovenop lag. Ik wist dat zij naar het feestje wilde, maar alleen als ik mee zou gaan.

'Hoe heet hij?' vroeg ik.

'Drew, geloof ik.'

'Dat geloof je.'

'Ik denk dat het goed voor jou zou zijn om een keertje uit te gaan.'

'Zolang het alleen om mij gaat,' zei ik met een lachje.

'Ik meen het.' Ze verschoof haar stoel zodat haar rug naar de jongens was toegekeerd. 'Niet meer plagen, goed?'

Ik haalde mijn schouders op. 'Goed.' Ik keek weer omhoog naar de jongens. Het gele T-shirt zat met gespreide benen en een bierblikje in zijn hand een beetje ongemakkelijk op de beat van de muziek mee te bewegen. Ik had een gevoel alsof ik alles van hem wist of het kon bedenken.

'Hij is negentien,' zei ze – meer tegen zichzelf dan tegen mij, leek me.

'Misschien moeten we hem aan Julie Mayer koppelen. Die is ook negentien.'

Ze schudde haar hoofd. 'Absoluut niet. Julie wil waarschijnlijk een vent met hoge zwarte schoenen en een sikje. Gevoelig maar somber. Een kunstenaar, of misschien een jongen die in een bandje speelt. Een knappe kop en lange, smalle vingers.'

'Wie wil zo iemand niet? Waar is die jongen?'

'Ik wil hem niet. God, wat een stuk verdriet. En jij wilt hem toch ook niet, Carrie – of wel?'

Ik antwoordde niet.

'Of wel?' vroeg ze nogmaals.

'Het klinkt een stuk beter dan wat ik nu heb – een plant.' Ik wendde me af en verborg mijn gezicht in mijn handen. Hoe kon ik zoiets zeggen? Hoe kon ik het dénken? Een ogenblik later voelde ik dat Jamie mijn schouder aanraakte.

'Dat heb je niet gezegd.'

Ik keek naar haar op. 'Maar ik heb het wel gezegd.'

Ze draaide zich abrupt van me af en ik voelde een flits van woede jegens haar. Ik wilde haar raken, wilde dat ze doorging op wat ik had gezegd, maar toen ze me weer aankeek was het weg en had ze het volledig uitgewist.

'Care?' zei ze zacht. 'Wil je dat ik vanmiddag met je meega naar het ziekenhuis? Ik kan in de wachtkamer wachten als je alleen met hem wilt zijn, dan ben ik er daarna weer als je behoefte hebt om te praten.'

Ik schudde mijn hoofd. 'Liever niet.'

'Je kunt me altijd bellen, weet je,' zei ze, met iets gefronste wenkbrauwen. 'Midden in de nacht of wanneer dan ook.'

'Dat weet ik.'

We zaten zwijgend naast elkaar. Ik overwoog net een smoes om op te stappen toen ze weer wat zei: 'Zat mijn allerliefste huisgenote nog aan de telefoon?'

'Eraan vastgelijmd.'

'O, schat toch,' zei ze met een stroperige stem. 'Rozen. Wat – wat origineel.'

'Je bent gewoon jaloers.'

'Uh uh, Todd is oersaai. Ik hoop maar dat ze daar nooit achter komt.'

'Niet zo saai als over hem kletsen.'

Ze haalde haar schouders op.

'Waarom moeten we eigenlijk altijd over jongens kletsen? Dát is pas saai. Ik bedoel, hier zitten we, we zijn niet stom, er moet meer zijn waarover we het kunnen hebben. Politiek, of boeken, of het weer, of zo.'

'Wat denk je van mannen,' grapte ze, maar ze oogde gekrenkt.

'Mannen zijn gewoon jongens met beroerd geknipt haar.'

We glimlachten allebei, en dat was mijn kans om op te stappen. Ik zette mijn glas op het blad en stond op. 'Ik moet weer eens gaan,' zei ik. 'Bedankt voor de lunch.'

'Kom je vanavond?'

57

Ik zuchtte. Soms, als ik met Jamie op een feestje was of als ik zelfs maar met haar een bar inliep, voelde ik me daar veel te oud voor, als een chaperonne die liever thuis in bed zou liggen lezen. 'Ik werk tot tien uur,' zei ze. 'Zorg dat je om half elf hier bent, dan slaan we eerst een paar tequila's achterover.'

'Die laat ik staan,' zei ik. 'Maar ik kom wel.' Ik stond op en stak mijn hand uit. Een ogenblik later legde ze haar handpalm op de mijne. Ik liep naar mijn auto toe. Ik stond verkeerd om geparkeerd, en toen ik haar oprijlaan opreed om te keren, zag ik dat ze haar stoel alweer had verschoven zodat de jongen met het gele T-shirt haar kon zien.

Het was druk in het ziekenhuis. Het was zaterdagmiddag en de mensen liepen rond, grote groepen van alle leeftijden hadden zich verzameld bij het cadeauwinkeltje en stonden in de rij bij de bloemist om stijve bloemstukjes met anjers en gipskruid te kopen. Ik liep langs de cafetaria en keek naar binnen. VAN HARTE BETERSCHAP, stond er op een ballonnetje dat was vastgemaakt aan een stoel achter een lege tafel. Uit de keuken kwam een zware juslucht. Ik ging op een met tweed beklede bank in een van de lobby's zitten en bleef daar uiteindelijk een half uur, iedere minuut bedenkend dat ik nú moest gaan. Ik telde vijf jongetjes met een arm in het gips voordat ik ten slotte opstond.

Op Mikes verdieping stond Joan, de blonde verpleegster, met meneer en mevrouw Mayer te praten. Ze stonden aan het andere uiteinde van de gang vanaf de lift, voor een brandblusser in een glazen kast. Ik dook een portaal in, maar mevrouw Mayer keek op en zag me. 'Carrie,' riep ze, 'fantastisch nieuws! Joan denkt dat Michael gauw bij gaat komen!'

'Eigenlijk…' begon Joan, maar mevrouw Mayer negeerde haar. Ze had aan haar vestje staan wringen alsof het een natte handdoek was. Nu nam ze het onder haar arm, kwam naar mij toe, pakte me bij mijn elleboog en voerde me mee naar Mikes kamer.

'Joan heeft veel met hoofdletsel te maken gehad,' zei ze, 'met tientallen gevallen van hoofdletsel. Ze heeft mensen gezien die precies hetzelfde hadden als Mike die op een dag gewoon weer bijkwamen en weer praktisch helemaal in orde waren.'

'Ik weet het niet,' zei ik. 'Zijn nek...'

Maar ze luisterde niet. 'Het komt helemaal op jou en mij neer, Carrie, want vrouwen zijn sterker. Begrijp je dat? Er is krácht nodig om hoop te houden.' Ze hield abrupt stil en keek mij strak in mijn ogen. 'De hoop opgeven is makkelijk, Carrie. En weet je wie ervan te lijden heeft? Mike!' Ze bewoog heftig met haar vinger naar me. 'Mike heeft ervan te lijden! Jij gelooft me niet, maar het is de waarheid.'

Meneer Mayer kwam naar ons toe en pakte haar hand. 'Het is goed, Barb,' zei hij. 'Het is goed.' Hij keek mij aan en er vormde zich een soort overeenstemming tussen ons dat het nu alleen van belang was haar te troosten. 'Het is in orde, Carrie,' zei hij. 'Wij gaan nu naar Sears voordat de zaak sluit. Dan kun jij alleen naar Mike toe.'

Mevrouw Mayer keek me strak aan terwijl meneer Mayer haar vestje pakte, het uitklopte en over haar schouders drapeerde. Terwijl ik hen nakeek bedacht ik dat ik haar nog nooit zo onthutst had gezien.

Joan kwam naar me toe en keek me schuldbewust aan. 'Mijn fout,' zei ze. 'Ik vertelde over een jongen die hier vorig jaar lag en die...'

'Het geeft niet,' zei ik.

Het was koud in Mikes kamer. De kamer was koud, zijn handen waren koud, zijn voeten waren koud. Net als op winternachten wanneer hij bleef slapen: als hij terug naar bed kwam na een nachtelijke gang naar de wc, hield hij zijn voeten, zijn knieën en zijn ijskoude handen bij mij vandaan. Maar als ik opstond liet hij zich door mijn koude tenen aanraken en hield hij mijn voeten tussen zijn benen om ze te verwarmen. 'O wat koud,' zei hij dan, en trok me dicht tegen zich aan tot ik hem tegen mijn hele lijf aan voelde.

Ik stond aan het voeteneind van zijn bed. Naast de muur was een ruimte van een centimeter of zeventig over, breed genoeg voor een slaapzak, en een moment stelde ik me voor dat ik naast hem zou gaan liggen – een nachthemd, een tandenborstel en een miserabele steekpenning voor de verpleging, meer was daar niet voor nodig. We hadden nooit samengewoond, we hadden het zelfs nooit geprobeerd. Waarom was daar niets van terechtgekomen? Waarom was ik zo bekoeld?

Ik keek naar hem. Ik wilde alles zien wat er te zien viel, zijn armen slap naast zijn lichaam, zijn gesloten ogen. Er liep een slangetje naar zijn neus om hem te voeden, en een ander slangetje liep naar een verband om zijn keel en voorzag hem van lucht. Nog eens twee slangetjes gingen naar zijn onderarmen, en onder de lap die over zijn middel lag was hij verbonden met een catheter. Hij werd gevuld en geleegd. Ze schoren hem zelfs, zij het niet elke dag. Toen ik beter keek zag ik dat het drie of vier dagen geleden was: zijn baard kwam op, met verrassende streepjes blond erin. Achteneenhalf jaar lang had ik me nooit afgevraagd hoe hij eruit zou zien met een baard, en al met al nooit gewild dat hij er anders uit zou zien. Ik had eigenlijk nooit gewild dat hij zou veranderen. Alleen ik was fout, ik was veranderd en fout gewórden – fout voor hem. Fout voor ons.

HOOFDSTUK 4

State Street was het hart van Madison, een straat van zo'n achthonderd meter met winkels en restaurants die van de universiteit naar het staatscapitool liep. Hij was gesloten voor alle verkeer behalve bussen en vormde de boulevard en het dorpsplein
van Madison – de plek waar je heenging wanneer je niet wist
waar je naartoe wilde. Op een woensdag, toen ik om vijf uur
klaar was met mijn werk, slenterde ik langs de etalages, begerig
naar kleren, cd's, schoenen, boeken – naar spulletjes die ik niet
zozeer wilde hebben als wel wilde kopen. De trottoirs waren vol
met studenten en scholieren, skateboarders raasden voorbij. Ik
kwam langs de straatmuzikant die een beroerde James Taylor-
imitatie weggaf, en vervolgens langs degeen die een beroerde
Bob Dylan-imitatie weggaf. Ik was in de war en verkeerde in
tweestrijd of ik Jamie moest bellen: op zaterdagavond was ik
toch niet meegegaan naar het feestje bij haar buren, en we hadden gekibbeld aan de telefoon. Boze verwijten waren over en
weer gegaan, totdat zij op bezorgde toon had gevraagd: 'Wat
mankeert je toch?' – een vraag waarvan ik wist dat hij niet alleen
op dat moment leefde, maar al maandenlang.

Ik had eerlijk tegen haar kunnen zijn. Ik had kunnen zeggen:
Ik weet het niet. Er is iets met me. Help me. Maar dat deed ik niet.
In plaats daarvan vroeg ik haar hoe ze het in haar hoofd haalde,
en allebei hingen we woedend op. Dat we vier dagen later nog
steeds niet met elkaar hadden gepraat was in onze vriendschap
iets ongehoords, en terwijl ik voortslenterde werd ik gekweld
door schuldgevoelens. Ik wist dat ik moest bellen, maar ik wist
even zeker dat ik het niet zou doen. Ik wílde niet bellen: ik wilde
niet horen of ze nog naar dat feestje was gegaan en wat er nu wel
of niet met Drew was gebeurd, wat toch precies hetzelfde zou
zijn als wat haar de laatste tijd al met een half dozijn andere jongens was overkomen.

Na een poosje kwam ik bij Fabrications. Het was de enige chique stoffenzaak in de stad, en de prijzen waren dienovereenkomstig, maar ik was dol op die winkel. Ik vond het heerlijk om er tussen de katoenen stoffen van Liberty te snuffelen en om geïmponeerd voor de muur met zijden stoffen achter in de zaak te staan. Het was een rustige winkel, er was nooit meer dan één andere klant. Ik had er nooit meer gekocht dan een klosje garen.

Vanaf het trottoir keek ik naar binnen. Er hing een mouwloze blauwe jurk, een prachtige, eenvoudige jurk met een hoekige halslijn en een smalle taille. De enveloppe met het patroon, een Vogue-patroon dat ik een keer had gebruikt, was op een schouder gespeld. Door de etalageruit kon ik niet zien om wat voor stof het ging, en dus ging ik naar binnen en reikte over de rand van de etalage om hem te betasten: hij voelde als zijdeachtig tissuepapier.

Ik draaide me om. De zaak was leeg, er was niemand van het personeel te zien, alleen een groot aantal rollen met fantastische stoffen. Ik haalde diep adem. In zaken als het House of Fabrics en het Sewing Center rook het penetrant naar al het stijfsel en alle kunstvezels, maar de enige geur bij Fabrications was afkomstig van een schaal met een kruidenmengsel op de toonbank bij de kassa, waarvan de inhoud per jaargetijde veranderde. Ik liep de winkel door en keek in de schaal. Vandaag lagen er gedroogde perzikpitten, takjes rozemarijn en stukjes van een geurige, kruidige houtsoort in.

Er kuchte iemand vanuit het vertrek achter de winkel, en ik liep van de toonbank naar de zijden stoffen, die in verticale rollen aan draaibare armen hingen. Ik vond de blauwe stof van de jurk en pakte het prijskaartje: dertig dollar per meter. Voor die prijs kon ik alleen een sjerp maken.

Toch wendde ik me niet af. De zijden stoffen waren prachtig: glanzende satijnen en schitterende jacquardweefsels. Kleuren die feller waren dan je op katoen ooit zag en die subtieler waren dan op wol. Een lichtgrijze schaduwstreep riep een beeld op van een doorknoopjurk met een omgeslagen kraagje, een opdruk in fel zwart, rood en goud een soepel vallend broekpak met een zwart topje eronder. Wat deed het ertoe wanneer je zoiets zou dragen: het was genoeg om de stof mee naar huis te kunnen nemen en hem aan te kunnen raken, ermee te kunnen werken en er een poosje door omringd te zijn.

Met tegenzin draaide ik me om en liep de winkel uit. De vraag wat ik nu moest gaan doen vervulde me met angstige spanning. Toen dacht ik aan Mikes broer, die in de ijswinkel een stukje verderop in de straat werkte, en hoewel ik geen idee had of hij er nu was ging ik die kant uit.

Het was zes uur op een doordeweekse dag, maar het was er stampvol met mensen die hun eetlust bedierven of misschien juist bevredigden. John stond alleen achter de toonbank, met een blauwwit streepjeshemd aan en een papieren mutsje op, en glimlachte toen hij mij binnen zag komen. Ik sloot achter in de rij aan en sloeg hem gade tijdens zijn werk. Ik bewonderde hoe kalm hij was ondanks de drukte, terwijl de klank van de stemmen van alle mensen voor me weerkaatste tegen de zwart-witte tegelvloer.

De menigte dunde uit en ten slotte was ik aan de beurt. 'Etensdrukte?' vroeg ik.

John lachte. 'Ik denk het. Persoonlijk moet ik kotsen bij de gedachte aan ijs.'

'Leuk.'

Achter me stond een stelletje in het marineblauw, de vrouw droeg een sjaaltje waardoor ze leek op een stewardess. Ik zei dat ze hun gang konden gaan, waarop ze naar voren stapten en één chocolademilkshake bestelden die John in een grote metalen beker klaarmaakte. Het geluid van het mixen van het ijs was oorverdovend. De zaak rook naar zoete, wafelachtige ijshoorntjes. Hij goot de shake in een kartonnen beker, en het stel betaalde en vertrok.

We waren nu alleen, en John bloosde een beetje terwijl hij mij aankeek.

'Krijg ik er eentje voor niks?'

'Jazeker.'

'Wat raad je me aan?'

'De bubblegum is heel populair.' Hij wees naar de bak: rond de bolletjes was een hoop roze uitgestroomd. Ernaast lag een smaak die Hawaiian Blue heette en die inderdaad erg blauw was.

'Laten we ons concentreren op de bruine smaken,' zei ik. 'Toffee crunch, hoe is die?'

Hij stak een plastic lepeltje in het ijs en bood het me aan. Ik proefde het. 'Verkocht.'

'Je bedoelt: geschonken.'

'Inderdaad.'

Hij schepte het ijs in een hoorntje en reikte het me over de toonbank aan. Ik likte eraan en keek naar hem. 'Hoe gaat het thuis?' vroeg ik even later.

Hij bloosde weer. 'Goed.'

'Ga je vanavond naar het ziekenhuis?'

Hij vertrok zijn gezicht. 'Ik moet te lang doorwerken.' Hij legde de ijsschep weer in het water. 'Ga jij?'

Ik schudde mijn hoofd. Het was niet zo dat ik had besloten niet te gaan, maar opeens besefte ik dat het waar was: ik zou niet gaan, ik kon het niet aan en was doodsbenauwd door die wetenschap. En wat als ik me morgen nog zo voelde? En daarna, en daarna?

John wachtte tot ik iets zou zeggen.

'Ik kan mezelf er gewoon niet toe brengen,' zei ik hem. 'Weet je wat ik bedoel? Ik weet dat het moet. Ik wéét dat het moet. Maar ik kan het gewoon niet.' Ik nam een hap ijs, en opeens welden de tranen in mijn ogen op en stroomden vervolgens over mijn wangen, zodat het ijs in mijn mond pijnlijk koud aanvoelde. John gaf me over de toonbank een servetje aan en ik overhandigde hem mijn ijsje, veegde mijn gezicht droog en snoot mijn neus. Daar waren ze dan eindelijk, mijn eerste tranen sinds het ongeluk, en het was schokkend hoe weinig ik voelde: maar een heel klein beetje verlichting.

De deur ging open en een groep tieners kwam de zaak in: jongens in reusachtige spijkerbroeken, afgeknipt vlak onder de knie, en meisjes met diverse voorbeelden van wat ik bij mezelf behabandjeskleding noemde, topjes en jurkjes die de schouderbandjes van zwarte of lichtblauwe lingerie lieten zien. 'Eten onder het werk,' zei een van de jongens tegen John, en ik herkende hem als een van zijn vrienden.

'Had je wat,' zei John. Hij bloosde weer.

'Oooh,' zei een andere jongen.

'Hou je kop.' John overhandigde mij mijn hoorntje en begon zelf de toonbank schoon te vegen.

De meisjes leunden tegen de toonbank met het ijs, demonstratief met elkaar pratend terwijl ze intussen mij goed bekeken. Het was ontmoedigend om te weten dat ik nog voor zestien door kon gaan. Ik pakte een servetje uit het houdertje en wikkelde het om mijn ijsje heen. 'Dag John,' zei ik. 'Bedankt.'

Toen ik bij de deur was riep hij me, en ik draaide me om. 'Ik weet wat je zonet bedoelde,' zei hij. 'Ik weet het.'

Ik zwaaide en vertrok. Terwijl ik langs de grote ruiten liep zag ik de tieners lachen en aanstalten maken om hem te stangen. Ik voelde de gloed van Mikes ongeluk terugkomen en wist dat een moment later hun gezichten zouden betrekken, dat het meteen met de plagerij gedaan zou zijn als ze hoorden wie ik werkelijk was.

Toen ik thuiskwam was het iets over zevenen en was de bezoektijd nog niet voorbij. Mevrouw Mayer was waarschijnlijk in het ziekenhuis en vroeg zich af waar ik bleef. Tegen achten verwachtte ik het rinkelen van de telefoon en dat ze nog eens, met die achteloos klinkende stem, zou zeggen: 'Kun je morgen even langskomen?' Maar het werd negen uur en tien uur, en de telefoon ging niet.

De volgende dag kostte het me geen moeite om te gaan. Ik vertrok halverwege de middag van mijn werk, ging direct naar het ziekenhuis, zat ongeveer een uur alleen in het zitkamertje en bracht zelfs de volle tien minuten na dat uur in Mikes kamer door, zonder dat iemand ze met me wilde delen. Hij lag op zijn buik, en toen ik naar zijn blote rug stond te kijken, naar de vertrouwde sproeten overal op zijn schouders, dacht ik dat ik in orde was en dat ik in staat zou zijn steeds weer terug te komen zonder momenten zoals ik bij John junior had gehad.

Toen ik thuiskwam bereidde ik wat ijskoud cranberrysap voor mezelf en maakte aanstalten om te gaan naaien. Ik zette de machine klaar en deed er garen in. Ik pakte mijn strijkijzer, vulde het met gedestilleerd water en stak de stekker in het stopcontact. Ik pakte de stof voor mijn moeders keukengordijnen en legde hem in gevouwen stapels op tafel. Maar ik kon niet werken: de oorzaak was Mikes rug.

Ik bleef hem maar voor me zien. De bleke huid en de sproeten, de weerbarstige haartjes: allemaal net zo vertrouwd voor me als delen van mijn eigen lichaam. De breedheid van zijn schouders, de enorme omvang van het bovenste deel van zijn rug. Een klein stukje daaronder had hij een plekje dat wonderlijk gevoelig was: bij de kleinste druk erop rilde hij, maar niet van pijn – meer alsof hij werd gekieteld of gestreeld. Ik dacht aan dat plekje en vroeg me af of het door het ongeluk neurologisch was aangetast, en opeens was ik als versteend door wat hem was overkomen.

Het is moeilijk uit te leggen. Ik wist wat hem was overkomen – het besef was voor mij nooit ver weg, zeker vergeleken met zijn moeder, die het nekletsel soms in een andere afdeling van haar geest leek te hebben weggestopt dan het hoofdletsel, alsof hij alleen maar bij bewustzijn hoefde te komen en daarna weer in orde zou zijn. Maar door de gedachte aan dat plekje op zijn rug stond de hele geografie van zijn lichaam me weer voor ogen, en ik voelde me opeens fysiek getroffen, alsof mijn lichaam nu pas mijn geest had ingehaald en begreep wat het was kwijtgeraakt. Als hij bijkwam, hoe zou hij er dan onder zijn? De aantasting

66

van zijn lichaam, de afhankelijkheid. Hoe zou hij dat verdragen? Dat vooruitzicht onder ogen te zien was haast nog angstaanjagender dan het tegendeel, dat hij niet meer zou bijkomen. Dat hij, zoals de doktoren het formuleerden, niet meer zou reageren. Maar als hij bijkwam, wat zou er dan met mij gebeuren? Zou ik ook weer reageren? Kon ik dat?

Aan het begin van de vorige zomer waren we, om ons afstuderen te vieren, een weekend naar Chicago geweest – opgewonden niet zozeer omdat we klaar waren met onze opleiding, als wel omdat we verder gingen in het leven en een nieuwe stap namen: Mikes baan bij de bank begon als we weer terugkwamen, en ik had de bibliotheek totdat ik wist wat ik verder wilde.

De lift in het hotel was bekleed met rookkleurige spiegels, en terwijl we naar boven gingen keken we naar onze spiegelbeelden, Mike had zijn arm om mijn schouder, ik had mijn arm om zijn middel, met twee vingers in het kleine zakje van zijn broek. De lift stopte met een ratelend geluid, en vlak voordat we uitstapten wierp Mike een laatste blik in de spiegel en zei: 'Die jongen heeft het voor mekaar.' Ik wist het nog niet, maar hij had de dag daarvoor een verlovingsring voor me gekocht en die zorgvuldig in zijn koffer weggestopt.

Een bord wees ons de weg naar de hal, en we liepen naar onze kamer. De sleutel zat aan een dik plastic label, en Mike stak hem in het slot en draaide hem om totdat de deur openzwaaide. Binnen zagen we het voeteneind van het bed, en daarachter een raam met dunne, witte gordijnen die half waren dichtgetrokken. We bleven daar een ogenblik staan, en toen – allebei tegelijk, in één beweging – keerden we ons naar elkaar toe, ik hief mijn armen omhoog, Mike tilde me op en stapte over de drempel.

Hoe verandert liefde? Waarom kan ik me die dag zo duidelijk herinneren, Mikes glimlach terwijl hij me op het bed neerlegde, het kleine grijze doosje met de ring erin, zelfs de pinda's die we aten vanaf het blad bovenop de tv, zonder dat we wisten dat er vier dollar voor werd gerekend? Waarom kan ik door een periode van acht jaar een lijn trekken van de ene gelukkige dag naar de andere, maar kan ik absoluut niet meer nauwkeurig plaatsen wat me daarna is overkomen? Een langzaam wegstromen van mijn gevoelens voor hem, in een straaltje dat ik aanvankelijk nauwelijks opmerkte, totdat het peil zo laag stond dat ik niets anders meer kon opmerken, totdat wat overbleef donker en somber was en ik binnen de kortste keren kurkdroog leek te zullen worden. We hadden natuurlijk eerder duistere tijden gekend, maar dan was de redding snel nabij geweest: de universiteit en het besef van volwassenheid, mijn etage en het feit dat we echt samen konden slápen, de wetenschap dat dat een waarde op zichzelf was en uiteindelijk de meest waardevolle. In de maanden voor het ongeluk was er geen redding in zicht. Ik wist niet of ik wel een redding wílde. Op slechte dagen was het alsof ik door een koud venster naar ons samen keek terwijl ik mijn lichaam en mijn stem bediende met een soort afstandsbediening. Op goede dagen deed ik mijn best om mezelf te negeren.

Maar Mike had het door – ik wist dat hij het doorhad. En terwijl ik daar op mijn etage zat, niet in staat om aan de gordijnen van mijn moeder te beginnen, wenste ik wanhopig dat ik van alles ongedaan kon maken: het feit dat ik me van hem had afgekeerd, zijn besef ervan, zijn gekwetstheid en zijn pijn, zijn vruchteloze pogingen om me terug te winnen. Meer dan wat ook wilde ik die laatste vruchteloze poging laten verdwijnen, waarvoor het idee hem op de pier had besprongen: dat een speels gebaar van zijn kant, half roekeloos en half moedig, mij eindelijk de oude gevoelens kon terugbezorgen.

HOOFDSTUK 5

Viktor en Ania woonden aan de andere kant van de landengte, dicht bij Lake Monona, op de eerste verdieping van een groot huis met roze pleisterwerk, dat in appartementen was opgedeeld. Ik parkeerde onder een plataan en liet de raampjes open vanwege de hete avond. Bij de buren klikte een oscillerende sproeier een aantal keren en barstte vervolgens uit, waarbij hij het water in een boog over een breed gazon spoot. Ik rook iemands compost – een natuurlijke, vruchtbare lucht.

Op het werk had Viktor de hele week hoog opgegeven over de maaltijd die Ania en hij gingen bereiden en hoe gezellig het zou worden, maar hij had het nooit over andere gasten gehad, zodat ik verrast was dat er voor zes mensen was gedekt. Ik voelde me niet op mijn gemak: eten was één ding, een etentje iets heel anders. Hoe kon ik een etentje hebben terwijl Mike in het ziekenhuis lag? Waarom was ik niet bij hem in het ziekenhuis? Waarom was ík niet gewond en híj de bezoeker? Er kwam een paniekerig gevoel bij me op, dat ik uit alle macht onderdrukte. Ik dwong mezelf om Viktor toe te lachen. 'Wie komen er verder?'

'Carrie, het is onvoorstelbaar.' Hij schudde bedroefd zijn hoofd. 'Hier beneden woont Tom, onze buurman. We hadden hem ook gevraagd. Een uur geleden belde hij en vertelde dat zijn broer uit New York vanavond komt, samen met een vriend. Of zij ook mee konden eten. Natuurlijk moest ik daar ja op zeggen.' Dramatisch hief hij zijn handen op. 'Zeg me nu eens, hoe noem je dat, noem je dat brutaal? Erg brutaal?'

'Het is inderdaad behoorlijk brutaal. Onbeschaamd zelfs.'

'Onbeschaamd, ja! Moet je je indenken, Ania is helemaal van haar stuk.'

'Ik ben helemaal niet van mijn stuk,' riep Ania vanuit de keuken. Ik hoorde een klap, alsof er een ui werd doorgesneden, en een moment daarna kwam ze binnen, heftig in haar ogen wrijvend. Ze was lang en had een breed gezicht – ze paste perfect bij hem. 'Ik ben helemaal niet van mijn stuk en ik huil niet – het zijn alleen maar uientranen. Hallo, Carrie. Viktor, geef je haar niets te drinken?'

'Jazeker,' zei hij. 'Ik geef haar iets te drinken.'

'Geef haar dan wat. En ze moet op de schommelstoel zitten zodat ze naar buiten kan kijken, naar het meer.'

Tom bleek iemand te zijn die ik een aantal keren op de campus was tegengekomen. Je kon hem moeilijk over het hoofd zien: hij was lang en mager, en had een wilde blonde krullenbol. Hij was natuurkundige en bezig om naar zijn zeggen 'een graad te behalen die zo hoog is dat bijna niemand er levend van terugkomt'. Zijn broer zag eruit als een afgezwakte versie van Tom: niet zo lang, een haarkleur die naar het bruine neigde, iemand die je wel makkelijk over het hoofd kon zien.

Tom en zijn broer brachten de vriend van de broer mee, een kleine, pezige jongen met een spijkerbroek en een grijs t-shirt aan. Met zijn handen in zijn achterzakken hield hij zich een beetje op de achtergrond. Tijdens het voorstellen zei hij weinig. Hij heette Kilroy, maar het was me niet duidelijk of dat zijn voor- of zijn achternaam was.

'Wat ben je nu, Tsjechisch?' vroeg hij aan Viktor. Ania was teruggegaan naar de keuken en de vier jongens stonden nog. Ik zat op de schommelstoel en hoopte dat ze gingen zitten.

Viktors kaak spande zich. 'Ik ben Pools,' zei hij. Kilroy trok zijn wenkbrauwen op. Viktor keek mij verbluft aan en wendde zich weer tot hem. 'Is Pools voor jou soms niet goed?'

'"Pools is voor mij heel goed",' zei Kilroy. 'Ik heb alleen je naam op de brievenbus beneden gezien, en dat klopte niet.'

Viktor zag er gekrenkt uit. 'Waarom niet?'

'Omdat het in het Pools toch Viktor met een W moet zijn? Of niet soms?'

Viktor kreeg een kleur. 'Een taalkundige.'

'Wiktor!' Tom had een schilderijtje boven de haard bestudeerd, maar draaide zich nu grijnzend om. 'Dat past goed bij je, kerel. Ik denk dat ik je van nu af Wiktor noem, wat zeg je daarvan?'

'Nu snap je waarom ik het met een V schrijf,' zei Viktor tegen Kilroy.

Ik stond op en ging naar de keuken om nog een biertje te halen. Als ik wilde horen hoe een paar jongens elkaar aan het stangen waren, kon ik dat ook bij de mensen met wie ik meestal omging. De avond lag voor me, doelloos en eindeloos. Het enige waar ik de laatste tijd zin in had was naaien, en hoeveel kon ik naaien? Mijn kast was al vol met spulletjes die ik niet echt nodig had – die ik niet eens echt wilde hebben. Ik was het grootste deel van de dag bezig geweest met de gordijnen voor mijn moeder, ik had de lange naden gestikt. Wat moest ik maken als ze klaar waren?

Ania was kaas aan het raspen en pauzeerde even om naar mij op te kijken. 'Zijn de mannen elkaar nog aan het besnuffelen?'

'Helaas hebben ze er niet genoeg aan om allemaal in een hoekje te plassen.'

Toen ik terugkwam in de huiskamer stonden ze daar allemaal nog. Tom en zijn broer stonden wat terzijde in een boek te bladeren, en Viktor keek dreigend neer op Kilroy. Toen hij mij zag mompelde hij iets en ging de keuken in.

Ik keek naar Kilroy. Hij was ongeveer van mijn lengte, één achtenzestig, en had een smal, scherp getekend gezicht en warrig bruin haar.

Hij glimlachte. 'Leuke ketting heb je om.'

Instinctief pakte ik hem vast. 'Dank je.' De ketting was niet meer dan een zijden koord waaraan ik verschillende dingetjes had geregen: een te klein ringetje en een paar oude glazen kralen, plus een minuscuul schelpje dat ik eens van Mike had gekregen. Niemand had er ooit wat over gezegd, behalve Jamie, die vond dat hij eruitzag als iets wat je kleine zusje bij handvaardigheid had kunnen maken.

'Heb je hem zelf gemaakt?' vroeg hij.

'Ziet hij er zo origineel uit?'

'Nee, ik vind hem leuk.' Hij haalde zijn schouders op. 'Hij is mooi.'

Uit de keuken klonk het geluid van Viktor en Ania die in hun eigen taal met elkaar praatten, en een moment later keerde Kilroy zijn hoofd in hun richting en keek mij vervolgens met opgetrokken wenkbrauwen aan. 'Goeie vrienden van je?'

'Ik ken hem van mijn werk.' Ik voelde dat ik een beetje bloosde, nu ik een sterkere band ontkende om een goede indruk op deze jongen te maken.

'Waar werk je?'

'Op de universiteitsbibliotheek. En wat doe jij? In New York, bedoel ik.'

'Ik speel pool.'

'Nee, echt.'

'Hou je niet van pool?' Hij schudde zijn hoofd. 'Je weet niet wat je mist. Natuurlijk helpt het als je de goeie plek hebt om te spelen. Op Sixth Avenue vlak bij mijn appartement is een bar, McClanahan's, met een pooltafel die een miniem groefje in het laken dicht bij een van de zijpockets heeft. Ik ben zo goed thuis op die tafel dat ik dat groefje bijna altijd in mijn voordeel kan laten werken.'

Hij maakte op mij de indruk iemand te zijn die altijd grappen maakte, die leefde voor het grappen maken, maar toch zei ik: 'Ik bedoelde: wat voor werk doe je?'

Hij schudde opnieuw zijn hoofd. 'Werk doet er niet toe, zoals je nog weleens zult uitvinden als je wat ouder bent.'

Ik bloosde weer. 'Ik ben ouder dan ik eruitzie.' Ik bracht mijn bier naar mijn mond en nam een lange teug, waardoor ik eruitzag als een twaalfjarige. 'Zie je hoe goed ik bier kan drinken?'

Hij glimlachte, maar hij nam me zorgvuldig op en zei nu: 'Je bent drieëntwintig, volgens mij, en ik zit er niet meer dan een jaar naast. Klopt dat?'

Ik was verbluft. 'Pardon?'

'Je bent drieëntwintig, je hebt je hele leven in Madison gewoond. Even kijken – je bent verloofd met je high school-vriendje dat vanavond niet kon komen omdat hij dit weekend met zijn vader is gaan vissen.' Hij hield zijn hoofd scheef. 'Zat ik in de buurt?'

Mijn hart ging tekeer als een gek en ik wist niet wat ik moest zeggen. Mike hád dit weekend met zijn vader uit vissen kunnen gaan – ze deden dat een of twee keer per zomer.

'Nou?' vroeg Kilroy.

'Je had het niet helemaal fout en niet helemaal goed.'

Hij grijnsde. 'Ik lees gedachten, nevenactiviteit bij het pool spelen. Maar waar ben ik de mist ingegaan – kom je niet uit Madison?'

'Jawel.'

'Is hij soms je vriendje van de universiteit?'

'Waardoor weet je zo zeker dat ik verloofd ben?'

Hij wees naar zijn eigen ringvinger.

'Hij is het allebei.'

'Maar verder had ik het bij het rechte eind?'

Vervolgens kwam Ania de kamer binnen, met een grote dampende pan in haar ovenwanten, en achter haar aan kwam Viktor met een schaal salade. Ze zetten het eten op tafel en keerden zich naar ons toe.

'Bijna helemaal,' zei ik tegen Kilroy. 'Maar niet helemaal.'

Wat Kilroy had gezegd liet me de hele avond niet meer los. Ik had iets tamelijk braafs aan, een pistachegroene linnen broek en een wit T-shirt, en ik vroeg me af hoezeer hij zich daardoor had laten leiden, en wat voor rol de zelfgemaakte ketting en de manier waarop ik mijn biertje dronk hadden gespeeld. Maar wat voor informatie kon hij daar nu werkelijk uit hebben gehaald? Hoe kon hij hebben geweten dat ik uit Madison kwam? Zag ik eruit alsof ik nooit van huis was geweest? Alsof ik nooit van huis was geweest, nooit meer dan één vriendje had gehad en nooit iemand had verrast? Tussen de hoofdmaaltijd en het toetje bekeek ik in het kleine badkamertje van Viktor en Ania mezelf in de spiegel van het medicijnkastje. Donker haar, blauwe ogen, een lange hals waarvoor ik me vroeger had geschaamd maar die me nu beviel – die volgens Jamie zelfs benijdenswaardig was. Ik keek en keek, maar kon niet ontdekken wat Kilroy gezien had.

De volgende morgen werd ik met hoofdpijn wakker. Ik had het bij bier gehouden terwijl alle anderen Viktors Poolse wodka hadden gedronken, maar ik had wat te veel bier genomen en voelde me vreselijk. Ik dronk een groot glas water voordat ik me douchte en daarna nog een glas, en toen was het tijd om naar Jamie te gaan.

We hadden ons intussen weer verzoend, en dat was des te beter omdat ze die ochtend een afscheidsbrunch voor Christine gaf. Christine vertrok naar Boston voor een postdoctorale opleiding, en hoewel het verkeerd leek om zonder Mike bij elkaar te komen, konden we die gelegenheid niet zomaar voorbij laten gaan.

Ze vertrok naar Boston. Ik was jaloers op haar.

Onderweg haalde ik bloemen voor Jamie – gerbera's, waar ze dol op was. Ik zei dat we ons verzoend hadden, maar eigenlijk hadden onze antwoordapparaten dat gedaan: zij had mij gebeld en een boodschap in de trant van *ik wilde je alleen even gedag zeggen, ik praat later nog wel met je* op mijn antwoordapparaat ingesproken. Daarna had ik teruggebeld en eenzelfde boodschap op haar antwoordapparaat ingesproken. Toen we elkaar echt te spreken kregen lukte het ons tien minuten over niets te kletsen. Dat was precies de tijdsduur die we aan de telefoon nodig hadden om het gevoel te krijgen dat alles in orde was, wat toen ook het geval was.

Het was zondagochtend en in Miffland was het rustig: iedereen sliep uit na de zaterdagnacht. Bij Jamie aan de overkant was een sjofel bruin huis wild met wc-papier behangen. Slierten papier hingen van het spitse dak af en sierden als slingers de esdoorn in de voortuin. Ik beklom het trapje naar Jamies veranda en klopte aan. Het gele huis naast haar herinnerde me aan het feestje waar ik niet naartoe was gegaan, aan de jongen voor wie Jamie interesse had gehad.

'Bloemetjes!' zei ze toen ze opendeed. 'Carrie, je bent een schat.'

'Vind je ze mooi?'

'Ik vind ze prachtig, zoals je ziet. Kom op, kom binnen.'

Ze schoof een losse haarlok achter haar oor en ging me voor door de eetkamer, waar de tafel was gedekt met echte servetten. In het midden stond een glazen schaal met aardbeien. Het was echt iets voor haar om alles al prachtig voor elkaar te hebben, en een ogenblik voelde ik spijt. Er was een tijd geweest dat ik vroeg zou zijn gekomen om haar te helpen.

'Het ziet er daar prachtig uit, Jamie,' zei ik toen we in de keuken waren. 'Christine zal in de wolken zijn.'

'Denk je? Er vertrekt niet elke dag iemand naar Boston.'

'Goddank, hè?'

'In elk geval ben jij het niet.'

'Waarom zou ik naar Boston gaan?' Ik had aan de andere kant van de keuken gestaan, en nu liep ik naar haar toe en legde mijn hand op haar schouder. 'Sorry voor vorige week,' zei ik zachtjes.

Ze draaide zich om en omhelsde me. 'Het is niet erg. Maar het spijt mij ook.'

Ik dacht aan wat ze had gezegd, en hoe bezorgd ze had geklonken. Ze had geen reden om spijt te hebben.

'Ben je toen nog gegaan?'

'Naar dat feestje?'

'Ja.'

Er verscheen een gek lachje op haar gezicht, en hoewel ik precies wist wat er komen ging, moest ik doorvragen. 'En?'

'Hij raakte buiten westen in mijn bed.'

'Drew?'

'Ongeveer dertig seconden nadat we naar bed waren gegaan. Ik wist niet wat ik moest doen – ik stond bijna op het punt om zijn vriendjes te halen en hem naar huis te laten dragen. Ik heb uiteindelijk maar op de bank geslapen. Ik bedoel, je kunt met iemand slapen nadat je... je weet wel. Maar slapen met een beschonkene die je nauwelijks kent is weer iets heel anders.'

Ik wees er maar niet op dat ze hem niet veel beter zou hebben gekend als ze wel zouden hebben gevreeën. Genaaid. Wat dan ook.

'Je gelooft nooit wat er de volgende morgen gebeurde.'

'Wat dan?'

'Ik werd wakker door het geluid van zijn vreselijke gekots op de plee. De deur stond open, en toen hij opkeek en mij daar zag staan probeerde hij overeind te komen en schoot het in zijn rug!'

We moesten allebei hard lachen. 'Dat is onbetaalbaar, Jamie. Niet te geloven dat je me dit pas na een week vertelt.'

Ze haalde haar schouders op. Ik had het haar pas na een week gevraagd.

'Kom op,' zei ze. 'Ik heb de spullen voor Bloody Mary's. Laten we er nu eentje nemen, voordat iedereen er is.'

'Misschien moeten we het bij Virgin Mary's houden. We willen toch niet helemaal teut zijn als ze komen.'

'Waarom niet?' Ze liep de oude linoleumvloer over en trok een vettige kast van triplex open. Ze haalde er tomatensap, tabasco en Worcestershire-saus uit en pakte vervolgens een fles wodka uit de vriezer. 'Ik maak niet zulke sterke. Ze komen toch al gauw.'

Ik keek toe hoe ze de drankjes mixte. Het was zo makkelijk om weer goede maatjes met haar te worden dat ik me een monster voelde. 'Hé,' zei ik, 'heb ik je ooit verteld over die keer dat mijn moeder een Virgin Mary probeerde te bestellen bij een brunch in de Edgewater?'

Ze keek op en glimlachte. Natuurlijk had ik dat al eens verteld, maar het paste in de traditie van onze vriendschap om verhalen steeds weer opnieuw te vertellen.

'Ze bestelde een Bloody Virgin,' zei ik, en toen Jamie in lachen uitbarstte wist ik er ook een lachje uit te persen – dankbaar, met alleen een wat strak gevoel in de spieren van mijn gezicht.

Jamie had een typische Miffland-eetkamer, met een doorgeef-luik naar de keuken, een erker met uitzicht op de zijtuin en een muur vol ingebouwde kasten, in dit geval een rij laden onder een paar kasten met glazen deurtjes die zo vaak waren geschilderd dat ze niet meer helemaal dichtgingen. Jamies ouders hadden haar een oud eetkamerameublement gegeven dat ze van Jamies grootmoeder hadden geërfd, en toen iedereen er was namen we plaats op de zware stoelen van donker hout: Jamie aan het hoofd van de tafel, Rooster tegenover haar, en Bill en Christine tegen-over Stu en mij.

'Stu,' zei Rooster na een derde portie eieren. 'Vandaag pak ik je.'

Stu snoof. 'Dat mocht je willen.'

Jamie en ik keken elkaar aan. Rooster en Stu hadden een tra-ditie van tegen elkaar op eten die, afhankelijk van je stemming, grappig of ergerlijk kon zijn. Volgens iedereen behalve Rooster was het begonnen op Mikes verjaarsfeestje in de negende klas, toen ze precies gelijk op waren gegaan in het nuttigen van ander-halve pizza de man. Volgens Rooster was het al een paar jaar eer-der begonnen, met corndogs in de kantine van de basisschool.

'Mocht ik dat willen?' zei hij. 'Jij hebt nog niet eens je eerste stuk cake op. Ik héb hem vandaag al op, wat mij op honderdze-venentachtig brengt als je de corndogs meetelt.'

'Fout,' zei Stu. 'A, tel je de corndogs niet mee, en B, stá ik, van-daag niet meegerekend, op honderdzevenentachtig. Jij staat op honderdtweeënzestig, wat logisch bekeken in feite vijfentwintig nul voor mij is.' Hij keerde zich naar mij toe. 'Hij blaast zijn cij-fers altijd op, en dat maakt mij ontzettend kwaad.'

Ik glimlachte. Ik dacht aan de vorige avond, aan Viktor en die Kilroy – Rooster en Stu mochten elkaar tenminste graag, dat zat

77

in elk geval goed. Ze plaagden, ze streden niet. Degeen die erdoor geïrriteerd raakte was Mike: 'Die jongens zijn bij lange na niet zo leuk als ze zelf denken,' zei hij altijd. Hij zou het op Memorial Day waarschijnlijk weer hebben gezegd, op de terugweg vanaf Clausen's Reservoir, als hij mij had thuisgebracht: maar ik had achter in Roosters auto gezeten, terwijl Jamie en ik elkaars handen vasthielden, zonder dat iemand een woord sprak. Nu, nu ik bijna vier weken later in Jamies eetkamer zat, realiseerde ik me dat ik me nooit had afgevraagd wie was teruggegaan om Mikes auto op te halen. Ik wist dat hij veilig in de garage van de Mayers stond, de oude zwarte 280 Z die meneer Mayer aan Mike had overgedaan, maar ik bleef hem maar voor me zien zoals hij op de parkeerplaats bij de plas had gestaan, bedekt met zand en modder.

'Natuurtalent zal altijd zegevieren over puur lef,' zei Rooster terwijl hij meer bacon pakte. 'Nietwaar, Carrie?'

Iedereen keek naar mij, en ik verdreef het beeld van Mikes auto en wist een kreupel lachje te voorschijn te toveren. 'Jullie zijn allebei behoorlijk imponerend,' zei ik.

'Wat een mooi woord is voor dik,' voegde Bill daaraan toe. 'Voor het geval jullie je dat afvroegen.'

Iedereen lachte, Bill glimlachte stijfjes, strekte zijn arm uit en legde zijn hand op Christines schouder. Ze hadden het zo vaak uit- en weer aangemaakt dat zelfs zijzelf de tel waren kwijtgeraakt, maar nu ze vertrok leek hij echt verdrietig. Toen ze hen eerder de oprijlaan op had zien komen had Jamie gezegd: 'De Beav oogt triest.' Hij was knap – donker en slungelig met een sexy zilveren knopje in een van zijn oorlellen – maar hij had konijnentanden.

Rooster schoof van de tafel af. Hij strekte zijn benen naar opzij en klopte op zijn maag. 'De zwemband-Spartans,' zei hij. 'Precies zoals Mike zei. Ik ga lijnen als hij bijkomt.'

Iedereen zweeg. Vanuit de huiskamer hoorde ik het tikken van Jamies koekoeksklok, een belachelijk Tirools ding waarvoor ze een niet al te geheim geheim zwak had. Ten slotte zei Stu: 'Boston dus, hè? Je weet dat ze daar nogal raar praten. "Pagkeeg je woâgu in du pagkeeghâvu" – zo ongeveer.'

We keken allemaal even omlaag, allemaal behalve Rooster, die mij met de boze blik die hij me toewierp toen ik weer opkeek vertelde wat ik al wist, namelijk dat we Mike in de steek lieten door niet over hem te praten.

'Nog meer aardbeien?' vroeg Jamie.

En Christine zei: 'Ik ga m'n woâgu op du pagkeeghâvu pagkeegu – tot ik zo blut ben dat ik hem moet verkopen.

Het was even stil, en toen bedaarde Rooster. Hij glimlachte en zei: 'Parkeer alleen nooit illegaal – in Boston werken ze met de wielklem. Als je door de tijd op de meter heen bent komen ze langs en zetten je achterkant vast.'

'Ai,' zei Jamie, en ze klopte zich op haar achterste.

'In feite,' zei Stu, 'is er daar sprake van een paramilitaire staat van beleg. Sluipschutters op de daken, tanks in de straten. Je zit hier in Wisconsin heel wat veiliger, schat, echt waar.'

'Jongens toch,' zei Christine. 'Ik ga jullie echt missen.'

Rooster schudde zijn hoofd. 'Nee, je gaat het enorm naar je zin hebben.'

Bill kromp in elkaar. 'Daar maak ik me juist zorgen over.'

Het was bijna half vier en we hadden een hele tijd aan tafel gezeten. Jamie stond op en begon af te ruimen, en ik strekte mijn armen boven mijn hoofd en geeuwde. Vervolgens stond ik op om haar te helpen. Terwijl ik de borden van tafel haalde bedacht ik dat als Christine er niet meer was Bill waarschijnlijk uit beeld zou verdwijnen: hij was al het meest perifere lid van de groep – de laatste die er, via zijn verhouding met Christine, bij was gekomen, maar ook was hij wat teruggetrokken, meer waarnemer dan deelnemer. Als ik hem alleen tegenkwam voelde ik me onhandig en viel er weinig te zeggen zonder het geklets van de groep om mijn tong te smeren.

'Laten we iets gaan doen,' zei ik in de keuken tegen Jamie. 'Met zijn allen. Laten we surfplanken huren of gaan volleyballen of zo.'

'Zoals in een biercommercial? Daar kan ik in meegaan.'

We gingen terug naar de anderen, maar net toen we de deuropening bereikten ging de telefoon. 'Ga je gang,' zei Jamie. 'Ik kom er zo aan. Ik ben voor surfen.'

Ik trof ze zwijgend aan. Ze zagen er allemaal versuft uit, behalve Rooster, die weer nieuwe krachten had opgedaan en bezig was met de restjes van de cake.

'Kom op, mensen,' zei ik. 'De dag is jong. Wat vinden jullie ervan om te gaan surfen?'

'Dat kunnen we doen,' zei Christine, en toen pakte Jamie me bij mijn arm.

'Het is voor jou,' zei ze. 'De telefoon. Het is mevrouw Mayer.'

HOOFDSTUK 6

Mike was bijgekomen en nu liet ik mijn tranen de vrije loop. Ik huilde toen ik de telefoon ophing, ik huilde toen ik Jamies armen om me heen voelde en ik huilde toen iedereen me in de keuken kwam omhelzen, Rooster het stevigst van iedereen. Nadat Mike zijn duik had gemaakt waren de kringen op het water in precies hetzelfde tempo breder geworden als bij mij het gevoel was gegroeid dat er iets vreselijk mis was gegaan. De opluchting die ik nu voelde was explosief, zoals wanneer iemand plotseling van onder de waterspiegel opdook en de druppels alle kanten uitspatten.

Rooster reed me naar het ziekenhuis en ik bleef maar huilen, terwijl ik tegen het raampje leunde en naar de rustige zondagse omgeving keek. 'Het is goed,' zei mevrouw Mayer toen we in het zitkamertje bij de intensive care waren aangekomen en ik me in haar armen had gestort – blij omdat hij was bijgekomen, blij omdat ik blij was. 'Het is goed.'

Even later kwam dokter Spelman binnen. Hij was de neurochirurg, en zijn koele afstandelijkheid overdonderde ons allemaal, zelfs meneer Mayer. Hij stond in de deuropening van het zitkamertje, zijn naam in zwarte letters boven het borstzakje van zijn witte jas, en deelde mee dat we behoedzaam moesten zijn en dat er heel veel was wat we nog niet wisten. 'We moeten hem nauwlettend observeren,' zei hij.

Ik zat naast mevrouw Mayer en luisterde zo geconcentreerd als ik kon, terwijl ik eigenlijk alleen maar van iedereen weg wilde rennen naar Mikes kamer. Ik wilde zijn ogen op de mijne gericht zien, alleen maar zijn weer geopende ogen zien, maar de Mayers waren bijna een uur bij hem geweest en nu moesten we wachten.

'Dat komt op de eerste plaats,' zei dokter Spelman. 'Op de tweede plaats komt dit, en ik weet dat het voor de hand lijkt te liggen, maar jullie zullen er versteld van staan hoe moeilijk het is dat niet uit het oog te verliezen. Jullie hebben nu vier weken afgewacht en je zorgen gemaakt, en nu hij weer bij bewustzijn lijkt te komen zijn jullie begrijpelijkerwijs opgewonden. Het laatste wat hij nog weet is dat hij plezier aan het maken was met zijn vrienden. Je kunt niet van hem verwachten dat hij blij, opgelucht of dankbaar is dat hij nog leeft.'

'Hij krijgt slecht nieuws te horen,' zei meneer Mayer, 'ook al is het goed nieuws dat hij bijkomt.'

'Zo is het precies,' zei de dokter.

Mevrouw Mayer knikte gretig. 'Ontzettend bedankt, dokter. We kunnen u niet zeggen hoe dankbaar we zijn.'

Dokter Spelman glimlachte. 'U moet mij niet bedanken,' zei hij. 'Ik heb er niets aan gedaan.'

Toen hij weg was pakte mevrouw Mayer mijn hand vast en streelde met de vingers van haar vrije hand over mijn knokkels. 'Ik had gisteravond nadat we hier geweest waren al zo'n gevoel,' zei ze. 'Ik denk dat hij gisteren zelfs al weer bij begon te komen. Heb je dat niet gemerkt? Ik had het idee dat hij wat minder diep in coma leek.'

Ik schudde mijn hoofd terwijl door mijn borstkas een nieuwe snik opwelde. Ik voelde me beroerd door al het gehuil, maar ook kalmer. Ik was ervan overtuigd dat er ook op mij iets zwaars had gedrukt, een soort verdoving of zelfs apathie. Nu was alles anders. Het was voorbij. Hij ging het redden. Ik bedekte mijn gezicht met mijn handen en snikte het uit.

Toen we weer naar binnen mochten zeiden de Mayers dat ik alleen of met Rooster kon gaan als ik dat wilde, maar ik wilde mevrouw Mayer bij me hebben.

Mike lag op zijn rug, zo op het oog was er geen verandering na mijn vorige bezoek. Het beademingsapparaat suisde en zuchtte en suisde en zuchtte. Zijn armen en benen waren zwaar en bleek, en zijn ogen – zijn ogen waren gesloten.

'Hij slaapt,' zei mevrouw Mayer. 'Hij slaapt echt. Dat is normaal.'

Ik knikte.

'We gaan van de studeerkamer een slaapkamer voor hem maken,' zei ze. 'Vanwege de trap.'

Ik voelde nieuwe tranen langs mijn gezicht stromen, en zonder me aan te kijken pakte ze mijn hand. 'Er staat daar al een tv, en we sluiten er ook zijn stereo-installatie aan. Misschien moeten we een nieuwe badkamer laten bouwen. Zijn vader denkt dat we het nog even moeten aanzien, maar we moeten klaar zijn voordat Michael zover is.'

'Dat is waar,' zei ik.

'Mike,' zei ze. 'Michael.'

Eerst dacht ik dat ik het me verbeeldde, maar zijn oogleden trilden een beetje en gingen vervolgens open. Hij keek me recht aan, zijn grijze ogen stonden verbluffend helder. Kon hij mij zien? Kon hij iets zien? Zijn ogen sloten zich weer, en hij sliep.

De volgende paar dagen ging ik naar het ziekenhuis wanneer ik maar kon – voor mijn werk, na mijn werk en soms, bijna zonder schuldgevoel, tijdens mijn werk. Ik vertelde juffrouw Grafton dat ik zo terug zou zijn en verdween dan een uur lang. Soms opende hij zijn ogen niet terwijl ik er was, maar andere keren maakte hij een heel alerte indruk, leek hij mij te herkennen en begon ik tegen hem te praten – alleen maar: 'Mike, ik ben het,' 'ik hou van je' en 'alles komt weer goed.'

De doktoren onderzochten hem. Ze testten wat hij nog voelde en wat hij nog kon bewegen, hoe zijn reflexen waren. Maar onder zijn borstkas leek hij dood te zijn. 'Het letsel is in elk geval opgetreden in het onderste gedeelte van de wervelkolom,' zei een van de doktoren. 'Hij zal in elk geval op eigen kracht kunnen ademen.'

En dat was waar. Hoewel ik het idee had dat het op een soort redeneerfout berustte om daar blij om te zijn, sloeg het woord 'quadriplegie' op gevallen die er veel erger aan toe waren dan Mike. 'U moet het zo zien,' zei een andere dokter. 'Met het letsel

op de hoogte van C5 of 6 is er technisch gezien sprake van quadriplegie, maar kan hij functioneren als een patiënt met para-
plegie zonder handen.' Ik begreep wat hij bedoelde – dat Mike
zijn schouders en bovenarmen zou kunnen gebruiken en dat hij
met mechanische hulpmiddelen aan zijn onderarmen voorwerpen zou kunnen manipuleren – maar ik kon het gruwelijke
beeld niet verjagen: Mike met afgehakte handen, terwijl het
bloed uit de stompjes stroomde.

'Je bent gewond geraakt,' vertelden we hem. 'Weet je nog van
Clausen's Reservoir? Daar ben je bij het duiken op je hoofd
terechtgekomen.' Het was verschrikkelijk om de gekweldheid op
zijn gezicht te zien en niet te weten hoeveel hij begreep. Door de
beademingsbuis kon hij niet praten, zodat hij ook als hij
behoorlijk alert was geen vragen kon stellen. Een dokter zei dat
ze de buis even dicht zou knijpen, zodat hij kon praten, maar
toen het zover was bracht hij een onverstaanbare klank voort,
een gefluisterde uiting van ellende, een woordeloze schreeuw
om hulp.

Uiteindelijk besloten de Mayers dat hij een volledig verslag
van het ongeluk en de gevolgen daarvan te horen moest krijgen.
We spraken af dat ik in het zitkamertje zou wachten en daarna
naar hem toe zou gaan. De officiële bezoekuren waren nog niet
begonnen, zodat ik de ruimte voor mezelf had. Buiten in de gang
liepen verpleegsters in het wit en verpleegassistenten in het
blauw. Ten slotte schreed dokter Spelman voorbij, in de richting
van Mikes kamer, en ik begreep dat op dat ogenblik Mike op de
hoogte was: de Mayers hadden de dokter gevraagd hen aan Mike
te laten vertellen wat hij was kwijtgeraakt, maar ze wilden dat hij
zou uitleggen hoe Mike iets ervan weer zou kunnen terugkrijgen
– door operaties om zijn wervelkolom vast te zetten en vervolgens door een maandenlange revalidatie in het ziekenhuis.

Het idee dat Mike daar lag en het *wist*. Mijn ogen schoten vol
tranen, en ik stond op en begon te ijsberen, me uit alle macht
bedwingend om niet weer te gaan huilen. Ik had eens in een arti-

kel gelezen dat vrouwen in twee groepen konden worden inge-
deeld: zij die vreesden dat ze uiteindelijk zwerfster zouden worden, tierend op de hoek van een straat, en zij die vreesden dat ze
uiteindelijk in een inrichting zouden belanden, oncontroleer-
baar huilend. Ik wist nu bij welke groep ik hoorde.

Een poosje later verscheen dokter Spelman bij de ingang van
het zitkamertje. Hij kwam binnen, keek me onzeker aan en stelde voor te gaan zitten. 'Ik ben net bij Mike geweest,' zei hij. 'Je
vriend is erg sterk. We gaan de wervelkolom vastzetten.' Hij
zweeg even, en ik vroeg me af waarom hij met mij was komen
praten. We hadden nog nooit een vertrouwelijk gesprek gevoerd,
en ik was zelfs verbaasd dat hij wist wie ik was.

'Ik ben blij dat ik jou hier zag,' ging hij verder. 'Het is prema-
tuur om te ver vooruit te denken, maar omdat je er toch bent
houd ik me niet aan mijn eigen regel. Jij bent degeen met wie
Mike het meest bezig lijkt te zijn, van wie hij zich het best bewust
is. De verpleging heeft gemerkt dat hij na jouw bezoekjes veel
alerter is dan na die van bijvoorbeeld zijn ouders. En zonet leek
hij te willen weten waar jij was.'

'We zijn verloofd,' zei ik.

'Met dien verstande dat alles nu is veranderd, al kan het soms
moeilijk zijn dat niet uit het oog te verliezen. Ik wil je aanraden
om de komende paar maanden heel lief voor hem te zijn. Revalideren is erg zwaar werk – beter worden is voor een groot deel
een kwestie van willen.'

Hij stond op en schraapte zijn keel. Ik voelde mijn gezicht
branden. Mijn vingers trilden zelfs helemaal. Toen hij wegliep
verbeeldde ik me de woedende toon waarmee ik hem nariep: *U
weet helemaal niks van mij. Absoluut niks.*

Ik stond op en ging naar Mikes kamer toe. Vlak ervoor bleef
ik even staan om naar binnen te kijken. Mevrouw Mayer stond
aan het voeteneind van Mikes bed. Ze zag er verhit maar
beheerst uit, maar meneer Mayer huilde – hij zat op de enige
stoel, zijn bril lag scheef op zijn schoot en hij had zijn grote han-

den voor zijn ogen geslagen. Ik ging naar binnen en allemaal keken ze naar mij. Mike begon onmiddellijk heftig te knipperen, en ik wrong me langs meneer Mayer en bleef naast hem staan. Het spijt me, zeiden zijn lippen. Zijn grijze ogen keken me scherp aan, bewogen langs mijn gezicht en zochten alsmaar waar ik nu was. Waar was ik, in het licht van wat hem was overkomen? Waar was ik, in het licht van de maanden daarvoor?

Zet dat allemaal uit je hoofd, wilde ik dolgraag zeggen – maar niet met zijn ouders erbij. En hoe kon ik iets terugnemen dat ik nooit had uitgesproken? De spijt kolkte door mijn lijf, maar ik kon er niets mee. Ik stapte naar voren, raakte zijn onderarm aan en bewoog mijn vingers toen naar het gebied waar hij nog wat voelde. Ik streelde over zijn huid. 'Maak je maar geen zorgen,' zei ik. 'Ik hou van je, maak je maar geen zorgen.' En zijn bleke gezicht raakte vervuld van dankbare opluchting. Het gaf zijn wangen kleur en maakte dat zijn droge lippen zich duidelijk aftekenden.

De dag van de operatie brak aan. Uit films en van de tv had ik een voorstelling van een efficiënte bedrijvigheid, van allemaal mensen met maskers en schorten. Dat beeld stortte in toen ik meneer Mayer hoorde praten over de vraag of ze via de voor- of de achterkant van Mikes nek naar binnen zouden gaan. Messen die hem opensneden, zijn bloed dat werd vergoten... het was onverdraaglijk. *Raak hem niet aan*, wilde ik krijsen. Ik wist dat de narcose op zichzelf al een risico vormde, maar in elk geval zou zijn angst daardoor worden ingetoomd.

We hielden een laatste wake, dit keer bij de operatiekamer. De Mayers, Rooster en ik. Ten slotte, na bijna drie uur, kwam dokter Spelman binnen en zei: 'We zijn klaar. Alles is heel goed gegaan. Hij ligt op de verkoeverkamer.' We bogen het hoofd en huilden, allemaal.

Er mocht maar één persoon naar binnen en zijn moeder drong aan, dus kon ik hem pas de volgende ochtend zien. Hij lag voor een laatste dag ter observatie weer op de intensive care, en toen ik door de vertrouwde gang liep besefte ik dat dit misschien mijn laatste keer hier was. De kring van kamertjes, de centrale werkruimte van de verpleging, de stille bedrijvigheid en toewijding die de behandeling van ernstige ziekten omgaven – het was een wereld waarvan ik nooit had gedacht dat ik hem zou leren kennen, en al helemaal niet zo goed.

Ik kwam bij Mikes kamertje en stapte naar binnen. Hij lag plat op zijn rug, zijn hoofd was omgeven door een stalen band die met schroeven aan zijn schedel was bevestigd. Door strakke stijlen was de band verbonden met een volumineus vest van schaapsvacht dat hij aanhad. 'O mijn God,' hoorde ik mezelf zeggen.

Meneer en mevrouw Mayer waren nergens te bekennen, maar Julie en John junior waren aanwezig en draaiden zich om bij de klank van mijn stem, en precies zo vonden ook Mikes ogen me.

'Dat is de halo,' zei Julie mat.

De halo – het toestel dat moest voorkomen dat zijn nek na de operatie kon bewegen. Ik had verwacht dat hij er minder middeleeuws uit zou zien: meer als een echte halo, als een aureool.

'Hallo,' zei ik, en terwijl ik dichter bij hem kwam voelde ik iets in me wankelen, iets van moed of vastberadenheid. Hij zag er somber uit, zijn gezicht was vol schaduwen. 'Hoe...' zei ik. 'Ik...' Mijn mond leek van katoen. 'Hoe voel je je?'

Hij likte langs zijn lippen. 'Ik heb pijn in mijn hoofd,' zei hij hees.

Ik knikte en pas een ogenblik later besefte ik het: hij had gesproken. De slang in zijn keel was weg. Het beademingsapparaat stond uit, het gesis was verstomd. 'Je praat,' zei ik. 'Ben je van de beademing af?'

Hij antwoordde niet, en Julie zei: 'Ze zijn hem aan het afwennen, steeds heel eventjes.'

'Je bent een engel, Mike,' zei John junior. 'Snap je? De halo.'

Mike bleef onaangedaan en ik zag dat Julie John een schopje gaf. 'Ik heb keelpijn,' zei Mike een ogenblik later. 'Ik heb dorst.'

Ik keek Julie aan. 'Mag hij drinken?'

Ze haalde haar schouders op.

'Ik ga kijken of je iets mag drinken,' zei ik. 'Ik ben zo terug, goed?'

Hij sloeg me nauwlettend gade, met wijdopen, glazige ogen. 'Niet doen.'

'Ik ga wel,' zei Julie vlug, en toen ze weg was sloot hij zijn ogen. Toen hij ze weer opende waren ze dof geworden.

Na een paar minuten kwam Julie terug, gevolgd door een verpleegster met wie ik nooit echt had gepraat. Ze keek boos. 'Wat zijn jullie aan het doen?' vroeg ze, en een seconde wist ik niet zeker tegen wie ze het had – ze keek Mike recht aan. 'Een van jullie moet weg. Nu meteen.'

Wij drieën keken elkaar aan. Sinds Mike was bijgekomen was de twee-mensen-per-keer regel afgezwakt, net als de tien-minuten-per-uur regel. Joan had ons verteld dat ze liever hadden dat er iemand bij Mike was, zelfs als dat betekende dat we voor medische handelingen moesten worden weggestuurd.

'Hij is nog geen vierentwintig uur geleden geopereerd,' zei de verpleegster. 'Laten we hem wat rust geven.' Ze ging bij Mike staan. 'Nog tien minuten, dan ga je weer aan de beademing.' Ze wendde zich weer tot ons. 'Over een minuut kom ik weer terug en dan moet er iemand van jullie vertrokken zijn.' Ze beende de kamer uit, haar witte schoenen piepten op de vloer.

'Trut,' zei Julie.

Ik keerde me naar Mike toe en glimlachte. 'Ik kom later wel terug, goed? Over een paar uurtjes.'

'Niet gaan.'

Julie pakte haar tasje. 'Wij gaan wel.' Ze stelde de band op haar schouder bij en wierp John een veelbetekenende blik toe. 'Pap en mam komen zo weer, Mike. Goed?'

John volgde haar, maar bleef even staan bij de deur. 'Mag je ijs hebben? Ik kan later wat voor je meebrengen als je er zin in hebt.'

Ik keek Mike aan. 'Zou je dat lekker vinden?' vroeg ik, mijn stem vals en schel. 'Butter pecan?'

Maar hij reageerde niet – hij keek alleen toe tot John was verdwenen.

Ik keek naar de schroeven in zijn hoofd en wendde daarop snel mijn blik af. Het was van belang om met hem te praten, maar wat kon ik zeggen? IJsjes konden hem niet schelen. Net zomin als hoe warm het buiten was of alle andere stomme dingen die ik kon bedenken. *Alles komt weer goed.* Dat was niet zo.

Hij maakte een keelgeluid, alsof hij zijn keel probeerde te schrapen maar daar niet goed toe in staat was. 'Kun je me zoenen?' vroeg hij.

Ik was verbijsterd.

'Ik wil graag dat je me zoent, Carrie,' vervolgde hij. En pas op dat moment, toen hij mijn naam uitsprak, bereikte de ware, zo lang gemiste klank van zijn stem me eindelijk – zijn karakteristieke, lage stem die zo lang had gezwegen. De tranen stroomden over mijn wangen. Hoe was het mogelijk dat ik helemaal niet aan zijn stem had gedacht en hem niet had gemist?

Hij wachtte, en ik veegde de tranen weg met de zijkanten van mijn wijsvingers en wreef mijn handen droog aan mijn broek. Ik bracht mijn gezicht omlaag, maar stopte, niet wetend hoe ik de halo moest omzeilen. Wat zou er gebeuren als ik die aanraakte – zou het hem pijn doen? Langzaam en voorzichtig drukte ik mijn mond op zijn wang en trok hem weer terug.

Hij had zijn lippen getuit en hield ze bij elkaar. Hij staarde mij aan tot ik me opnieuw voorover boog en mijn lippen op de zijne drukte. Ik stond op het punt weer rechtop te gaan zitten toen ik zijn tong tegen mijn mond voelde: zacht, warm en oneindig vertrouwd.

HOOFDSTUK 7

Vier dagen later begon Mike aan de revalidatie, en opeens was alles anders, tot de kleinste details aan toe, tot het behang aan toe – in de rest van het ziekenhuis was het geel met perzikbloesems, maar hier stonden er blauwgroene en framboeskleurige vegen op, alsof koele kleuren je konden helpen de pijn van de strijd met je lichaam te verzachten. De verpleegsters droegen hier broekpakken en waren kordaat en zakelijk, ze deden zelfs een beetje militair aan. 'Kom aan,' zeiden ze, en dan viel er niet meer te protesteren, dan moest je eraan geloven: dan werd je in je rolstoel gezet, op je andere zij gelegd of overeind gezet om te eten.

De revalidatie was uitputtend. Als hij er de energie nog voor had vertelde Mike ons er 's avonds over: over de beweegbare tafel waar hij op moest liggen om zich voor te bereiden op het rechtop zitten. Over de vele bewegingsoefeningen waaraan zijn ledematen werden onderworpen: draai-, buig- en strekoefeningen. Het rigoureuze programma waarbij hij steeds weer zijn gewicht moest verplaatsen om zijn huid te beschermen tegen doorligplekken. Het hoesten met assistentie, waarbij iemand van de verpleging tegen zijn borst drukte terwijl hij uitademde. Hij was er fulltime mee bezig, en hij was nog niet eens toe aan de matten en was nog niet eens begonnen met de bezigheidstherapie. Soms leek hij er zo door overweldigd dat hij zelfs niet meer kon praten. Dan lag hij daar maar terwijl wij met elkaar kletsten, zijn gezicht getekend door de vermoeidheid.

Ik verviel tot wanhoop. Ik kon het niet tegenhouden: hij zou nooit meer kunnen lopen. Hij zou zijn leven in een rolstoel moeten doorbrengen – het leven vanuit een rolstoel moeten gadeslaan. Ik kwam op bezoek, maar praten en glimlachen vielen me zwaar. Ik praatte, ik lachte – maar ik voelde me onecht. Als ik daarna weer thuis was zat ik soms urenlang maar te zitten. Of ik naaide.

De zaterdag van de *Paddle 'n' Portage* brak aan, en Jamie sprak daar af met Rooster en Stu. Ik had geen zin om te gaan, maar ik had ook geen zin om niet te gaan, en dus stemde ik in. Ze haalde me op bij mijn etage, en we liepen naar James Madison Park. De Paddle 'n' Portage was een Madisonse traditie, een jaarlijkse kano- en hardloopwedstrijd die deelnemers uit het hele Midwesten trok, zowel serieuze atleten als weekendsporters: honderden mensen die bereid waren per kano Lake Mendota voor de helft over te steken en dan weer terug te varen, om vervolgens al hardlopend hun kano de heuvel op te dragen, een half rondje om het capitool heen te lopen en aan de andere kant de heuvel weer af te dalen, om ten slotte nog een parcours op Lake Monona te varen.

Rooster en Stu hadden een picknicktafel bezet. Het park was overvol met alle deelnemers plus de toeschouwers. Fietsen stonden in elkaar verstrengeld tegen de bomen, kinderen renden heen en weer met flessen water om ze aan te bieden als de wedstrijd was begonnen. Naast ons strekten twee mannen zich uit op het bruin wordende gras, terwijl vlak naast hen een vrouw een geopend blikje zonnebrand aan haar partner voorhield, die er zijn vinger in stak en zijn neus insmeerde met neongeel. Op het kleine strandje lagen tientallen kano's.

Jamie zette haar handen op haar heupen en liet haar ogen langs de menigte gaan. 'Moet je die zien,' zei ze begerig.

'Die blonde?' vroeg Stu met een lachje.

'Zijn kano,' zei ze en gaf hem een duw. 'Die is echt cool.'

Een stem uit een luidspreker kondigde aan dat de eerste *heat* van start zou gaan, en Jamie en ik klommen op de picknicktafel om het te kunnen zien. Er weerklonk een schot en de kano's gingen te water, zo'n dertig of veertig stuks. Hun bestemming was een zeilboot die bij Picnic Point voor anker lag. We keken toe hoe ze zich over het water verplaatsten, maar na een poosje werd het moeilijk om te zien wie er voorlag, en al gauw was het zelfs lastig te zien wie nog naar het keerpunt toe voer en wie al was gekeerd.

'Waarom vergeet ik elk jaar een verrekijker mee te nemen?' vroeg Stu zich af.

'Waarom kom ik elk jaar?' reageerde Jamie. Ze ging op de tafel zitten, met haar voeten op de bank. Even later ging ik ook zitten.

'Ik verveel me,' zei ze. 'Laten we iets doen, laten we naar Chicago gaan.'

'Wat, nu?' Ik was van plan na de wedstrijd naar het ziekenhuis te gaan.

Jamie haalde haar schouders op. 'Waarom niet?'

Stu schoof zijn vingers in elkaar en strekte zijn armen boven zijn hoofd. 'Geen slecht idee,' zei hij. 'Drie uur in een auto met airco klinkt aantrekkelijk, ongeacht waar je uitkomt.'

Jamie knikte, gretig nu. 'We zouden een tijdje bij de Water Tower kunnen rondlopen en dan een pizza kunnen nemen en weer terugrijden.'

'Rondlopen bij de Water Tower,' zei Stu. 'Dat lijkt volgens mij verdacht veel op winkelen.' Hij wendde zich tot Rooster. 'Wat vind jij? Wij kunnen een filmpje pakken en daarna met de meiden een pizza eten.'

Rooster had mij nauwlettend gadegeslagen terwijl hij daar stond met één voet op de bank van de picknicktafel, zijn elleboog steunend op zijn knie. Nu ging hij rechtop staan. 'Wat mij betreft niet.'

'Waarom niet?' riep Jamie.

'Vanwege Mike,' zei hij. 'Weet je nog wie dat is?' Met een boze blik op mij zei hij: 'Ik kan niet geloven dat jij er zelfs maar over dácht.'

'Dat deed ik niet,' zei ik, maar ik had het wel gedaan: ik had niet zozeer aan Chicago gedacht als wel aan de snelweg, aan akkers die voorbijflitsten terwijl iemand anders op de searchknop van de autoradio drukte. Wat mankeerde me?

Jamie beet op de rand van een van haar nagels. Ze drukte haar lippen op elkaar en ontspande ze weer. 'Misschien moeten we met zijn allen vanavond iets doen. Een pizza eten of wat dan ook. Na het ziekenhuis. Ik vind dat we dat moeten doen.'

Rooster schudde zijn hoofd.

'Waarom niet?'

'Ik heb een afspraakje.'

'Een afspraakje?' zei Stu. 'Bel de krant: een wonder.'

'Hou je kop,' zei Rooster, maar opeens glimlachte hij, en zijn tanden staken wit af tegen het roze van zijn gezicht.

Jamie boog zich naar voren. 'Met wie?'

'Met Joan,' zei hij.

Ik keek eerst naar Jamie en toen naar Stu. 'Joan de verpleegster?' vroeg ik. 'Van de intensive care?'

Hij knikte.

Ik kon het niet geloven. Joan moest zeker dertig zijn, en dan hoe ze eruitzag: die tere bleke huid, haar lange blonde haar en haar lengte. Rooster ging meestal uit met het soort meisje dat in een film voor de trouwe beste vriendin kon spelen, niet echt knap maar pittig en niet op haar mondje gevallen, wat voor Rooster meestal het grote probleem was. Goedbeschouwd ging hij meestal met niemand uit.

De mensen om ons heen liepen schreeuwend en juichend naar de waterkant, en Jamie en ik klommen weer op de tafel om over de menigte heen te kunnen kijken. Ik dacht aan de bitse blik die Rooster me vanwege Chicago had toegeworpen, en hoewel het me doodsbang maakte moest ik mezelf de vraag stellen: zou ik met Jamie en Stu zijn meegegaan als hij me niet had tegengehouden?

'Hup!' schreeuwde Jamie. 'Vooruit!'

'Wie moedig je aan?' vroeg ik haar.

'Niemand,' erkende ze.

De eerste twee deelnemers waren hun kano al uit en liepen er al mee voor ik zelfs maar had gezien dat ze waren opgehouden met peddelen. Ze hadden de boot omgekeerd, hielden hem nu boven hun hoofd, en waren vertrokken – achter elkaar, met pompende benen.

'Mike en ik zouden dit jaar meedoen,' zei Rooster opeens. 'We zouden jullie gaan verrassen.'

Ik keek op hem neer. Het zweet druppelde van zijn verhitte gezicht, natte plekken op zijn lichtblauwe poloshirt kleefden tegen zijn lijf.

'Wat?' vroeg hij. 'Dat zouden we gaan doen. Je kent Mike toch – de man met het plan? Hij had een trainingsschema voor ons gemaakt. Hij had een exemplaar voor mij geprint, dat moet aan het begin van de vorige herfst zijn geweest. We zouden beginnen met lopen, en daarna met gewichten gaan trainen. Je weet hoe hij is, hij had alles helemaal uitgewerkt. We zouden een tweedehands kano kopen zodra het meer was ontdooid.'

Ik had er helemaal niets over gehoord, maar ik stond er niet van te kijken. Rooster had gelijk: Mike was de volharding in eigen persoon. Als hij had besloten om mee te doen aan de Paddle 'n' Portage zou hij alles hebben gedaan wat in zijn macht lag om zich erop voor te bereiden. Het ging hem niet om de prestatie, al kon hij bijzonder prestatiegericht zijn, het zat hem meer in zijn kijk op het leven. Zijn manier van denken. Je plande iets nooit te vroeg, en hoe meer details je voor elkaar had, hoe beter. Het weekend toen we na ons afstuderen naar Chicago gingen had hij voor elk uur de opties op een rijtje gezet. 'En wat voor snoep ga je zondag bij de late matinee-film nemen?' zei ik onderweg voor de grap. 'Chocola met rozijnen, natuurlijk,' zei hij met een lach. Hij vond het niet erg om geplaagd te worden. Het was net zoiets als hoe hij mij plaagde met mijn geheugen, maar dan andersom. Voor hem draaide alles om de toekomst. Voor mij om het verleden.

'Waarom hebben jullie het dan niet gedaan?' vroeg Stu.

Rooster staarde mij aan. 'Mike gaf het plan op,' zei hij, zijn schouders ophalend alsof voor hem alles een raadsel was. Vervolgens haalde hij nogmaals zijn schouders op, en plotseling was ik bang: hij deed verbaasd, maar er was iets op komst.

'Gaf hij het zomaar op?' vroeg Stu. 'Dat is niks voor Mike.'

'Nou,' zei Rooster, 'ik denk dat hij iets anders aan zijn hoofd had. Ik denk dat hij zich eigenlijk ergens heel grote zorgen over maakte.'

Mijn gezicht begon te gloeien. Dit kon niet echt zijn. Een ogenblik later stapte ik van de tafel en liep weg. Uit de buurt van de menigte bleef ik staan en leunde tegen een boom. De bast voelde ruw onder mijn dunne T-shirt. Ik keek uit over het meer, naar Picnic Point aan de overkant en de daar voor anker liggende zeilboot die het keerpunt van de wedstrijd vormde.

'Het spijt hem,' zei Jamie. Ze was voor me gaan staan, met haar nagel weer tegen haar mond. 'Echt waar, Care. Kijk maar.'

Rooster zat nu aan de tafel, zijn voorhoofd rustte op zijn handpalmen.

'Laten wij vanavond iets gaan doen,' zei Jamie. 'Laten we naar een meidenfilm gaan en daarna ergens walgelijk grote ijscoupes gaan eten. Nadat jij bij Mike bent geweest – wat zeg je daarvan?'

Ik keek haar aan en zag de haarlokken naast haar gezicht en de bezorgde rimpel over haar neusbrug. Ze droeg een uitdagende zonnejurk met een lage rug, en ik voelde me ontroerd, door haar uitgesproken houding tegenover mij – door hoe aardig en dienstbaar ze wilde zijn, door haar hulpvaardigheid tegenover mij.

'Alsjeblieft?' vroeg ze.

'Liever niet.'

Naast haar mond verschenen kleine lijntjes. 'Kom je dan samen met mij naar het einde van de wedstrijd kijken? Zonder die kerels?'

Ik pakte haar hand en schoof mijn vingers tussen de hare. 'Ik kan het niet,' zei ik. 'Ik kan het echt niet. Ga maar met hen kijken, goed? Zal ik je morgen dan bellen?'

Ze fronste haar wenkbrauwen en wendde haar blik af.

'Het eerste wat ik morgen doe,' zei ik. 'Dat beloof ik.'

Nadat ze waren vertrokken liep ik terug naar de picknicktafel en ging zitten. Ik keek naar het einde van de eerste heat en het begin van de tweede – ik keek zonder te kijken. De toekomst en het verleden. Ik kon niet aan de toekomst denken, en het verleden was een mijnenveld vol oude genoegens en oud zeer. Ik dacht aan de avond voor het ongeluk: Mike die in een oud sportbroekje op mijn bank lag terwijl ik het eten klaarmaakte. Vanuit mijn kleine keukentje kon ik hem haarscherp zien: hij dronk een biertje, krabde over zijn ballen als hij daar zin in had en bladerde in een tijdschrift. Hij zette met de afstandsbediening de tv aan en zette hem weer uit. En wat deed ik? Ik waste de sla, schilde een komkommer, lette op de gebakken aardappels en kneedde schijfjes hamburger zodat hij ze naar de barbecue op de oprijlaan kon brengen om ze te grillen. En ik haatte mezelf omdat voor mijn gevoel niets daarvan meer deugde. Lange tijd had ik hem als een noodzakelijkheid gezien, als ballast die mijn veiligheid garandeerde. Nu hield de ballast me aan de grond en hield hij me *tegen* – ik wilde lichtheid en vrijheid. Ik begon te huilen, en binnen een minuut was hij van de bank opgestaan en hield me vast. En ik haatte ook dat, het gemakkelijke ervan, de valse troost. Ik kon niet verdragen hoe duidelijk ik de ene week na de andere kon overzien, en de jaren van begin tot eind.

De achterblijvers van de tweede heat kwamen binnen en sleepten hun kano's het water uit. Ik stond op en liep weg. Ik dacht aan Mikes plannen om aan de wedstrijd mee te doen, en opeens herinnerde ik me hoe hij 's zomers eens in een roeiboot op het Bovenmeer had gezeten, met de riemen over zijn gebruinde benen gekruist, en de speciale, intieme lach die hij me schonk toen ik over de aanlegsteiger naar hem toe kwam. Ik sloot mijn ogen en was er weer bijna, aan het Bovenmeer, de zon scheen er door de bladeren en vormde een vlekkenpatroon op de bodem van de boot en op Mikes benen. Ik voelde de boot overhellen terwijl ik aan boord stapte, en rook de lucht van het warme water, plantaardig in de augustus-hitte. Een vogel zong een triller en viel weer stil. Maar toch zat iets me dwars, en van lieverlede, met grote gelatenheid, begreep ik wat. Een andere herinnering drong zich op, van de avond voor het ongeluk: hij vertrok direct na ons stille avondmaal en later, toen ik alleen in bed lag, haatte ik hem ook daarom.

Er kwam een jongen naar me toe met een gelaatsuitdrukking van voorzichtige vriendelijkheid, alsof hij dacht mij te kennen maar er niet zeker van was. Hij had lichtbruin haar en een bril met een dun ijzeren montuur, en hij droeg een nylonshirt in retrostijl met brede wijnrode en crèmekleurige verticale banen. 'Carrie? Carrie Bell?'

Ik knikte, en er kwam een brede lach op zijn gezicht. 'Simon Rhodes. Van Frans bij mevrouw Eriksson, in de twaalfde.'

Ik sloeg mijn hand voor mijn mond. 'O, sorry, Simon, je ziet er totaal anders uit. Je ziet er geweldig uit,' zei ik, en hij lachte voordat ik eraan toekwam om me gegeneerd te voelen.

'Ik zie er menselijk uit. Ik besloot mijn schitterende lokken op te offeren aan een look die wat meer van deze tijd is.'

Op zijn zeventiende had hij verstopt gezeten achter een gordijn van haar. Hij zat een paar rijen bij mij vandaan en maakte tijdens de les aan één stuk door tekeningetjes in een notitieboek. Toen ik een keer langs zijn bank liep om de vervoegingen van een paar werkwoorden op het bord te schrijven ving ik een glimp op van een karikatuur van mevrouw Eriksson die zo raak was dat ik haar daarna voorgoed met andere ogen bekeek.

'Hoe staat het leven?' vroeg ik hem nu. 'Hoe gaat het met je? Woon je nog in Madison?'

Hij schudde zijn hoofd. 'Ik woon in New York. Ik ben op bezoek bij mijn ouwelui.' Hij draaide zich om en zag een paar mannen van middelbare leeftijd met een kano voorbijstrompelen. 'Wat is hier eigenlijk aan de hand?'

Ik lachte. 'De Paddle 'n' Portage, weet je nog?'

'Paddle en wat?'

'Portage.' Ik zei het nog eens, op zijn Frans: 'Portaazje.'

'Ah, portaazje. Dragen, *to carry*.' Hij lachte een beetje. 'Waarom doe jij dan niet mee?'

'Hè?'

'Nou jij bent er toch toe voorbeschikt? Carrie, van *carry*, dragen?'

Ik lachte, maar ik dacht aan de namenverzameling van Mike en Rooster, en toen aan Rooster aan de picknicktafel, met zijn hoofd in zijn handen.

'Vertel me nu eens,' zei hij. 'Wat is er van Carrie Bell terechtgekomen? *Dites-moi ce que tu fais maintenant.* Heb je nog contact met Jamie Fletcher? Ik weet nog dat jullie behoorlijk onafscheidelijk waren.'

'Ze was hier zonet nog,' zei ik. 'Twintig minuten geleden.'

'En Mike Mayer? Het leukste stelletje uit de hoogste klas?'

Ik bloosde: zelfs toen had ik er de kriebels van gekregen. De redactie van het jaarboek had ons voor een foto laten poseren, en het was de enige foto van ons geworden die me niet beviel – we hielden elkaars handjes vast en zagen er sloom uit. Mike vond dat we er als achterlijken op stonden.

'We zijn verloofd,' vertelde ik aan Simon.

'En wanneer is de grote dag?'

Ik keek naar het meer. Een laatste koppel voer in hun kano langs de oever, duidelijk alleen voor hun plezier. Ik zag hoe ze peddelden, de jongen achterin droeg een zwart nylon hemdje over zijn gespierde schouders.

'Carrie?'

Ik wendde me weer tot hem. 'Mike ligt in het ziekenhuis. Hij heeft drie weken geleden bij een ongelukkige duik zijn nek gebroken.'

'O God,' zei Simon. 'Wat vreselijk.'

'Dank je.'

We stonden daar voor mijn gevoel een eeuwigheid zonder een

woord te zeggen. Het park stroomde leeg, de laatste toeschouwers beklommen de heuvel om de laatste deelnemers op Lake Monona te zien varen. Simon wreef over het gras met de neus van zijn schoen, een opvallende zwarte visserssandaal met profielzool. Ten slotte hield ik het niet meer uit.

'Ik moet gaan.'

'Ben je lopend?' Hij aarzelde, zijn gezichtsuitdrukking gaf aan dat hij zich niet wilde opdringen. 'We zouden met elkaar op kunnen lopen.'

'Goed,' zei ik, al wist ik niet waar we heen moesten, wat we moesten zeggen of waarom ik toestemde. Ik dacht even na en wees toen met mijn hoofd in de richting van Mansion Hill. We vertrokken en liepen zwijgend naast elkaar. Bij North Pickney gingen we de bocht om en de heuvel op. De meeste huizen zagen er tamelijk sjofel uit: het waren grote bakstenen of bepleisterde gebouwen die waren opgedeeld in etages voor studenten. Vervolgens gingen we weer een bocht om en kwamen bij het prachtig onderhouden gebouw dat het fraaiste hotelletje van Madison herbergde – Mike had altijd gezegd dat we daar onze huwelijksnacht zouden doorbrengen om de volgende ochtend het vliegtuig naar de Caraïben te nemen. Terwijl we langs het hotel liepen bedacht ik wat een goed gevoel het vroeger gaf om hem zo te horen praten, en toen hoe hij nu waarschijnlijk vanuit zijn ziekenhuisbed naar de klok keek, in afwachting van mijn komst.

We liepen uiteindelijk Langdon af, langs de Delta's en Epsilons – al de Griekse letters. Het aantal feestjes dat ik daar had bezocht was niet te tellen – het aantal keren dat ik met een plastic bekertje bier in een van die huizen had gestaan, zonder me te kunnen bewegen omdat er zo veel mensen dicht op elkaar stonden.

'Waar heb jij gestudeerd?' vroeg ik.

Hij keek gegeneerd. 'Yale.'

'Sorry.'

'Ik zeg tenminste niet 'een instituutje in Connecticut', zoals sommigen van mijn kennissen.'

'Dat is dan al iets.'

We glimlachten allebei en hij maakte een hoofdbeweging in de richting van het gebouw waar we voorbijliepen. 'Heb jij hier gezeten?'

'Helaas wel.'

'Was je lid van een meisjescorps?'

'Alsjeblieft – dan had ik me moeten laten blonderen en de helft van mijn hersencellen in een operatie moeten laten weghalen. Mike had zich wel opgegeven, maar hij heeft zich op het laatste moment teruggetrokken. Zijn vader was er een groot voorstander van, maar Mike besefte dat hij bij een stel figuren uit *Animal House* terecht zou komen en besloot dat hij dat absoluut niet wilde. Hij heeft vier jaar thuis gewoond.'

'Ik doe dat steeds,' zei Simon. 'Me voor iets opgeven en dan anders gaan denken over allerlei figuren.'

Ik nam hem zorgvuldig op, zijn gezicht stond strak en serieus. 'Ben je homo?'

Hij knikte.

'Officieel?'

'Bedoel je tegenover mijn ouders?' Hij grijnsde. 'Ik heb ze afgelopen zomer het grote nieuws verteld, direct na het doctoraal. "Bedankt dat jullie helemaal hierheen zijn komen vliegen, pap en mam. O ja, en dan dit nog: ik ben homoseksueel." Het lijkt ze eigenlijk niet zo veel uit te maken. Ik ben de jongste van zes kinderen en ik denk dat ze alleen maar blij zijn dat ze geen universitaire studie meer hoeven te bekostigen. Ze zijn tegenwoordig heel hartelijk. Mijn vader vroeg me vanochtend: "En Simon, vermaak je je een beetje in het leven?" Nooit eerder heeft hij een van ons zo uitdrukkelijk naar zoiets gevraagd.'

Ik glimlachte. 'Het klinkt alsof je het goed met hen kunt vinden. Heb je ooit overwogen om hier weer te komen wonen?'

Hij bleef staan. 'Kijk eens.' Hij stak zijn armen omhoog en bewoog ze krampachtig heen en weer terwijl hij heftig met zijn hoofd schudde. 'Zo moet ik huiveren bij die gedachte.'

We vonden een tafeltje in de schaduw op het terras van de sociëteit en zaten daar een tijd te praten – we namen ieder twee koppen koffie, daarna sandwiches en daarna ijsjes. Ik betrapte mezelf erop dat ik aan hem veel meer vertelde dan ik aan wie dan ook had verteld: hoe ik voor het ongeluk langzaam bekoeld was geraakt tegenover Mike, hoe afgrijselijk verdoofd ik na het ongeluk was geweest en hoe wanhopig ik nu was.

'Wat ga je doen?' vroeg Simon.

'Wat bedoel je?' vroeg ik, maar ik wist: Zou ik sterk en goed zijn? En mezelf aan Mike wijden? Of niet? Ik had een beklemd gevoel in mijn borst omdat die vraag zelfs maar bij me opkwam. Natuurlijk was die vraag niet aan de orde! Maar dat was hij wél. Ik dacht weer aan Rooster, aan alle blikken die hij me had toegeworpen: in het ziekenhuis, bij Jamie en eerder vandaag. Hij wist dat die vraag speelde. De dag waarop de Mayers Mike over het ongeluk hadden ingelicht en ik later naar binnen was gegaan kwam me weer voor de geest. *Maak je maar geen zorgen*, had ik hem gezegd. Wat had ik beloofd? Het beklemde gevoel in mijn borst werd erger, en ik ademde met kracht uit om het kwijt te raken.

'Ik weet het niet,' zei ik tegen Simon.

Hij schudde zijn hoofd. 'Ik kan me er zelfs geen voorstelling van maken. Het moet je zo veel pijn doen.'

Ik knikte en er prikten tranen in mijn ogen, maar in plaats van zijn blik af te wenden bleef hij me aankijken, zijn gezicht vervuld van medeleven. We hadden vier jaar op dezelfde school gezeten, maar hij was een vreemde. Zo veel mensen die ik niet had gekend, om wie ik me niet had bekommerd. Ik had de high school doorlopen zonder ooit andere mogelijkheden en andere keuzes te overwegen.

'Hopelijk vind je het niet raar,' zei hij, 'maar ik ben echt blij dat ik jou vandaag tegen het lijf ben gelopen.'

'Ik ook.'

We hadden uren zitten praten en het was duidelijk tijd om op te stappen. We verlieten ons tafeltje en liepen de sociëteit door. Bij de voordeur namen we afscheid van elkaar. Ik voelde me open en opgewekt – meer degeen die ik wilde zijn dan in maanden het geval was geweest.

Ik keek toe hoe hij de straat overstak en riep zijn naam. Hij draaide zich om en glimlachte, de zon schitterde op zijn brillenglazen.

'Leuk shirt heb je aan!' riep ik.

Het was na drieën, te laat voor mij om nog naar het ziekenhuis te gaan. Ik ging op huis aan. Ik liep terug, Langdon op en Mansion Hill af. James Madison Park zag er vertrapt uit na de activiteit van die morgen.

De zon stond al achter de hoogste takken van de plataan voor het raam van mijn huiskamer, en mijn etage was tamelijk koel. Ik dronk een glas ijswater, deed mijn schoenen uit en nestelde me op de bank. Op mijn voeten prijkten vuile strepen van de bandjes van mijn sandalen, maar ik stond niet op om ze te gaan wassen. Op de salontafel lag een dik nummer van de *Vogue* op me te wachten, en na een poosje pakte ik het en sloeg het open. Ik had de artikelen nooit echt gelezen, behalve die over filmsterren, maar nu sloeg ik het begin van het blad op en besloot te gaan lezen in plaats van alleen plaatjes te kijken. Er stond een artikel in over twee vrouwen die op een zolderverdieping in New York sportkleding ontwierpen en nog een stuk over een textielfabriek in Italië. Ik kon lezen, een douche nemen en de watermeloen eten die ik de vorige dag had gekocht. Buiten zitten wanneer mijn balkon in de schaduw kwam te liggen. De dag zou voorbijgaan, of ik nu wel naar het ziekenhuis ging of niet.

HOOFDSTUK 8

Op maandag had ik baliedienst in de bibliotheek. Het was het vervelendste onderdeel van mijn werk, en meestal had ik een kruiswoordpuzzel die ik kon maken wanneer er niemand keek, of een tijdschrift weggestopt in een halfopen la. Vandaag was het een tijdschrift. Ik zat stiekem te lezen met een oogje op de gesloten deur waarachter juffrouw Grafton zat toen iets na half een Rooster binnenkwam, zijn colbertje in een bundeltje onder zijn arm. Hij was de dubbele deuren amper door toen hij mij bij de balie ontwaarde, op me afstapte en zei: 'We moeten praten.'

Ik keek om me heen en bracht een vinger naar mijn lippen.

'Zeg niet dat ik stil moet zijn,' zei hij kalm. 'Ik ben helemaal hierheen komen rijden, ik moest op de bovenste verdieping van de parkeergarage parkeren en ik heb precies zesentwintig minuten de tijd om te eten en weer terug te rijden – dus zeg me alsjeblieft niet dat ik stil moet zijn.'

Iedereen in de zaal met zeldzame boeken keek naar ons. 'Ik ben aan het werk,' zei ik. 'Ik heb pas om drie uur pauze. Sorry.'

'Tien minuten,' zei hij. 'Vijf – kom alleen even met me mee naar de hal.'

Juffrouw Grafton had bij de eerste klank van zijn stem haar deur geopend en liep nu de zaal door, waarbij haar hakken klakten op het linoleum. 'Je mag gaan,' zei ze op gedempte toon. 'Ik blijf hier zitten tot je terugkomt.'

'Het spijt me heel erg,' zei ik. 'Dit zal nooit meer gebeuren.'

Ik pakte mijn tasje uit de personeelskamer en liep naar de deur. Ik keek net op tijd om om te zien hoe juffrouw Grafton de la in de balie openschoof en er mijn *Harper's Bazaar* uithaalde – helaas niet een van de periodieken uit de zaal met zeldzame boeken.

'Prachtig,' zei ik tegen Rooster toen de dubbele deuren achter ons waren dichtgezwaaid. 'Daar gaat mijn baantje.'

Maar hij antwoordde niet. Hij beende een aantal passen voor me uit richting begane grond en de bibliotheek uit, zonder één keer om te kijken. Ten slotte hield hij stil en leunde tegen de muur van het gebouw. We stonden op een groot, leeg plein. Het zonlicht brandde en werd door het beton gereflecteerd. Aan de overkant zat een vrouw achter een deken waarop Guatemalteekse spulletjes lagen uitgestald, broeken, hoeden en armbanden die uit kleurige garens waren geweven. Verder was er geen mens te bekennen.

'Luister Carrie,' begon Rooster. 'Wij kennen elkaar al heel lang en we hebben altijd goed met elkaar op kunnen schieten, nietwaar? Ik bedoel geen flauwekul in de trant van het vriendinnetje van mijn beste vriend, toch?'

Ik knikte, al had ik geen idee wat hij bedoelde.

'Neem me dus niet kwalijk als ik zeg dat je beter je best moet doen.'

'Waar heb je het over?'

Zijn ogen werden groter. 'Waar ik het over heb? Waar ik het over *heb*? Ik heb het over Mike. Jezus christus godverdomme, Carrie.' Hij hief vol afschuw zijn handen omhoog. 'Jij zit hier fout, snap je dat? Jij doet maar van *o, wat ben ik zielig, mijn vriendje ligt in het ziekenhuis maar ik heb het het zwaarst.* Het is net alsof *jij* degeen bent die het hier moeilijk mee heeft, en verder niemand anders. Zijn moeder heeft het gevoel dat ze moet doen alsof het niet zo erg is wanneer jij het in je kop krijgt om ervandoor te gaan. Dat is zo – dat heeft ze me verteld.'

'Nee,' zei ik.

'Wat nee?'

'Nee, dit neem ik je wel kwalijk.' Ik draaide me om en wilde weggaan, en hij greep mijn arm stevig vast, zijn vingers drukten diep in mijn vlees.

'Carrie, jezus,' zei hij. 'Dit gaat om Mike.'

'Dacht je dat ik dat niet weet? Laat me los.'

Ruw liet hij mijn arm vallen. Toen werd zijn gezichtsuitdrukking zachter. 'Hij heeft het nodig dat jij er voor hem bent, Carrie. Het maakt me niet uit wat er eerder speelde, je moet dat allemaal uit je hoofd zetten en er voor hem zijn.'

Ik boog mijn hoofd.

'Kijk, het spijt me van zaterdag. Ik had dat niet moeten zeggen, zeker niet waar Stu en Jamie bij waren. Ik heb het verknald, goed? Maar...'

'Heeft hij het er met je over gehad?' vroeg ik.

'Natuurlijk! Wat dacht jij dan?'

Ik was helemaal van de kaart. De gedachte dat het voor Mike reëel genoeg was geweest om er met Rooster over te praten, zo reëel dat hij wel moest, was te erg. Ik kon me Mike precies voorstellen, de trage, weifelende manier waarop hij moest zijn begonnen, Roosters blik mijdend. Ik vroeg me af wanneer hij er voor het eerst over had gesproken en hoe vaak ze het erover hadden gehad. 'Wat heeft hij aan jou verteld? Wat?'

'Bedaar, ik weet het niet. Hij ging niet op de details in, hij liet me alleen weten dat jullie problemen hadden.'

Ik staarde hem aan en opeens verachtte ik hem omdat hij op de hoogte was, omdat hij nu eenmaal zo'n goede vriend van Mike was. '"Er voor hem zijn,"' zei ik. 'Ik haat die uitdrukking.'

Rooster sloeg zijn armen over elkaar. 'Wanneer ben je voor het laatst in het ziekenhuis geweest?'

Het antwoord was vrijdag: na de zaterdag te hebben overgeslagen was het al te, ja, wat? – gemakkelijk, of onvermijdelijk geweest om ook gisteren niet te gaan.

'Ik *weet* het wel,' zei hij. 'Waarom ben je gisteren niet geweest? Waarom ben je zaterdag niet geweest? Omdat Chicago je zo leuk in de oren klonk?'

'Nee,' zei ik. 'Ik ben niet naar Chicago gegaan.'

'Waarom dan?'

'Omdat ik er geen zin in had.'

Zijn mond verstrakte. 'Denk je dat ik er zin in had? Denk je dat mevrouw Mayer er zín in had om haar zoon te zien liggen met die klotekooi om zijn hoofd? Niemand heeft er zin in. Maar toch ga je. Dat is wat liefde inhoudt.'

'O ja?' zei ik. 'Ik dacht dat het inhield dat je nooit hoefde te zeggen: "het spijt me".'

Hij draaide zich om en sloeg met de zijkant van zijn vuist tegen de muur. 'Ik kom er niet doorheen bij jou! Totaal niet! Weet je, ik heb je in de negende vijf minuten aardig gevonden, wist je dat? Ik dacht dat het iets kon worden tussen jou en mij en Mike en Jamie.' Hij lachte. 'Ha. Je bent een kil wijf, Carrie Bell. Je bent ijskoud. Mike is beter af zonder jou, dat denk ik. Beter af zonder jou. Maak het uit, goed? Laat hem niet in onzekerheid.'

Ik stond tegen de bibliotheek aan en keek toe hoe hij wegliep, zijn rode haar oplichtend in de middagzon. Ik verbeeldde me dat ik hem nariep: *je weet helemaal niks over mij.* Toen herinnerde ik me dat ik dokter Spelman hetzelfde had willen naroepen en sloeg mijn handen voor mijn gezicht: Rooster wist wel dégelijk iets over mij.

'O God,' zei ik hardop. 'O alsjeblieft, alsjeblieft, alsjeblieft, alsjeblieft, alsjeblieft.'

Daarna ging ik direct naar het ziekenhuis, en de eerste vier dagen sprak ik niemand behalve Mike en mevrouw Mayer. Ik ging niet naar mijn werk, em meldde me zelfs niet ziek. De bezoekuren waren bij revalidatie veel losser, en ik was gewoon overdag aanwezig, voordat Mikes andere bezoekers kwamen – ik was aanwezig, sloeg zijn sessies gade, bleef uit de buurt wanneer dat nodig was en hield hem gezelschap als hij weer in bed lag. Ik bracht van alles mee: boeken, kranten en tijdschriften, alles waaruit ik kon voorlezen. Hij luisterde graag naar de honkbaluitslagen en politieke commentaren, maar favoriet waren filmkritieken, en telkens wanneer ik een kritiek van een film voorlas die goed klonk slaakte hij een zucht en zei dat we wel op de video zouden moeten wachten. *We,* zei hij aarzelend en hoopvol – en ik knikte, vanuit de gedachte dat het goed klonk. Films huren was altijd al een van mijn favoriete activiteiten met hem geweest, vanwege de manier waarop hij erin op ging. Hij kon zo hard lachen dat hij van zijn stoel viel, of als het verdrietig was zo hard snuiven dat ik het kon horen, terwijl de meeste jongens dan iets zouden hebben gezegd als: 'Ik heb last van die rauwe uien in de chili, schat.'

Als hij vroeg wat er was gebeurd en waarom ik niet op de bibliotheek was stuurde ik hem met een kluitje in het riet. 'Ik heb vanmorgen gewerkt,' zei ik, of: 'Ik heb met Viktor geruild.' Maar wat er werkelijk aan de hand was, was dat Rooster gelijk had, dat ik er voor hem moest zijn. De vraag was geen vraag. Mike had me nodig. Mike had me nodig – dus was ik er.

Thuis liet ik alles opknappen door mijn antwoordapparaat. Jamie belde, mijn moeder, Viktor, juffrouw Grafton – zelfs Rooster belde een keer, zijn stem klonk hoog en gespannen terwijl hij zich excuseerde en mij smeekte hem te bellen. Ik liet het volume voluit staan zodat ik alles kon horen, maar nam nooit op. Ik zat aan de andere kant van de kamer, aan de tafel waar ik voortdurend naaide – mijn toevluchtsoord na het ziekenhuis, mijn tegengif. Ik maakte die week twee rokken en besloot dat mijn volgende project iets van zijde zou worden, al wist ik nog niet wat. Ik had geld op de bank, ik naaide al elf jaar, en het werd tijd dat ik iets van zijde maakte.

Op vrijdagavond, toen de overbodige rokken klaar waren, schoof ik voor de eerste keer in ruim een week mijn naaimachine aan de kant. De tafel leek enorm groot. Ik pakte een oude *Elle* en bladerde erin. Ik bestudeerde de modepagina's zorgvuldiger dan anders en bedacht dat ik mijn eigen patronen wilde leren ontwerpen en me wilde bevrijden van de beperkingen van de *Simplicity*, de *Butterick* en zelfs de *Vogue*. Maar hoe moest ik dat doen? Een silhouet tekenen, het in onderdelen splitsen en die weer met stof in elkaar zetten. Zo zat ik een poosje na te denken, en toen pakte ik een potlood en een vel papier, ging weer zitten en begon een jurk te tekenen.

De telefoon ging en ik hoorde dat het antwoordapparaat aan-klikte. Na de piep hoorde ik een mannenstem die ik pas een ogenblik later herkende als die van Simon Rhodes.

'Hallo Carrie,' zei hij. 'Ik vertrek morgen weer en ik hoopte dat je misschien tijd zou hebben om wat met me te drinken. Eh, je spreekt met Simon. Nou, als je nog op tijd thuiskomt, bel me dan even.' Hij begon zijn nummer in te spreken, en ik liep naar de andere kant van de kamer en nam de telefoon op.

'Je bent thuis,' zei hij. 'Fantastisch. Ga je wat met me drinken?'

Ik wilde eigenlijk wel, maar had geen zin iemand tegen het lijf te lopen. Ik vertelde hem wat ik die week had gedaan en legde het hem bevredigender uit dan ik me ooit had kunnen inden-ken. We praatten tien of vijftien minuten, en ten slotte stelde ik hem voor bij mij thuis iets te komen drinken, zodat we konden praten zonder dat ik de wereld onder ogen hoefde te komen. Ik gaf hem mijn adres en hing op. Meteen ging de telefoon weer.

Ik keek naar het antwoordapparaat.

'Carrie, ik weet dat je thuis bent. Ik heb de afgelopen vijf minuten een ingesprekstoon gehoord, dus ik weet dat je er bent. Wat is er toch aan de hánd? Waarom heb je me niet teruggebeld? Ik heb wel twintig boodschappen op dat achterlijke apparaat ingesproken. Neem op.'

Het was Jamie. Ik had op dat moment zo'n tegenzin om met haar te praten dat het aanvoelde als iets instinctiefs, als een licha-melijke aversie.

'Goed, dan kom ik eraan,' zei ze. 'Ik ben er over tien minuten.'

Ik liep naar de andere kant van de kamer en dwong mezelf om de hoorn op te pakken. 'Hallo.'

'Wat is er aan de hand?' riep ze uit. 'Iedereen maakt zich ver-schrikkelijke zorgen om jou. Ik heb net je moeder gesproken en zij is zich de pleuris geschrokken – ze kan elk moment bij je voor de deur staan. Viktor heeft haar vanavond gebeld en haar verteld dat je sinds maandag niet meer op je werk bent geweest.'

'Nou, dan is dat zo,' zei ik. 'En wat dan nog?'

'En wat dan nog? Ben je niet lekker? Komt dat doordat Rooster maandag naar de bibliotheek is gekomen?'

Ik hield de hoorn ver van mijn oor. Waarom wist iedereen zo veel over mij? Ik walgde van het idee dat ze achter mijn rug over me aan het praten waren om hoogte van me te krijgen. 'Ik ben gewoon een paar dagen uit de roulatie geweest,' zei ik. 'Kalmeer.'

'Kalmeer! Ik snap het niet. Waarom heb je niet gebeld? En waarom ben je niet gaan werken?'

'Ik had geen zin. Ik wilde in het ziekenhuis zijn.'

Ze zweeg. Toen ze weer sprak was haar stem kalm en beheerst: 'Zal ik langskomen?'

Ik voelde een golf van afkeer. 'Nee, bedankt.' Ik hoorde haar zuchten en zei: 'Het gaat prima met me, Jamie, echt waar. Maar dank je wel.'

'Ga je morgen werken? Viktor zei dat je nog bent ingeroosterd.'

'Daar heb ik niet echt over nagedacht.'

'Nou, en wat heb je 's avonds gedaan?'

'Genaaid.'

'Ik maak me zorgen over je,' zei ze. 'Echt waar.'

Daarna probeerde ik mijn moeder te bellen maar ik kreeg haar antwoordapparaat, dus ging ik buiten op mijn balkon zitten wachten en keek toe hoe de avond snel over de bomen viel. Ik wist niet wie het eerst zou verschijnen, Simon of mijn moeder, en bedacht dat het er weinig toe deed. Ik bedacht dat, afgezien van er zijn voor Mike, niets er veel toe deed, al verlangde ik ernaar om de volgende ochtend meteen zijde te gaan kopen. Ik veronderstelde dat ik dan ook niet naar mijn werk zou gaan.

Mijn moeders auto kwam de straat ingereden en stopte. Ik stond op. Toen ze het portier opende verlichtte het interieurlampje haar smalle verschijning en de snelheid van haar bewegingen, en een ogenblik was ik warm van de tranen, terwijl een hevige emotionele uitbarsting in me tot ontwikkeling kwam.

Vervolgens sloeg het autoportier dicht, en ik liep naar de rand van het balkon om haar te begroeten.

Ze bleef staan en keek omhoog. 'Liefje?'

'Hallo.'

'Is alles goed met je? Ben je ziek?'

'Met mij gaat het prima.'

'Ik… ik hoorde dat je niet naar je werk bent geweest en maakte me zorgen.'

Ik legde mijn handen op de balustrade en voelde het ruwe, splinterige oppervlak. Een straatlantaarn een paar huizen verder maakte haar contouren zichtbaar voor mij, maar ik vroeg me af of ze iets van mij kon zien.

'Kom je boven?' vroeg ik, en toen liep ze naar het tuinpad en verdween op de veranda beneden.

Ik ging naar binnen. Ik hoorde het geluid van haar stappen op de binnentrap, pakte mijn schets en mijn potlood en stopte ze in een la.

Ze had haar werkkleding nog aan, een beige linnen mantelpakje boven bruine suède pumps. Ze knipperde tegen het felle licht en glimlachte ongemakkelijk. 'Ik heb je gebeld,' zei ze, 'een paar keer. Doet je antwoordapparaat het wel?'

Ik knikte. 'Sorry. Ik was van plan je vanavond terug te bellen.'

'Waarom werk je niet, lieveling? Kun je me dat zeggen?'

'Er valt eigenlijk niks te zeggen. Ik ben in het ziekenhuis geweest.' Ik haalde mijn schouders op. 'Ik had me misschien ziek moeten melden.'

Ze ging anders staan, en het viel me op dat ze iets bij zich droeg, een metalen kistje met een handvat.

'Wat is dat?'

Ze keerde het om. Op de voorkant stond een rood kruis.

'Het spijt me heel erg,' zei ik. Ik wendde me af en ging naar de keuken zodat ze niet kon zien hoe ik tegen mijn tranen vocht. Met haar alleen zijn en op het punt staan in tranen uit te barsten bezorgde me een wanhopig gevoel. 'Wil je iets drinken?' riep ik.

Ze antwoordde niet, en ik vulde twee glazen met ijs en water, en keerde terug naar de tafel. Ze had het EHBO-kistje neergelegd, met de blanco kant naar boven.

'Ik begrijp dat je woorden met Rooster hebt gehad,' zei ze.

'De woorden kwamen vooral van hem. Wie heeft je dat verteld?'

'Jamie.'

'Het had weinig om het lijf.'

'Maar wel zoveel dat jij je een paar dagen hebt teruggetrokken?'

'Mijn baantje bevalt me niet. Ik wil daar niet meer werken.' Mijn hart bonsde: het denkbeeld was uit het niets gekomen, maar zodra ik het had uitgesproken wist ik dat het waar was.

'Stop ermee,' zei ze.

'Misschien doe ik dat ook.'

Toen ging de bel, en onze hoofden draaiden synchroon naar de trap.

'Wie is dat?' vroeg ze. 'Verwacht je iemand?' Er klonk vaag iets in haar stem door dat naar mijn idee hoopvol leek.

'Het is Simon Rhodes,' zei ik. 'Een vriend van de high school.'

Ik ging naar beneden om hem binnen te laten, maar toen ik hem door de glazen deur zag, met een bos bleke rozen in zijn hand, voelde ik de emotionele uitbarsting weer snel naderbij komen.

'Hé, niet huilen,' zei hij toen ik opendeed. 'Hé, kom op. Ze komen gewoon uit de tuin van mijn moeder. Hé, hé…'

'Mijn moeder is boven,' snikte ik.

Hij haalde zijn schouders op en drukte me de bloemen in mijn handen. 'Dat is goed,' zei hij. 'Dat is prima. Heeft ze zin om iets te drinken?'

Later zaten hij en ik op mijn balkon aan wodka-tonics te nippen, met als enige verlichting een citronellakaars die weinig uitrichtte om de muggen op een afstand te houden. Ik zat op een regisseursstoel, terwijl hij zich had uitgestrekt op het rafelige nylon van een aluminium ligstoel die Mike voor me uit de kelder van de Mayers had gevist toen ik mijn etage had betrokken. Mijn moeder was kort na Simons komst vertrokken, met haar EHBO-koffertje.

'Dus morgen ga je weer terug naar New York,' zei ik. 'Hoe is het daar? In vijf woorden of minder.'

'Reusachtig, smerig en prachtig. Dat zijn er vier.'

'Kom je overal beroemdheden tegen?'

'Helemaal niet. En als ik ze tegenkom herken ik ze meestal niet.' Hij slurpte luidruchtig van zijn drankje. 'Toen ik een keer met een vriendin aan het brunchen was zat ze de hele tijd rare gezichten naar me te trekken – ze sperde haar ogen wijdopen en trok haar hoofd scheef. Ik dacht dat er iets mis was met haar lenzen, maar later bracht ze me bijna om zeep omdat Liza DeSoto aan het tafeltje naast ons had gezeten en ik haar niet had herkend.'

'Liza DeSoto van ReCharger?'

'Wat moet ik zeggen?' zei hij. 'Met haar ziet ze er anders uit.'

Ik lachte. Het was zo leuk om met Simon te praten. 'Maar is het echt vol romantiek en glamour? Gaan jij en je vriend steeds in fantastische restaurants uit eten? Ik bedoel, als jullie bij elkaar zijn?' Op het terras van de sociëteit had hij me een aan/uit-geschiedenis verteld die kon wedijveren met die van Bill en Christine. Zijn 'feuilleton', noemde hij het.

'Als we bij elkaar zijn,' zei hij theatraal, 'is álles fantastisch.' Daarna maakte hij een snuivend geluid. 'Maar als we bij elkaar zijn is het zo'n beetje onze vaste gewoonte om bij de Chinees bij hem om de hoek te gaan eten en daarna naar de film te gaan. Het spijt me dat ik je moet teleurstellen.'

Ik schudde mijn hoofd: zelfs in New York gaan chinezen klonk me al schitterend in de oren. Ik had eens een artikel gelezen over een Chinees restaurant in New York waar bijna alle gerechten zo werden bewerkt dat ze op iets anders leken, bijvoorbeeld op een bloem of een vogel.

'En Mike en jij?' vroeg hij. 'Hoe was het toen jullie bij elkaar waren? Ik bedoel, in betere tijden.'

Ik voelde dat mijn keel werd dichtgeknepen: bétere tijden, vroeger. Wachtte Mike erop dat ik weer zo zou worden als in de maanden voor het ongeluk? Ik kon er niet tegen nog een extra bron van ellende te zijn.

Simon keek me aan.

'Hoe het was, of wat we deden?'

'Allebei.'

Ik pakte mijn glas en nam een slokje. 'We deden dingen samen. We tennisten, we fietsten, we gingen ergens wat drinken. We gingen erg vaak naar het ijshockeyen, we keken naar films, we huurden films. Soms brachten we mijn was naar het huis van zijn ouders.'

'Vertel me alsjeblieft niet dat je de was voor hem deed.'

'Ik deed de was niet voor hem,' zei ik, al had ik maar al te vaak wat van hem bij mijn spullen gedaan. Maar wat dan nog?

Hij leek te beseffen dat ik me in de verdediging gedrukt voelde. Hij lachte vriendelijk en zei: 'En hoe was het?'

Vervolgens dacht ik aan een late namiddag – een van de vele? – toen het net zo donker was geworden dat het licht aan moest. Mijn schone was lag over zijn bed uitgestrooid, en Mike zat achter zijn bureau met een boek opengeslagen, maar hij had zich omgekeerd op zijn stoel en keek naar mij. Ik trok sokken en ondergoed van de lakens af, waarbij telkens een statisch geknetter hoorbaar was. We praatten niet, maar waren volledig op elkaar afgestemd, zodat wanneer een van ons ten slotte sprak de ander vrijwel zeker zou zeggen *dat is precies waaraan ik ook dacht.*

Simon wachtte op antwoord. Hoe moest ik het beschrijven, de verlichte kamer terwijl het buiten schemerig was, de gezellige stilte? 'Ik denk dat we normaal waren,' zei ik ten slotte.

Hij lachte, maar ik voelde me niet gekrenkt. Ik had het idee dat hij ook graag 'normaal' wilde zijn.

'En wat nu?' vroeg hij een poosje later. 'Blijf je je verschuilen? Als ik langer zou blijven zou ik je gezelschap houden.'

Ik glimlachte. 'Dank je.' Ik dacht aan mijn eerdere besluit om de volgende ochtend meteen zijde te gaan kopen. Ik dacht er nu weer aan: hoe ik naar Fabrications zou gaan, alle rollen zou bekijken, er een paar zou overhouden en er vervolgens een zou uitkiezen. Hoe ik zou beslissen over een patroon, gevolgd door het moment dat ik de stof naar de snijtafel zou brengen en iemand van de zaak er de schaar in zou zetten. Hoe ik thuis mijn handen zou wassen en voorzichtig de stof uit de zak zou halen, om hem vervolgens over de tafel te draperen zodat ik hem in volle glorie zou kunnen bewonderen. Het was allemaal te aanlokkelijk, ik zou erdoor verwend raken – voor mijn volgende naaiklus, voor mijn volgende onderneming. Ik keek Simon aan, die geduldig mijn antwoord afwachtte. 'Ik denk dat ik weer aan het werk ga,' zei ik.

HOOFDSTUK 9

In Madison bleef het erg lang winter, in sommige jaren van oktober tot mei. Zo lang dat hij vaak eindeloos leek te duren – dat hij niet zozeer de 'winter' leek te zijn als wel Madison zelf, het leven zelf. De lente duurde een oogwenk, de herfst was een korte, verrassende kilte. De warmste zomers duurden voor het gevoel maar kort, hoe warm en vochtig ze ook waren. Maar dit jaar... juli verstreek tergend langzaam en bracht de ene verzengend hete dag na de andere. De luchtvochtigheid was onverdraaglijk. Wanneer ik de bibliotheek of het ziekenhuis uit kwam ervoer ik de buitenlucht als iets kwaadaardigs. Hij had groen moeten zijn, als de adem van een heks. Of grijs, als giftige uitlaatgassen.

Jamie belde steeds weer. Had ik zin om met haar te gaan lunchen? Om een keer op een ochtend voor het werk met haar te ontbijten? Om te dineren? Ik excuseerde me, totdat ze uiteindelijk op een vrijdagavond belde, precies op het moment dat ik me klaarmaakte om Mike te gaan opzoeken. Toen ze me vroeg of ik haar op weg naar het ziekenhuis wilde oppikken moest ik wel ja zeggen.

Ze wachtte op haar veranda. 'Ik ben zo blij dat ik je eindelijk zie,' zei ze terwijl ze in de auto stapte. Ik knikte en wist te zeggen wat gezegd moest worden.

'Ik ook.'

Ik reed de stoep af. De vorige avond was Mike erg rustig geweest, en ik vroeg me af hoe het vanavond met hem zou zijn.

Naast me slaakte Jamie een zucht, waarna ze van houding veranderde.

Ik keek naar haar. 'Hoe is het momenteel op je werk?'

Ze antwoordde meteen, alsof ze iets had voorbereid: het werk zat haar tot hier. De mensen van de kassa beklaagden zich over de mensen die de apparaten bedienen, en die beklaagden zich weer over de mensen van de kassa. Bovendien was er een nieuwe jongen die wel leuk was maar ook nogal raar – hij had de gewoonte om heel dicht bij de mensen te staan wanneer hij tegen ze praatte.

'Je moet hem een anoniem briefje over persoonlijke leefruimte geven,' zei ik. 'Of daar een artikel over opzoeken en een kopie ervan in zijn kastje leggen.'

'Ja, maar dan...'

'Dan komt hij misschien niet meer zo dicht bij je staan?'

'Precies,' zei ze, en we grinnikten allebei en vielen vervolgens stil. Ik wilde niet dat zij mij vragen ging stellen, maar we waren er al bijna – ik was waarschijnlijk veilig. 'Hoezo leuk?' vroeg ik, en de volgende paar minuten was ze doende de nieuwe jongen te beschrijven, zijn blauwe ogen, zijn prima schouders en het hemd dat hij soms aanhad en dat ze niet echt mooi vond.

Uiteindelijk reed ik de parkeerplaats op, en we liepen zwijgend naar de ingang. Ze had haar haren in een Franse vlecht waardoor de lichtblonde strook bij haar gezicht goed uitkwam, als een lichtstreep door de donkerblonde strengen. Toen we het ziekenhuis in liepen wierp ze me een bemoedigend lachje toe dat me diep ontroerde.

Op Mikes verdieping kwam de lift uit op een brede gang met roestvrij stalen leuningen langs de muren. Net voorbij een groepje automaten passeerden we een ingelijste poster van een lege rolstoel. Zoals gewoonlijk keek ik er eerst niet en daarna wel naar: het was een zwart-witfoto die van boven werd verlicht, zodat er een complex schaduwweb van de rolstoel op de glanzende houten vloer viel. KOM IN BEWEGING, luidde het bijschrift.

'Die jurk,' zei Jamie. 'Dat is toch niet de jurk die je afgelopen winter bij Luna gekocht hebt, hè?'

Mijn jurk was aanvankelijk een zwarte jurk met lange mouwen geweest die bijna tot mijn enkels reikte: hij was van katoen en lycra en niet echt warm genoeg voor een winter in het Midwesten, maar de diepe halslijn en de strakke pasvorm waren me bevallen. Een paar avonden geleden had ik hem onder handen genomen. Ik had de mouwen afgeknipt tot nauwsluitende korte mouwtjes en het geheel een centimeter of vijf boven mijn knie omgezoomd. 's Winters had ik er een lange, smalle, cranberry-kleurige *cardigan* over gedragen, maar nu had hij genoeg aan een paar bloedstenen kralen. 'Min of meer,' zei ik.

'Dat dacht ik al,' zei ze. 'Wat heb je ermee gedaan, heb je hem ingekort?'

'En de mouwen afgeknipt.'

'Wat ben je toch een bezig bijtje,' zei ze, en ik wendde mijn blik af.

Na nog een klein stukje lopen kwamen we bij Mikes kamer. Door de deuropening zag ik Rooster zitten op de stoel die meestal door mevrouw Mayer werd ingenomen. Het was zo laat dat zij al naar huis was. Tussen Rooster en mij ging het wat moeizaam sinds die dag op de bibliotheek, bijna drie weken geleden. Ik aarzelde dan ook, maar hij draaide zich om en zwaaide vriendelijk, en ik stapte de kamer binnen. Bill was er ook, hij zat op de commode en tikte met de zwarte zolen van zijn Teva's tegen de voorkant van een la. Ik had hem sinds Christines afscheidsbrunch niet meer gezien.

'Het is een feestje,' zei Mike vanuit het bed. Hij lag op zijn zij, ondersteund door kussens, het hoofdeind van het bed iets verhoogd. Zijn grote gestalte lag bewegingloos op de deken. Ik liep de kamer door en zoende hem, met mijn gezicht schuin om de halo te omzeilen.

'Hoe gaat het met je?' vroeg Jamie hem.

'Volkomen uitgeput.'

Ik wierp een blik op Rooster. Hij glimlachte flauwtjes naar me, wat er naar mijn idee op sloeg dat Mike tenminste weer antwoordde. Rooster was gisteravond ook getuige van Mikes zwijgen geweest.

Jamie knikte en ging vervolgens voor de commode staan, bij Bill. 'Zo, juffrouw James,' zei Bill tegen haar.

'Zo, heer B.'

Hij grijnsde. Hij had zijn haar pas geleden heel kort laten knippen en oogde militair – als een soldaat die een tijdje aan de rol was geweest, gezien zijn baard van drie of vier dagen.

Vanuit het andere bed keek Mikes kamergenoot me aan. Ik ving zijn blik op en glimlachte. Hij was pas veertien maar zag er vanavond zelfs nog jonger uit, met zijn steile blonde haar dat over zijn oren viel. Hij heette Jeff Walker, een gruwelijk wrange naam voor een jongen die na een auto-ongeluk allebei zijn benen niet meer kon gebruiken. Weer eentje voor de verzameling, maar wie durfde dat nog aan?

Rooster keek demonstratief op zijn horloge. 'Zo,' zei hij. 'Is het acht uur geweest?'

Ik keek naar de muurklok. Het was tien voor half negen, veertig minuten voor het officiële einde van de bezoekuren, al zou er niemand bezwaar maken als we langer bleven.

Rooster rekte zich met veel vertoon uit en stond op. Hij had zijn nette pak niet meer aan, maar ook niet zijn gewone vrijetijdsspijkerbroek: hij droeg een splinternieuw ruitjesshirt met korte mouwen en een kaki broek, en zijn wangen glommen doordat hij zich pas had geschoren. Hij zag eruit als een man uit een reclame voor vaderdag: *vandaag heb ik helemaal voor mijn gezin gereserveerd, misschien gaan we eens lekker buitenshuis brunchen.*

'Waar ga je heen?' vroeg ik.

'Afspraakje,' zei hij met een lachje.

'Alweer Joan?' vroeg ik op schertsende toon.

Hij knikte.

'Neem je me in de máling?' Ik kon het niet geloven en keek naar alle anderen, om erachter te komen wat zij wisten. 'Goed, ik heb een beetje meer informatie nodig.'

Hij trok zijn wenkbrauwen op, glimlachte geheimzinnig en liep naar Mikes bed toe. Hij raakte Mikes arm aan en zei: 'Ik moet nu snel weg, maar ik ben er morgenavond weer, goed?'

118

'Pas op jezelf,' zei Mike. 'Je wordt serieus.'

Rooster grijnsde, maar antwoordde niet. 'De mazzel allemaal,' zei hij en maakte een zwaaiende beweging naar ons terwijl hij de kamer uit liep.

Ik staarde Mike aan. Kon Rooster echt iets met Joan hebben gekregen zonder dat ik ervan wist? Kon hij hoe dan ook iets met Joan hebben gekregen? 'Hoe zit dat nou?' vroeg ik. 'Is er echt iets? Is zij niet zowat dertig?'

Mike zei niets.

'Mike.'

'Ik weet niet hoe oud ze is.'

Ik keek Bill aan. 'Weet jij het?'

'Ik heb haar nooit gezien.'

'Misschien heeft hij het je verteld?'

'"Bill?"' zei Bill grijnzend. '"Ja, Rooster?" "De vrouw met wie ik vanavond uitga is al dertig." "Dank je wel dat je me dat hebt verteld, kerel."'

Jamie lachte. 'Ja Carrie,' zei ze. 'Doe maar niet zo moeilijk.'

Ik kruiste mijn armen voor mijn borst. Ik wist dat ik belachelijk was, maar kon het niet helpen. Ik slaakte een diepe zucht en ging op Roosters stoel zitten – de stoel van mevrouw Mayer, en nu mijn stoel. Vanuit zijn zijligging kon Mike me niet meer goed zien, en een ogenblik later verschoof ik de stoel zodat ik meer binnen zijn gezichtsveld viel. Door de halo kon hij onmogelijk zijn hoofd draaien, en hij had wel geklaagd over vermoeide ogen, en dat je pas merkte hoe vaak je met je nek draaide als je het niet meer kon. Ik wou dat ik niet zo had aangehouden.

Bill vertelde ons over zijn nieuwe baantje: hij werkte voor een wetenschappelijk medewerker bij de biochemische faculteit. De medewerker voerde een experiment met fruitvliegjes uit, en Bill moest de vleugels van de dode vliegjes afsnijden en met een microscoop bekijken of er een bepaalde verandering in hun cellen was opgetreden. Mike luisterde, maar na een tijdje werd het duidelijk dat hij moest slapen. Ik maakte Jamie met een hoofdbeweging duidelijk dat ze met Bill de kamer uit moest gaan en in de hal op mij moest wachten. Ik ging op de rand van het bed zitten en streelde Mike een poosje over zijn schouder. Er zou nu gauw iemand van de verpleging komen om hem klaar te maken voor de nacht. 'Ik hou van je,' zei ik voordat ik wegging. Hij staarde me aan en wendde zijn blik af.

Buiten op de gang stond Jamie alleen te wachten. We vertrokken. Ongeveer halverwege het traject naar de lift kwamen we bij de brandtrap. In een opwelling bleef ik staan, trok de zware deur open en stapte de warme, benauwde overloop op.

'Hierlangs?' vroeg Jamie, die achter me aan kwam. Een tijdje was er niets anders te horen dan het klakken van onze hakken op de betonnen treden. Het trappenhuis was zwak verlicht, door gloeilampjes in stalen kooien. Een brede rode streep op de muur toonde de dalingshoek van de trap.

'Sorry,' zei Jamie plotseling.

Ik keek naar haar om. 'Waarom?'

Ze was blijven staan, en ik bleef ook staan. 'Omdat ik zei dat je niet moeilijk moest doen,' zei ze. 'Rooster was ontzettend irritant.'

'Toch wel, hè?' Ik schudde mijn hoofd. 'Waarom zegt hij niet gewoon: "Ja, ik ben een paar keer met haar uit geweest en ze is heel leuk."'

Jamie grijnsde. 'Meer iets als "Ja, ik ben een paar keer met haar uit geweest en ik denk dat het vanavond raak is."'

'Arme Rooster.'

'Hij redt het wel,' zei ze en haalde haar schouders op. 'Hij geniet dit keer beslist van alle geheimzinnigdoenerij, dat lulletje.' Ze zweeg even. 'Eigenlijk zit hem daar misschien het probleem.'

We glimlachten allebei. 'Wat is zijn probleem?' vroeg ik. 'Ik bedoel, echt.'

Ze haalde haar schouders op. 'Hetzelfde als met mij – een combinatie van pech en slechte adem.' Ze keek me aan: ze was een keer naar bed geweest met een klootzak die haar had gevraagd voor het vrijen haar tanden te poetsen. Sterk punt van Jamie: als ze ervoor in de stemming was kon ze om zichzelf lachen.

Ze daalde een tree af en bleef opnieuw staan. 'Eigenlijk is er nog iets waar ik spijt van heb.' Ze aarzelde. 'Dat ik toen we hier net waren zei dat je een bezig bijtje was.'

Ik raakte de halslijn van mijn jurk aan, een zwarte U op mijn ongebruinde huid. De jurk inkorten was een werkje van niets, maar het afknippen van de mouwen was een grote gok geweest. Hij was nu precies goed: een zomerjurk die was ontdaan van een teveel aan zwarte stretchkatoen. Ik keek haar aan. 'Je stak niet de draak met mijn jurk, maar met mij.'

Ze bloosde. 'Ik weet het, ik dacht er niet bij na.'

'Wat bedoel je?'

Ze schudde haar hoofd. 'Laat maar,' zei ze, en we hielden even onze blikken op elkaar gevestigd voordat we verder gingen.

Ik werkte, ik bezocht Mike en ik naaide en naaide: nieuwe gordijnen voor mijn etage en een sprei voor het voeteneind van zijn bed, een rechthoekige sprei met een roodwit ruitjespatroon die ik opvulde met katoenen watten en met de machine stikte. Ik kwam zo vaak in het House of Fabrics dat een van de verkoopsters me met liefje begon aan te spreken. Mijn naaimachine stond altijd klaar, aan het hoofd van mijn tafel. Ik at op de bank: bakjes cornflakes, chips, alles wat ik uit een kast kon halen en kant en klaar kon opeten. Op mijn werk zwalkte ik maar wat rond, zo onwrikbaar op de automatische piloot dat Viktor me bezorgde blikken toewierp en me tegen mijn elleboog stootte als ik te lang op één plaats bleef staan. Na mijn afwezigheid van een week had juffrouw Grafton mijn excuses afgewimpeld, maar nu leek ze me niet meer te vertrouwen en bleef ze op een paar meter afstand van me als we met elkaar moesten praten, alsof ze bang was een ziekte van me op te lopen.

Overdag droeg Mike een joggingpak, wat bij de fysiotherapie

het comfortabelst was. Het zat los, knelde niet en was makkelijk onder hem recht te trekken om te voorkomen dat er plooien in zijn huid zouden drukken en er wondjes zouden ontstaan die hij niet kon voelen. Het jasje had lange mouwen, en wekenlang kreeg ik zijn blote armen niet meer te zien – pas weer toen ik op een avond wat later dan normaal verscheen, nadat iedereen was vertrokken en hij een pyjama met korte mouwen aan had gekregen. Ik zag dat zijn onderarmen dunner en harder waren geworden, en de subtiele kromming van het bot hadden gekregen – en tevens bijna dezelfde bleekheid.

Ik keek hem in zijn ogen en wendde mijn blik af. Ik kon het niet helpen: ik keek naar de vloer, naar het raam, naar Jeff Walker die half in slaap in zijn bed lag, met de afstandsbediening voor de aan het plafond gemonteerde tv losjes in zijn hand. Toen ik hem weer aankeek, keek Mike mij recht aan – zijn ogen samengeknepen, zijn mond slaphangend van narigheid –, en een ogenblik was ik sprakeloos.

'Hallo,' wist ik ten slotte uit te brengen, en ik liep naar het bed toe en kuste hem op zijn wang. 'Sorry, ik moest nog laat werken.'

Hij fronste zijn voorhoofd. 'Je hoeft niet elke avond te komen.'

'Dat wil ik, dat weet je toch.'

'Ik weet niet waarom.'

'Ik hou toch van je? Daarom misschien?'

'Je hield van me. Nu heb je alleen nog medelijden met me.'

Hij staarde me strak aan, en ik had het gevoel dat hij deze opmerking had gemaakt om te kijken hoe hij zou vallen, hoe overtuigend ik hem kon weerleggen. Ik vermoedde dat hij deels wilde dat het me niet zou lukken, zodat hij zeker zou weten dat hij het dieptepunt had bereikt. Maar ik had sterk het gevoel dat het niet waar was, dat ik nog altijd van hem hield – dat ik sinds de scène met Rooster niet méér van hem hield, maar op een betere manier van hem hield. Duidelijk, zonder het waas van mijn eigen verlangens, zonder de eentonige behoefte om liefde terug te willen krijgen en zonder de behoefte aan spanning.

Alleen maar liefde, zuivere liefde: een hart dat zich had gegeven aan een ander. Dat moest toch voldoende kunnen zijn?

'Dat is niet waar,' zei ik.

'Vroeger of later zal het wel zo zijn. Denk je dat we samen een leuk leventje gaan krijgen? Jij, ik en mijn rolstoel?'

'Niet doen, Mike.' Ik legde mijn hand op zijn schouder. 'Nee, echt niet. We zien gewoon wel wat er gebeurt, goed?'

'Het is al gebeurd. Het is voorbij.'

Mijn benen werden koud. 'Met ons?' vroeg ik.

'Nee, met mij,' zei hij. 'Met mij, natuurlijk.'

'O, Mike.' Ik had op een stoel naast zijn bed gezeten, maar nu was ik opgestaan en dichter bij hem gekomen. Tegen de witte lakens oogde zijn huid parelgrijs, een lichte blos van emotie kleurde zijn gezicht. Hij had een ouderwetse pyjama aan, de eerste echte pyjama die hij in jaren bezeten had: met rode en marineblauwe streepjes, en marineblauwe biezen langs de kraag en de manchetten.

Ik wendde mijn blik af. Hij viel op de tv die midden in de kamer hing. Voordat hij was ingedommeld had Jeff een oude western uitgekozen, en ik zag kleine paardjes over kleine prairies rennen.

Vervolgens kwam er een reclamespot, en ik voelde dat ook Mikes aandacht erdoor werd getrokken. Een paar in bruiloftskledij kwam gearmd een kerk uit onder een regen van confetti. Ik voelde hoe Mike de beelden tot zich nam: de bruid met haar stralende gezicht, de glunderende bruidegom, de blije toeschouwers. *Ik denk dat hij zich eigenlijk ergens heel grote zorgen over maakte*, had Rooster gezegd. O ja. Ik keerde me weer naar het bed toe en keek hem aan. Zijn gezicht was door het staal van de halo in afzonderlijke stukken gesneden. Hadden zijn volgende woorden *als we eens een geestelijke laten komen om morgen te gaan trouwen* geluid, dan zou ik ja hebben gezegd.

HOOFDSTUK 10

Achter een smalle deuropening liepen traptreden met metalen randen naar de Stock Pot, een eetcafé met drie zaaltjes dat befaamd was om zijn soep. 's Winters werden er warme maaltijdsoepen en gebonden soepen geserveerd, 's zomers koude gazpacho's. Ik zat aan een tafeltje bij het raam en keek uit over State Street. Op het trottoir voor de Athlete's Foot was de jongleur met sinaasappels aan het jongleren, zijn armen bewogen razendsnel. Je kwam hem in de hele stad tegen, blootsvoets en bebaard: hij jongleerde met vruchten, bowlingkegels en zelfs met plompe, veelkleurige kaarsen. Het gerucht wilde dat hij het al tientallen jaren deed, zo stoned dat het slechte nieuws dat de jaren zestig voorbij waren hem nooit had bereikt.

Ania verscheen glimlachend bij het tafeltje, haar brede schouders trokken aan de mouwtjes van haar zwarte T-shirt. Ze had de vorige avond gebeld met het voorstel te gaan lunchen, en hoewel ik het leuk had gevonden iets van haar te horen, wist ik zeker dat Viktor haar ertoe had aangezet.

'Niet te geloven hoe lang geleden je etentje alweer is,' zei ik nadat we elkaar hadden begroet en hadden plaatsgenomen. 'Ik wilde jullie bij mij uitnodigen, maar...'

Ze schudde haar hoofd. 'Alsjeblieft, je hebt het heel druk gehad, je hoeft je niet te excuseren. Zeg me, hoe gaat alles? Viktor is slechte informatie-overbrenger. Hij zegt me dat je vriend naar revalidatie is verhuisd, maar niet *hoe het gaat.*'

'Alleen de feiten, mevrouw.'

'Zo is het,' zei ze met een glimlach. 'En voor mij zijn feiten een begin, niet het einde.' Ze leunde naar voren, en haar amberkleurige ogen werden groter. 'Denk jij niet dat dit een van de grootste verschillen tussen mannen en vrouwen is? Mannen willen feiten' – ze sloeg op de tafel – 'en wij willen wat ertussenin ligt, het interessante wat eromheen stroomt.'

'De waarheid,' zei ik. 'Ik denk dat dat behoorlijk klopt.' Ik bedacht hoe Mike, nog maar een paar dagen geleden, terloops had opgemerkt dat Rooster de volgende dag met Joan zou gaan zeilen. 'Dus ze hebben een relatie?' vroeg ik, en hij bevestigde het alsof het een alom bekend feit was, alsof hij er altijd hoogst toeschietelijk over was geweest.

'Misschien beperken mannen zich tot de feiten om ons te kunnen overheersen,' zei ik tegen Ania. 'Dat heb ik net bedacht. Wij willen liever de waarheid en dat weten ze. En daarom bespreken en analyseren ze de dingen niet, omdat het hun macht over ons geeft.'

Ze grijnsde. 'Je moet bij mijn vrouwenpraatgroepje komen. Lijkt dat je wat? Je bent perfect, je bent neofeministe. Het is om de week op dinsdagavond, we zijn om de beurt gastvrouw. Je moet meedoen.'

'Ik weet het niet,' zei ik stroef. 'Ik ben nooit bij een groep geweest.'

'Dat is geen voorwaarde,' zei ze. 'Het is heel ontspannen – gewoon acht of tien vrouwen die praten. Jij praat graag.' Ze zwaaide met haar wijsvinger naar me. 'Ik weet dat dat zo is.'

Ik bekeek haar goed: haar brede Slavische gezicht, haar lichte, gelige kattenogen. Ze droeg rare sandalen met dikke zolen en schoor haar benen niet. Met mijn elegante jurk met bloemmotief en schoenen met plateauzolen en enkelbandjes voelde ik me nuffig en overdreven opgetut, als een belachelijk opzichtig grietje.

'Ik moet elke avond naar het ziekenhuis,' zei ik. 'Ik kan echt niet. Maar evengoed bedankt.'

Ze haalde haar schouders op, en ik dacht dat ik iets op haar voorhoofd zag trillen – misschien het beetje belangstelling dat ze voor mij had gehad en dat nu verdween.

We hadden net onze bestellingen gekregen toen Jamie en haar moeder de zaak binnenkwamen. Hoewel ze me was blijven bellen, waren we nog steeds niet samen gaan eten. En nu zat ik hier met iemand anders.

Ik keerde me naar het raam toe en schermde met mijn hand mijn gezicht af. Beneden op het trottoir was de jongleur verdwenen, op zijn plaats stonden een paar corpsmeisjes met blikjes Cola Light.

Met tegenzin draaide ik me weer om. Jamie en mevrouw Fletcher zaten twee tafels van ons vandaan, en Jamie wachtte tot ik haar zou aankijken. Ze lachte me geforceerd toe en wendde zich vervolgens af.

'Vriendin van jou?' vroeg Ania.

Ik knikte.

'Vandaag is niet haar dag, lijkt mij.'

Toen we uitgegeten waren liep ik met Ania naar het tafeltje van de Fletchers om gedag te zeggen. Jamie zat driftig haar salade te kauwen, alsof ze het zo druk met haar lunch had dat het te veel moeite was om belangstelling te tonen. 'Mijn man is collega van Carrie,' zei Ania bij wijze van verklaring, en Jamie knikte nonchalant.

'Viktor. Dat weet ik.'

Mevrouw Fletcher lachte me ongemakkelijk toe. Ze leek ouder dan de laatste keer dat ik haar had gezien, weker en met meer rimpels. Er was iets angstigs in haar verlegen bruine ogen. 'Komen jullie hier zitten?' vroeg ze, terwijl ze op de stoel naast haar klopte. 'Ik heb je zo lang niet gezien, Carrie.'

Ania keek op haar horloge. 'Ik moet naar werk teruggaan, dus neem ik afscheid.' Ze wendde zich tot mij. 'Blijf jij, als jij wilt. En dank je dat je me hebt willen ontmoeten.'

Ik wilde met haar mee naar buiten lopen, maar Jamies blik boorde zich in me. Dus nam ik afscheid van haar en keek haar na, met haar lange vlecht roerloos op haar rug.

'Ze lijkt me aardig,' zei mevrouw Fletcher. 'Zo beleefd.'

Jamie draaide met haar ogen. '"Ik moet naar werk teruggaan." Wie praat er nu zo?'

'Ze is Pools,' zei ik. 'Engels is niet haar moedertaal. Is haar accent je niet opgevallen?'

Jamie nam een stukje champignon op haar vork en stak het in haar mond. 'Het zal wel.'

Mevrouw Fletcher wendde haar blik af. Ze leek niet op haar plaats te zijn in de rumoerige Stock Pot en was voor zover ik kon bepalen de enige aanwezige van boven de veertig. Ze droeg een blouse met korte mouwtjes en een omgeslagen kraagje, een kleine geëmailleerde vlinder was op een van de revers gespeld. 'Pools,' zei ze op peinzende toon, waarna ze haar glas pakte en een slokje ijsthee nam. 'Ik vraag me af of ze een goed goulashrecept heeft.'

Jamie liet haar voorhoofd in haar handpalm rusten en schudde haar hoofd.

Het gezicht van mevrouw Fletcher kleurde lichtroze, en ik wou dat ik was opgestapt toen het nog kon: nu was het te laat en kon ik alleen nog op de stoel zitten die zij me had aangeboden. Haar blik ontmoette de mijne en ze glimlachte verdrietig. Daarna legde ze haar zachte, besproete hand op mijn arm en gaf er een klopje op. 'Ik heb zo veel aan je gedacht, Carrie,' zei ze. 'Hoe gaat het met je?'

'Met mij gaat het goed.'

'En met Mike?'

'Hij is hard bezig,' zei ik. 'Hij geeft niet op.'

Ze schudde treurig haar hoofd. Ze had haar dunne haar in een nieuw kapsel laten knippen, korter en met een uitgegroeide pony. Een kinderhaarspeld van namaak-schildpad hield de haren uit haar gezicht. 'Jamie zegt dat je steeds in het ziekenhuis bent.'

Ik keek Jamie aan. Ze roerde suiker door haar ijsthee, er viel niets van haar gezicht af te lezen. 'Ach,' zei ik tegen mevrouw Fletcher, 'u begrijpt het wel.'

Ze knikte. 'Hij moet veel kracht uit jou kunnen putten.'

Ik zat bij hen terwijl ze hun lunch opaten, en vervolgens gingen we samen naar buiten. De zon stond vol op het drukke trottoir. We liepen de hoek om, naar het punt waar mevrouw Fletchers grote stationcar met houten panelen geparkeerd stond.

'Ik zie je haast nooit meer,' zei ze, terwijl ze het portier opende. 'Koms eens een keertje zonder Jamie bij me langs.' Ze trok haar hoofd scheef en keek me aan. 'Speel je misschien ook bridge?'

Ik keek naar Jamie, die weer met haar ogen draaide. 'Nee.'

'Zonde. Een van de meisjes in mijn bridgeclubje is naar Fond du Lac verhuisd, en het lukt ons maar niet om een vervangster voor haar te vinden.' Ze glimlachte, stapte in haar auto en reed toen langzaam van de parkeerplaats af, kleine stukjes naar voren en naar achteren rijdend totdat de auto helemaal scheef op de straat stond.

'En je kunt zo goed rijden,' zei Jamie op fluistertoon.

'Doe een beetje aardig.'

We keken toe hoe haar moeder wegreed, met aarzelend opflakkerende remlichten terwijl ze op de kruising aan het eind van de straat afreed. Ten slotte sloeg ze af, en Jamie slaakte een diepe zucht. 'Denk je niet dat ze iets *gebruikt*? Praat ze nou zo verschrikkelijk langzaam, of ligt dat aan mij?' Ze liet de neus van haar sandaal langs een scheur in het trottoir gaan. 'Een van de *meisjes*,' vervolgde ze. 'Ze is zevenenveertig.'

Ik draaide me om en nam haar op. De korte mouwtjes van haar Cobra Copy-T-shirt waren zo hoog mogelijk opgerold en toonden haar dunne, bleke armen. 'Wat is er aan de hand?' vroeg ik. 'Waarom lunchte je eigenlijk met haar?'

Jamie fronste haar wenkbrauwen. 'Om het over Lynn te hebben. Suffe Lynn, zou ik moeten zeggen.'

Lynn was Jamies jongere zus. Ze had in juni haar high schooleindexamen gedaan, werkte als serveerster in een restaurant aan de westkant van de stad en was niet van plan om te gaan studeren.

'Hoezo over haar?' vroeg ik.

'Over haar algehele idiotie.'

'Jamie.'

Ze had met haar handen op haar heupen gestaan en liet haar handen nu uitzwaaien. 'Ze lijkt wel een grietje van dertien: te stom om goed te regelen hoe laat ze 's avonds thuis mag komen! Elke nacht ligt mijn moeder wakker tot ze Lynn de trap op hoort komen, en elke morgen nadat mijn vader de deur uit is gegaan belt ze mij om te gaan klagen. Nu wil ze dat ik met Lynn ga praten.'

'En ga je dat doen?'

'Kut, nee.'

We stonden voor een laag betonnen trapje dat naar een hoedenwinkel leidde, en bruusk ging Jamie op de onderste tree zitten. Even later ging ik ook zitten en gaf haar een schouderklopje. Aan de overkant van de straat kwam een stelletje met in dezelfde kleuren gebatikte kleren uit een tweedehandsplatenzaak. Wij keken toe hoe ze elkaar zoenden en toen langzaam richting State Street liepen, in innige omarming. Ik merkte dat Jamie hen zat te taxeren – het meisje met haar lange, verwarde haren en blote voeten, de jongen met zijn leren armbandje en smerige, kleurige pet. Ik voelde hoe ze hen minachtte en desondanks niet om het feit heen kon dat die twee verliefd waren en zij niet.

'Heb *jij* haar nou gebeld?' vroeg ze.

'Haar?' vroeg ik, terwijl ik met mijn kin naar het hippiemeisje wees, ook al wist ik dat Jamie Ania bedoelde.

Jamie kneep haar lippen samen. Een golden retriever met een rode bandana om zijn nek passeerde ons al snuffelend.

'Zij heeft mij gebeld,' zei ik.

'O.' Ze knikte haastig, ze kwam op gang. 'En was het leuk? Waar hebben jullie het over gehad?'

'Ze heeft me gevraagd om bij haar vrouwenpraatgroepje te komen.'

Jamies mond viel open van verbazing, en er kwam een opgetogen trek op haar gezicht. 'Haar vrouwenpraatgroepje? Neem je me in de maling?'

Ik schudde mijn hoofd.

'Maar dát is raar.' Ze grijnsde. 'Zijn we terug in de jaren zeventig?'

'Misschien is het een vrouwenpraatgroep voor het nieuwe millennium.'

Ze lachte. 'Ik zie je daar al zitten, Bell – al die types met harige oksels en Birckenstock-sandalen, en dan jij.'

'Ik weet het niet,' zei ik. 'Misschien is het best interessant.'

'Waarom ga je er dan niet bij?' snauwde ze. Ze staarde ontevreden naar de straat, met opgetrokken schouders en in elkaar gewrongen vingers. Ik stak mijn geopende hand naar haar uit.

'Wat, moet ik je handje vasthouden? Misschien moest je maar bij dat groepje gaan, waarschijnlijk zijn het allemaal lesbo's.'

Ik trok mijn hand terug. Ik had moeten liegen, ik had moeten zeggen dat het ontzettend vervelend was geweest. Of ik zou het lef moeten hebben haar te zeggen dat ze er overheen moest stappen.

'Weet je wat ik zou willen?' zei ze opeens. 'Ik zou willen dat deze klotezomer voorbij was. Ik zou willen dat alles weer normaal was.'

'Hoezo alles?' Ik staarde haar aan: haar gezicht was roze bij haar jukbeenderen en haar mond stond strak gespannen. 'Wat bijvoorbeeld, Jamie?'

'Jij bijvoorbeeld!'

'Dat kan niet,' zei ik een ogenblik later. 'Dat weet je.'

Ze kwam overeind, wendde zich van me af en bleef toen roerloos staan. Een ogenblik later kwam ik ook overeind. Een zakenman liep de naburige snoepwinkel uit, met een klein roze zakje in zijn hand. Er hing een sterke pindageur om hem heen.

Er zat niets anders op dan terug te gaan naar State Street. We liepen zonder een woord te zeggen naast elkaar. Ik was voor die dag klaar met mijn werk, en voordat Jamie terugging naar de kopieerzaak wisten we nog een afscheidsgroet uit te wisselen. Ik zette een paar stappen de andere kant uit, maar draaide me toen om en keek hoe ze zich door de menigte voortbewoog. Haar kleine hoofd ging op en neer, de paardenstaart die ze altijd droeg wipte bij elke stap een beetje omhoog. Ik hield van haar: vanwege haar trouw, haar opgewektheid, de manier waarop ze haar haren van haar hals weghield als ze het warm had, haar verdrietige kant en haar geloof dat de ware liefde alles goed zou maken. Als kinderen gingen we overal samen naartoe, zelfs naar het toilet. Een van ons zat dan op de rand van het bad terwijl de ander een plas deed, maar nu we volwassen waren moesten we leren wat afstand van elkaar te nemen. Mijn moeder had me eens gewaarschuwd dat ik niet zo veel tijd met Jamie moest doorbrengen – dat ik niet al mijn kaarten op haar moest zetten, zei ze – en ik was toen woedend geweest, razend. Nu bedacht ik dat ze iets had geweten: niet over mij of over Jamie, maar over de ontwikkeling van een vriendschap die tijdens de vroege jeugd is gesloten.

Ik draaide me om en liep State Street in. De etalages van de winkels veranderden er vrij vaak, maar vandaag leek dat een bijzonder misselijke leugen, omdat de winkels zelf niet veranderden. Hier had je de zaak met de gemakkelijke schoenen, daar de zaak met karakteristieke spulletjes uit Wisconsin. Zelfs de kledingzaken waren voorspelbaar, de winkel met truien en wijde broeken, en die met korte rokjes en leren kleding. Op State Street kwam je geen grote verrassingen tegen.

Maar daar had je Fabrications. Ik liep meteen naar binnen, zonder eerst te dralen bij de etalage en zonder me af te vragen of er iets zou zijn wat ik me kon permitteren. Het was er lekker koel: er was volop airconditioning voor een winkeltje waarin één verkoopster met een klembord op haar knie voor een geopende la met patronen zat. Verder was er niemand te bekennen.

131

Ik liep recht op de zijden stoffen af. De eerste stof waar mijn oog op viel was de blauwe stof die ik had bekeken op de avond toen ik bij John junior in de ijssalon had gehuild, wat nu net een droom leek. De stof had de diepe saffierkleur van een ring die mijn moeder in haar sieradenkistje bewaarde maar nooit droeg. Hij ving het licht en leek te glanzen, en toen ik hem afrolde om hem nog eens te betasten merkte ik weer hoe licht en knisperend hij aanvoelde, als heel duur cadeaupapier. Je zou er een prachtig pak van kunnen maken – wat in modebladen 'een pakje' werd genoemd, alsof je er zes of zeven van hoorde te hebben. Ik zag een kort, getailleerd jasje voor me met een rok die ik ooit had gezien en die een tulprok werd genoemd – een rok die bij de heupen rond viel en boven de knie strak aansloot. Ik was nooit in mijn leven ergens geweest waar je zoiets kon dragen, maar misschien ging het daar juist om.

Vervolgens richtte ik me op de stof met de opdruk in zwart, goud en rood die diezelfde avond ook mijn aandacht had getrokken. Het was een heel zijdeachtige zijde, het soort stof dat onder het lopen om je heen zou zwieren. Het leek me iets wat een model zou kunnen dragen in een parfumreclame, voor een parfum dat als kruidig werd omschreven – ze zou dan op een sofa zitten in een los vallende harembroek van deze stof, met een hoop gouden sieraden aan en een tafeltje met brandende kaarsen naast zich. Ik keek naar het prijskaartje: veertig dollar per meter. Ik stond op het punt me weer naar de blauwe stof toe te keren toen mijn oog op een rol gewassen zijde viel.

De kleur was prachtig: een warm, bleek goud, als van honing bij zonlicht. Ik liet de stof over mijn handrug gaan en raakte betoverd door hoe hij aanvoelde: zacht maar niet glad, als een soort magisch, gewichtloos suède. De rustige uitstraling, zo anders dan die van de bedrukte stof, beviel me: de voldoening die deze stof schonk zou intiem en subtiel zijn, niet zichtbaar voor iedereen. Maar wat moest ik ervan maken? Ik keek op en zag dat de verkoopster me gadesloeg.

'Kopen of kijken?'

'Misschien allebei, maar ik kan niet beslissen.'

'Over de stof of over het patroon?'

'Over allebei.'

Ze stond gimlachend op, legde haar klembord op de toonbank, kwam naar me toe en pakte de drie rollen die ik had bekeken. Ze raakte de blauwe stof aan. 'Deze shantung is heerlijk om mee te werken – heb je hem weleens gebruikt?'

'Eigenlijk heb ik nog nooit iets van wat voor zijde dan ook gemaakt.'

'Je zult verwend raken. De gewassen zijde is ook prachtig, en de kleur zou jou geweldig staan. Laten we eens kijken.' Ze nam de rol gewassen zijde en leidde me naar een grote passpiegel. 'Kijk,' zei ze, en ze rolde een paar meter stof af en hield hem voor mij. 'Schitterend met jouw donkere haar.'

Het *was* schitterend, als bleek bladgoud dat bij beweging een subtiele glans afgaf. Ik tilde mijn arm op totdat hij de zijde raakte – de zachtst denkbare streling.

'Ziet u het zelf ook voor u?' vroeg de verkoopster. 'Bij een zomerse bruiloft, met mooie crèmekleurige schoenen en een grote strohoed met bloemen aan de rand?'

Dat klonk ongeveer even chic als een goedkoop damesblad, maar ik wilde niet onbeleefd lijken. 'Ik weet het niet,' zei ik. 'Misschien moeten we aan iets informelers denken.'

'Niet als jij de bruid bent,' zei ze met een lach. 'Tenzij het de tweede keer zou zijn. Ga je trouwen? We hebben een prachtige ivoorwitte charmeuse.'

Ik schudde mijn hoofd. Zonder dat het helemaal mijn bedoeling was tastte ik naar mijn verlovingsring en draaide de steen naar de binnenkant van mijn hand.

'Ik bedoelde als je zou zijn uitgenodigd op een bruiloft,' zei ze. Met haar vrije hand pakte ze de stof bij elkaar en hield hem bij mijn middel. 'Hij staat je prachtig.'

Terwijl ik in de spiegel keek stelde ik me voor hoe er een complete jurk van deze stof over mijn hoofd zou glijden: geen lang geval dat je met een strohoed moest dragen, maar een smalle, nauwsluitende jurk die verrukkelijk op je huid zou voelen. 'Hij voelt zo lekker aan,' zei ik.

'Het is sexy spul,' zei ze met een lach. 'Ik heb er een nachtpon van gemaakt voor een vriendin die ging trouwen, en ze raakte al zwanger voor haar huwelijksreis voorbij was.'

Een nachtpon. Een zijden nachtpon met smalle schouderbandjes, en daarover een lange, los vallende peignoir met enorm wijde mouwen en een satijnen lint bij de hals. Ik hoorde de stem van mijn moeder, die vroeg of ik zoiets vaak zou gebruiken en ik hoorde Jamie zeggen dat ik een leuke nachtpon kon kopen. Maar toen vroeg ik me af wat Mike zou zeggen, en het volgende ogenblik stond hij voor me, knoopte voorzichtig het lint los, schoof de peignoir van mijn schouders, trok de schouderbandjes van de nachtpon omlaag zodat hij langs mijn heupen gleed en op de vloer neerdwarrelde. En ik bedacht dat Mike daar waarschijnlijk nooit toe in staat zou zijn, maar dat ik de nachtpon en de peignoir toch moest maken: bij wijze van offer aan de herinnering, of aan de toekomst.

Met de stof liep ik State Street af naar mijn auto. Ik had ruim zeveneneenhalve meter stof bij me: zijde ter waarde van ruim tweehonderd dollar in een papieren zak. Ik reed naar huis en vond een parkeerplaats in de schaduw.

Het was nu augustus, en de cosmos die mijn onderburen hadden geplant zag er uit als onkruid nu de verwelkte magentablauwe bloemen van kleur verschoten voor het grijsbruine tuinhek. Onze huisbaas had deze zomer het gras laten groeien, en het was graankleurig en stoppelig geworden. Langs het tuinpad waren stukken kale grond zichtbaar.

Mijn etage lag nog in de zon. Ik ging beneden op de veranda zitten, op een rieten leunstoel die door een vorige huurder was achtergelaten. Ik zette de tas op de splinterige vloer, veranderde vervolgens van gedachten en legde hem op mijn schoot. Arme Jamie, dacht ik, klem tussen haar moeder en haar zus. Goed, misschien niet klem tussen hen, maar dan alleen omdat ze daar niet aan meewerkte. Klem in de situatie met hen, in elk geval. Jamie was altijd dubbel geweest ten aanzien van Lynn: ze wilde haar beschermen, en tegelijk wilde ze haar door elkaar schudden om haar duidelijk te maken dat ze eens volwassen moest worden. Lynn was de jongste van drie dochters en had de pech gehad niet alleen de jongste maar ook de minst pientere en minst knappe van de drie te zijn. De schoonheid van de familie was Mixie, de middelste zus – zij bracht de zomer door in Zuid-Californië, waar ze met een stel vrienden van de universiteit in de buurt van Venice Beach verbleef en in een T-shirt-winkel werkte. Jamie verdacht haar ervan dat ze veel drugs gebruikte.

Opeens remde er een fiets af, en toen ik opkeek zag ik Tom, de buurman van Viktor en Ania, die zijn lange been over zijn achterwiel heen zwaaide. Hij zette de fiets tegen het tuinhek en liep de tuin in. Hij droeg modderkleurige shorts en een gescheurd T-shirt, en zijn blonde haar stond recht overeind in een kroezige ragebol.

'Je zult wel verbaasd zijn om mij hier te zien,' zei hij. 'Wiktor heeft me je adres gegeven.'

Arme Viktor, dacht ik, zelfs terwijl ik me afvroeg waarom Tom mijn adres had willen hebben.

'En hoe staat het ermee?' vroeg hij.

'Toevallig heb ik net met Ania geluncht.'

Tom hief zijn handen ten hemel. 'En dan sta ik bij je op de drempel. De wereld is vol van dat soort dingen, vind je ook niet?'

Ik onderdrukte een glimlachje. Mike zou hem voor gek hebben versleten, maar volgens mij was het een pose.

'Ik ben dus een ware afvallige,' zei hij, terwijl hij zich van zijn rugzak ontdeed.

'Wat bedoel je?'

'Ik heb iets voor je. Ik wou al een paar weken bij je langskomen.'

Ik had er geen idee van waar hij het over had. 'Heb je iets voor mij? Wat? Waarom heb je het dan niet gewoon aan Viktor gegeven?'

Hij schudde zijn hoofd. 'Strikte orders om het aan jou persoonlijk ter hand te stellen.' Hij beklom het trapje van de veranda en nam plaats op de bovenste tree, waar hij de rugzak openritste. Die bevatte een chaotische hoeveelheid notitieboeken en losse velletjes papier, en, onverklaarbaar genoeg, een halve frisbee.

'Hier,' zei hij, en hij haalde de frisbee eruit: hij deed alsof hij hem naar me toe gooide en stopte hem er toen weer in. 'Grapje.' Hij rommelde nog wat en haalde een verkreukelde witte enveloppe te voorschijn. Hij probeerde hem glad te strijken, gaf dat weer op en overhandigde hem aan mij. 'Tja. Hij is een beetje gemangeld. Sorry.'

Ik bestudeerde de enveloppe. 'Wat is dit?'

'Ik moest hem van Kilroy aan jou geven. Herinner je je Kilroy nog? Van die avond?'

Ik knikte.

'Nou, ik moest dit aan jou geven. Sorry dat het zo lang duurde, maar ik heb deze zomer gewerkt als een beer. Of als een paard. Als wat voor dier werk je ook al weer?'

Ik schudde ongeduldig mijn hoofd. De enveloppe was aan beide kanten onbeschreven.

'De wedstrijd van de Sox gezien?'

Ik keek naar hem op.

'Grapje.' Hij trok zijn rugzak op zijn schouders en liep het trapje af naar zijn fiets. Ondanks mezelf bleef ik ernaar kijken: het was de grootste fiets die ik ooit had gezien. Het frame was ruim dertig centimeter hoger dan dat van mijn fiets, en het zadel stak er nog zo'n twintig centimeter bovenuit.

'Ze verkopen nu fietsen bij Harry's Big and Tall,' zei hij. 'Voor mij van levensbelang.' Hij zwaaide en zat weer op zijn fiets, zijn lange benen maakten pompende bewegingen.

Ik leunde achterover in de rieten stoel en schoof mijn vinger onder de flap van de enveloppe. Er zat een vel geel gelinieerd papier in. Ik vouwde het open, keek eerst naar de ondertekening en begon toen te lezen. 'Zondag, 2 uur,' stond er bovenaan.

Beste Carrie Bell,

Eindelijk ken ik de oorzaak van je treurige ogen en je zwijg-zaamheid, en in mijn egoïsme vraag ik je om vergiffenis. De moeilijkheid bij het lezen van andermans gedachten is dat je erg warm kunt zitten en toch de essentie kunt missen. Ik hoop dat Mike onder jouw liefdevolle hoede gauw weer bijkomt en dat jullie samen weer gelukkig zullen zijn.

Kilroy
P.S. Speel eens pool.

Ik dacht terug aan die avond in juni: Ania die in de keuken stond te koken, Viktor die in de huiskamer boven Kilroy uittorende en zo gekrenkt was door zijn vragen dat hij uiteindelijk weg was gelopen. Kilroy met zijn smalle lijf en scherpgetekende gezicht – dat mij aanstaarde en hoogte van me probeerde te krijgen. *Ik lees gedachten, nevenactiviteit bij het pool spelen.* Er ging rust van hem uit, een soort laag van gepolijste vriendelijkheid die een scherpe waakzaamheid verhulde. Alsof er voortdurend een motortje in hem in werking was. Maar er was nog iets anders: hij was arrogant terwijl hij tegelijk de spot dreef met zijn eigen arrogantie. *Hou je niet van pool? Je weet niet wat je mist. Op Sixth Avenue vlak bij mijn appartement is een bar, McClanahan's, met een pooltafel die een miniem groefje in het laken dicht bij een van de zijpockets heeft. Ik ben zo goed thuis op die tafel dat ik dat groef-je bijna altijd in mijn voordeel kan laten werken.*

Ik las de brief voor de tweede keer, stopte hem terug in de enveloppe en stak de enveloppe in mijn tasje. Ik had die avond onder het eten voortdurend zijn blikken op me gevestigd gevoeld. Hij had mij bestudeerd, zo bleek nu. Was nieuwsgierig naar mij.

Mike was die avond stil. Toen ik arriveerde was zijn ijshockey-coach er. Hoewel het aardig van hem was dat hij op bezoek kwam, was ik er zeker van dat Mike door zijn aanwezigheid moest denken aan schaatsen, aan zijn lange, krachtige slagen op het ijs die hem zo weinig inspanning kostten en hem zo veel vreugde schonken. De coach was in juni met pensioen gegaan en vertelde dat hij zich nu met andere zaken ging bezighouden. Hij ging klussen aan zijn huis en had samen met zijn vrouw een camper gekocht, om iets van het land te kunnen zien. Hij praat-te snel en nadrukkelijk: zijn boodschap luidde dat Mike hetzelf-de kon doen en 'nieuwe prioriteiten moest stellen' – zo formu-leerde hij het. Ik ging er maar van uit dat het coachen hem diep in het bloed zat, maar evengoed wilde ik dat hij opstapte.

'Goed dan, jongen,' zei hij ten slotte, terwijl hij al overeind stond. Hij had een dikke bos grijs haar en droeg een vlekkeloos wit T-shirt, een kort blauw sportbroekje, korte witte sokken en splinternieuwe Nikes. Zijn kuiten waren net zo pezig als zijn gespierde onderarmen. Ik had heel wat keren toegekeken bij Mikes ijshockeytraining, terwijl de coach schreeuwde: *Vooruit jullie – als je zo schaatst wint een stel meiden het nog van je.* Mike helemaal ingepakt, met zijn helm op, zijn stick ingetapet. IJs-hockeyers zijn op het ijs volstrekt niet meer van elkaar te onder-scheiden, maar zelfs zonder genummerd hesje zag ik wie hij was, door zijn heupen, de vorm van zijn kont en de manier waarop hij zijn hoofd introk.

Hij sloeg de coach vanuit zijn bed gade, met paarsige lijnen onder zijn ogen en zijn benen met de verschrompelde spieren spastisch gekromd. 'Dank u voor uw komst,' zei hij.

De coach keek naar de vloer. Hij aarzelde even, liep toen naar het bed toe en klopte erop, op zo'n dertig centimeter afstand van Mikes voeten. 'Je bent altijd een knokker geweest,' zei hij. 'Met de hulp van dit meisje zul je je prima redden.'

Hij zwaaide naar Mike en liep naar de deur. Hij legde in het voorbijgaan een hand op mijn schouder maar meed behoedzaam mijn blik.

'Dat was aardig,' zei ik toen hij weg was.

'Van de coach?' vroeg Mike. 'Ja.'

Hij sloot zijn ogen, en ik schoof een stoel dicht naar hem toe en nam erop plaats. *Met de hulp van dit meisje.* Mevrouw Fletcher kwam me voor de geest, die op haar zevenenveertigste nog altijd een meisje was. En Ania, die al zo uitgesproken een vrouw was. Viktor en zij leken een punt te hebben gepasseerd waar mijn vrienden en ik nog niet waren aangeland, en dat kwam niet alleen doordat ze ouder en getrouwd waren. Misschien zat het hem in het feit dat ze ver van huis en hun jongere zelf waren – wij werkten dan wel bij banken, bibliotheken en autodealers, maar op de een of andere manier waren de attributen van de volwassenheid voor ons ook niet meer dan attributen: bepalend voor wie we werkelijk waren leek het feit dat we nog steeds het meest omgingen met de mensen die we al sinds onze kinderjaren kenden. Het was nog steeds al te gemakkelijk om te denken aan de zaterdagavonden waarop we met ons zessen of zevenen in een auto over Campus Drive heen en weer reden, terwijl we elkaar clandestien gekochte flessen wijn doorgaven en het gezeur van degeen achter het stuur aanhoorden dat het erg belangrijk was om niet te morsen, omdat zijn ouders het beslist zouden kunnen ruiken als zij de volgende ochtend met de auto naar de kerk gingen.

'Waar denk je aan?' vroeg Mike.

Hij nam me nauwlettend op, en ik besefte dat ik er niet bij was, dat hij een moment geleden iets had gezegd wat ik zelfs niet had gehoord. 'Dat de coach me een meisje noemde.'

'Is dat zo erg? Hij kent je al van jongs af aan – waarschijnlijk heeft hij vaderlijke gevoelens voor je.'

'Tja, er wordt wel gezegd dat de natuur ertoe neigt leegtes op te vullen.'

Mike aarzelde en lachte vervolgens onzeker: het was niets voor mij om op mijn vader te zinspelen, en al helemaal niet zo lucht- hartig.

'Hoe zit het met jou?' vroeg ik. 'Zie jij me als een meisje of als een vrouw?'

Hij bewoog zijn schouder. 'Ik zie je als Carrie. Goedbe- schouwd zie ik je zelfs niet eens echt als Carrie. Ik zie je als "haar". Of gewoon als jou.'

Ik pakte zijn arm, streelde hem met de binnenkant van mijn hand en nam toen zijn verlamde hand in de mijne.

'Hoe zie jij mij?' vroeg hij.

'Bedoel je als een jongen of als een man?' Ik glimlachte. 'Als een vent of als een man?'

'Ik bedoel hoe je mij ziet.'

'Als jou. Soms als Mike, maar meestal heb ik een soort beeld van je voor ogen, en zo zie ik je.'

Hij beet op zijn lip. 'Hoe ben ik dan afgebeeld?'

'Op de voorgrond en beeldvullend.'

'Kijk me aan, Carrie.'

Ik keek naar zijn gezicht en zijn bezorgde ogen. Het frame van de halo wierp een flauwe grijze schaduw op zijn wang.

'Ben ik hier?' vroeg hij. 'Ben ik verlamd?'

'Nee,' loog ik. Vervolgens wendde ik mijn blik af. 'Nou ja, soms. Soms ben je dat, denk ik.'

Hij sloot een moment zijn ogen, en toen hij ze weer opende stond hij op het punt in tranen uit te barsten. 'Ik zou er alles voor geven om dit ongedaan te kunnen maken.'

'Ik ook.'

Hij sloot opnieuw zijn ogen, en nu stroomden de tranen eruit, over elke wang liep een straal. Ik legde zijn hand neer en begon zijn onderarm weer te strelen. Ik wou dat ik kon zeggen dat ik me toen onzelfzuchtig voelde, me niet bewust van mezelf. Dat ik alleen aan hem dacht, of zelfs helemaal niet dacht. Maar ik dacht: *Dit ben ik, en ik doe wat ik moet doen. Dit ben ik, en ik ben dapper en sterk voor Mike.*

HOOFDSTUK 11

De zijde was niet te vergelijken met de stoffen waarmee ik eerder had gewerkt. Hij was zo glad en soepel dat hij bijna leek te leven – hij stortte zich van mijn tafel op de vloer en gleed van het blad van mijn naaimachine als ik onvoorzichtig was bij het verwijderen van de naald, als ik hem niet met mijn handen dwong om te blijven liggen.

Ik was niet vaak onvoorzichtig. Ik was nog nooit zo voorzichtig geweest, zelfs niet toen ik pas met naaien begon – nog nooit had ik een stof zo langzaam vastgespeld en had ik de steek aan het begin en eind van elke naad zo omzichtig vastgezet. En die zorgzaamheid gaf me een goed gevoel, alsof de stof me helemaal opnieuw leerde naaien, en dit keer zoals het hoorde.

Het knippen was verschrikkelijk geweest, elke schaarbeweging leek een ramp te kunnen inluiden, maar toen ik eenmaal begon te naaien raakte ik in een aangenaam, traag ritme. Ik ging houden van de manier waarop de stof aanvoelde, van alle verschillende texturen die hij had: korrelig aan mijn vingertoppen, satijnachtig aan mijn handruggen, zwaar aan het begin van een naad en licht aan het eind. Ik vertelde niemand waar ik mee bezig was, en 's avonds, na thuiskomst uit het ziekenhuis, bleef ik vaak tot een of twee uur op, omgeven door een zee van licht goud die stukje bij beetje vorm kreeg.

Ik maakte de nachtpon het eerst. Hij bestond in grote lijnen uit twee schuingeknipte panden met een minieme A-vorm, waarvan de zijkanten aan elkaar moesten worden gestikt. Eenvoudig maar niet gemakkelijk – het woord 'eenvoud' had zelfs nog nooit zo'n zware lading voor me gehad, ook al ging het om een Butterick-patroon. Het met de hand vaststikken van de omgerolde zoom aan de hals duurde een eeuwigheid, en de bandjes werden me bijna noodlottig. Ze waren zo dun dat ik de binnenstebuiten gekeerde strookjes met een vleespen voor kalkoen weer in de juiste staat moest terugbrengen. Toen ik dat voor de eerste keer probeerde priemde de pen dwars door de stof heen en maakte er een rafelige scheur in. Daarom probeerde ik het nog eens met een nieuw stuk, en nu omwikkelde ik de punt van de pen met een miniem stukje katoen van een wattenbol. Tot mijn verbazing werkte dat trucje inderdaad.

Ik voelde de verleiding om de zoom te bewaren tot ik de peignoir af had, maar dat leek me op de een of andere manier verkeerd, een vorm van bedrog – ik moest eerst de nachtpon afmaken en dan aan de peignoir beginnen, ik moest me aan een bepaalde orde houden. Ik beleefde een angstig moment toen ik de nachtpon paste. Ik dacht dat hij te strak zou zitten, maar dat was niet zo: hij zat strak maar niet te strak, zoals een goed passend schuingeknipt kledingstuk altijd strak zit. De stof viel glad en mooi, en volgde tot boven mijn dijen de vorm van mijn lichaam. Vandaar viel hij geleidelijk losser, en aan de onderkant was hij wijd genoeg om te zwieren als ik me omdraaide. Ik maakte de zoom op een late avond af en hing de nachtpon aan een hangertje in mijn kast. Toen ik de volgende ochtend wakker werd was hij het eerste wat ik zag.

Tijdens die naaidagen voelde ik me behoorlijk verward. Op mijn werk kwam ik soms plotseling tot mezelf met een boek in mijn hand en een muur van boekenplanken voor me. Ik moest dan mijn hoofd heen en weer schudden om los te komen van de fase in het naaiwerk waarin ik had verkeerd toen ik de vorige nacht was opgehouden. Viktor vuurde zijn gebruikelijke bezorgde blikken op me af, en ik glimlachte dan treurig naar hem, om hem te laten denken dat het me te zwaar viel met Mike in het ziekenhuis – dat dat voor mij het probleem was.

Natuurlijk was dat voor mij ook het probleem. Ik besefte dat iedere minuut, of ik nu naaide of niet, en of ik nu bij Mike was of niet. Hij werd alsmaar somberder en merkte soms mijn aanwezigheid nauwelijks meer op. Andere keren lag hij de hele avond te klagen over kleinigheden – waarom niemand een nieuwe radio had meegebracht of hoe zat hij de foto's was die wij op zijn commode hadden gezet –, omdat de grote dingen simpelweg te groot waren om over te klagen.

Een deel van de revalidatie bestond uit psychotherapie, en op een avond vertelden zijn ouders me dat hij zijn therapeut niet meer wilde zien, niet voor individuele gesprekken en niet bij de groepssessies op dinsdagmiddag. Ze maakten zich zorgen. Ze hadden de therapeut zelfs opgezocht, en hoewel hij hun had verteld dat Mikes afwijzing van hem normaal was, waren ze niet gerustgesteld.

De bezoekuren waren voorbij, en ik zat met hen te praten in de hoofdlobby. Vooral meneer Mayer maakte een erg bezorgde indruk. Hij leek het hele revalidatieproces te beschouwen als vergelijkbaar met een productielijn: spierspanning, geestestoestand, fysiotherapie, bezigheidstherapie, psychotherapie. De ene stap na de andere op weg naar de genezing, of in elk geval naar Mikes terugkeer naar huis.

'Het is een hindernis, zo zie ik het,' zei hij. 'Hij moet deze hindernis nemen om verder te kunnen komen.'

Mevrouw Mayer fronste haar voorhoofd. 'Stel je voor dat er iemand langs zou komen om met jou over je gevoelens te praten. Dat zou jij ook niet leuk vinden.'

'Voor mij is het niet nodig.'

'Waarom weet je zo zeker dat Mike het wel nodig heeft?'

Meneer Mayer schudde krachtig zijn hoofd. 'God, alsof hij alleen maar een been heeft gebroken, die houding! Het is een onderdeel van de behandeling.'

Mevrouw Mayer wendde zich tot mij. 'Denk je dat hij gedeprimeerd is, schat?'

Ik knikte, en opeens schoot me een dag met hem in het afgelopen voorjaar te binnen – een prachtige dag, onbewolkt en bijna zacht. Het was een zaterdag, en na een laat ontbijt verlieten we mijn etage en gingen naar James Madison Park, waar we in de richting van de kleine speelplaats liepen. Het wemelde er van de kinderen. We gingen naast elkaar op een bankje zitten en keken toe. Ik liet mezelf wegdrijven in een dagdroom over afzondering, over een welkome eenzaamheid, waarin ik op mijn eentje ergens was waar ik nooit eerder was geweest en me gelukkig voelde. Ik had al een tijdje zulke dromen, en had de vaardigheid ontwikkeld om weg te doezelen zonder dat ook maar iets Mike op mijn afwezigheid attendeerde. Maar dit keer leek hij het door te hebben. Hij keek me een of twee keer aan, legde een hand op mijn knie en trok hem weer weg toen ik hem aankeek. 'Wat?' zei ik, en hij schudde zijn hoofd. Hij staarde naar de kinderen. 'Ik denk dat ik een beetje gedeprimeerd ben,' zei hij ten slotte, en vervolgens zaten we daar te zwijgen: ik zat daar te zwijgen. Later op diezelfde dag gingen we naar de film, en toen we in het donker zaten vocht ik tegen de drang om zijn hand te pakken, alsof mijn lichaam nog moest worden getraind voor de nieuwe gewoonten van mijn geest.

Mevrouw Mayer zat te wachten tot ik iets zou zeggen. Er liepen twee doktoren voorbij, en een van hen keek me net op dat moment recht aan – een vriendelijk ogende oudere man met een gezet lijf en roze wangen als een baby. Onder zijn blik had ik even het idee dat hij begreep wat wij doormaakten, en ik voelde me geroerd, getroost zelfs. Toen besefte ik dat we voor hem het zoveelste geval waren, de periferie van een ziekte of ongeluk. Zijn begrip was een gegeven en zelfs een barrière. We waren alleen – alleen met elkaar en alleen met onszelf, wij alledrie, net zoals Mike en ik die dag in het park.

En toch ging het lichamelijk goed met Mike – dat zei iedereen bij revalidatie. Hij zat uren achtereen rechtop en was er zelfs twee keer in geslaagd op eigen kracht met zijn rolstoel helemaal van zijn kamer naar de zaal voor de fysiotherapie te rijden. Toen ik hem een paar avonden na mijn gesprek met meneer en mevrouw Mayer bezocht, trof ik hem niet liggend op bed aan, maar zittend in zijn rolstoel, een primeur na het avondmaal – een zware band hield zijn bovenlichaam op zijn plaats.

'Wauw, je bent op,' zei ik. 'Niet te geloven.'

Hij keek me eens aan.

'Wat?'

'Ironisch, nietwaar? Ik heb een lage dwarslaesie, en toch ben ik op.'

Een week geleden had hij verteld dat hij een van de fysiotherapeuten de formulering 'lage dwarslaesie' had horen gebruiken in verband met een andere patiënt met letsel aan het onderste deel van zijn wervelkolom. Gezien de irritatie die het bij hem opriep was ik blij dat hij niemand had horen spreken van een 'goede laesie', een oxymoron dat ik had opgevangen toen we nog afwachtten of hij bij zou komen.

Ik liet mijn blik door de kamer gaan. Alle Mayers waren er: meneer en mevrouw in stoelen tegenover het voeteneind van Mikes bed, Julie en John junior op de vloer aan de zijkant.

'Zware dag gehad?' vroeg ik.

'Net als anders.'

'Je ziet er moe uit.'

'Dat ben ik ook.'

Meneer en mevrouw Mayer wierpen elkaar een vluchtige blik toe, en ik kwam dichter naar Mike toe. 'Zijn er te veel mensen?' fluisterde ik. 'Wil je dat ik ga?'

'Als je wilt.'

'Wat wil jij?'

'Niks dat ik ga krijgen, dat staat vast.'

Ik liep voorzichtig naar het bed en ging zo'n beetje op het voeteneind zitten. Julie zat tegen de muur en zag er grauw uit, alsof ze de hele zomer in een grot had doorgebracht – ze was helemaal in het zwart en haar huid had de kleur van ivoor. Ze speelde aan één stuk door met een dikke zilveren ring aan haar vinger. De laatste paar keer dat ik haar had gezien had ze naar sigarettenrook geroken: een plotselinge vieze lucht als ik dicht bij haar kwam. John junior naast haar droeg een afgeknipte jogging-broek en een T-shirt, en was zo'n toonbeeld van gezondheid – met nog een lichte blos op zijn gezicht van het sporten – dat ik me afvroeg of het niet zijn verschijning was die Mike dwars zat, omdat hij hem deed denken aan alles wat hij was kwijtgeraakt.

'Ik ben aan het oefenen,' zei Mike.

Ik draaide me om en zag dat zijn gezicht nu zachter stond, alsof hij had besloten het te proberen. Ik had enorm met hem te doen, vanwege de opgave bezoek te moeten ontvangen. Waarom moest hij vrolijk zijn? Waarom moest hij iets? De doktoren hadden ons gevraagd melding te maken van ongewone trekjes in zijn persoonlijkheid, van indicaties voor blijvende gevolgen van het hoofdletsel, maar hoe konden we zijn somberheid een rest-verschijnsel noemen als hij nauwelijks reden had om niet somber te zijn?

'Aan het oefenen?' vroeg ik.

'Om langer in de stoel te zitten.'

'Is dat goed?'

'Het is vermoeiend.' Hij glimlachte naar me met een scheve mond. 'Hoe geschift is het om zitten vermoeiend te vinden?'

'Behoorlijk geschift.'

Het was bijna acht uur, en de Mayers begonnen elkaar aan te kijken. Vertrekken was moeilijker als je met een groep was, en je met zijn allen zonder hem de deur uit moest lopen.

Ik kon zien dat Julie en John ergens over aan het ruziën waren. Ze praatten zachtjes, maar iets in de geringe mate waarin ze hun monden bewogen zei me dat ze onenigheid met elkaar hadden.

Mike leek het ook op te merken. Hij pakte de wielen van zijn rolstoel en rolde zich traag vooruit totdat hij hen kon zien. 'Waar hebben jullie het over?'

Julie en John wisselden een snelle blik uit, en op het gezicht van mevrouw Mayer verscheen een waarschuwende trek. Ze stond op en zette haar handen op haar heupen, haar vingers uit-gespreid op de stof van haar marineblauwe wikkelrok.

147

'Vergeet het maar, mam,' zei Julie bruusk. 'Ik ga niet liegen.' Ze kwam overeind en keek naar Mike, haar lange bruine haar viel los langs haar gezicht. 'We gaan uit eten,' zei ze tegen hem. 'Wij met zijn vieren, sorry. En John wil naar die walgelijke German Inn, maar daar hebben ze niks dat ik kan eten.'

Mike keek John goedkeurend aan. 'Zo?'

'Ik vind de koteletten daar lekker,' zei John, die een lichte kleur kreeg. 'Ze hebben er ook salade.'

Julie fronste haar wenkbrauwen. 'Ja, een hele krop ijsbergsla en dan één miezerig cherrytomaatje. Nou, lekker.'

'Hou daarmee op,' zei meneer Mayer. Hij stond ook op en sloeg zijn armen over elkaar. 'We beslissen wel in de auto.'

Mevrouw Mayer keek naar mij en keerde zich toen naar Mike toe. 'Het spijt me zo, schat,' zei ze, met een berouwvolle blik. 'Ik weet hoe ellendig jij je hierdoor voelt.'

Mike wierp haar een blik van afkeer toe. 'Dacht je dat ik van jullie verwacht dat jullie uit je neus zitten te vreten als jullie niet hier zijn? Mij maakt het niet uit.'

Ze bloosde een beetje. 'Ik zou alleen zo graag willen dat je mee kon komen.'

Mike fronste zijn wenkbrauwen, maar meneer Mayer leek dit idee in overweging te nemen. Hij bracht zijn hand naar zijn kin en staarde voor zich uit. 'Misschien moeten we eens zien of je de volgende keer mee kunt,' zei hij op peinzende toon. 'Over een paar weken of zo.'

Mevrouw Mayer klapte in haar handen. 'Zou dat niet prachtig zijn! Ik vraag me af of je niet zoiets als een dagje verlof kunt krijgen.'

Mike draaide met zijn ogen en lachte schel. 'Ik zit niet in de bak, mam, ook al lijkt dat misschien wel zo. Ik zou het alleen toch niet willen.'

'Maar waarom toch niet?' Mevrouw Mayer beet op haar lip. 'Ik zou denken dat je dolgraag eens tegen iets anders zou willen aankijken.'

'Als ik tegen iets anders wil aankijken,' zei hij, 'zeg ik mijn maatje hier dat hij kanaal 15 eens moet proberen.'

Automatisch keken we allemaal naar Jeff Walker, die rustig in zijn bed lag, terwijl zijn vader aan de andere kant van zijn bed zat en van tijd tot tijd met zachte stem wat zei. Hoewel hij er geen blijk van gaf te hebben geluisterd, richtte Jeff een moment later de afstandsbediening op de tv, waarna er een nieuw beeld verscheen.

'Op die manier,' zei Mike.

Nadat de Mayers waren vertrokken kwam er een verpleegster binnen om hem in bed te leggen. Ik ging aan de kant en keek toe hoe ze het bed liet zakken en de band waarmee hij aan de stoel vastzat losmaakte. Ze ging voor hem staan met zijn knieën tussen de hare, sloeg haar armen om zijn borst en tilde hem langzaam op totdat hij uit de stoel was. Daarna draaide ze hem, zette hem met zijn achterste op het bed, liet zijn bovenlijf op het matras zakken en tilde in een draaiende beweging zijn benen op. Ze was ongeveer van mijn lengte, en ik snapte niet hoe ze het had gedaan – ze moest enorm sterk zijn. Wat moest er gebeuren als hij weer thuis was? Hoe moesten we het alleen al in fysiek opzicht voor elkaar krijgen?

Toen ze weer weg was schoof ik een stoel naar voren en ging zitten. Net toen ik hem iets te drinken wilde geven kwam er een lange man met donker haar, een bril met gouden montuur en een volle baard binnen. Hij bleef in de deuropening staan. Hij droeg een spijkerbroek, een overhemd en een stropdas. Mike wierp één blik op hem en staarde vervolgens de andere kant uit, ronduit razend.

'Hé Mike,' zei de man. 'Hoe gaat het? Ik dacht, laat ik even langswippen voor het te laat is.'

Mike antwoordde niet. Hij keek recht voor zich uit terwijl zijn gezicht rood aanliep.

'Dave King,' zei de man. Hij liep naar me toe en stak zijn hand uit.

'Carrie.'

Hij knikte veelbetekenend, alsof hij van me had gehoord en min of meer had verwacht me hier aan te zullen treffen. Hij stond nu in Mikes gezichtsveld, zodat het voor Mike onmogelijk was hem niet te zien tenzij hij nadrukkelijk zijn blik afwendde, wat door de halo werd bemoeilijkt.

'Ik dacht dat we morgen eens een poosje bij elkaar moesten gaan zitten,' zei Dave King. 'Wat denk je van een uur of vier?'

Mike perste zijn lippen op elkaar.

'Hé, een simpel ja of nee is toch niet te veel gevraagd?'

'Een simpel nee dan maar?'

Dave King haalde zijn schouders op. Hij sloeg Mike nog even gade en liep toen de kamer uit, waarbij hij mij toeknikte.

'Wil je niet weten wie dat was?'

Ik keek Mike weer aan. Ik had een uitgesproken vermoeden dat hij de therapeut was over wie de Mayers het hadden gehad, maar ik zei dat niet. 'Wie was hij dan?'

'De baas hier. Een absolute lul.'

Ondanks mezelf moest ik glimlachen. 'Hoezo?'

'Dat is hij gewoon. En als je moet lachen, waarom stap je dan niet gewoon op?'

'Is dat wat je wilt?'

Mikes gezicht vertrok van woede en hij schreeuwde: 'Vraag me niet meer wat ik wil!' Hij staarde me met vlammende ogen aan. Zijn woorden weerkaatsten tegen de harde muren en het plafond van de kamer, en we vielen allebei volkomen stil. Ten slotte trok de kleur uit zijn gezicht weg, en heel kalm zei hij: 'Waarom blijven de mensen me maar vragen wat ik wil? Ik wil hier weglopen. Jezus. Ik wil lopen.'

De heldere maan stond net niet meer vol aan de indigoblauwe lucht. Ik was door een zijdeur naar buiten gegaan en liep naar een bank op een klein, geplaveid V-vormig terrein waar twee vleugels van het gebouw bij elkaar kwamen. Mike was bij mijn vertrek alweer bedaard, maar zo uitgeput dat hij snel in slaap zou vallen. Ik ging zitten en ademde de geuren van de avond in: de onvermijdelijke uitlaatgassen, bukshout en een vage, vochtige lucht van het meer. Hoe hield Mike het uit met al die mensen die iets van hem moesten? De mensen van de revalidatie, maar ook wij: zijn familieleden en ik. Het moest een nachtmerrie zijn – bovenop wat al een heuse nachtmerrie was. Mijn bezorgdheid over hem zwelde aan en ik voelde me gesloopt door alle spanning.

Bezorgdheid. Het klinkt als iets actiefs, maar het leek er meer op of mijn beeld van hem zoals ik het tegenover hem had geschetst – het beeld van hem dat ik in gedachten had – op de bodem van een inktzwarte bron was gevallen, en ik door het donkere en rimpelige water zo nu en dan een glimp opving van zijn vertekende gezicht, dat zo diep lag dat ik het niet kon bereiken.

De deur van de uitgang zwaaide open, en ik hoorde het geluid van langs elkaar wrijvende broekspijpen en vervolgens een zacht kuchje. Ik hoorde een mannenstem zeggen: '... en dát kunnen we niet hebben,' en een ogenblik later verscheen de man zelf. Het was Dave King, de therapeut. Ik trok me terug in de schaduw, maar hij keek mijn kant uit, bleef staan en zei: 'Nou zeg, jij bent de allereerste die ik op dat bankje zie zitten.'

Ik keek in de richting waar hij vandaan kwam, maar er was niemand anders, niemand tegen wie hij zou kunnen praten.

'Ik was een gesprekje met mezelf aan het houden,' zei hij. 'Gewoon wat dingen op een rijtje aan het zetten.' Hij kwam dichterbij, zette zijn aktetas neer en rekte zich uit: nogal nadrukkelijk, wat de suggestie wekte dat hij een schijnbaar terloops maar desondanks belangrijk gesprek met mij wilde aanknopen. Zou hij me misschien naar buiten zijn gevolgd?

'Mooie avond,' zei hij.

'Ja, het is niet meer zo heet.'

Hij ritste de aktetas open en haalde er een klein, glanzend zakje uit. Hij nam het in zijn beide handen en trok eraan. Het daarop volgende zwakke plopje zei me dat hij de verpakking van iets eetbaars had geopend.

'Een paar Ritz Bits?' vroeg hij en hield mij het zakje voor.

'Nee, dank je.'

'Dave?' vroeg hij, waarna hij zei: 'Nou bedankt, Dave, graag hoor.' Hij strooide een paar Ritz Bits op zijn hand en zat er vervolgens een poosje op te kauwen, terwijl de zak ritselde in zijn andere hand. 'Weet je, ik ben blij dat ik je tegen het lijf ben gelopen,' zei hij. 'Hoe vind jij dat het met Mike gaat? Vind je het overigens erg als ik ga zitten? Ik heb het idee dat ik in je maanlicht sta.' Hij schoof de aktetas opzij en ging zitten, ruim een halve meter van me vandaan.

Ik wist niet wat ik moest zeggen. Zou ik Mike verraden door met hem te praten? Ik wist het niet zeker.

'Misschien wil je het er liever niet over hebben,' zei hij.

'Nee, het is goed. Hij is erg somber. Erg somber.'

Hij knikte langzaam. 'Kun je dat opmaken uit wat hij heeft gezegd, of meer uit wat hij niet heeft gezegd?' Hij sprak zonder mij aan te kijken, en ik had het idee dat hij erg voorzichtig was, alsof ik een kostbaar maar kwetsbaar hulpmiddel voor hem was.

'Uit wat hij niet heeft gezegd,' zei ik. 'Nou ja, uit allebei eigenlijk.'

'Zijn ouders zullen je wel hebben verteld dat hij niet meer met mij wil praten.' Hij zweeg even. 'Alsof je dat trouwens vanavond zelf niet had kunnen vaststellen.' Hij keek naar mij. 'Was hij nogal een prater? Voor het ongeluk?'

'Jawel. Ik bedoel, geen enorme kletsmajoor of zo, maar hij praatte wel, ja.' Ik bedacht hoe we na het vrijen in bed hadden gelegen, en hoe open en lief hij dan altijd was, alsof we, wanneer het werk erop zat, eindelijk konden kletsen. Terwijl ik daar op dat bankje zat kon ik bijna zijn been over het mijne voelen, zijn hand op mijn buik, de trilling van zijn kin op mijn schouder.

'Ik veronderstel dat hij mij maar een rare vent vindt,' zei Dave King.

Ik glimlachte bij de gedachte aan het woord dat Mike had gebruikt.

Dave King keek me nieuwsgierig aan. 'Wat?'

Ik schudde mijn hoofd.

Hij tastte weer in het zakje, stak nog wat Ritz Bits in zijn mond en boog zich voorover om het zakje weer in zijn aktetas te stoppen, alsof hij op het punt stond om op te stappen.

'Hij zei dat je een lul bent,' zei ik. 'Als je het echt wilt weten.'

Hij ging rechtop zitten en keek me aan. 'Een lul?'

'Ik ben bang van wel.'

Hij viel even stil. 'Interessante woordkeus.'

'Nogal grof,' zei ik. 'Maar ik weet zeker dat hij daar verder niks mee bedoelde.'

Hij bewoog zijn hoofd heen en weer. 'Misschien toch wel.'

Mijn mond werd een beetje droog. 'Hoezo dan?'

Hij leunde achterover en sloeg zijn benen over elkaar. 'Waar denk je dat hij zich nu druk over maakt? Hij ligt daar maar, hij moet nog zeven of acht weken met die halo liggen – wat gaat er dan door hem heen?'

Ik begreep wat hij bedoelde en het kwam hard aan. Ik wendde mijn blik af.

'Ik wil je niet in verlegenheid brengen,' zei hij zachtjes. 'Waarschijnlijk heb je dit zelf allemaal al overdacht, of misschien heb je in de bibliotheek opgezocht wat je wilde weten.' Hij aarzelde. 'Ik bedoel, er bestaan boeken waarin je kunt lezen wat voor uitwerking een letsel als dat van Mike op de mannelijke seksuele vermogens heeft.'

Ik staarde naar mijn handen. Dit was het enige wat meneer Mayer niet had uitgezocht. En had hij het wel gedaan, dan had hij zijn bevindingen voor zich gehouden. Toch leed het voor mij geen twijfel. Geen beweging. Geen gevoel. Sinds het ongeluk was ik twee keer zo opgewonden wakker geworden uit een droom dat ik alleen al door me om te draaien of een been te bewegen was klaargekomen. Toch kon ik mezelf er niet toe brengen om te masturberen: dat leek te definitief, alsof ik al in de situatie berustte.

'Het spijt me,' zei hij. 'Ik heb je in verlegenheid gebracht.'

Ik keek naar hem en zag dat hij mij opnam met wat ik alleen maar als een zachtaardige blik kon beschouwen. Tot mijn verbazing merkte ik dat ik hem eigenlijk wel aardig vond. Hij had iets kwetsbaars over zich, en in een flits kwam me een beeld voor de geest van hem in zijn privé-leven: een man alleen op een etage met een heleboel eendagsbloemen en een aquarium vol kleurige visjes. Als hij thuiskwam liep hij meteen naar ze toe om tegen ze te praten, terwijl het achter hem in de kamer nog donker was.

Wat raar: Kilroy had zich net zo'n scherp beeld van mij gevormd als ik zojuist van Dave King. Helder en duidelijk, alsof hij op de hoogte was. *Ik hoop dat Mike onder jouw liefdevolle hoede gauw weer bijkomt en dat jullie samen weer gelukkig zullen zijn.* Zijn briefje lag in mijn klerenkast, onder in mijn sokkenla. Als ik bijna door mijn sokken heen was kon ik de enveloppe zien liggen, wit op de nerf van het hout, als een soort signaal.

'Ik zou zo graag iets vinden om Mike te kunnen helpen,' zei Dave King. 'Daarom kwam ik naar je toe toen ik je hier zag zitten. Hij heeft nog een moeilijke weg te gaan, en soms helpt het om over bepaalde dingen te praten.' Hij viel even stil, keerde zich vervolgens naar mij toe en glimlachte vluchtig naar me. 'Nou, ik moest maar eens gaan.'

Hij boog zich voorover om zijn aktetas te pakken, en ik merkte dat ik nog niet wilde dat hij al ging. 'Mijn moeder is ook therapeute,' zei ik. 'Bij de universiteit.'

Zonder tas ging hij weer rechtop zitten. 'Hoe heet ze dan?'

'Margaret Bell.'

Er verschenen rimpels op zijn voorhoofd. 'Ze zit daar al een hele tijd, toch?'

'Twaalf jaar.'

Hij knikte nadenkend. 'Heb je zelf weleens overwogen met iemand te gaan praten?'

Ik was verbluft. 'Ik denk niet dat dat echt nodig is.'

Hij haalde zijn ene schouder op. 'Wat nodig is weet ik niet, maar je kunt zeggen dat jij ook nog een moeilijke weg te gaan hebt.'

Een moeilijke weg, zeker, maar niet *zo* moeilijk – niet zo moeilijk als Mike. Ik dacht aan zijn woedende uitval: 'Vraag me niet meer wat ik wil!' Nee, beslist niet zo moeilijk.

'Nou,' zei Dave King.

'Hij is niet alleen maar somber,' zei ik. 'Hij is kwaad. Hij is razend.'

'Heeft hij dat gezegd?'

'Hij heeft vanavond tegen me geschreeuwd. Vlak nadat jij weg was.' Ik vertelde hem wat er was gebeurd. 'Het punt is, hij is geen schreeuwer. Hij deed het in elk geval niet. Hij nam de dingen makkelijk op. Rooster raakte helemaal gespannen als er iemand te laat kwam, of als mensen ruzieden over wat we moesten doen, maar Mike...' Ik stopte, beschaamd omdat ik er van alles uitflapte.

'Maar Mike?'

Ik schudde mijn hoofd. 'Sorry, ik weet niet waarom ik zo zit te praten. Je weet waarschijnlijk niet eens wie Rooster is.'

'Mikes beste vriend?'

Ik was verrast. Had Mike hem over Rooster verteld? Hoeveel had hij over mij verteld? Ik staarde naar mijn schoot en wou dat ik wist wat hij wist. Zat hij hier om me te vertellen wat dokter Spelman me al had verteld? *Revalideren is erg zwaar werk – beter worden is voor een groot deel een kwestie van willen.* Denk je dat ik dat niet *weet*, wilde ik schreeuwen.

'Je vertelde me dat Mike anders was dan Rooster,' zei hij. 'Minder gespannen bij conflicten.'

Ik keek naar hem. Hij zat af te wachten. Hij had geen haast, zoals dokter Spelman. Ik knikte.

'Kun je nog wat meer vertellen?'

Ik dacht even na. 'Hij maakte zich niet druk,' zei ik. 'Hij kon zich aanpassen aan de gebeurtenissen. Maar hij kon ook met Roosters gespannenheid omgaan – zich daaraan aanpassen.' Ik herinnerde me een winterse zaterdag van een paar jaar geleden: we gingen naar Badger Pass om te skiën, en Stu verscheen zonder uitrusting – hij dacht dat we ter plaatse spullen zouden huren. Maar we hadden besloten dat niet te doen, om niet in de rij te hoeven staan. Rooster ergerde zich verschrikkelijk aan Stu, en zijn humeur sloeg op alle anderen over. Behalve op Mike. Toen hij en ik even met ons tweetjes het huis controleerden voor ons vertrek, wierp ik over mijn schouder een blik op Rooster en trok er een lelijk gezicht bij, maar Mike haalde zijn schouders op en zei: 'Hij wou dat alles vlot zou gaan.' Alleen dat: *hij wou dat alles vlot zou gaan*. En ik bedacht toen – en ik herinnerde het me nu, nu ik bij het ziekenhuis in het maanlicht zat – dat Mike een beminnelijk mens was.

'Er is veel onzeker, nietwaar,' zei Dave King. 'Hoe hij zal worden.'

Ik knikte.

'Voor hemzelf ook, denk je niet? Hoe hij zal worden, hoe hij zal passen in het beeld dat hij van de toekomst had.'

'Ja,' zei ik. Mijn stem klonk zo zacht dat ik bijna fluisterde, en ik zei het nog eens, iets harder: 'Ja.'

Hij boog zich voorover, pakte zijn aktetas en zat er even mee in zijn handen. 'Luister,' zei hij, 'ik moet gaan, maar mag ik je één ding zeggen? In verband met wat we eerder hebben besproken?'

'Jazeker.'

Hij krabde over zijn kin, en er bekroop me een nerveus gevoel over wat hij zou gaan zeggen, over wat hij me tot slot zou gaan vertellen. Stug volhouden. *Stug volhouden!* Waarom maakte dat me zo zenuwachtig, als ik volhield?

'Jongens met letsel aan de wervelkolom gebruiken vibrators, elektriciteit en zelfs pillen om te kunnen ejaculeren. Dat betekent onder meer dat het voor Mike en jou niet onmogelijk zou zijn om op een gegeven moment samen een kind te verwekken.'

'O God!' riep ik.

Zijn ogen werden groot achter de brillenglazen. 'Het spijt me,' zei hij. 'Ik wilde niet...'

'Het is goed,' zei ik. 'Ik had alleen een heel rare gedachte.'

Hij wachtte gespannen af, maar ik kon het hem niet zeggen, ik ging het hém zeker niet zeggen – en toch zei ik het: 'Ik dacht: ik kan geen kind krijgen, want ik ben zelf nog een kind.' Ik keek beschaamd naar de grond. 'Goed stom, hè?'

'Het klinkt mij niet zo stom in de oren,' zei hij. 'Maar als je nog een kind was zou dit allemaal niet gebeuren.'

Ik keek weer op. 'Wat bedoel je?'

'Als je nog een kind was zou je geen minnaar hebben en zou hij niet verlamd zijn.'

Een minnaar. Mijn gezicht gloeide. Ik dacht aan Mike die in bed op me lag en met zijn knie mijn been opzijschoof zodat hij zich in me kon laten glijden. En daarna aan Mike in zijn kamer eerder vanavond, zoals hij door de verpleegster in bed werd gemanoeuvreerd.

Dave King keek naar me. 'Ik begrijp wat je bedoelt,' zei ik, maar ik kon hem nu niet aankijken. Ik liet mijn blik langs hem heen gaan, het donker in, naar de herinnering aan Mike die boven me zweefde. We zijn op mijn etage, in mijn bed, zijn gewicht steunt op zijn onderarmen aan weerskanten van me, en hij is in me, gebogen, met gesloten ogen, zijn hele wezen werkt zich naar voren. En ik kom omhoog doordat ik hem voel.

Nee. Nee, ik kom niet omhoog. Ik kwam omhoog.

HOOFDSTUK 12

Simon Rhodes belde me op een avond tegen het einde van augustus. We spraken bijna drie uur met elkaar. In geen maanden had ik, behalve in naaien, zo veel tijd in iets gestoken. 'En, wat voor nieuws valt er te melden uit het Carrie Bell-feuilleton?' vroeg hij. 'Wacht maar eens tot je de laatste nieuwtjes uit het Simon Rhodes-feuilleton hebt gehoord.' Hij vertelde over zijn leven in New York: over zijn problemen met zijn vriend, over het grote, vervallen herenhuis dat hij deelde met een stel vrienden van Yale en over het advocatenkantoor op Park Avenue waar hij als corrector werkte. Het kantoor droeg de onwaarschijnlijke naam Biggs, Lepper, Rush, Creighton and Fenelon, maar naar zijn zeggen noemden alle correctoren het Big Leper Rush. Eigenlijk wilde hij illustrator worden.

Ik vertelde hem over Mikes somberheid en hoe moeilijk het was dat aan te zien. Over de zeldzame ogenblikken waarop er weer iets van zijn vroegere zelf naar buiten kwam: als hij dolde met Stu of Bill, of Rooster plaagde met Joan. Onze blikken ontmoetten elkaar dan, en het was duidelijk dat we allebei wisten dat hij zoiets niet meer voor mij kon opbrengen. 'Het lijkt me zwaar,' zei Simon, en ik was dankbaar: ik kon hem alles vertellen, en dan was het goed. De woorden raasden uit Madison weg en waren direct nadat ik ze had uitgesproken al op veilige afstand.

Voordat we ophingen zei ik dat ik het gesprek voor de helft wilde betalen, maar hij wilde daar niet van horen. 'Ben je belazerd,' zei hij. 'Sinds de keer dat ik Twister speelde op Nicole Pattersons verjaarsfeestje in de vierde heb ik niet meer zo veel lol gehad.'

Ik lachte, maar ik wist wat hij bedoelde. Lol was misschien niet het goede woord, maar iets aan het praten met hem gaf grote voldoening. Net als Twister, zou hij antwoorden als ik dat tegen hem zou zeggen, wat ik dus niet deed.

Julie zou voor haar tweede jaar naar Swarthmore vertrekken en belde me of ik haar een afscheidsbezoekje wilde komen brengen. Dat was een verrassing, gezien het feit dat ik haar steeds in het ziekenhuis zag.

Ik was sinds mijn gesprek met mevrouw Mayer in juni niet meer bij de Mayers thuis geweest. In hun straat stond een van de hoogste en dichtste bomengroepen van de stad: een rij rijzige esdoorns waarvan de bovenste bladeren net begonnen te verkleuren en om te krullen. Toen ik uit mijn auto stapte herinnerde hun dichte, warme schaduw me pijnlijk aan alle nazomers die ik met Mike had beleefd, aan het gevoel dat er veranderingen op til waren.

Er was verder niemand thuis, en Julie en ik dronken in de keuken glazen caloriearme frisdrank, terwijl we kletsten over van alles en nog wat: dat ze een nieuwe rugzak nodig had, en dat Dana, haar beste vriendin uit Madison, de hele zomer stomvervelend was geweest. Ze waren onafscheidelijk geweest – net als Jamie en ik, vond ik altijd. Ze waren nog steeds net zoals wij.

'Ik kan je dat nu wel vertellen,' zei Julie. 'Weet je nog toen aan het Bovenmeer? Toen we dat huisje bij Oulten's Cove hadden? Dana was degeen die toen die drank op jouw witte truitje heeft gemorst. Ik moest van haar beloven dat ik het niet aan jou zou zeggen.'

'Dacht je dat ik dat niet wist?'

We glimlachten allebei, en ik dacht terug aan die zomer. Mike en ik waren zestien, Julie en Dana twaalf. Ik lag met hen in één stapelbed en sliep in bij het geluid van hun stemmen terwijl ze het hadden over de jongens die ze het leukst vonden. Ze vonden het oersaai dat Mike voor mij nummer een was en vroegen steeds wie ik dan na hem het leukst vond.

'Hebben jullie elkaar afgelopen jaar geschreven?' vroeg ik.

'Een paar keer.'

'Misschien dooft het dit jaar gewoon uit.'

Julie stond op om in de eetkamer haar tas te gaan pakken, een forse zwart fluwelen tas met een gevlochten koord. Ze graaide erin totdat ze een pakje sigaretten had gevonden, legde dat tussen ons in op tafel en keek me strak aan. Niets kon de Mayers met groter afgrijzen vervullen dan roken: allebei de grootvaders waren aan longkanker gestorven.

Ze lachte me uitdagend toe. 'Ja Carrie, ik rook. Ik drink ook, en als ik er zin in heb neuk ik.'

'Neuken is lekker,' zei ik. 'Dat meen ik me tenminste te herinneren.'

Ze staarde me aan, en plotseling barstten we in lachen uit. We lachten een hele tijd, terwijl we elkaar recht in de ogen keken – een harde, stuipachtige lachbui die me na een poosje pijn diep in mijn maag bezorgde.

'Shit,' zei ze, 'ik kan niet geloven dat je dat hebt gezegd.'

'Ik ook niet.'

We zaten elkaar daar aan te kijken, in de vertrouwde keuken van mevrouw Mayer, met zijn geur van brood en noedels, zijn rij aardewerken potten en zijn verzameling sierborden boven het fornuis. Ik voelde me duizelig en raar, alsof de lach zo weer kon toeslaan. Een vertrouwd uitziend schema op de koelkast trok mijn aandacht, en ik stond op om het te bekijken, blij dat ik even bewoog.

Het was John juniors trainingsschema voor het ijshockey.

'John begint waarschijnlijk dit jaar,' zei Julie. Ze tikte een sigaret uit het pakje en stak hem op.

'In het jaar voor zijn examen?'

Ze knikte, en ik wist dat we allebei dachten: net als Mike. Hij had eerst twee jaar achter elkaar in het schoolteam op rechts gespeeld. Toen hij besloot zich er op de universiteit niet meer volledig voor in te zetten, probeerde iedereen hem op andere gedachten te brengen, behalve ik. Ik begreep dat hij eraan toe was dat dat deel van zijn leven voorbij was.

'Weet je wat ik echt haat?' zei Julie opeens. 'Vliegen. Ik ben bang om in zo'n rotvliegtuig te stappen. Ik wou dat ik gewoon wakker kon worden en dat ik er dan al zou zijn.'

Ik stelde me voor hoe ze vanuit haar moeders keuken werd overgestraald naar een piekfijn groen gazon voor een eeuwen-oud gebouw van veldstenen. Op grond van één enkele foto uit een folder die ze me eens had laten zien verbeeldde ik me dat ik precies wist hoe Swarthmore eruitzag: rijzige bomen, smaragd-groene speelweiden, oeroude studentenhuizen, knerpende collegezalen en eetzalen met donkere houten lambriseringen. Aan het begin van de twaalfde klas had mijn decaan me een hele stapel brochures over universiteiten van Vermont tot Virginia opgedrongen, maar hoewel ik ze zorgvuldig had doorgenomen, gefascineerd door de foto's van studenten die over binnenplaatsen liepen of gezeten in collegezalen aantekeningen maakten, meldde ik me zelfs nergens aan. Tegenover de decaan voerde ik aan dat ik over onvoldoende middelen beschikte, maar de waarheid was dat ik dan bij Mike weg had gemoeten.

'Misschien stap ik over,' zei Julie.

'Hierheen?'

Ze inhaleerde krachtig. 'Het is een goeie universiteit.'

'Omdat je bang bent om te vliegen?'

Ze keek me boos aan: niet omdat ze vliegangst had.

'Ik denk dat hij flink van de kaart zou zijn als hij zou denken dat jij er zo over denkt. Echt flink van de kaart.'

'Denk je dat echt?' vroeg ze. 'Ik betwijfel of het hem wat zou kunnen schelen. Er is tegenwoordig niet veel meer dat hem wat kan schelen.' Ze stond op en liep naar het raam. Ze droeg een dun zwart topje, en haar schouders zagen er benig uit, zonder een greintje vet erop. Terwijl ik toekeek bracht ze in een onvaste beweging haar hand omhoog en nam nog een trek van de sigaret. Vervolgens draaide ze zich om en keek mij aan. 'Gaan jullie nog trouwen?'

Ik voelde mijn adem stokken in mijn keel en mijn gezicht brandde. Julie staarde me met grote grijze ogen aan, ogen die zo veel leken op die van Mike dat het eng was, zijn ogen in haar gezicht. Zij was de laatste van wie ik die vraag had verwacht. 'Ik weet het niet,' zei ik. 'Vind je dat ik het moet doen?'

Ze blies een rookwolkje uit dat opkringelde boven haar hoofd. 'Ik weet het niet,' zei ze. 'Wil je het?'

Wil je het? Wil je het? Wil je het? Toen ik die avond thuiskwam van het ziekenhuis was zelfs de lucht om me heen doortrokken van deze vraag. Aan naaien viel niet te denken, laat staan aan naar bed gaan. Ik zat, ijsbeerde, ging weer zitten en liep ten slotte mijn balkon op. Ik was op blote voeten, en terwijl ik in het donker stond te staren veegde ik afwezig het vuil aan de onderkant van mijn ene voet op de kuit van mijn andere been. Vervolgens deed ik hetzelfde met mijn andere voet, totdat ik besefte wat ik deed en weer ging ijsberen.

Ik wist dat ik, om met Rooster te spreken, er voor Mike kon 'blijven zijn'. Ik wist dat ik kon wachten tot zijn somberheid, of tenminste het ergste daarvan, over zou gaan. Ik wist dat ik vanaf de zijlijn kon applaudisseren terwijl hij zich heel, heel langzaam leerde te behelpen met zijn rolstoel en de geringe functionaliteit die hij zijn handen nog kon opleggen leerde te gebruiken om te eten, zich aan te kleden en misschien de bladzijden van een boek om te slaan. Maar wat moest ik dan? Zijn oppaster worden? Zijn kokkin, verpleegster, helpster, chauffeuse en dienares? En dan ook nog zijn vrouw? En daarnaast mezelf? Wat voor iemand zou dat zijn?

Maar ik wilde er niet voor weglopen – ik wilde niet iemand zijn die kon weglopen, niet bij Mike.

Bij Picnic Point hadden we eens op een warme oktoberdag, liggend op een bed van gevallen bladeren, over doodgaan gepraat. Over wat we zouden doen als de ander doodging. 'Ik zou ook dood willen,' zei Mike, en ik voelde dat er een smalle kloof tussen ons viel omdat ik dat niet wilde en helemaal niet op zo'n manier dacht. Ik pakte een vergeeld blad, vouwde het langs de middelste nerf doormidden en stelde me voor dat ik in een klein hutje zou wonen, waar ik de vloer zou aanvegen totdat ik weer in staat zou zijn de wereld onder ogen te komen.

Het was bijna middernacht, maar ik trok mijn schoenen aan en liep naar mijn auto toe. De drang om in beweging te zijn liet me naar de overkant van de landengte en rond Lake Monona rijden. Op de grote, ronde, duistere vlakte van het meer glinsterden weerspiegelde stukjes van de halve maan. Ik reed in westelijke richting de ringweg op, voorbij Roosters Honda-zaak en voorbij de afslag naar Verona. In het donker reed ik alsmaar verder: de weg verdween steeds weer onder mijn koplampen, borden flitsten voorbij en de koplampen van de tegenliggers staarden me aan. Ik passeerde de afrit naar West Towne Mall, het laatste motel buiten de stad. Bij Middleton kwam ik weer bij mijn positieven en verliet ik uiteindelijk de snelweg. Ik bracht mijn snelheid terug voor de bochtige, naar niets leidende weggetjes totdat ik aanlandde bij de rij grote, gezichtsloze restaurants die zo vaak onze bestemming hadden gevormd, op de ontelbare avonden dat we te lang hadden rondgereden en trek kregen in pannenkoeken of grote borden friet. Ik was in geen eeuwigheid meer zo ver in westelijke richting gegaan, ik wist niet eens meer hoe lang niet – het was een vreemd, wonderlijk gebied waar je nooit een voetganger zag, alleen eindeloze parkeerterreinen en lage gebouwen. The Red Barn. Jack's Sprat. Met zijn vijven of zessen zaten we aan een tafeltje, Rooster zat aan de andere kant grappig te zijn, Jamie was aangeschoten en Mike en ik zaten dicht tegen elkaar aan, ik met mijn been over het zijne en hij met zijn hand aan de binnenkant van mijn dij.

Ik wilde net terugrijden naar de ringweg en op huis aangaan toen ik aan de overkant van een vrijwel lege parkeerplaats een vrouw alleen onder de gevelverlichting van de Alley zag staan, een haveloze cocktailbar waar ik weleens wat over had gehoord maar waar ik nooit binnen was geweest. Ze had iets vertrouwds over zich, door de manier waarop ze stond, maar ik kon niet uitmaken wat het was.

Ik reed een benzinestation in en keerde, zodat ik via dezelfde weg terug kon rijden. Ik stuurde de parkeerplaats van de Alley op, ik omzeilde de weinige auto's die er geparkeerd stonden en toen zag ik het: het was Lynn Fletcher, Jamies jongere zusje. Ze stond vlak voor de ingang, met haar ene been voor het andere gekruist. Ze droeg een kort rokje en een oversized spijkerjasje. Haar haar zat wild en slonzig, alsof ze het net had getoupeerd en doordrenkt met hairspray. Ik stopte bij haar. Ze keek even naar mijn auto en wendde vervolgens haar ogen af.

Over de stoel heen reikend draaide ik het raampje aan de rechterkant open en riep haar naam.

Ze keek opnieuw mijn kant uit, ditmaal voorovergebogen om door het open raampje te kunnen kijken. Haar hand vloog naar haar mond. 'Carrie!'

'Wat doe je hier?'

'Niks. Ik wacht op iemand.'

'Kom hier,' zei ik en gebaarde dat ze naar de auto moest komen.

Ze aarzelde, maar kwam toen een paar stappen naderbij. Ze had dezelfde kleine mond en naïeve groene ogen als Jamie, maar ze was kleiner en een beetje mollig.

Ik zette de auto in zijn vrij en liet de motor lopen. Achter het raampje zag Lynn er angstig uit.

'Met wie heb je afgesproken?' vroeg ik.

'Met iemand van mijn werk.'

Het restaurant waar ze bediende was dicht bij, schoot me weer te binnen: Spinelli's. Ik vroeg me af hoe ze bij de Alley binnen wilde komen, of ze een vals identiteitsbewijs bezat. Misschien zou niemand haar controleren, al zag ze er uit als zestien zoals ze daar stond in haar te korte rokje en met haar grote zilveren oorringen.

Ze kwam een stap dichterbij. 'Niet vertellen, hè?'

'Niet aan wie vertellen?' Ik zette de motor af en even later boog ik me naar haar toe en opende het portier. 'Kom even een paar tellen bij me zitten, ik heb je in geen eeuwigheid gezien.'

Ze keek naar de weg, haalde haar schouders op en stapte in. Ze droeg vier of vijf armbanden, die tegen elkaar aan tinkelden terwijl ze in de autostoel plaatsnam.

'Ik bedoel: vertel het niet aan Jamie.'

'Mag ik haar helemaal niet vertellen dat ik je heb gezien?'

Ze keek me strak aan en vertrok haar gezicht iets bij haar mondhoeken. Ze had op allebei haar oogleden een lichtgevende groene streep aangebracht en mascara met de dikte van een verflaag.

'Wat ga je doen?'

Ze tilde een mollige hand op en schoof een haarstreng achter haar oor. 'Niks.'

'Lynn.'

'Ik heb gewoon een afspraakje.'

'Met een man?'

Ze keek me boos aan.

'Met wie?'

'Gewoon iemand die ik bij mijn werk heb leren kennen.'

Nu was ik in de war – ik had gedacht dat ze een collega bedoelde. 'Bedoel je een klant? Jezus, lijkt dat je nou wel zo verstandig?'

'Het is leuk.'

Achter me kwam een auto aanrijden. Lynn draaide zich om en keek door mijn achterruit. Reikhalzend kneep ze haar ogen halfdicht tegen de koplampen, waarna ze zich weer omdraaide. Blijkbaar had ze vastgesteld dat het niet de vent was met wie ze had afgesproken. In de donkere auto zag ze er en profil kwetsbaar uit, met haar zachte, terugwijkende kin. Ik vroeg me af wat ik zou doen als de auto waarop ze wachtte verscheen – of ik haar zou laten gaan.

'Vallen er veel klanten op jou?'

'Carrie!' Ze wierp me een gekrenkte blik toe. 'Ze zijn gewoon aardig.'

'Vast wel.'

Ze haalde haar schouders op en trok een beetje aan haar rokje.

'Geef je die lui de indruk dat je eenentwintig bent?'

Ze lachte, en ik besefte dat ze al een paar glazen op moest hebben en bezig was dronken te worden. Ik vroeg me af wat er in haar tas zat, een grote, slonzige zak die ze tussen haar voeten had laten vallen. Een fles met waarschijnlijk een goedkoop, zoet drankje, bijvoorbeeld perziklikeur, Jamies favoriete drankje op haar achttiende.

Lynn keerde zich giechelend naar me toe. 'Carrie, niet verder vertellen, maar soms doe ik een spelletje met ze. Ik neem een paar drankjes van ze, en dan zeg ik dat het tijd voor me is om naar huis te gaan, omdat mijn ouders anders kwaad worden, en dan schrikken ze zich een ongeluk. "Je ouders? Hoe oud ben je dan?" Een paar avonden geleden zei ik tegen een vent "Ik ben zestien" – alleen om te kijken hoe hij zou reageren – en hij kreeg zowat een hartaanval. "Ben je pas zestien? Ik dacht dat je minstens tweeëntwintig was. Ik heb een dochter van zestien." Hij gaf me een briefje van twintig zodat ik het aan niemand zou vertellen.'

'Lynn!' Ik staarde haar aan. 'Jezus, maak je een geintje?'

'Het is leuk.'

'Het is stom!'

Haar ogen werden groot. 'Je gaat het toch niet aan Jamie vertellen, hè? Zij vertelt het zeker aan mijn moeder door.'

Ik kon niets bedenken dat Jamie minder gauw zou doen, maar dat zei ik niet. 'Je moet daarmee ophouden. Hoe lang zal het duren voor je overgaat van geld verdienen door iets niet te doen op geld verdienen door iets wél te doen?'

'Carrie!' Ze pakte haar tas en legde haar hand op de deurkruk. 'Dat zeker niet!' Ze duwde het portier open en strekte haar benen, die flauw glansden in haar zwarte nylons. Ze stapte uit, maar draaide zich om en leunde door het geopende portier naar binnen. 'Beloof je dat je het haar niet zult vertellen? Alsjeblieft?'

Ik zuchtte.

'Alsjeblieft?'

'Goed, dat beloof ik. Maar dan beloof jij dat je ermee op-houdt, oké?'

Ze legde de band van haar tas op haar schouder en keek me met een scheef hoofd aan. Haar uitdrukking was opeens oprecht. 'Maak je geen zorgen,' zei ze. 'Ik ben een flink meisje.' Ze tilde een been op en schopte het portier dicht. Daarna liep ze een paar stappen naar achteren totdat ze weer onder de verlichting van de ingang stond.

Ik startte de auto en dacht om de een of andere reden aan Jamie – hoe ze, een paar weken nadat Mike en ik voor het eerst met elkaar hadden gevreeën, een jongen van een andere high school had gevonden om het mee te doen. 'Ik zie niet wat er nou zo geweldig aan is,' zei ze later tegen me. Ik keek naar Lynn, naar haar dikke benen en haar overmatig opgemaakte gezicht. Een flink meisje was ze zeker, een flink flink *meisje*. En ik reed weg.

HOOFDSTUK 13

Ik had de volgende dag vrij van de bibliotheek, en toen ik wakker werd besloot ik de hele dag te gaan naaien. Alleen maar aan één stuk door te naaien, met muziek hard aan en geen plaats in mijn hoofd voor vragen en gedachten.

Ik zette mijn koffiezetapparaat aan en haalde het voltooide gedeelte van de zijden peignoir uit het kussensloop waar ik hem in bewaarde omdat ik de gebruikelijke papieren zak te ruw vond. Vlak voordat ik achter de machine plaatsnam liet ik in een opwelling het lijfje van de peignoir over mijn T-shirt en boxershort heen glijden. Het voelde heerlijk aan, en ik draaide heen en weer zodat de stof langs mijn blote benen kon strijken. Vervolgens liep ik naar mijn slaapkamer om een blik in de spiegel te werpen.

De stof was fantastisch, zo zacht en zo licht. En de peignoir voelde anders dan de nachtpon met zijn verleidelijke tweedehuidachtige sensatie. Hij was juist volumineus, een belichaming van de overvloed – van alles wat ik in de wereld verlangde. Ik bedacht dat ik ze samen zou dragen totdat ze weer in stukken lagen, gerafeld en zachter dan ooit.

Laat in de ochtend, toen ik net de eerste mouw had aangezet, werd er op mijn deur geklopt, en vervolgens klonk Jamies stem die van beneden riep of ik thuis was. Ik liet mijn blik door de kamer gaan. Waarom ik niet wilde dat Jamie zag wat ik maakte, was een vraag die ik mezelf niet had gesteld, maar ik wist dat het zo was. Haastig legde ik de peignoir neer en spoedde me naar de trap, waar ik haar voetstappen al kon horen.

'Meid.' Ze was ongeveer halverwege de trap en bleef niet staan toen ze mij zag. 'Ik was in de buurt, dus ik dacht: ik kom even langs. Als ik vandaag mijn haar niet laat knippen overleef ik het niet.'

'Dan kun je het maar beter laten knippen.' Ik leunde tegen de muur in een poging te suggereren dat we op de overloop konden kletsen, waarna zij verder zou kunnen gaan.

Ze droeg een korte denim overgooier op een wit tricot T-shirt, en haar benen glommen alsof ze ze net had geschoren en ingevet. 'Ik ga ook,' zei ze. 'Ze hebben een speciale aanbieding in die zaak bij Hilldale.' Ze was op de bovenste tree en stak haar hand uit naar de mijne. 'Zin om mee te gaan?'

Ik voelde aan mijn haar: ik was sinds het ongeluk niet naar de kapper geweest, de punten waren droog en gespleten. Ik schudde mijn hoofd. 'Ik ben blut.' Dat was maar half gelogen, want ik had het gevoel dat ik krap zat omdat ik zoveel aan de stof had uitgegeven.

Ze keek me geïrriteerd aan. 'Kom op, betaal dan met je creditcard, het zal je de kop niet kosten.'

Ik gebruikte mijn creditcard nooit als middel om meer te kopen dan ik me kon veroorloven. Mijn moeder had me keer op keer gewaarschuwd dat de rente snel zou oplopen zodat ik voor al mijn aankopen het dubbele of meer zou betalen.

'Je bent zo'n verantwoordelijk persoon,' zei Jamie, en ik kromp in elkaar: het klonk als een belediging, zoals wanneer je zegt dat iemand echt braaf is.

'Sorry,' zei ik. 'Ik kan niet.'

Ze fronste haar wenkbrauwen, sloeg haar armen over elkaar en liet ze weer zakken. 'Ik was van plan Lynn te trakteren, maar ze sliep nog toen ik belde, de luie donder.'

Ik dacht aan Lynn zoals ze de vorige nacht voor de Alley had gestaan, en aan haar opgeblazen getoupeerde kapsel. Het was bijna één uur geweest toen ik was weggereden, en misschien drie of vier uur later voordat zij was thuisgekomen.

Jamie stond wat te draaien, en net toen ik dacht dat ze zou gaan vertrekken maakte ze een handbeweging naar me en liep voor me langs door de deuropening mijn etage binnen. 'Ik moet plassen,' zei ze en vervolgens bleef ze als aan de grond genageld staan.

Het zag er dan ook vreemd uit: lapjes zijde hingen aan stoelleuningen, mijn tafel lag vol met stukken patroon, speldenkussens en stukken lint. Mijn naaimachine stond met zijn lampje aan, als een portieklicht midden op de dag.

'Wat is hier gaande?' vroeg Jamie.

'Ik heb zitten naaien.'

'Dat zie ik, maar de vraag is wat.' Ze ging verder naar de tafel. 'Is dit zijde?'

'Het is een nachtpon.' Mijn stem klonk morsdood, en ik deed een nieuwe poging. 'Het is een soort combinatie van nachtpon en peignoir.'

'God, Carrie, en dat heb je mij zelfs niet eens verteld.' Ze stak een hand uit naar de peignoir, die ik naast de machine had laten liggen.

'Niet doen!' Ik schoot langs haar om hem te pakken. 'Ik bedoel: hier, ik zal hem je laten zien.'

Ze keek me bevreemd aan. 'Je bent bang dat ik hem zal vernielen,' zei ze langzaam. 'Je wilde zelfs helemaal niet dat ik hem zou zien. Daarom kwam je naar de trap.'

Ik wendde mijn blik van haar af.

'Is dat waar?'

Ik hield de peignoir strak tegen mijn borst en deed mijn best mijn armen wat te ontspannen. 'Nee,' zei ik. 'Het is gewoon – ik wist niet hoe ze zouden worden.'

Ze schudde haar hoofd. 'Ik weet niet wat er met jou is,' zei ze, maar ze leek wat te bedaren en ik dwong mezelf haar te laten zien wat ik tot dusverre had gedaan: de voltooide nachtpon en vervolgens de peignoir. Toen ze me vroeg ze aan te passen was ik weer rustig, en ik bracht de kledingstukken naar mijn slaapkamer, trok de kleren die ik aanhad uit en deed de nachtpon en de peignoir aan, terwijl ik snel de tweede mouw vastspelde.

'Absoluut fantastisch,' zei ze vanuit de deuropening. 'Je zou een zaak kunnen beginnen en een kapitaal kunnen verdienen, dat meen ik.'

'Vast,' zei ik, hoewel ik gevleid was.

'Je zou het kunnen doen. Wat heeft de stof je gekost?'

'Dat wil je niet weten.'

'Honderd dollar? Honderdvijftig?' Haar ogen werden groot. 'Twééhonderd?' Ze stapte naar me toe en voelde aan de peignoir. 'Ik wed evengoed dat je vierhonderd dollar kunt vragen voor dit stelletje. Moet je jezelf zien, je ziet eruit als een betoverende ster in een oude film.'

Ik draaide me om en keek in de spiegel. 'Echt waar?'

'Absoluut. Je moet er alleen nog een sigaret in een ivoren sigarettenpijpje bij hebben.'

Ik stak een been uit.

'En die slippers moeten weg. Maar als je er zulke schoentjes met hoge hakken en open hiel bij hebt die met bont zijn afgezet – hoe heten die ook alweer?'

'Muiltjes?'

'Muiltjes, precies. Het is zo romantisch, vind je niet?'

'Misschien wel.'

'Voor de wittebroodsweken.'

'Ironisch genoeg.'

Onze blikken troffen elkaar in de spiegel, en we keken elkaar even aan. 'Nou, je weet maar nooit,' zei ze.

'Ik weet het eigenlijk wel.'

Ze wendde zich van de spiegel af en staarde mij aan. Ik was trillerig van de schok omdat ik het had gezegd, en een tijdlang stond ik daar alleen maar, met gloeiende wangen en bonzend hart. Toen draaide ik me om, liet de peignoir van me afglijden, trok de nachtpon over mijn hoofd en deed mijn T-shirt en mijn boxershort weer aan.

'Ga je het met hem uitmaken?'

Ik vouwde de nachtpon keurig in drieën, maakte één verticale vouw in de peignoir en legde hem voorzichtig op mijn bed neer. Ik wilde het afgrijzen op haar gezicht niet nog eens zien, maar ten slotte kon ik er niet aan ontkomen, en met tegenzin draaide ik me om en keek.

Ze staarde me strak aan, met open mond. 'O God,' zei ze. 'O God, o God. Wil je erover praten?'

Ik schudde mijn hoofd.

Ze liep de kamer door en bleef staan bij het raam. Het enige wat daar te zien viel was de wrakke oude garage die ik met mijn benedenburen deelde, maar ze bleef een hele tijd naar buiten staan kijken. Ten slotte zei ze, nog steeds met haar rug naar mij toegekeerd: 'Ik vroeg me af wat je dacht. Ik bedoel, ik nam aan dat je erover dacht, maar ik wist niet hoe je je voelde. Ik wist niet of je door zou gaan en – nou ja, toch zou gaan trouwen. Ik bedoel, ik wist dat dat heel moeilijk zou zijn, en het ging voor het ongeluk al niet zo geweldig, maar…' Opeens keerde ze zich naar mij toe, en ik zag dat ze had gevochten tegen haar tranen. 'God, dit is zo moeilijk voor jou geweest!'

'Niet zo moeilijk als voor hem.'

'Ja, maar dat maakt het bijna nog moeilijker.'

Ik haalde mijn schouders op en plotseling was het medeleven op haar gezicht verdwenen en vervangen door hevige irritatie. 'Carrie!'

'Wat?'

'Ik heb gewoon een raar gevoel dat ik je niet echt meer ken! Heb ik iets misdaan? Ben je kwaad op me? Ben je er eigenlijk wel?'

Ik wendde me van haar af. Ik begreep de vraag, want de meeste gevoelens die ik de laatste tijd had waren hol, alsof alle gevoelens die ik hoorde te hebben waren verdwenen en ik in mijn geest vergeefs naar ze op zoek was. 'Het spijt me,' zei ik met zachte stem.

Ze kwam naar me toe, raakte de achterkant van mijn schouder aan, pakte me vervolgens vast en omhelsde me krachtig. 'Laat maar zitten,' zei ze. 'Het spijt *mij*. Ik had niets moeten zeggen, ik zou alleen willen dat ik kon helpen.' Ze draaide me om, en ik liet toe dat ze me van voren omhelsde.

'Is het goed met je?'

Ik knikte.

'Wanneer ga je het doen, denk je?'

'Ik weet het niet.'

'Maar vrij snel, toch? Ik bedoel, denk je niet dat je het moet doen nu je je besluit hebt genomen?'

'Misschien wel,' zei ik, al had ik niet het gevoel dat ik werkelijk had besloten, dat ik had gekozen. Het was meer alsof ik naar onbekend gebied was gereisd en daar nu om me heen stond te kijken in een poging hoogte van de omgeving te krijgen.

'God,' zei ze zachtjes. 'God.' Ze keek me recht in de ogen. 'Wil je dat ik nog even blijf? Ik kan mijn haar ook morgen laten knippen.'

Ik schudde mijn hoofd. 'Dat is goed. Ik bedoel, dank je wel, maar ik ben eigenlijk alleen in de stemming om te naaien.'

Toen ze was vertrokken ging ik weer achter de machine zitten, maar ik kon me niet concentreren, ik kon mijn aandacht niet richten op het patroon en op wat ik vervolgens moest doen. Ik pakte mijn sleutels, sloot af en schoot de trap af en het trottoir op. Ik voelde me verschrikkelijk vanwege Jamie – de gebeurtenissen hadden een soort kettingreactie veroorzaakt: het ongeluk had Mike geveld, daardoor was ik op drift geraakt en dat trof haar weer… Al was ik natuurlijk al lang voor het ongeluk op drift geraakt, door wat dan ook – door mijn eigen wispelturige hart – en was zij daarvan evenzeer het mikpunt geweest als hij. In de maanden voor het ongeluk had ik bij tijd en wijle alle zeilen moeten bijzetten om haar niet te zeggen dat het me niet uitmaakte wat die en die te melden had over deze en gene, of wie er een leuk kontje had of dat soort dingen. Maar de gedachte dat zij erover tobde en zich afvroeg wat ze had misdaan, daarover voelde ik me vreselijk.

Wat Mike betrof, ik had geen idee wanneer ik het hem moest zeggen, wat ik hem moest zeggen en hoe… Er waren te veel variabelen. Het enige wat ik zeker wist was dat ik daarna zou hebben afgedaan. Als je zag hoe geschokt zij was geweest – en dat was Jamie. Er zouden geen Mayers meer in mijn leven zijn, en absoluut geen Rooster meer. En mijn moeder – wat zou zij zeggen? Of ze Mike nu had goedgekeurd of niet – hoe zou ze iets anders kunnen voelen dan weerzin wanneer ze mij zag doen wat haar ook was aangedaan?

En Mike. Wat moest ik beginnen als er geen Mike meer in mijn leven was? Die lach die hij had wanneer hij iets in petto had: zijn mond was dan heel breed en stijf dicht. Wat moest ik beginnen als ik die lach nooit meer te zien kreeg? Wat moest ik beginnen als ik hem nooit meer 'fout' zou horen zeggen op die ergerlijke, vertederende manier van hem? Wat moest ik beginnen als ik hem nooit meer in slaap zou zien vallen bij een nachtprogramma op de tv, en nooit meer zou zien hoe zijn oogleden alsmaar verder omlaag zakten, zijn mond iets openviel en zijn ademhaling zwaarder werd? Ik had dingen van hem gezien die misschien niemand anders ooit had gezien of opgemerkt – zouden die verdwijnen als ik ze niet meer waarnam? Waren we, als waarnemers van elkaars gewoonten en uitdrukkingen, geen getuigen die niet zomaar wat zagen maar dingen in leven riepen? Wanneer we uit elkaar gingen zouden al die kleine momenten, gebaren en blikken verdwijnen, overal behalve in onze afzonderlijke geheugens, totdat ook daar onze geschiedenis zou gaan vervagen.

Ik was naar James Madison Park gelopen, en nu vertraagde ik mijn pas en keek om me heen. Ik liet het meer op me inwerken, dat lichtblauw was en rimpelig onder de vroege najaarswind, en de mensen, die zich klaarmaakten voor een picknick, met frisbees gooiden en renden met hun grote, mooie honden. Wat eenvoudig is dat, dacht ik: rennen, lopen.

HOOFDSTUK 14

Ik wist dat ik met Mike moest praten, maar dagenlang struikelde ik over het woordje 'maar'. *Ik hoop dat we altijd vrienden zullen blijven, maar... ik wou dat het niet zo zou hoeven gaan, maar... ik hou nog steeds van je, maar...* Avond na avond zat ik bij hem, hield zijn hand vast en probeerde zijn belangstelling voor allerlei dingen te wekken. En alsmaar werd ik gekweld door mijn eigen zachte stem die de woorden afwoog, op zoek naar de woorden die zouden volstaan.

Op een avond kwam John junior met mevrouw Mayer mee naar het ziekenhuis. Hij maakte een nerveuze indruk. Hij begon Mike te vertellen over de nieuwe ijshockeycoach, en bijna onmiddellijk bespeurde ik het bekende verslappen van Mikes aandacht. 'Mam,' onderbrak hij John op een gegeven moment. 'Ik dacht dat je vanavond de *Sports Illustrated* mee zou brengen.' Even later vroeg hij mij om een slokje water, en weer wat later om een tissue.

Midden in een zin stond John op en liep de kamer uit.

'Waar gaat hij naartoe?' vroeg Mike.

Ik stond tegen de muur geleund, en toen hij mij aankeek haalde ik mijn schouders een beetje op. 'Je negeerde hem nogal – ik denk dat hij zich een beetje gekwetst voelt.'

'Dat deed ik niet. Nou zeg – hij had het over coach Henry of zo, de nieuwe ijshockeycoach. Ik hoorde hem wel.'

'Henderson,' zei ik. 'Je hoorde hem wel, maar misschien luisterde je niet helemaal.'

Hij draaide met zijn ogen. 'Nou, sorry hoor. Ik ben hier toch de patiënt, niet hem.'

'Niet hij.' Mevrouw Mayer zat kaarsrecht, met haar armen voor haar borst gekruist. 'Ik ben hier toch de patiënt, niet *hij*.'

'Doe me een lol, zeg.'

'Jongen.' Mevrouw Mayer fronste haar voorhoofd, maakte

haar armen los en sloeg ze weer opnieuw over elkaar. Ze tilde een hand op en raakte haar haren aan. 'We doen allemaal vreselijk ons best, maar de laatste tijd lijkt het wel of in jouw ogen niemand iets goed kan doen. Ik vind dat je je broer je excuses moet aanbieden. Ik ga hem halen, en ik denk dat we daarna naar huis gaan.' Ze stond op.

'Jullie hoeven niet te gaan.' Hij wierp een blik op mij. 'Het spijt me.'

'Ik ga je broer halen.'

Ze ging de kamer uit, en ik liep naar het bed en pakte zijn hand. 'Het spijt *mij*,' zei ik. 'Ik heb het veroorzaakt.'

'Nee, het spijt mij.' Hij was rood en zijn ogen waren waterig, hij stond op het punt te gaan huilen. 'Ik ben een klootzak.'

'Dat ben je niet.' Ik trok het gordijn tussen zijn bed en dat van Jeff dicht, ging op de rand van het bed zitten en pakte zijn hand weer. 'Dat ben je helemaal niet,' zei ik rustig. 'John mist je alleen. Ik denk dat hij je graag een poosje voor zich alleen zou willen hebben, maar dat lijkt er nooit van te komen.'

'Door mijn moeder,' zei hij.

'Ja, maar ook door mij.'

'Met jou is het iets anders.' Hij keek me recht in mijn ogen en wendde daarna snel zijn blik af. 'Ik weet het niet, ik weet niet wat er met me aan de hand is, maar ik verveel me zo! Is dat niet maf? Alsof ik geen grotere problemen heb. Maar ik lig me soms zo godvergeten te vervelen dat ik het wel uit kan schreeuwen.'

'Patiënten moeten niet voor niks geduldige mensen zijn.'

Hij glimlachte. 'Weet je waar ik laatst aan moest denken? Weet je nog die keer dat Jamie een feestje voor ons gaf, omdat we vijf jaar bij elkaar waren? Bij Fabrizio's?'

'We moesten daar met haar eten, en we snapten absoluut niet waarom ze naar Fabrizio's wou.'

'Toen zaten we daar met zijn allen in die kleine ruimte.' Hij sloot zijn ogen en zuchtte.

'Waarom moest je daar aan denken?'

'Dat weet ik niet.'

'Kom, waardoor?'

Onze blikken ontmoetten elkaar. 'Nou, ik vond altijd dat we daar na de volgende vijf jaar weer naartoe moesten gaan. Ik bedoel, niet met iedereen erbij – alleen wij samen. Maar dat zal er nu wel niet meer van komen, hè?' Hij keek me kalm aan.

Ik aarzelde. Dit was het punt, de opening waarnaar ik had gezocht, maar ik kon het niet over me verkrijgen om hem te gebruiken. 'Ik weet het niet,' zei ik. 'Ik weet het echt niet.'

'Het is in orde,' zei hij. 'Je hoeft er niet mee te zitten.'

'We kunnen dit nu niet bespreken. Je moeder en John kunnen elk moment terugkomen.'

Hij likte langs zijn lippen. 'Het is gebeurd tussen ons, hè?'

'Nee. Alsjeblieft.'

Hij keek me aan met een doordringend rustige blik. 'Het is eigenlijk een opluchting voor me,' zei hij. 'Ik werd echt moe van het piekeren.'

'Mike…'

Hij bewoog zijn arm en trok hem dichter naar zijn lichaam toe. Ik hield op met praten. Hij tilde de arm op zijn schoot, de hand sleepte erachteraan.

'Niet over praten,' zei hij. 'Goed? Gewoon niet over praten.'

Thuis liet ik mijn badkuip vollopen met heet water en nam een lang bad. Het was nu september, de eerste echt frisse avond van de komende herfst, en ik lag een hele tijd in bad te wachten tot ik vervuld zou raken van tranen en verschrikkelijke spijt, of van opluchting – van wat dan ook. Ik lag eindeloos te wachten, maar het enige wat ik kon bedenken en voelen was dat ik moe was. Als er een tijdvak in mijn leven was beëindigd, was het verstrijken daarvan alleen opmerkelijk door de rust die het naliet, de fluistertoon waarop ik mezelf afvroeg wat ik nu moest beginnen.

En toen wist ik het. Ik droogde me af, trok een schone spijkerbroek en een sweatshirt aan, en zette een pot koffie. Toen ik aan mijn naaitafel plaatsnam was het bijna tien uur, maar dat kon me niet van mijn stuk brengen. Ik had de vorige dag de zoom van de peignoir gemarkeerd, en nu knipte er ik precies zeveneneenhalve centimeter af. Daarna bracht ik met de machine een rij rijgsteken aan op een centimeter van de rand. Het strijkijzer was heet geworden en ik legde het vrije stuk van de zoom eronder en perste het. Daarna speldde ik de zoom zorgvuldig vast met spelden met grote knoppen, waarbij ik aan de draad van de rijgsteek trok op alle punten waar de zoom strak moest worden getrokken. Ik moest ruim drieëneenhalve meter stikken, maar daar zag ik niet tegenop. Ik nam de peignoir mee naar een stoel bij een felle lamp, trok een draad door een naald en begon. Wanneer mijn nek pijnlijk werd nam ik een pauze waarin ik even op de vloer ging liggen of een paar rekoefeningen deed, maar steeds vatte ik na enkele minuten mijn naaiwerk weer op. Ik moest verschillende keren opnieuw een draad door de naald halen en had de pech dat ik een paar centimeter voor het einde weer door de draad heen was, maar ik voelde niet de irritatie die me meestal bekroop wanneer dat gebeurde. Ik knipte gewoon weer dertig centimeter garen af, haalde het door het oog van de naald, legde een knoop in het uiteinde en maakte mijn werk af.

Mijn hele lijf deed pijn. Ik kleedde me uit en trok eerst de nachtpon en vervolgens de peignoir aan. In mijn slaapkamerspiegel zag ik er betoverend uit, zoals Jamie had gezegd, maar alleen vanaf mijn hals, want van mijn gezicht klopte niets: het was te serieus, te gewoontjes en te jong. Ik wist dat ik mijn wenkbrauwen kon epileren, foundation, rouge en lipstick op kon brengen, en iets kon doen om mijn ogen diepliggend en mysterieus te laten lijken, maar ik zou er nog altijd uitzien als wat ik was – misschien niet als een kind, maar evenmin als een vrouw. Als een meisje van drieëntwintig.

Het was nu bijna één uur in de nacht, en terwijl ik de peignoir en de nachtpon uittrok drong het tot me door dat ik gevaar liep, dat ik uiteindelijk mijn hele leven een meisje zou kunnen blijven, net als mevrouw Fletcher. Ik dacht aan wat Dave King had gezegd, aan zijn suggestie dat het mezelf als kind beschouwen diende ter zelfbescherming, en ik wenste dat ik moedig was.

Ik kleedde me aan en ging terug naar de huiskamer, waar ik alles opruimde – het strijkijzer en de strijkplank, de snippers stof en de stukken patroon die ik nooit had teruggestopt in hun enveloppe. Ik trok de stekker van de naaimachine uit het stopcontact, maakte met een penseeltje de behuizing van de spoel schoon, wond het snoer op en stopte het in zijn doos, en plaatste het deksel op de machine. Ik zette hem bij de deur en haalde vervolgens in mijn slaapkamer de enorme grijze Samsonite-koffer te voorschijn die mijn moeder me had geleend toen ik van het studentenhuis naar mijn etage was verhuisd. In hoog tempo vulde ik hem met kleren, en toen ik klaar was waren mijn commode en mijn klerenkast bijna leeg. Het laatst deed ik de nachtpon en de peignoir in de koffer, zorgvuldig opgevouwen en ingepakt in tissuepapier. Ik vond een kleinere reistas voor mijn toiletartikelen en nog wat andere spulletjes, en liep met de beide tassen naar beneden, naar mijn auto. Ik ging terug naar boven voor een laatste inspectie, goot bijna twee liter melk door de gootsteen, zette het afval buiten en ging nog een keer terug om mijn naaimachine te halen. Daarna sloot ik af.

Hoeveel zijn we de mensen van wie we houden verschuldigd? Hoeveel zijn we hun verschuldigd? Op de high school loofden sommige mensen hun vrienden weleens met de woorden 'hij zou zijn hand voor me in het vuur steken'. Ik geloof dat Mike het zelfs eens over Rooster zei, en het is goed mogelijk dat Rooster het zou hebben gedaan: zijn hand voor Mike in het vuur steken, zijn hand opofferen. Ik had ontdekt dat ik mijn leven niet voor Mike kon opgeven – zo zag ik het op dat ogenblik, dat was de keuze die ik dacht te moeten doen. En omdat ik niet alles kon opgeven, dacht ik ook dat ik helemaal niets kon opgeven.

Je kunt in een staat van vermoeidheid raken die zijn eigen

energie kent. Toen ik de auto startte was ik uitgeput, staken mijn ogen en deden mijn rug en nek pijn, maar toen ik eenmaal reed ontdekte ik dat ik geen reëel gevaar liep in slaap te zullen vallen.

Ik nam de I-90 langs Chicago en zag de zon opkomen terwijl ik langs het Michiganmeer reed. Het was een heldere dag, en algauw trokken de staten aan me voorbij als waren het steden die dicht bij elkaar aan de snelweg waren gebouwd. Toen het donker begon te worden overwoog ik te stoppen, maar ik had het ritme te pakken. Ik draaide op friet en afgrijselijke koffie, en ik ging door. Ten slotte, rond negen uur 's avonds, besefte ik dat ik stom bezig was, ging de snelweg af, vond een motel en sliep daar.

Halverwege de ochtend was ik weer onderweg. Bij een benzinestation kocht ik kaarten en concludeerde dat ik rond twaalf uur de Holland Tunnel kon bereiken. Bij een andere pomp vond ik een telefoongids van Manhattan, waarin ik het adres van Biggs, Lepper, Rush, Creighton and Fenelon opzocht, terwijl het handige bijnaampje me glashelder voor de geest stond. En toen, precies op het moment dat de ochtendbewolking oploste en de lucht blauw werd, doemden de torens van het World Trade Center voor me op en draaide ik het raampje open om de lucht op te snuiven.

DEEL TWEE

Ver van huis

HOOFDSTUK 15

Simon woonde aan de rand van Chelsea in een vervallen oud herenhuis met dichtgetapete ramen en een met graffiti beschreven plaat triplex op de voordeur. Het huis was eigendom van een vennoot van zijn advocatenkantoor: de vennoot had het van een oom geërfd en verhuurde het aan Simon – voor de ongehoorde prijs van vijfhonderd dollar per maand – terwijl hij probeerde te besluiten of hij zich ervan moest ontdoen of er een forse som in moest steken en er zelf moest gaan wonen. Eén blok naar het oosten was alles lommerrijk en goed onderhouden, met keurige ijzeren hekjes rond de stammen van de ginkgobomen, maar dit blok was een grensgeval. Het telde niet alleen nog een paar andere dubieuze herenhuizen, maar ook een benzinestation, een uitdeukerij en een enorm braakliggend stuk terrein met hekwerk met harmonicagaas eromheen. Simon en een paar van zijn vrienden en vriendinnen van Yale bewoonden de vier slaapkamers, maar voor mij vond hij een leeg alkoofje op de tweede verdieping, en samen sleepten we een reservefuton de steile, krakende trap op.

Hij excuseerde zich voortdurend voor de woning, maar ik vond hem leuk – hij was zo sjofel en weinig veeleisend. Vochtplekken vormden hele landkaarten op de plafonds, stukken van de plinten waren van de muren getrokken. De muren zelf zagen er zo geteisterd uit dat ze leken te zijn belaagd: ze zaten vol plekken, butsen en heuse gaten waaruit pleisterkalk op de vloeren viel. In de badkamers zaten lekke kranen onvast in hun bevestigingspunten, terwijl antieke badkuipen op poten met klauwen rustten en geïmproviseerde douchegordijnen hachelijk aan in elkaar geflanste buizen hingen. 'Alsof je doucht in een regenjas,' zei Simon, en dat was waar.

Er was een donkere, spelonkachtige huiskamer, maar de keuken was het echte middelpunt van het huis, waar iedereen te vinden was. Het plafond was er laag, de verlichting slecht, en hij stond vol met oude apparaten: een kapotte wasmachine, een kapotte vaatwasser, een gammel elektrisch fornuis met een kapotte ventilator, een gigantische dinosaurus van een magnetron, een vrijstaande vriezer met bovenklep die diende als aanrecht en een koelkast met ronde schouders die een onregelmatig, onrustbarend gebrom voortbracht. Op een oud metalen bureau dat tegen de muur was gezet stond een groot mededelingenbord dat naar Simons zeggen het belangrijkste meubelstuk in huis was: de plek waar boodschappen werden genoteerd.

Meestal stonden er tenminste een paar geluidsinstallaties aan, en het was een beetje of ik weer in een studentenhuis kwam te wonen: mensen kwamen en gingen op alle uren van de dag, als ik net in slaap was gevallen werd ik wakker van het geluid van een deur die werd gesloten. Simons vrienden en vriendinnen waren erg aardig, maar allemaal zo ambitieus dat ik me een buitenbeentje voelde. Simon was corrector maar wilde illustrator worden, een vriend was ober maar wilde acteur worden en een vriendin werkte bij een tijdschrift maar wilde toneelschrijfster worden. Simon noemde hun huidige activiteiten hun voorlopige baantjes, alsof ze nadat ze die een poosje hadden uitgeoefend aan hun echte leven gingen beginnen.

Mijn ambitie was het een ambitie te hebben, totdat ik Kilroy had gevonden. Vervolgens kreeg ik er een: in New York blijven.

Ik had zijn briefje in Madison achtergelaten, maar ons gesprek meegebracht: ons gesprek, de aandachtige manier waarop hij naar me had gekeken vanaf de andere kant van de tafel van Viktor en Ania, en de naam van de bar waar hij stamgast was, de zaak met de pooltafel met een groefje erin dat hij bijna altijd in zijn voordeel kon laten werken. Een paar dagen na mijn aankomst zat ik met het telefoonboek van Manhattan aan de keukentafel om het adres op te zoeken.

Het was op de Avenue of the Americas – Sixth Avenue – zodat er volgens mijn plattegrond maar zestig blokken in aanmerking kwamen. Desondanks ging ik erheen om te kijken; ik was nog zo'n groentje dat het verkeer me schrik aanjoeg: de grommende bussen, het gekrijs van een ambulance, het geknipper en getoeter van vele taxi's. Ik was verbaasd door het grote aantal mensen op straat – door hun aantal en hun gevarieerdheid: ik had altijd gedacht dat Madison behoorlijk multicultureel was, maar nu werd me duidelijk wat een blanke stad het eigenlijk was. Ik zag gelaatskleuren van geelbruin tot diepbruin, hoorde accenten die ik niet herkende en talen die ik met geen mogelijkheid kon thuisbrengen. Ik liep langs restaurants, apotheken, wasserettes, kantoorboekhandels, bloemisten, slijters en koffieshops, en opeens was ik er, bij McClanahan's, een bar op een hoek naast een stomerij. Wat had het te betekenen dat ik dit had gedaan, dat ik deze zaak had opgespoord? Ik liep er haastig voorbij, en diste voor mezelf een verhaaltje op dat ik maar half geloofde, dat ik gewoon de stad verkende en voor hetzelfde geld ergens anders had kunnen zijn.

De volgende dag ging ik er weer heen. In de ramen hingen lichtreclames voor bieren – voor Miller en Pabst, prima bieren uit het Midwesten – maar de ramen zelf gingen schuil achter ijzeren traliewerk. Ik liep langzaam het blok rond, me afvragend wat ik zou doen als ik er weer was. Het stuk van Seventh naar Sixth Avenue leek oneindig lang, een smalle, donkere corridor tussen hoge grijze gebouwen. Ten slotte kwam ik weer bij McClanahan's, en net toen ik arriveerde opende iemand de deur, waarachter een langwerpige, smalle ruimte zichtbaar werd die vol rook hing en zwak verlicht en bijna leeg was.

Op de derde dag bleef ik voor de deur staan. De mensen keken in het voorbijgaan naar me, of niet: ik begreep al hoezeer de regels op de trottoirs hier verschilden van die in Madison of zelfs Chicago. Je kon hier alles doen wat in je opkwam – brullen, tieren, krijsen –, en niemand zou je meer dan een vluchtige blik waardig keuren.

De deur van McClanahan's was massief en versierd met dof

geworden koperbeslag. Ik stond te wachten tot iets in me de overhand zou krijgen, hetzij de drang om te vertrekken, hetzij de drang om naar binnen te gaan. Er verstreken vijf minuten, misschien tien, ik hield het niet bij. Ik staarde naar de deur totdat, als bij toverslag, Kilroy zelf naar buiten kwam.

Hij zag er ouder uit dan in mijn herinnering. Hij droeg een spijkerbroek en een leren jasje, zijn gezicht was smal en gesloten. Zijn haar zat wild en hij had een baard van twee of drie dagen. Hij wierp een blik op me en ging de hoek om. Vervolgens bleef hij staan en draaide zich om. 'Ik ken jou,' zei hij, en ik lachte een beetje. Ik voelde me dwaas, blij en bang.

Hij wees naar me. 'Madison, Wisconsin. Het etentje bij dat Poolse stel. Hoe gaat het?'

'Uitstekend, en met jou?'

'Prima, Carrie.'

Ik kon niet geloven dat hij zich mijn naam herinnerde na – hoe lang was het? – drie maanden, maar hij wierp me alleen een ironisch lachje toe en vervolgde. 'Nee, niks zeggen, dit is alles of niets. Carrie... Bell. Raak. Weet je mijn naam nog?'

Ik noemde zijn naam en hij glimlachte opnieuw, dit keer lachte hij vriendelijk met zijn mond open, zodat zijn voortanden zichtbaar werden, waarvan er een de rand van de ander overlapte. 'Je bent ver van huis, Carrie Bell,' zei hij. 'Wat brengt je naar het vervloekte New York?'

'Waarom vervloekt?'

'Ach, weet je – vervloekt, prachtig, weerzinwekkend, goddelijk. En meestal allemaal tegelijk, daarom hou ik zo van deze stad.' Hij keek me ironisch aan, alsof hij wilde suggereren dat hij eigenlijk niet zo van New York hield – of dat, voor zover hij het wel deed, het niet ging om iets zo eenvoudigs, iets waar hij zo achteloos over kon doen. Hij gebaarde met zijn kin naar me. 'Maar je hebt geen antwoord gegeven op mijn vraag, Carrie Bell de ontwijkende. Wat doet een aardig meisje uit het Midwesten zoals jij in het grote boze Manhattan?'

'Waardoor weet je zo zeker dat ik aardig ben?'

'Dat staat op je gezicht te lezen. Naast de woorden lief en goed.'

Ik bedacht wat ik had gedaan: ik was midden in de nacht weggelopen van mensen die op me rekenden, en opeens voelde ik me wankel en kon ik wel huilen. Ik had nog niemand in Madison gebeld en had er geen flauw idee van wat er omging in het hoofd van mijn moeder, of dat van Jamie. Of dat van Mike.

'Olala,' zei hij. 'Ik bespeur hier een verhaal. Mag ik je een biertje aanbieden? Of wil je doen alsof dit nooit is gebeurd en we elkaar nooit tegen het lijf zijn gelopen?'

Ik keek naar de deur van McClanahan's. Het was half vijf, en ik vroeg me af hoe lang hij binnen was geweest. Er groeiden drie of vier minuscule blonde haartjes op zijn wang, vlak bij zijn linkeroog, en ik had zin mijn hand ernaar toe te brengen om ze te strelen. 'Graag,' zei ik. 'Een biertje.'

Die eerste dag praatten we vier uur aan één stuk met elkaar, of beter, ik praatte: ik vertelde hem alles over die zomer, over het rare uitdoven van mijn gevoelens, dat weken had geduurd. En dat ik sinds mijn vertrek werd bestormd door emoties, die uiteenliepen van schuld tot berouw, opluchting en vreugde, terwijl New York buiten dat alles stond: enorm, onbewogen, simpelweg aanwezig. Ik vertelde hem zelfs over de laatste avond met Mike, over zijn *het is gebeurd tussen ons, hè?*, en over de manier waarop ik bij mijn vertrek vanuit de deuropening naar hem had gezwaaid, met mijn vingers, een licht, volstrekt onoprecht wuifje met de vingers van mijn rechterhand – alsof een van ons ook maar een flauw idee had van wat we nu verwachtten, laat staan van wat er daadwerkelijk ging gebeuren.

'Je bent ervandoor gegaan,' zei Kilroy. 'Je moest wel.'

We zaten toen op een bankje in Washington Square Park, de avond hing zwart en zwaar om ons heen, voor onze voeten liepen een paar duiven heen en weer. We hadden bij McClanahan's gezeten totdat het er zo druk was geworden dat we elkaar niet meer konden verstaan, en daarna hadden we stukken pizza gegeten, staand aan de toonbank van een open zaakje in het lawaai van 8th Street.

'Ik vind het moedig van je,' ging hij verder. 'Het moet erg moeilijk zijn geweest om dat te doen.' Hij keerde zich naar mij toe, met één knie op het bankje. 'Moeilijker dan blijven.'

'Blijven was voor mijn gevoel onmogelijk.'

'Ja, maar blijven was statisch. Je hebt gehandeld. Daar heb ik bewondering voor.'

Ik was verrast, en voor het eerst sinds het begin van ons gesprek voelde ik me verlegen: in de bar, waar allerlei stemmen voorbij roezemoesden, was het makkelijker geweest. Het park zinderde van de activiteit – een troep kinderen op skateboards, een groepje tieners rond een klein vuurtje, een lange man die op rollerblades voorbijschoot –, maar het was allemaal ver weg en getemperd en woog niet op tegen het plotselinge gevoel van bevreemding dat zich van me meester maakte.

Kilroy grijnsde. 'Je kunt niet geloven dat je zo met me zit te praten terwijl je me niet echt kent.'

'Ik je niet echt ken?' zei ik met een lach. 'Ik ken je helemaal niet.'

Hij trok een schouder op. 'Wat houdt iemand kennen in? Jij weet niet waar ik ben opgegroeid en wat ik elke dag van negen tot zes uitvoer, maar je weet hoe het is om een paar uur met me op te trekken. Leert dat je niet meer dan allerlei informatie?'

'Ik denk van wel,' zei ik, maar ik dacht: *Waar ben je dan opge-groeid? En wat doe je elke dag van negen tot vijf – drinken?*

Hij keek me aan en lachte. 'Ga verder.'

'Goed, eerst het makkelijkste,' zei ik. 'Is Kilroy je voornaam of je achternaam?'

'Geen van tweeën.'

'Is het je tweede voornaam?'

'Ik heet Paul Eliot Fraser. Kilroy zit er helemaal niet bij, zo word ik gewoon genoemd.'

'Waarom?'

'Omdat het er helemaal niet bij zit.'

Eén-nul voor jou, Kilroy, dacht ik. 'Oké, waar bén je opgegroeid?'

Grijnzend bracht hij een vinger naar zijn lippen. 'Dat ben ik niet. Niet verder vertellen.'

'Paul Eliot Fraser de ontwijkende,' zei ik, en hij schonk me een brede lach die maar niet verdween – een zalvende lach.

'New York,' zei hij. 'Geboren en getogen. En van negen tot vijf werk ik voor een uitzendbureau. Ik word uitgezonden naar bedrijven waar een week of twee iemand achter de tekstverwerker moet zitten omdat er iemand met vakantie is, of ik neem de telefoon op als er iemand ziek is. Ik ben de loonwerker van de kantoorsector, ik blijf nooit ergens voor langere tijd – ik laat de dictafoon achter me en bestijg het ijzeren ros van de subway op weg naar de kopieermachine aan de einder.'

Ik glimlachte, maar ik was verrast: ik had verwacht dat hij de een of andere ambitie najoeg, net als Simon en zijn vrienden. Misschien joeg hij ook zo'n ambitie na maar zei hij het alleen niet.

'Ben je nu tevreden?' vroeg hij. 'Heb je nu het gevoel dat je me een stuk beter kent?'

Ik trok een schouder op. 'Wonen je ouders nog steeds in de stad?'

'Als je het zo mag noemen.'

'Hoezo – wonen ze in een van de andere wijken of zo?'

'Ze zijn er nog,' zei hij.

Iets in zijn gelaatsuitdrukking waarschuwde me dat ik niet moest doorvragen. Hij haalde zijn sleutels uit zijn zak en begon ermee te spelen, waarbij hij ze een voor een langs de sleutelring trok. Slecht op mijn gemak wendde ik mijn blik af en keek naar de tieners achter ons. Ze zagen er zo verhuld uit: hun gezichten door hun haren, hun lichamen door hun donkere, vormeloze kleren. Er reflecteerde wat licht van een nylon jasje, maar verder waren ze nauwelijks meer dan silhouetten.

Ik keerde me weer om en merkte dat Kilroy me nauwlettend opnam. 'Ben je alcoholist?' vroeg ik, niet begrijpend waar ik het lef vandaan haalde.

'Hoe kom je daarbij?'

'Je zat midden op de dag in die bar.'

'Ik ben gewoon iemand die van kroegen houdt,' zei hij. 'En beter dan McClanahan's vind je ze tegenwoordig niet meer, al dringen de yuppie-horden steeds verder op.' Hij glimlachte. 'De volgende keer krijg je je eerste les.'

'Mijn eerste les?'

'Je eerste poolles – ik herinner me haarscherp dat je nooit pool had gespeeld.'

'Wat een geheugen.'

'Dat heb ik weleens vaker gehoord.'

Van wie, vroeg ik me af, maar hij stond op, en dus kwam ik ook overeind, en opeens kwam tegelijk met mij iedereen overeind – Mike, Jamie, Rooster, zelfs mijn moeder, iedereen over wie ik het had gehad. Waarom had ik zo'n menigte bij me terwijl Kilroy zo overduidelijk alleen was?

'Zullen we?' vroeg hij.

We waren het park binnengegaan door een zij-ingang, maar we gingen naar buiten via de boog, die zich tegelijk zwaar en vreemd spookachtig aftekende tegen de avondlucht. Ik was voor het eerst op Lower Fifth Avenue en ik liep met mijn hoofd achterover. De horizon was een grillige lijn van daken en verlichte ramen. In de verte was het Empire State Building versierd met witte lichtjes.

'Wandel je graag?' vroeg hij.

Ik knikte.

'Heel goed. New York is een stad voor wandelaars, dat is de enige manier om de stad te leren kennen.'

We liepen 14th Street op en kwamen langs winkelpuien met hekwerk ervoor en kleine bodega's vol mannen. Een koud, fluorescerend licht viel op het trottoir. In Madison zou de avond verstilling hebben gebracht, maar hier leek zelfs het afval in de goot actief. Het danste heen en weer in de wind, klaar om weg te vliegen. Er schoot een politiewagen met rood en blauw zwaailicht langs ons, die aan het eind van de straat afsloeg.

'Ik ben dol op sirenes,' zei Kilroy. 'Op hoe ze klinken, vooral 's nachts.'

Ik keek hem aan.

'Echt waar. Mijn slaapkamer is een bijzonder goed punt om sirenes te beluisteren – ik heb daar één raam dat uitziet op Seventh Avenue. Je zult het nog wel zien.'

Ik bleef staan, en hij hield ook stil en glimlachte naar me.

'Dat zal ik nog wel zien?' vroeg ik. 'Ik zal je slaapkamer nog wel zien?'

Hij schudde ernstig zijn hoofd. 'Wees niet beledigd door de waarheid, Carrie. Dat is een onhoudbare positie, denk je ook niet?'

Dat was waar, en al een week later zag ik zijn slaapkamer, een week later stond ik al naast zijn bed terwijl hij de rij kleine knoopjes aan de voorkant van mijn sweater losmaakte, methodisch, zonder me ook maar één keer door de langer wordende opening aan te raken voordat alle knoopjes los waren. Maar eerst liepen we. Door de overvolle East Village, op en neer over de brede avenues met hun verkeersopstoppingen en door de groezelige straten van Chinatown met al hun luchtjes. Ik kon er geen genoeg van krijgen, van de mensenmenigten en hun doelgerichtheid. In Midtown staarde ik omhoog en voelde me nietig, duizelend door de wolken die tussen de wolkenkrabbers voorbijtrokken. Ik was gefascineerd door de trappen naar de ondergrondse en vroeg Kilroy bij het ene station na het andere te blijven staan terwijl ik omlaag keek, tegelijk walgend van de stank en erdoor geïntrigeerd. 'Potverdikkie,' zei hij. 'Dat hebben we in Wisconsin niet.' Maar hij zei het op een vriendelijke toon, en ik moest er alleen om lachen.

Hij was een goede gids. Hij wees me junkies en prostituees, beursmakelaars en undercover-agenten aan alsof ze uniformen droegen, alsof ze borden vasthielden die alleen hij kon zien. Een goede maar ook een eigenwijze gids: als we langs restaurants kwamen die mij interessant leken, zei hij: 'Dat is een zaak voor hippies, en daar eten altijd mediatypes.' Geen zaken waar hij binnen zou gaan, wilde hij aangeven. Wij aten in eetcafés, in kleine eethuisjes die je van buiten nauwelijks opvielen. Hij vond dat eerlijke zaken.

Hij woonde dicht bij McClanahan's, in een blokvormig appartementsgebouw van rode baksteen op West 18th Street. Zijn appartement lag op de vijfde verdieping en bestond uit drie kamers met kale muren. Aanvankelijk dacht ik dat hij er pas kort geleden in was getrokken, zo weinig stond erin. Maar hij woonde er al jaren, en toch was er nergens een schilderijtje of snuisterijtje te bekennen. Hij bezat niet meer meubilair dan het broodnodige, en al zijn meubels waren sober en puur functioneel: een boekenkast van ongeverfd grenenhout, een slaapbank met een effen zwarte sprei en zonder losse kussens, en een rechthoekige houten tafel met vier klapstoelen. Er bestaat een soort soberheid die je wel in tijdschriften tegenkomt en die doordacht en elegant is, waarbij elk voorwerp een sierstuk is en een strategisch geplaatste, plastisch gevormde vaas perfect geschikte witte tulpen bevat. Zo zag Kilroys appartement er niet uit. Het was meer alsof hij er kampeerde, klaar om verder te trekken. Toen ik hem vroeg waarom zijn woning zo leeg was, lachte hij alleen.

De slaapkamer. Een spiraal op de vloer, een matras op de spiraal, witte lakens op het matras, witte kussens op de lakens. En een zware, warme deken van dikke grijze wol met een visgraatmotief, de zachtste wol die ik ooit had gevoeld – wol die je op je blote huid kon hebben, waar je zelfs op kon liggen.

Er was al een zoen gegeven, of eerder vier of vijf zoenen, tijdens de wandeling van die middag, in de lift en vlak achter de voordeur van zijn appartement. Eigenlijk één lange zoen die werd onderbroken door gesprekken, door de behoefte om van een onmogelijke plaats op een minder onmogelijke plaats te komen.

Mijn sweater, die nu open was. Zijn vinger die van mijn keel naar de bovenkant van mijn spijkerbroek ging en daarna weer terug, met een pauze waarbij zijn duim het sluitinkje van mijn beha vond, een snelle vingerbeweging en hij gleed open, en vervolgens kwamen mijn borsten naar buiten en probeerde zijn hand ze te omspannen, met de duim op de ene tepel en zijn pink op de andere, ze beschreven kleine cirkeltjes, alsmaar in het rond, en gingen toen naar de onderste welvingen.

Misschien met mijn ogen dicht. Maar toen ik ze sloot kwamen zijn handen naar mijn gezicht, zijn duimen vlak onder mijn gesloten ogen, en moest ik weer kijken, moest ik zien dat hij het was, Kilroy, zijn ogen donker en grijsblauw, zwart omrand, bespikkeld met de kleur van de lucht. Zijn dunne lippen, de plooi bij het puntje van zijn neus. Zijn smalle handen en lange vingers, die nu op mijn schouders de sweater en de behabandjes wegschoven.

Zijn lippen waren nog koud van de buitenlucht. Het was eind september en winderig, net als in Madison maar ook anders, een lagere, meer ontwrichtende wind, die niet je haren aanpakte maar je lichaam, je kern. Onze lippen raakten elkaar en openden zich, en toen was zijn tong op mijn onderlip, waar hij van de ene kant naar de andere veegde.

Ik moest hard trekken om zijn overhemd los te krijgen, een stijf spijkerhemd, eerst het ene pand en toen het andere, en daarna de warmte eronder, de beharing op zijn buik en zijn borst, mijn vingers die erdoorheen woelden, die op en neer gingen, in het rond, omlaag in de achterkant van zijn strakke spijkerbroek, helemaal naar beneden totdat elke hand gevuld was met bil, mijn vingers tot bij de bovenkant van zijn benen, waar ze de zweetlijntjes vonden.

Hij knoopte zijn eigen hemd los. Gooide het naar de commode. Hield mij vast met zijn huid tegen mijn huid, zijn handen in beweging op mijn rug, richting mijn oksels, zijn duimen op mijn tepels, zijn mond, mijn mond, het bed dat onder me verscheen, ritsen, spijkerbroeken, en toen opeens de kamer, het appartement, de wereld, mijn gezicht in mijn handen.

En zijn hand op mijn gezicht, zijn ogen op de mijne gericht, met de vraag: *is het goed met je?*

Het was goed met me. Ik trok het laken opzij, in een beweging van *we doen het* rukte ik het weg. En toen sloot ik mijn ogen en voelde zijn stijve tegen mijn been, de satijnachtige zachtheid ervan tegen mijn dij, aandringend om in me te gaan, en vervolgens was het *ja*: vertrouwd en vreemd, oud en nieuw, ik en niet ik.

HOOFDSTUK 16

Het was het enige wat ik wilde. 's Ochtends en 's nachts, in de schemering als hij net thuis was van zijn werk, vroeg in de middag in het weekend. Ik ging achter hem staan, sloeg mijn armen om zijn middel heen en liet mijn handen dan naar zijn gulp afzakken. Hij was bij de gootsteen de afwas aan het doen wanneer ik dat deed, of ik pakte hem terwijl hij op zijn bank zat recht in zijn kruis en kneedde de gulp van zijn spijkerbroek totdat hij zo was opgezwollen dat ik me tegen hem aan moest drukken, en wel meteen.

Hij kuste me op de onderkant van mijn rug, op de bezwete plooien onder mijn borsten en over een lijn van mijn scheenbeen tot de binnenkant van mijn dij. 'Wat denk je wel?' fluisterde ik half in slaap, en zijn wijsvinger streelde zo traag over mijn buik dat ik vochtig was wanneer hij me bereikte, vochtig en klaar voor hem.

Zijn mond daar. Zijn tong die me las als braille, alsof hij geen woord wilde missen. Mike – die had het met tegenzin gedaan. Op mijn verjaardag, misschien na een ruzie. Voor een speciale gelegenheid, een bijdrage aan een jaarlijkse collecte – daar heb je je centen. Maar niet omdat hij het wilde.

Kilroy wilde wel. De eerste keer raakte ik gespannen en op mijn hoede. Ik dacht *niet doen*, en wilde zeggen dat hij niet hoefde, maar een hand streelde geruststellend over mijn dij terwijl zijn tong rustig wat aanrommelde, en ik ontspande de samengetrokken spieren en trok me terug in mezelf. Iets wat half geschreeuw en half gekreun was werd één en bewoog zich in de richting van mijn stembanden, maar zo langzaam dat het wachten zelf een schreeuw waard was, een lange, aanzwellende schreeuw die nauwelijks hoorbaar was vanachter een verre horizon en die vervolgens steeds luider werd.

Soms ging het er tussen ons stevig aan toe. Zijn stoppelige

gezicht schuurde langs me wanneer ik gewoon door hem wilde worden *geneukt*. Andere keren duurde het zo lang dat ik begon te hyperventileren, en mijn wangen en onderarmen gingen tintelen. *Waar zijn we mee bezig*, wilde ik dan weten. *Wie ben je, wat is dit?* Hij antwoordde daarop door mijn hoofd omlaag te drukken, waarbij mijn tong langs zijn harige borst trok tot mijn gezicht bij zijn stijve lid aanlandde, en ik niet wist wat ik moest doen omdat ik hem langs mijn oren en mijn oogleden wilde wrijven, en ik me dieper in zijn geur wilde nestelen en wilde dat hij mijn mond verder opendreef dan mogelijk was – en ik wilde dat allemaal tegelijk.

Buiten zijn appartement raakten we elkaar nauwelijks aan. We hielden op straat elkaars hand niet vast, onze benen vonden elkaar niet onder restauranttafeltjes. Als we elkaar bij McClanahan's troffen zoenden we elkaar niet, zodat alles tussen ons in de lucht bleef hangen, ontvlambaar maar niet ontvlamd.

De wereld was anders door dit alles. De lucht was van een blauw dat ik nooit eerder had gezien, hard en koud, met randen waaraan je je kon snijden. Luchtjes die opstegen uit restaurants verbonden zich op een verbluffend specifieke manier met bepaalde ingrediënten: gesmolten boter, gegrild lamsvlees, komijn in tomaten, koriander, gebraden zalm. Uit de jukebox van McClanahan's hoorde ik een gitaarpartij loskomen van een liedje en er daarna weer in terugkeren. Ik vroeg me af of beginnende waanzin zo aanvoelde. En dan zei Kilroy iets nietszeggends en licht cynisch, en dat bracht me weer terug in balans.

We waren vaak bij McClanahan's. We dronken er bier aan een tafeltje achter in de zaak, of zaten aan de bar als het niet zo druk was, en Kilroy zei: 'Die vent moet een afspraak maken bij een methadonkliniek – voor gisteren,' of: 'Kijk, nu gaat ze haar hoofd schuin opzij draaien zodat je haar diamanten oorbel kunt zien' – waarop zij, wie ze ook was, dat inderdaad deed.

'Jij bent een echte observeerder,' zei ik op een avond. 'Je zou journalist moeten worden. Je zou rond moeten lopen met een klein recordertje en daar dingen in moeten spreken. En dan zou je verslagen kunnen schrijven over het leven in de stad.'

Het was zo rumoerig dat we voorovergebogen zaten te praten. We zaten achter in de zaak bij de pooltafel. Bolle glazen met licht bier stonden op het tafeltje tussen ons in. Kilroy liet een vinger langs de zijkant van zijn glas gaan en vormde een spoor in de condens. Hij schudde zijn hoofd, maar glimlachte erbij. 'Zie je, daar heb je het nou.'

'Wat?'

'Het verraderlijke idee dat wie je bent bepalend moet zijn voor iets zo onbeduidends als hoe je de kost verdient.'

'Iets zo onbeduidends?'

Hij schudde nogmaals zijn hoofd. 'Het leven zit niet zo in elkaar. Het is niet zo kneedbaar. Het is niet zo mooi.' Hij pakte zijn glas op, nam een lange slok en veegde de manchet van zijn sweatshirt langs zijn mond. 'Volgens die theorie zou *jij* een streberige studente moeten zijn, die het ene doctoraal na het andere haalt.'

Ik lachte. 'Wat wil je daarmee zeggen, dat ik een suf studiehoofd ben?'

'Ik doelde op je leergierigheid.'

Mijn gezicht begon te gloeien en ik wendde mijn blik af. De vorige avond had ik heel wat vragen op hem afgevuurd. We lagen in bed, in innige omhelzing na het vrijen, en ik had gevraagd naar zijn laatste vriendin: wie ze was, hoe lang het had geduurd en wat er gebeurd was. En Kilroy werd niet humeurig, maar koel. Of eigenlijk niet koel, maar afwezig. Het leek wel of hij er opeens niet meer was. We lagen zo dicht tegen elkaar aan dat ik zijn hartslag kon horen, maar hijzelf glipte weg. De eenlettergrepige antwoorden die hij gaf waren afleidingsmanoeuvres, afkomstig van iemand anders, van Kilroy 2, een plaatsvervanger.

Nu, bij McClanahan's, voelde ik zijn blik op me rusten. Ik keek opzij. Ik keek naar een man in een gekleed overhemd met blauwwitte strepen die bezig was bij de pooltafel. Hij haalde de ballen onder de tafel vandaan en legde ze in een plastic driehoek neer. Iets aan hem…

'Hé,' zei Kilroy. 'Ik beklaag me niet.'

Ik draaide me om en staarde hem aan. We keken elkaar recht in de ogen. Hij beklaagde zich natuurlijk wel, maar misschien was dat niet erg. Misschien was het niet erg om niets te weten. 'Niet op een al te knorrige manier, in elk geval,' zei ik.

Hij glimlachte en hief zijn glas weer om te drinken. Even later draaide hij zich om en keek naar de pooltafel. De man had de driehoek weggehaald en stond op het punt te beginnen. Zijn tegenstander stond terzijde, met zijn keu rechtop naast zich. Hij had ook een gekleed overhemd aan, maar hij was kleiner en had ongeveer Kilroys lengte, terwijl de ander…

Hij had Mikes schouders, dat was het. Precies dezelfde breedte en omvang in een gekleed overhemd. Hij leek helemaal niet op Mike – hij was ouder en kalend, met een lang, lichtbruin gezicht –, maar die schouders… O God, o God. Ik werd opeens duizelig en onpasselijk van wroeging.

Kilroy kuchte. 'Ik vind dat het vanavond maar eens moet gebeuren.'

Ik keerde me weer naar hem toe en merkte dat hij me nieuws-gierig opnam, met dichtgeknepen ogen en zijn hoofd iets opzij gedraaid. Hij wist dat er iets was gebeurd.

'Ik weet niet wat ik me in mijn hoofd heb gehaald, dat ik zo lang heb gewacht,' vervolgde hij. Toen glimlachte hij. 'Nou, mis-schien heb ik me juist helemaal niks in mijn hoofd gehaald.'

Ik schudde mijn hoofd. 'Ik weet niet goed waar je het over hebt.'

'Je eerste poolles, natuurlijk.' Hij strekte zijn linkerhand met gekromde wijsvinger voor zich uit, trok zijn rechterhand dicht naar zijn zij toe en bootste een stoot na. 'Wat zeg je ervan – ben je er klaar voor? Niet dat ik je onder druk wil zetten, of zo.'

Ik haalde mijn schouders op. Ik voelde me verscheurd, tussen dit moment en de pijn van het zien van Mikes schouders in het overhemd van een ander. Mikes oude schouders. Het was fout om op dit moment een gesprek te voeren, maar het feit dat ik hier zat, in deze bar, in deze stad, met een andere man – hoeveel fouter was dat wel niet?

Kilroy trok zijn wenkbrauwen op. 'Nou? Wil je het eens proberen?'

'Ik denk van wel.'

Hij keek mij nog even roerloos aan en stond toen op, diepte wat kleingeld uit zijn zak op en liep op de pooltafel af. Onder het oog van de mannen legde hij twee *quarters* op de rand van de tafel en vervolgens twee andere er vlak naast.

'Wat had dat allemaal te betekenen?'

Hij liet zich weer terugzakken in zijn stoel. 'Dat betekent: ik zet in op winst en jullie dagen mij uit.'

'Zij dagen jou uit?'

'Pool heeft zijn eigen etiquette, zoals alles in het leven.'

'En als je niet wint?'

Hij grijnsde. 'Ik win wel. Die gasten hebben sinds hun studie bijna nooit meer gespeeld. Toen rotzooiden ze weleens wat op de tafel in de recreatiezaal van de soos van hun corps.'

Ik lachte. 'Daar ga je in het wilde weg maar van uit. Misschien hebben ze nooit gestudeerd en waren ze al helemaal geen corpsballen.'

'Oké,' zei hij en haalde zijn neus op. 'Ze gaan zo gekleed omdat ze bij Nathan's hotdogs verkopen.' Hij schudde zijn hoofd. 'Ze zijn nog geen vijf jaar geleden afgestudeerd en nu werken ze op Wall Street. En anders ben ik...' Er verscheen een grijns op zijn gezicht. 'Anders ben ik beursmakelaar.'

'Het onwaarschijnlijkste wat er bestaat?'

'Dicht in de buurt.'

We gingen zijwaarts op onze stoelen zitten en sloegen het spel van de mannen gade. De kleinste van de twee boog zich voorover en stootte, waarna de rode bal vlak voor een hoekpocket bleef liggen. Op de jukebox speelde een oud nummer van Propane Cupid, en ik wachtte op het stuk dat ik leuk vond: *Riding a Greyhound to L.A., passed your picture on a billboard. You're not – ready. You're not – ready for me.* Waar maakte ik me druk over? Over Mike, ja, maar er was meer: boven de pooltafel scheen een felle hanglamp op het diepgroene laken, en ik zag ertegenop om in dat licht te moeten staan.

'Hé, maak je niet druk,' zei Kilroy.

Ik draaide me om en hij keek naar me met dezelfde nieuwsgierige blik in zijn toegeknepen ogen.

'Maak je je zorgen?'

Ik trok een schouder op.

'Je zult het heel goed doen.'

'Daar lijk je wel erg zeker van.'

'Dat ben ik ook.'

'Waarom?'

'Omdat jij zo'n leuk kleinsteeds meisje bent dat vol verrassingen zit.'

Ondanks mezelf moest ik glimlachen. 'Kijk je zo tegen me aan?'

'Alsof ik je dat zou gaan vertellen.'

'Nu moet je wel.'

Hij trok heel even zijn wenkbrauwen op en wendde toen zijn blik af. En profil liep zijn neus in een scherpe punt uit. Mijn mond was droog en ik nam een slok bier. Ik keek naar de pooltafel: de mannen waren bijna uitgespeeld, er waren nog twee ballen over.

'Madison is een stad met meer dan honderdduizend inwoners,' zei ik.

Hij schudde zijn hoofd. 'Dat maakt niet uit, jij bent evengoed een leuk kleinsteeds meisje. Dat romige huidje van je bevestigt dat.' Hij grijnsde. 'O, en buig je even voorover, er zit een strootje in je haar.' Hij strekte zijn arm over de tafel uit en deed alsof hij iets achter mijn oor weghaalde. De rand van zijn hand streek langs de zijkant van mijn gezicht, dat opeens werd geëlektriseerd.

De mannen waren uitgespeeld. We keken elkaar even aan, waarna Kilroy opstond en naar de tafel liep. Ik keek toe hoe hij zijn eerste twee quarters in een klein metalen laatje in de pooltafel legde, het indrukte en de ballen opving in de plastic driehoek. Hij praatte met de lange man, maar het was zo rumoerig dat ik het gesprek niet kon volgen. Dit was een uiterst rumoerige bar in hartje Manhattan. Ik zat aan een tafeltje toe te kijken hoe mijn minnaar pool speelde.

Het spel verliep snel. Kilroy liep om de tafel heen en stootte de ene bal na de andere in de ene pocket na de andere. Toen ze waren uitgespeeld stak hij de man zijn hand toe en schudden ze elkaar de hand.

Ik zette mijn pul neer en stond op. Waarom deed ik alsof ik geïnteresseerd was in pool terwijl ik thuis honderden kansen om het te spelen had laten lopen? Maar ik was erin geïnteresseerd. Meer dan dat – ik wilde de ene bal na de andere in de pockets laten belanden, ik wilde hem versteld doen staan.

'Pak je een keu?' vroeg hij.

'Ja.'

Ik liep naar de muur en bekeek de keus die daar hingen. Ten slotte koos ik er op goed geluk een uit. Hij voelde vreemd zwaar aan: onhandig lang en slecht in balans, het brede stuk woog veel meer dan het smalle. Ik vond een blokje krijt en wreef het langs het uiteinde. Daarna liep ik weer naar de tafel.

'Goed,' zei hij. 'Ik begin, en daarna trekken we ons niks aan van de regels en mag jij het een poosje proberen.'

Hij begaf zich naar de achterkant van de tafel, trok zijn keu naar achteren en liet de witte bal naar de driehoek van gekleurde ballen toesnellen, die met een aangenaam klinkend getok uit elkaar vlogen. De groene bal gleed een hoekpocket in, en hij keek op en lachte me toe. 'Spelen maar.'

De geelgestreepte bal lag halverwege de witte bal en een van de zijpockets. De manier waarop Kilroy van zijn wijsvinger een geleidertje voor zijn keu had gemaakt sprak me aan. Ik krulde mijn wijsvinger en bracht de keu op zijn plaats. Daarna oefende ik een paar keer het naar achteren trekken van de keu, me bewust van Kilroys blik die op me rustte. Ten slotte haalde ik diep adem en stootte, zo ongericht dat de witte bal terugtolde en toen hij tot stilstand kwam dichter bij me lag dan voor de stoot.

'Shit.'

Hij liep om de tafel heen en kwam naast me staan. 'Je hebt een idee van hoe het eruit moet zien, maar je kijkt niet goed genoeg. Hier, we gaan even iets proberen.'

Hij schoof de geelgestreepte bal aan de kant en legde de witte bal zo neer dat hij vrij baan had naar de andere kant van de tafel. 'Probeer hem alleen te raken, probeer niet ook nog een andere bal te raken. Probeer de keu te zien als een verlengstuk van je arm.'

Ik ging dichter bij de tafel staan en boog voorover. Ik legde de keu goed neer en haalde hem weer een paar keer naar achteren, maar dit keer concentreerde ik me op de bal. Ik raakte hem met naar mijn idee absoluut te weinig kracht, en hij rolde weg en botste keurig tegen de band aan de overkant.

We herhaalden dit een aantal keren, en daarna legde Kilroy ballen voor me neer: rechte stoten die makkelijk moesten zijn, maar het niet waren.

Net toen ik op het punt stond te stoten kwam er een jongen met een sikje naar de tafel en legde er twee quarters op.

Ik keek op naar Kilroy. 'Wat schrijft de etiquette nu voor?'

Hij wendde zich tot de jongen. 'Heb je iemand met wie je wilt spelen?'

De jongen haalde zijn schouders op. 'Ja. Maakt niet uit.'

Kilroy wees met zijn hoofd in mijn richting. 'Ik ben nu even mijn dame les aan het geven. Geef ons nog even de tijd om wat aan te rotzooien, dan kun jij daarna de tafel voor jezelf hebben.'

'Oké.'

De jongen liep weg, en Kilroy keerde zich naar mij toe. 'Ga verder,' zei hij, maar mijn hart bonsde.

'Je zei dat ik je dame ben.'

Zijn mondhoeken krulden op in een glimlach, en ik voelde dat mijn mond een glimlach vormde, en vragende lach – ik wist het niet precies. Zeg iets, zei ik in gedachten tegen hem. Zeg iets.

Zijn gezicht stond geamuseerd en vrolijk, maar er stond ook nog iets anders op te lezen: een soort verbazing of zelfs onzekerheid. Wat was het? Hij wilde er niet over nadenken. Of hij wilde niet dat ik er over nadacht. Hij wendde zijn blik af, zoog zijn lippen naar binnen en keek weer naar me. Het rumoer in de bar leek nu veel sterker, oorverdovend. Ten slotte liet hij de rug van zijn hand langs zijn voorhoofd gaan en maakte een schuddende beweging naar de vloer, alsof hij het zweet van zich afsloeg.

'En?' vroeg ik.

'Stoten,' zei hij met een grijns. 'De etiquette schrijft voor dat je nu moet stoten.'

Een tintelend gevoel van nervositeit trok zich ergens midden in mijn lijf samen. Ik kon niet stoten, maar ik moest wel. Ik boog me over de tafel heen. Hij had de bal zo'n dertig centimeter van de hoekpocket gelegd, een prachtige bal, de volmaakte belichaming van de kleur oranje. Ik richtte mijn keu op de stootbal en stootte, en de oranje bal rolde keurig de pocket in.

'Wat had ik je gezegd?' zei hij op lijzige toon. 'Je bent een natuurtalent.'

Later liepen we naar zijn huis terug. Het was kil, er viel een zo lichte neerslag dat je niet van echte regen kon spreken. We liepen langs etalages met rolluiken ervoor en winkelpuien die in hun geheel achter ijzeren hekken met hangsloten schuilgingen. Op een appartement met een hoog plafond op de eerste verdieping aan de overkant van Sixth Avenue verlichtte een lamp met een buigbare hals een tafel waarop een plant met brede bladeren stond. Achter de tafel hing een schilderij in een fraaie vergulde lijst eenzaam aan een donkerrode muur, ter ver af om goed zichtbaar te zijn. Ik ben nu even mijn dame les aan het geven. Mijn dame. Mijn dame. Ik kreeg een verstikkend gevoel als ik eraan dacht. Als ik dacht aan zijn reactie. Hij had het willen uitwissen. Niet de feiten, leek me – alleen de woorden. Alleen dat ik meer van hem wilde horen, net als gisteravond. De feiten vond hij prima. Die feiten hielden in dat we nu naar zijn huis toe gingen. Naast elkaar lopend, zo'n dertig centimeter van elkaar. Hij had zijn leren jasje niet dichtgeritst en de onderste rand sloeg onder het lopen heen en weer. Hij nam grote passen, met magere, harde benen in zijn spijkerbroek. Zijn benen waren zo dun vergeleken met die van Mike. Zijn armen ook – vergeleken met hoe Mikes armen altijd waren. Naast Mike had ik nietig geleken – ik had net zo makkelijk in hem gepast als het tweede Russische poppetje in het eerste poppetje past, met genoeg ruimte over om te kunnen rammelen. Kilroy en ik waren bijna even groot. Ik kon zijn truien aan. In bed lagen onze lichaamsdelen op gelijke hoogte.

'Waarom was je zo zenuwachtig?' vroeg hij.

'Wanneer?'

'Vlak voordat je je keu pakte.'

Ik bedacht dat ik het goed had willen doen. Dat ik hem had willen verbazen. McClanahan's was een middelpunt van iets, het was mijn verblijfsvergunning. Of misschien was het pool spelen dat. Ik keek naar hem en haalde mijn schouders op.

'Heb je je geamuseerd?'

'Ik snap wat er leuk aan is.'

Hij knikte. 'Het is een geweldige combinatie van concentratie en beheersing, van een mentaal en een fysiek aspect.'

'Waarschijnlijk, ja,' zei ik, maar ik dacht weer aan Mike, aan Mike en het ijshockey. Mike helemaal ingepakt voor een wedstrijd op het ijs, op pas geslepen schaatsen. Als hij een bodycheck kreeg bewoog hij met de klap mee en absorbeerde hem zo. Het mentale en het fysieke aspect. Daar draaide zijn leven nu om, maar het fysieke aspect was een last, geen hulpmiddel. In gedachten zag ik hem over het ijs vliegen en vervolgens zag ik hoe hij zichzelf over het ijs zag vliegen, vanuit het vaste punt van zijn rolstoel.

HOOFDSTUK 17

Ik kon de gedachte aan hem niet verdragen. Hoe hij in zijn zie-kenhuisbed lag en zich afvroeg waar ik was gebleven. Telkens wannneer de deur openging, telkens wanneer de telefoon ging: *is dat Carrie?* Ik stelde me zijn gezicht voor, zijn hoopvolle trek-ken omlijst door de staven van de halo, en dan het vervliegen van de hoop wanneer hij hoorde wie het was. Ik was al twee, drie weken weg en hij had geen idee wat er met me was gebeurd. Evenmin als iemand anders.

Ten slotte belde ik mijn moeder. Ik was ervan overtuigd dat ze ongerust en misschien wel kwaad was, maar toen ze mijn stem hoorde zei ze alleen op een heel rustige toon 'hallo', alsof we elkaar een dag eerder nog hadden gesproken.

'Ik zit in New York,' zei ik. 'Bij een vriend van de high school. Kun je je Simon nog herinneren? Die je toen op die avond hebt gezien? Ik had – ik had gewoon behoefte aan verandering, ik moest daar weg.'

Ze zei: 'Dat weet ik.'

Mensen hadden gebeld, ze waren naar mijn etage gereden en hadden naar de ramen getuurd, ze hadden verteld over mijn laatste bezoek aan Mike, maar mijn moeder zei dat ze zich nooit zorgen had gemaakt, niet echt: ze ging er zo'n beetje van uit dat ik had gedaan wat ik had gedaan.

'Hoe gaat het met je?' vroeg ze. 'Heb je geld nodig?'

'Het gaat prima met me, dank je.' Ik had thuis nog wat spaar-geld, ongeveer vijftienhonderd dollar, maar het leek me niet echt wat om dat alleen met lanterfanten in New York op te maken. Wat deed ik hier eigenlijk? Hoe lang zou ik blijven? De vorige avond, toen ik met Kilroy door de West Village wandelde, had ik een stel van in de veertig gezien dat de trap naar de voordeur van een onberispelijk bakstenen herenhuis opliep – allebei gingen ze gekleed in kostbare jassen, en hun kostbare leren schoenen gaven een zwakke glans af. Ik had het gevoel dat ik keek naar iets wat niet helemaal echt was, naar een soort demonstratie: *zo kom je thuis als je iets voorstelt in de wereld*. Hun levens leken onmogelijk ver van het mijne af te staan.

Mijn moeder zweeg. Ik stelde me voor dat ze overwoog of ze er verstandig aan deed mij naar mijn plannen te vragen en zette me schrap. Maar toen ze weer sprak zei ze: 'Je hebt zo'n zware zomer achter de rug,' en meteen prikten de tranen in mijn ogen en rolden ze over mijn wangen. Ik stond in de keuken van het oude herenhuis, drukte de telefoon tegen mijn oor en hield met een hand de keukenrol recht terwijl ik er met de andere een stuk afscheurde. Ik wilde mijn neus snuiten, maar wilde niet dat ze mij zou horen. Ik depte mijn gezicht en probeerde geen snuivende geluiden te maken.

'Hoe voel je je?' vroeg ze.

'Dat weet ik zelfs niet.'

'Ach, liefje toch.'

Aan de andere kant van de keuken stond een piepschuimen bakje van een afhaalmaaltijd open als een reusachtige oester. Ik liep ernaartoe en keek erin: de restjes van iets in een geelbruine saus, plus een ingeschrompeld sinaasappelpartje en een slap blaadje sla.

'Schuldig,' zei ik. 'Ik voel me schuldig. Wat zegt het over mij dat ik ben vertrokken? Wat voor soort iemand ben ik daardoor wel niet geworden?'

Ze gaf even geen antwoord, en ik voelde de grote afstand tussen ons, de talloze kilometers kabel. Ten slotte sprak ze weer. 'De mens die je bent.'

Een lachgolf brak uit me los. 'Wat?'

'Het maakt je tot de mens die je bent. Veel mensen hebben het idee dat ze door hun daden veranderen. Een man die vreemd gaat denkt: nu ben ik slecht geworden. Alsof er iets is veranderd.'

'Je bedoelt dat hij al slecht was?'

'Ik bedoel dat het geen kwestie is van slecht of niet slecht. Ik bedoel dat je doet wat je doet. Natuurlijk niet zonder gevolgen voor anderen, soms heel ernstige gevolgen. Maar je schiet er weinig mee op om je keuzes te beschouwen als een aantal goede of verkeerde stappen. Ze zijn net zomin bepalend voor jou als jij voor hen.'

'Je klinkt nogal mystiek,' zei ik. 'Wil je zeggen dat het mijn lot was om te vertrekken?'

'Helemaal niet – je had net zo goed kunnen blijven. Maar dat zou je net zomin tot een goed mens maken als vertrekken je tot een slecht mens maakt. Je bent al gemaakt, liefje. Dat bedoel ik.'

'En wiens schuld is dat?' grapte ik, verrassend opgelucht.

'Ik stel me overal aansprakelijk voor, behalve voor je grote voeten.'

We lachten allebei en opeens werd ik me bewust van een andere aanwezigheid, haast alsof er iemand met ons meeluisterde. 'Ik vraag me af wat *hij* zou zeggen,' zei ik.

'Je vader?' repliceerde mijn moeder onmiddellijk. 'Wat denk je?'

We praatten nog een poosje door, en pas later, nadat we hadden opgehangen en ik weer naar boven, naar mijn stoffige alkoofje, was gegaan, kwam de gedachte aan mijn vader weer bij me terug, samen met de tekst van een oud nummer van Paul Simon dat ik ergens in het westen van Pennsylvania op de radio had gehoord. Wat zou mijn vader zeggen? *Jump on a ferry, Carrie. Just set yourself free.* Het was bijna komisch, totdat tot me doordrong dat ik misschien steeds al zijn stem had gehoord, vanaf mijn allereerste gewaarwording dat er iets fout zat tussen Mike en mij. Misschien was het steeds al zijn stem geweest die had gezegd: *Ga. Je kunt dit niet gebruiken. Niemand dwingt je om te blijven. Je moet gewoon opstappen.*

Ik ging op de futon zitten en leunde tegen de muur. Ik kon de leuning langs de open trap zien, met de twee ontbrekende steunen als gaten in een gebit. In een tree halverwege de trap zat een gat van zo'n dertig centimeter. Simon had er een plank overheen gespijkerd waarop hij een grote, opengesperde mond had geschilderd. Ik hoorde de voordeur open- en dichtgaan en vervolgens voetstappen van de gang naar de keuken gaan. Alsjeblieft, dacht ik. Blijf beneden. Ik wou dat ik een eigen kamer had, of tenminste een gordijn dat ik voor de opening van het alkoofje kon trekken.

Gewoon opstappen. Gewoon opstappen. Ik wilde helemaal niet zoals mijn vader zijn. Had hij vanaf het begin de mogelijkheid tot vertrekken in zich gehad? Verklaarde mijn moeder het zo voor zichzelf? Dat was zeker het verhaal dat naar voren kwam uit de paar foto's die ze had bewaard: daarop stond een lange, magere man met donker haar en een opwippende skischansneus, een man die tot het besef aan het komen was dat hij een grote fout had gemaakt. Je kon het zich van foto tot foto zien ontwikkelen: op hun trouwfoto stond hij er ernstig bij met een pak aan en een stropdas om, duidelijk niet het type dat een glimlach opzette alleen omdat het van de fotograaf moest. Op de laatste foto, twee jaar later genomen, zat hij op de achterveranda van het huis waar we toen woonden, gekleed in een strak zittend overhemd met een wijdopen kraag, en met volkomen lege ogen.

Waar was hij nu? Jarenlang had ik daar nooit over nagedacht. Hij was geboren en getogen in het Midwesten: hij was opgegroeid in een klein stadje in Minnesota, had na de dood van zijn ouders een tijd bij familie in Iowa gewoond en was toen in Madison gaan studeren. Ik had altijd het idee gehad dat hij ergens in het Midwesten zat, maar stel dat hij in New York was beland? Stel dat ik op een dag op straat langs hem zou lopen – zou hij me dan bekend voorkomen? Als ik nu een van die foto's voor me zou hebben, zou mijn geest er dan zijn eigen gecomputeriseerde verouderingsbewerking op kunnen loslaten om erachter te komen hoe hij eruit was gaan zien? Zou hij grijs haar hebben? Zou hij kaal zijn, dik of dun? Zou hij mij herkennen?

Kon je op straat langs een familielid lopen zonder iets te voelen?

Op de high school deden we bij biologie een project over erfe-lijkheid – de kleur van je haren en je ogen, je lengte, dat soort dingen. Mike deed er ook aan mee. Toen we op een middag in de keuken van de Mayers aan de opdracht werkten en ik mijn fami-lie van vaderskant moest invullen, kon ik alleen mijn potlood maar neerleggen – en daar zat ik. Toen hij besefte wat er aan de hand was werd Mike kwaad – woedend op mijn vader omdat hij bij me was weggelopen terwijl ik hem ruim tien jaar later nodig kon hebben om hem vragen te stellen voor mijn huiswerk. De klootzak, zei Mike. Hij had verlating niet in zijn DNA.

Een paar dagen later belde ik hem, en toen had het gerucht hem al bereikt, zoals ik had verwacht. Ik zag het bijna voor me, dat gerucht: door Madison razend, terwijl de telefoonkabels door-brandden.

'Hé, Carrie de grote stadsmeid,' zei hij bij het horen van mijn stem. 'New Yawk.'

Ik stelde me hem voor in zijn ziekenhuisbed, het hoofdeinde omhooggezet, zijn gezicht winters bleek. 'Sorry dat ik niet heb gebeld,' zei ik. 'Sorry dat ik zomaar ben verdwenen.'

'Geeft niet,' zei hij vrolijk. 'New York klinkt prima, je moet het enorm naar je zin hebben.'

Ik voelde een brok in mijn keel en dwong mezelf om te slik-ken. 'Het is echt fantastisch.'

'Je zit dus bij die Simon?'

Ik dacht aan Kilroy, naast wie ik die ochtend wakker was geworden: die mij wakker had gemaakt door zijn stijve tegen mijn blote dijbeen te drukken terwijl zijn hand op mijn zij lag. 'Ja,' zei ik tegen Mike. 'Bij Simon en zijn huisgenoten.'

'Nou, beloof je me dan alleen dat je geen mafkees wordt?'

'Hoe bedoel je, een mafkees?'

'O, je weet wel – arrogant, blasé.'

'Goed,' zei ik met een lachje. 'Maar vind je – ik bedoel, het spijt me dat ik helemaal geen afscheid heb genomen.'

'Dat is oké,' zei hij. 'Wacht even, ik heb een nieuw dingetje om te telefoneren en het glijdt weg.' Zijn stem werd even zwakker: 'O, wacht even, dank je...' En toen weer duidelijk: 'Carrie?'

'Ja?'

'Sorry.'

'Geeft niet.' Ik likte langs mijn lippen. 'Maar hoe staat het ermee?'

'Ik werk bij bezigheidstherapie nu met de computer. Het is best gaaf, eigenlijk – het zou je verbazen wat een idioot zoals ik nog kan.'

'Mike.'

'Goed, een mankepoot.'

Op de achtergrond weerklonk een klap, gevolgd door het geluid van stemmen en gelach.

'Wat was dat?' vroeg ik.

'Rooster die mijn bedlamp heeft gevloerd.'

We praatten nog wat langer, over niets – en zeker niet over hoe lang ik nog weg zou blijven, en evenmin over wat we eventueel nog voor elkaar betekenden. Hij klonk zo opgewekt – beter dan hij in tijden geklonken had.

'Nou, amuseer je een beetje,' zei hij vlak voordat we ophingen. 'Stuur me maar een ansicht van het Empire State Building, hè? En verdomme – het ijshockeyseizoen begint over een paar weken. Ga je een keertje voor mij naar een wedstrijd van de Rangers kijken? Ik bedoel, als je er dan nog bent.'

We namen afscheid van elkaar. Simon was op zijn kamer, maar ik pakte een jas en ging naar Kilroy, haastig door de donkere zijstraten lopend. In de vestibule van zijn gebouw liet ik mijn vinger langs de rij kleine stalen knopjes gaan totdat ik zijn bel had gevonden.

Hij liet de zoemer overgaan en wachtte me op bij de deur van zijn appartement, met een boek over zijn wijsvinger gesloten. Hij trok me naar binnen en duwde me tegen de gesloten deur aan. Zijn gezicht was warm en ruw. We stonden elkaar een poosje te zoenen, en daarna maakte ik me van hem los en vertelde hem over het telefoontje. Over hoe Mike had geklonken, alsof hij had gemeend wat hij de avond van mijn vertrek in zijn kamer in het ziekenhuis had gezegd: dat hij *blij* was dat hij niet meer over ons hoefde te piekeren.

'Had je gewild dat hij treuriger had geklonken?' vroeg Kilroy. We waren nu in de huiskamer en stonden bij zijn bank – we konden nog niet goed bij elkaar zitten. Hij had zijn duimen in zijn riemlussen, zijn handen uitgespreid op zijn zakken.

'Niet treuriger,' zei ik, maar daarna stokte ik.

Kilroy draaide zijn hoofd scheef. 'Vertel het me eens.'

Ik haalde diep adem en keek naar hem, naar zijn scherpe trekken en ruige haardos. *Vertel het me eens.* Ze betekenden iets, die woorden – ze betekenden dat hij meer wilde weten. Hij stond me aan te kijken met een oplettende, belangstellende uitdrukking op zijn gezicht.

Ik wist niet wat ik moest zeggen, hoe ik het onder woorden moest brengen omdat ik niet goed wist wat 'het' was. 'Ik hoop dat ik niet wil dat hij treurig is,' begon ik. 'Ik bedoel, de hele zomer...' Plotseling stroomden mijn ogen vol tranen. 'Ik wilde hem geen pijn doen,' snikte ik. 'Maar soms als ik daar bij hem zat voelde ik me alsof ik toe zat te kijken hoe ik daar bij hem zat. Zo van: *kijk haar, zij doet wat goed is.* Ik voelde zo'n afstand.'

Kilroy knikte nadenkend.

'En nu ben ik vertrokken. En ik bedoel, wat betekent dat voor hem?'

Hij wreef over zijn kin en dacht na. 'Je wilt niet dat hij treurig is,' zei hij, 'maar je wilt dat hij erover nadenkt.'

Dat was het. Ik wilde dat hij erover nadacht, net zoals ik erover nadacht. Maar ik had ook dit: ik kon erover praten, met iemand met wie ik direct weer in bed zou liggen. Het was te veel, de manier waarop alles elkaar overlapte: Mikes gevoelens en mijn gevoelens, en Kilroy die mijn hand pakte en hem naar zijn mond toe trok.

HOOFDSTUK 18

Simon had een druk leven. Na zijn werk naar de kroeg, uit eten, naar de film. Als hij geen plannen had bleef hij meestal nog lang op het advocatenkantoor. Er werd dan gratis Chinees eten op kantoor bezorgd en hij werd als hij moe was met een taxi thuisgebracht, plus dat hij een overurentarief betaald kreeg voor de extra uren die hij had gewerkt. Het correctiewerk betaalde verbluffend goed, en met zijn lage huur had hij veel geld te besteden. Het was niet ongebruikelijk dat hij in één week een paar keer naar het theater ging, en dan op vrijdagavond een concert bezocht en op zaterdag ging dansen. Ik mocht altijd mee, maar ik was bang om geld uit te geven – en meestal zat ik toch bij Kilroy. Op een avond, toen ik Simon ongeveer een week niet meer had gezien, kwam hij naar de tweede verdieping om te vragen of ik met hem mee wilde naar een opening in een galerie. 'Je kunt er voor niks eten,' zei hij. 'Ik accepteer geen weigering.'

'Het gaat er niet om dat je iets samen met mij wilt doen,' plaagde ik hem, 'je wilt er alleen zeker van zijn dat ik niet van honger omkom.'

Onvermurwbaar schudde hij zijn hoofd. 'Ik wil er zeker van zijn dat ik niet van honger omkom.' Hij pakte mijn hand. 'En ik wil graag iets met jou samen doen, maar dat is nog niet zo makkelijk, weet je. Je bent er niet bepaald vaak, lieve schat.'

We maakten ons klaar en liepen de straat uit. Het was vroeg in de avond, de kleurloze lucht werd grijs. We staken Ninth Avenue over en liepen langs een blok keurig onderhouden herenhuizen tot we bij mijn vuile, ongebruikte auto aanlandden. Daar stond hij, geparkeerd onder een ginkgoboom. Ik reed er alleen maar in om ermee van de ene parkeerplaats naar de andere te gaan – ik vloog voortdurend het huis uit om te gehoorzamen aan de regels die bepaalden wanneer je waar mocht parkeren.

'Arme auto,' zei ik en gaf hem in het voorbijgaan een klopje.

'Hij ziet er een beetje triest uit.'

'Ik had misschien beter de trein kunnen nemen.'

Simon schudde heftig zijn hoofd. 'Dat zou lang niet zo veel voldoening hebben geschonken.' Hij vond het verhaal van mijn vlucht schitterend. Hij vond het schitterend dat ik zo lang had gewacht voordat ik iemand had laten weten waar ik was. 'Het was perfect om met de auto te gaan,' zei hij. 'Je moest Madison in je spiegeltje kunnen zien.'

'Het was donker.'

'In symbolische zin.' Hij stak zijn arm omhoog en krabde over zijn achterhoofd. 'Misschien moet je hem verkopen,' zei hij achteloos – te achteloos, vond ik, alsof hij de gelegenheid had afgewacht.

Maar ik kon hem niet verkopen – geen denken aan. Het was geen geweldige auto en ik had hem op dit moment niet nodig, maar ik kon hem met geen mogelijkheid van de hand doen zonder het aan Mike te zeggen. En aan Mike zeggen dat ik hem van de hand had gedaan zou net zoiets zijn als hem meedelen dat ik had besloten een hond die we samen hadden genomen te laten inslapen. 'Het is een prima wagentje,' zei hij op de dag dat ik hem kocht. 'Hij zal het blijven doen, anders krijgt hij met mij te maken.'

Simon sloeg me gade. 'Dat je afwisselend aan de ene en de andere kant van de straat moet parkeren is knap vervelend als het sneeuwt,' zei hij. Hij glimlachte vriendelijk, en het feit dat het zou gaan sneeuwen – het feit dat de tijd zou verstrijken en ik niet wist of ik hier wel of niet zou blijven – maakte me zorgelijk en gespannen.

Op Eight Avenue gingen we in zuidelijke richting, langs overvolle vuilnisbakken en grote stapels geplet karton. Er waren zo veel restaurants: Italiaanse, Japanse, Italiaans-Japanse, Scandinavische, Spaanse en Mexicaanse. Er waren zaken waar je stevige stoofschotels kon eten en zaken waar je verfijnde salades en bijna rauwe vis kon krijgen. Vanuit een open deur kwam een verrukkelijke geur van gegrild vlees. Ik draaide me om en zag een lichtreclame met de letters BUTCH.

'Op Ninth Avenue zit een zaakje dat Femme heet,' zei Simon. En daarna, met een grijns. 'Grapje.'

Bij 19th Street wachtten we voor het voetgangerslicht en staken vervolgens over. Door de roosters in de trottoirs steeg het driftige geraas van een trein van de ondergrondse op, en ik besefte dat ik aan New York begon te wennen. Vlak na mijn komst schrok ik nog van dat geluid.

De galerie lag in een winkelpui op 16th Street. Bij de deur bekeek een jongen van onze leeftijd – lang, mager en bleek, met een kaalgeschoren hoofd – passief maar nauwlettend iedereen die naar binnen ging. 'Kunst-uitsmijter,' fluisterde Simon terwijl we op onze beurt wachtten. 'Pas op voor zijn dodelijke minachtende blik.'

Binnen sjokten enkele tientallen mensen rond onder warme spots, zonder veel aandacht aan de kunstwerken te schenken. Het waren foto's van stoelen: keukenstoelen, leunstoelen en tuinstoelen. Allemaal zwart-wit, en zo genomen dat de lege stoel het beeld volledig vulde.

We liepen langs een van de muren en bestudeerden een foto van een stoel van gebogen hout met een rieten ziting en een foto van een versleten fluwelen fauteuil met een bijpassende ottomane waarvan de bekleding kaal was geworden. 'Deze zijn geweldig, vind je niet?' zei Simon. 'Het is net alsof ze ergens op wachten.'

Ik vond ze ook mooi – door de manier waarop ze kamers en hele werelden opriepen – maar moest ondanks mezelf denken aan de revalidatieposter in Madison, van de rolstoel die zijn schaduwnet op de gepolijste houten vloer wierp. KOM IN BEWEGING.

Er kwam een stel achter ons staan en ik keek over mijn schouder naar hen. De vrouw was heel klein en had een enorme massa donker krulhaar. Ze droeg een wijnkleurige jurk die eruitzag of hij was gemaakt van gekreukt papier. Haar metgezel was een lange man met een staartje en een kasjmier trui op een volumineuze zwarte wollen bandplooibroek.

Hij zei tegen haar: 'Hier is sprake van een interessante decontextualisatie, vind je ook niet?' Hij stak zijn vinger uit en tekende de vorm van de stoel in de lucht. 'Het gaat over vormen en negatieve ruimte – ze heeft de stoel van zijn stoeligheid ontdaan en tot een zuiver object gemaakt.'

Simon priemde zijn elleboog in mijn zij, pakte me vast en trok me naar de andere kant van de ruimte. 'Vind je New York niet enig?' vroeg hij. 'Je hoort de prachtigste dingen.' Hij trok zijn jasje uit en keek om zich heen. 'Hoe ontdoe je een stoel van zijn stoeligheid?'

'Je moet in etappes te werk gaan,' zei ik. 'Eerst de zitting ontdoen van zijn zittigheid en daarna verder gaan.'

We stonden op een kleine open plek achter in de galerie. De lampen waren zo warm dat ik ook mijn jas uitdeed. Gepraat en gelach weerkaatste via de witte muren en gespreksfragmenten dwarrelden langs. *Een uitgekookte kleine Kandinsky... een soort combinatie van Sarah MacLachlan en Philip Glass... gaan zij nog* steeds *naar Fire Island?*

Vlakbij ons keek een forse vrouw met kastanjebruin haar en een veellagige groene jurk naar haar uit verschillende metalen vervaardigde collier, zag dat het hangertje naar binnen was gedraaid en hing het snel weer goed, terwijl ze om zich heen blikte of niemand haar zag. Alle aanwezigen keken of ze het idee hadden dat ze werden bekeken – er was iets ongemakkelijks in de stand van hun schouders.

Simon ging me voor naar een bar en we namen allebei een glas wijn. 'Heb je zonet het blad met hors d'oeuvres ook gezien?' zei hij. 'De garnalen zagen er lekker uit.'

We stonden tegen de muur geleund. Midden in de ruimte stond een kleine vrouw met superkort hennarood haar. Haar huid was bleek en zo doorschijnend dat ik de ader op haar slaap kon zien, als een op porselein geschilderd lichtblauw twijgje.

'De kunstenares,' zei Simon.

'Hoe weet je dat?'

'Voel je haar uitstraling niet?'

Ik zag hoe ze een gezette man met dik wit haar toelachte, iemand iets in het oor fluisterde en vervolgens haar arm uitstrekte en de mouw aanraakte van een vrouw die haar voorbij liep – een soort geestverschijning.

'Nee,' zei ik.

Simon glimlachte. 'Grapje. Ik heb een portret van haar gezien op een andere expositie. "Fotografen over fotografen". Het was eigenlijk nogal komisch – je kon vaststellen dat op ten minste de helft van de foto's de onderwerpen er slechter uitzagen dan in werkelijkheid. Zo van, *jij bent mijn concurrent, ik zal je eens verhondsen.*'

'"Verhondsen?"' vroeg ik.

'Op een hond laten lijken. Je weet wel, met die houding van: ik ben de niets ontziende eerlijke fotograaf die zijn meedogenloze blik op het ware leven richt.'

'Was zij verhondst?'

'Totaal,' zei Simon. 'Verteeft. Verstraathondst. De foto was van bovenaf genomen, en je kon haar hoofdhuid door haar haren heen zien schijnen, als kale grond waarop iemand gras heeft ingezaaid.'

Ik glimlachte. 'Daar spreekt de man uit Wisconsin in jou.'

Hij sloeg zijn hand voor zijn mond. 'Ik heb hem nog zo gezegd dat hij zich vanavond in moest houden.'

We gingen terug naar de bar om nog wat wijn te halen en stuitten op drie verschillende obers met bladen met hors d'oeuvres: grote garnalen, schijfjes aardappel met zure room en kaviaar erop, en stukjes bladerdeeg bedekt met verbrokkelde geitenkaas. Een paar minuten later stonden we onze mond af te vegen, met in onze handen tandenstokers waarvan we niet wisten wat we ermee aan moesten.

'Nog vijf daarvan,' zei Simon, 'en ik zou het gevoel hebben dat ik een hele maaltijd op had.'

We liepen naar een foto van een canvas regisseursstoel, waarvan twee poten in een ondiep laagje schuimend water stonden en de andere twee in donker, nat zand drukten. Het canvas zelf hing er mismoedig bij, wat suggereerde dat de indrukken van iemands achterste en rug er nog in zaten.

'Het is net alsof hij zojuist voor de allerlaatste keer het water in is gegaan,' zei Simon.

'God, ik dacht aan iets totaal anders.'

Hij keek me aan. 'Waaraan dan?'

'Dat hij na de zomer is achtergelaten.' Ik haalde mijn schouders op. 'In de steek gelaten, weet je wel.'

Hij trok zijn wenkbrauwen op. 'Kunst als rorschachtest?'

'Ik denk het, ja.'

Er kwam een lang iemand achter ons staan – ik voelde hem meer dan ik hem zag. Ik merkte dat Simon over zijn schouder keek, waarna er iets in de atmosfeer veranderde en hij uitriep: 'O, Dillon – hallo! Ik ben het, Simon, een vriend van Kyle. Hallo, hoe gaat het met je?'

Ik draaide me om en zag dat zijn wangen roze waren en dat hij opkeek naar een man met een prachtige botstructuur en heel bijzondere zilverblauwe ogen. Dit was een man uit een film, uit een aftershavereclame – ongelofelijk knap, een beetje verveeld ogend, met een mond die niet op glimlachen was ingesteld.

Hij gaf een vaag knikje maar zei niets.

'Ben je niet een vriend van Kyle Donohue?' ging Simon verder.

'Ik ben een collega van hem. Het spijt me, ik – ik dacht dat we elkaar weleens hadden ontmoet.' Hij vertoonde nu een diepe blos en zijn vingers speelden met de knoop op de manchet van zijn jasje.

De man stond daar alleen maar. Ten slotte knikte hij. 'Dat klopt.'

Simon knikte ook. 'Dit is Carrie. We waren, eh, alleen aan het kijken. Naar de foto's.' Hij maakte een zwaaiende handbeweging in de richting van de man. 'Dit is Dillon,' zei hij tegen mij.

'Aangenaam,' zei Dillon op vlakke toon. Hij keek Simon aan. 'Ken jij Renata?'

Simon schudde zijn hoofd. Renata was de fotografe – Renata Banion. Haar naam stond in lichtgrijze verf op de muur te lezen.

'Ik vond haar vorige expositie beter,' zei Dillon.

'O, die over oude mensen?'

Dillon trok een schouder op. 'Ik heb ze meer in compositorische zin bekeken. Het waren niet zozeer mensen als wel vormen van schaduw en licht.'

'O, dat is ontzettend interessant,' zei Simon.

Ik wendde mijn blik af. Hoe had Mike het ook weer uitgedrukt? Arrogant en blasé. Wat Simon eerder komisch had gevonden spreidde hij nu zelf ook tentoon. Of in elk geval slikte hij het. En deze figuur was duidelijk een zak. Beeldschoon, maar een zak.

'Nu we het over schaduw en licht hebben,' vervolgde Simon, 'heb je *Spectacular Creatures* gezien?'

Spectacular Creatures was een film waar ik hem en zijn vrienden een paar avonden geleden over had horen praten. Ook de drie laatste krantenartikelen die ik had gelezen waren eraan gewijd. Het was een low-budget film van een onafhankelijke maatschappij die op een aantal filmfestivals was bekroond. De regisseur had blijkbaar aan Yale gestudeerd – jaren voor Simon en zijn vrienden, maar ze spraken over hem op een toon van eerbiedige vertrouwelijkheid.

'De belichting moet bijzonder interessant zijn,' zei hij nu.

'Ik heb hem gisteravond gezien,' zei Dillon.

Heel even was er een teleurgestelde trek op Simons gezicht te zien. 'O, en hoe was hij?'

Dillon keek op zijn horloge en liet toen zijn blik door de galerie gaan. Ten slotte, alsof er op het laatste moment nog iets bij hem opkwam, keek hij Simon weer aan. 'Goed. Ik zou niet zeggen dat de belichting erg interessant is, maar de kostuums zijn heel goed.'

'Huh,' zei Simon.

'Ze benadrukken op een tamelijk interessante wijze de afwezigheid van de seksualiteit. Goedbeschouwd is het geheel uiterst anti-seksueel – onderhuids, uiteraard.'

Simon knikte ernstig. 'Ongeveer zoals in zijn laatste film, waar drugs de plaats van seks innamen.'

'Precies,' zei Dillon. 'Over twintig jaar zal hij de Fellini van de onthouding zijn. En Swig Laylor is dan zijn Marcello Mastroianni.'

Simon glimlachte. 'Zijn Marcello Mastroianni én zijn Giuletta Masina.' Dillon lachte, en Simon zei haastig: 'Hé, misschien moeten we samen eens wat drinken.'

Er viel een ongemakkelijke stilte. 'Misschien,' zei Dillon weifelend. 'Ik heb het behoorlijk druk.' Hij liet zijn blik door de galerie gaan. 'Ik bedoel, vraag mijn nummer aan Kyle als je wilt, en dan zien we wel of we wat kunnen regelen.' Hij keek nogmaals op zijn horloge en deed nu alsof hij verrast was. 'O, ik moet gaan.'

'Dag,' zei Simon, maar Dillon had zich al in beweging gezet, met weer die vage uitdrukking op zijn gezicht, alsof hij wilde suggereren dat hij niet uit onbeleefdheid geen afscheidsgroet uitsprak, maar uit een onvermijdelijke gepreoccupeerdheid met iets anders.

'Oi,' zei Simon.

'Wat betekent "oi"?'

Hij glimlachte. 'God, je bent een sjikse. Het is de joodse manier om te zeggen "jezus godverdomme, dat was vernietigend".'

'Jij bent toch niet joods,' zei ik.

'Erejood,' zei hij. 'Het enige wat telt.' Hij glimlachte. 'Benjamin is joods.' Benjamin was zijn ex – zijn permanente ex, zoals hij me op de avond van mijn aankomst had verteld. Hij pakte me bij mijn arm en leidde me in tegengestelde richting van de kant die Dillon was opgegaan. 'Heb ik zonet nou een gigantische flater geslagen? "Hé, misschien moeten we samen eens wat drinken." Zo van: "Ik weet niet of ik wel goed heb laten zien wat een suffe lul ik ben – laten we dit eens proberen.""

'Simon.'

Hij leunde tegen de muur en sloot zijn ogen. Dicht bij ons hield de man van de interessante decontextualisatie een hand over zijn ene oor terwijl hij zijn schouders tegen de menigte in kromde en in een gsm'etje probeerde te spreken.

'Absoluut vernietigend,' zei Simon. 'Ik ben de grootste idioot op aarde.'

Aan de andere kant van de galerie zag ik Dillon te midden van de menigte, voorovergebogen naar een blonde man met een diepbruine huid.

'Wil je opstappen?'

'Dat kan niet,' zei Simon. 'Dan zou het net zijn of ik er stiekem tussenuit knijp.'

We richtten ons weer op de foto's en vervolgden onze rond-gang door de galerie, smikkelend van zo veel mogelijk hors d'oeuvres. Vijftien of twintig minuten later waren we bij de deur. Dillon was verdwenen, in de menigte of naar buiten, dat wist ik niet. Terneergeslagen trok Simon zijn jasje weer aan, en ik volg-de zijn voorbeeld. Ik keek naar buiten en zag dat het nu echt donker was.

'Volgens mijn theorie,' zei Simon, 'meet je je succes in New York af aan het punt waarop je niet meer naar anderen kijkt maar ervan uitgaat dat zij naar jou kijken.'

Ik lachte. Hij droeg een grijze trui op een broek van keperstof, zo ongeveer een uniform voor de onzichtbare man. Met mij was het weinig beter gesteld: een zwarte trui, een zwarte broek en druppelvormige zilveren oorbelletjes – een ik-weet-niet-wat-ik-aan-moet outfit. 'Je zou best op kunnen vallen,' zei ik. 'Je moet er gewoon wat flitsender uit gaan zien.' Ik pakte hem bij zijn onopvallende zwarte jasje met ritssluiting en trok het modieus strak. Hij schudde mijn hand van zich af. 'Het zit hem niet in je kleren, maar in je houding.'

Net op dat moment kwam er een oudere vrouw binnen met een perfect grijs pagekapsel en diep donkerrode lippen. Ze deed haar jas uit en ik staarde naar haar fluwelen jurk, leiblauw met de sluiting aan de zijkant. De zoom liep aan de voorkant schuin omhoog en toonde een dunne, crêpeachtige onderrok in dezelfde kleur. Het geheel was schitterend en werd volmaakt gecompleteerd door haar grijsblauwe kousen en bijpassende grijsblauwe suède pumps met forse hakken.

'Het zit hem ook in je kleren,' zei ik.

HOOFDSTUK 19

Leren jasjes en stretchbroeken. Laarzen met brede neuzen en gleufhoeden. Dunne gebreide stoffen en tasjes van doorzichtig plastic. De mode was overal, en ik raakte erdoor gehypnotiseerd. Als ik rondliep was ik zo druk naar andere vrouwen aan het kijken dat ik soms tegen mensen aanbotste die stilstonden bij een oversteekplaats. 'Pardon,' zei ik dan – om vervolgens hun kleren te bekijken.

Steeds weer ging ik naar SoHo. Een strakblauwe lucht tussen de toppen van de gebouwen, auto's die door de smalle straten op en neer kropen. Ik laveerde er doorheen, om niet één verleidelijke etalage te hoeven missen. Alles werd gepresenteerd alsof het iets betekende: een tinnen kom vol granaatappels, een armband van mat amberkleurig plastic. 'SoHo?' vroeg Kilroy op een avond toen we een wandeling maakten. '*Dat is Disneyland voor volwassenen. Je platina American Express-card overhandigen bij wijze van ijzingwekkende kick.*'

Het kon me niet schelen. Ik ging een winkel binnen waar alles van chiffon was en een andere waar alles mauve of zwart was: kleine truitjes met fluwelen linten, lange, los vallende rokken, topjes met kanten inzetjes. Ik zag Jamies laatdunkende reactie al voor me – zo maf, zou ze zeggen. Maar zij was er niet. Ik had overwogen haar te bellen, maar dacht nu dat ik daar nog wat langer mee moest wachten. Ik viel op een gebreide broek met wijde pijpen en tere ruches bij de zoom van achthonderd dollar, en toen op een zijden jurk met een complexe halslijn en geplooide mouwen van twaalfhonderd dollar. Ze waren niet maf, maar bijzonder – uiterst verfijnd. Ik had bedacht dat ik heel zuinig aan kon doen: gratis slapen in Simons alkoofje en eerlijke kost eten met Kilroy – bagels en nog eens bagels, sandwiches en van tijd tot tijd een portie kung pao-garnalen. Nu werd ik door twijfel gekweld. Het bestaan van iets dat net zoveel

kostte als alles wat ik bezat was op een zonderlinge manier verleidelijk. Ik voelde een drang om mijn hele spaarpotje erdoor te
jagen en letterlijk blut te raken. Toen dacht ik aan Mike, op een
avond in augustus. *Je hield van me*, had hij gezegd. *Nu heb je
alleen nog medelijden met me.* Hij had hetzelfde nagejaagd, hij
had willen weten hoe het voelde om volledig aan de grond te zitten. Ik begreep dat hij nu op dat punt verkeerde, ongeacht hoe
hij aan de telefoon klonk: op het punt waar niets meer erger kon
worden.

Op een middag ontdekte ik een stoffenzaak vlak onder de
vleugel van Carnegie Hall. Buiten toeterden de taxi's en sisten de
bussen, maar in de winkel zelf was het rustig. Het was een grootsteedse variant van Fabrications, die werd gedreven door een
slagorde van zwaarlijvige, in kostuum gestoken verkoopsters die
vanachter de snijtafels zwijgend toekeken terwijl ik door de zaak
rondliep. Er waren honderden rollen stof, op planken die door-
liepen tot het hoge plafond: bedrukte zijden stoffen en jac-
quardstoffen, geplet fluwelen stoffen met gouden en zilveren
krullen, zachte wollen stoffen met zulke subtiele kleuren dat ze
beelden opriepen van plaatsen waar ik nooit was geweest: de
met heide begroeide Schotse Hooglanden, en het van toefjes
smaragdgroen doortrokken grijs van het Ierse landschap. Ik
voelde een groot verlangen om iets te kopen, één kleinigheidje
maar, en was wanhopig totdat me iets te binnen schoot: als ik in
het oude huis sliep in plaats van bij Kilroy, werd ik wakker door
een brede lichtbaan die via een klein raampje in het trappenhuis
mijn alkoofje binnenviel. Of ik nu blut was of niet, ik kon toch
wel vijf dollar uitgeven om een gordijn te maken? Ik vond een
betaalbare witte katoenen stof en kocht er een meter van, met
een gevoel dat ik iets handig voor elkaar had gekregen.

Die avond zette ik mijn naaimachine in de keuken van het
oude huis neer en ging aan het werk. Kilroy was me gezelschap
komen houden, en terwijl ik de stof vastspelde liep hij wat rond
en bekeek het een en ander – een *Times* van een paar dagen gele-

den, een *New Yorker* zonder omslag, en het mededelingenbord, waarop iemand had geschreven: *Greg, Steven Spielberg heeft voor je gebeld. MAAR NIET HEUS!*

'Is Greg de jongen die acteur wil worden?' vroeg Kilroy.

Ik keek van mijn werk op en knikte.

Hij haalde de dop van een stift en schreef: *Steven Spielberg? Is dat wel een KUNSTENAAR?* Daarna keek hij naar mij en wiste het geschrevene uit, waarna er een blauwe veeg achterbleef. 'Nou ja,' zei hij. 'Ik moest de inboorlingen hier maar niet kwetsen.'

Ik had er niet echt over nagedacht wat voor gevoel het me zou bezorgen als hij in het huis was. De enige die hij had ontmoet was Simon, en toen ik Kilroy later vroeg wat hij van Simon vond maakte hij bedenkelijke geluiden en zei toen dat volgens hem Simon iets probeerde te zijn wat hij niet was. 'Nou,' zei ik. 'Hij doet zijn best om illustrator te worden.' Maar Kilroy schudde alleen zijn hoofd.

Nu scharrelde hij rond bij het fornuis en keek naar een spin die gevangen zat onder het smoezelige plexiglas van een klein analoog klokje dat in het bedieningspaneel was aangebracht. Hij klopte er een paar keer op, stopte even en klopte vervolgens weer.

Ik richtte me weer op het gordijn. Ik zat nog vol van het avondmaal – we hadden grote borden ravioli gegeten in een eenvoudig Italiaans zaakje in de Village. Een restaurant als uit een film: de obers droegen borden over de hele lengte van hun arm en riepen elkaar dwars door de volle zaak grappen toe. Ik had naar Little Italy gewild, maar volgens Kilroy was deze zaak minder toeristisch.

Ik hoorde de voordeur opengaan, en een ogenblik later kwamen Simon en Greg de keuken binnen, allebei gekleed alsof ze chic uit waren geweest, met mooie overhemden en colbertjes aan en, verrassend genoeg, zelfs dassen om. Simons das was mooi: donker blauwgroen met kleine gele en groene ruitjes die een beetje glinsterden als hij bewoog.

225

'Aan het naaien?' vroeg hij, terwijl hij de knoop van zijn das losschoof en het bovenste knoopje van zijn overhemd losknoopte. 'Voel je de roep van het Midwesten?'

'De roep van de vroege ochtendzon,' zei ik. 'Die zich in het alkoofje boort en mij te vroeg wakker maakt. Ik maak een gordijn voor het raampje in het trappenhuis.'

Hij glimlachte. 'Ik dacht dat dat zin zou hebben als je hier ooit...' Zijn blik viel op Kilroy. 'O, laat maar.'

'Als ze hier ooit wat?' vroeg Kilroy.

Simon keek naar hem. Een ongemakkelijk ogenblik lang moest ik denken aan de eerste keer dat ik Kilroy had gezien, bij Viktor in Madison – aan hun gebekvecht.

'Ken je Kilroy?' vroeg ik haastig aan Greg, terwijl ik achtereenvolgens naar hen beiden keek.

Greg had bij de gootsteen gestaan, maar nu kwam hij naar voren en stak Kilroy zijn hand toe. Hij zag er goed uit in zijn jasje, zijn golvende zwarte haar kwam mooi uit bij de antracietkleurige wol. Hij was erg lang, en Kilroy moest omhoog kijken zodat hun blikken elkaar konden vinden.

'Nou Carrie,' zei Simon. 'We waren net op een feestje, en je zou erin gebleven zijn. Ken je Jason, die vriend van ons van Yale? Zijn vader heeft een fortuin geërfd als telg uit een familie die een warenhuis in New England bezat, en elk jaar in oktober geven ze een feestje om, weet ik veel, hun rijkdom te vieren of zo. Maar goed, het is een dubbele woning op Park Avenue en...'

'Ze hebben acht badkamers,' zei Greg, en in mijn ooghoeken zag ik Kilroy steigeren.

'Wat stelt dat nou helemaal voor?' zei hij. 'Ik kan acht badkamers in mijn appartement laten bouwen en dan heb ik nog ruimte over voor mijn luie stoel.'

'Je hebt niet eens een luie stoel,' kwam ik tussenbeide in een poging iets luchtigs te zeggen, al was ik meteen nerveus geworden.

Hij knipte met zijn vingers. 'Verdomd, dan moet ik er wel een nemen.' Hij wendde zich tot Simon. 'Ik woon in het soort woning waar een luie stoel iets karakteristieks toe zou voegen.'

'Wat voor soort woning mag dat zijn?' vroeg Simon.

'O, je kent het wel – parketvloer met visgraatmotief, brede ramen die aan de buitenkant nooit worden schoongemaakt, een volkomen kleurloos interieur. Soms denk ik dat die gebouwen zijn neergezet om de lelijkheid te institutionaliseren – stel je voor dat een naoorlogs gebouw een beetje karakter zou hebben.'

'Waarom woon je er dan?' vroeg Simon.

'Ik ben gesteld op de consequente anonimiteit.'

'Het zou inderdaad moeilijk zijn om dat op te geven.'

Kilroy gaf Simon een geamuseerd knikje, maar hij kruiste zijn armen voor zijn borst en straalde een grote innerlijke onrust uit. Wat was er aan de hand? Wat was er met zijn humeur gebeurd? Er hing een geladen stilte in de keuken, en geruime tijd sprak niemand een woord.

'Nou, hoe dan ook,' zei Simon. 'Dat feestje, Carrie. Perrier Jouet, en dan hele kisten vol. Obers kwamen langs met hapjes gerookte zalm, kleine pasteitjes van filodeeg, enzovoorts. Ongelofelijke bloemen, moet je horen: bij één deuropening stond een seringen*boom* die er in een soort boog omheen groeide – *witte* seringen, in oktober. En meneer Kolodny ging al Jasons vrienden langs en vroeg: "Kom je ons eens in Aspen opzoeken" en: "Kom je ons eens op Block Island opzoeken?"'

'Hij hoort bij de Forbes 400,' zei Greg, en Kilroy wierp hem een minachtende blik toe.

'Je wilt zeggen dat hij een hoop geld heeft?'

'Ja, inderdaad,' zei Greg, terwijl hij naar Simon en mij keek. 'Dat ligt voor de hand.'

'Zo'n paar honderdduizend dollar?'

'Miljoenen en miljoenen dollars,' riep Greg uit. 'Jason werd in een limousine naar school gebracht.'

'Echt waar?' vroeg Kilroy. 'En was dat soms ook een verlengde limousine?'

Greg liep rood aan. Even later stak hij zijn handen in zijn zakken, en vervolgens trok hij ze er weer uit.

'Nou,' zei Simon. 'Ik denk dat ik nu maar eens tv ga kijken.' Hij trok een gek gezicht, een soort ironisch van woede verwrongen gezicht dat moest overbrengen dat hij inderdaad woedend was en liep de keuken uit.

Mijn gezicht gloeide. Ik boog me over de naaimachine en bracht de naald naar de stof toe. Arme Greg – hij was altijd alleen maar aardig voor me geweest, en nu werd hij door mijn vriendje voor joker gezet. Waar had Kilroy zo'n probleem mee? Met Greg, of met het onderwerp rijkelui? Ik had al eens eerder zoiets opgemerkt. 'Als je in een Range Rover rijdt mag je dubbel parkeren op West Broadway,' had hij eens gesneerd. Een andere keer dreef hij de spot met een opgeblazen vent in een winkel, met de woorden: 'Hoe durf je mij te laten wachten – kun je niet aan mijn schoenen zien dat ik je tien keer je salaris kan uitbetalen zonder dat ik er zelfs iets van merk?' Ik had niet het idee dat het alleen een kwestie van jaloezie was – zulke mensen zaten hem dwars, ze irriteerden hem. Misschien was het helemaal geen kwestie van jaloezie. Hij leefde erg sober, hij ging er prat op dat hij het goedkoopste bier dronk dat er te krijgen was en dat hij zichzelf het ongemak bezorgde van een vroege middagvoorstelling terwijl hij daarmee maar twee of drie dollar uitspaarde. Toch wezen bepaalde tekenen erop dat hij meer geld bezat dan meestal het geval leek te zijn: een kasjmier overjas in zijn kast, en de keer dat hij mij meenam naar een Japans restaurant en nonchalant honderd dollar spendeerde zodat ik sushi kon proeven. Het leek of hij niet sober was uit noodzaak maar om iets te poneren: hetzelfde dat hij naar voren bracht met zijn mentale soberheid door niets aan zijn muren te hangen en zijn vloeren kaal te laten. Het was een soberheid die zei: *ik heb niets nodig.*

En ik vroeg me af: hoe zat het dan met mij?

Greg kwam naast me staan en keek naar mijn werk. Hij liet zijn vingers op de tafel rusten, en ik zag dat ze licht trilden. Hij zei: 'Het is jammer dat we geen kamer meer voor je hebben.'

'Ik vind dat ik al bof met het alkoofje.'

'Ja, maar het moet frustrerend zijn om te weten dat Alice zelfs nooit op haar kamer is.'

Alice had de kamer aan de andere kant van de muur bij het alkoofje. Ik had haar maar een paar keer gezien – ze was meestal bij haar vriend in de East Village.

'Ik denk dat ik ook maar eens naar boven ga,' zei hij. 'Ik kwam afgelopen nacht pas na tweeën thuis uit het restaurant.'

Kilroy stond aan de andere kant van de keuken door een raam naar de donkere achtertuin te turen. Hij draaide zich om. 'Ben je ober?'

Greg knikte. 'Vijf avonden in de week.'

'Lijkt me slopend,' zei Kilroy.

'Dat is het ook. Ik had gedacht 's avonds te werken om overdag acteerlessen te kunnen volgen of naar audities te kunnen gaan, maar ik ben zo uitgeput dat ik uiteindelijk de hele tijd zit te slapen.'

Kilroy grijnsde. 'Lijkt me een leuk leventje.'

Greg zwaaide terwijl hij naar de deur toe liep eventjes naar ons. 'Leuk je te hebben leren kennen,' zei hij bij zijn vertrek tegen Kilroy, en Kilroy hief zijn kin op en glimlachte.

'Vond ik ook.'

Toen ik weer alleen met hem was richtte ik me weer op mijn naaiwerk. Wat raar toch, die kleine vijandige uithaal naar Greg, en vervolgens die poging om het weer glad te strijken. Ik stikte een aantal centimeters en voelde terwijl ik werkte hoe hij om de tafel heen liep en vlak achter me bleef staan. Hij stond daar zwijgend terwijl ik verderging naar het eind van de naad. Ik zette de knoop aan de binnenkant vast en bracht vervolgens met het handwiel de naald omhoog van de stof. Ik haalde het gordijn onder het voetje vandaan en begon de spelden weg te halen langs de naad die ik had gestikt. Plotseling, zo onverwachts dat ik een stukje opsprong, kwam zijn vinger achter in mijn nek. Hij streelde me van mijn haarlijn tot de achterkant van mijn shirt en deed het daarna nog eens. Ik wilde me – ik was opeens desperaat – omdraaien en mijn gezicht tegen de voorkant van zijn overhemd drukken. De drang was enorm sterk: een elektrische spanning die mijn spieren activeerde en ze ertoe bracht te willen bewegen. Waarom had Mike nooit deze uitwerking op me gehad? Ik had verlangen naar hem gevoeld, maar niet deze intense behoefte, deze soms heftige begeerte om *heel dicht bij hem te zijn.*

Kilroys vinger verliet mijn nek. Hij stapte naar achteren en ik hoorde dat hij de krant weer oppakte. Ik keek over mijn schouder: hij keek naar me met een zachtaardige lach en ging toen verder met lezen.

Even later, toen ik bezig was met de doorgang voor de roe, hoorde ik stappen en keek op. Het was Lane, die ook een kamer op de tweede verdieping had, tegenover die van Alice. Ik vond haar aardig maar had weinig met haar gepraat – ik had de indruk dat ze verlegen was. Ze was een van de kleinste volwassenen die ik ooit had gezien, ze mat nauwelijks een meter vijftig en woog nauwelijks veertig kilo, met een bleke huid, heel smalle polsen en piekerig asblond haar dat ze heel kort droeg. De eerste keer dat ik haar had gezien, ze kwam toen in een streepjespyjama de badkamer op de tweede verdieping uit, had ik gedacht dat ze een jongetje was.

'Hallo,' zei ze nu. 'Ik ben net thuis en voor ik naar boven ging wilde ik eerst hierheen om te zien waar dat geluid vandaan kwam.'

Ik glimlachte. 'En een naaimachine was het laatste wat je verwachtte?'

'Zo ongeveer wel. Ik aarzelde tussen een tandartsboor en een blender.'

'Of misschien gewoon een enorme kolibrie,' zei Kilroy vanaf zijn plekje tegen het aanrecht, en Lane lachte haar hoge, schrille lach.

Ik stelde haar voor aan Kilroy, en nadat ze elkaar hadden begroet wendde ze zich weer tot mij. 'Ik heb nooit iemand echt zien naaien. Hoe doe je het?'

Ik gebaarde haar bij me te komen en leidde de stof onder het voetje. 'Je moet eigenlijk gewoon de zaak vastspelden en maar doen.' Met mijn voet zocht ik het pedaal en vervolgens gaf ik een kleine demonstratie. De naald danste op en neer terwijl ik een aantal centimeters stikte. 'Hoefde jij niet te naaien bij handwerken op de high school?'

Ze schudde haar hoofd. 'Ik heb op zo'n progressieve school gezeten waar je helemaal niks hoefde. Je hoefde ook de lessen niet bij te wonen. Ik geloof dat er niet eens les in huishoudelijke vaardigheden gegeven werd.'

Kilroy lachte. 'De high school als vorm van zelfontplooiing?'

'Ja, zoiets. We kregen bijvoorbeeld vergaderen, waarbij iedereen die er zin in had elke morgen samen kon komen. Als je hoofd ernaar stond mocht je praten, over alles.'

Kilroy draaide zijn hoofd scheef. 'En waar was dat?'

'In Connecticut. De school heet Seward Hall, maar zo chic is hij niet. Ik denk dat dat "Hall" de leden van het bestuur een goed gevoel moest geven.'

Er kwam een vreemde uitdrukking op Kilroys gezicht. 'In werkelijkheid is er onder aanvoering van het bestuur een grootscheepse poging gedaan om dat "Hall" te laten vallen en de school om te dopen tot "Seward Country Center", maar hebben de leerlingen ervoor gevochten om de naam Seward Hall te behouden.'

Lane grinnikte. 'Heb jij er ook op gezeten?'

Hij schudde zijn hoofd maar zei verder niets, en Lane keek mij aan met een vragende uitdrukking op haar gezicht. 'Iemand die je kende dan?' vroeg ze.

'Iemand die ik kende, ja.'

'Wie?' vroeg ze. 'En wanneer? Het is zo'n kleine school, ik…'

'Het was lang voor jouw tijd.'

Hij bepaalde zich weer tot de krant, en zij beet op haar lip en keek mij nog eens vragend aan.

Ik haalde mijn schouders op. Ik kon het niet verklaren – zo was Kilroy nu eenmaal. De grote geheimzinnige. De man die niets nodig had. Maar dat was toch niet zo? Hij had mij toch nodig? Of wilde mij in elk geval toch? Ik dacht aan zijn tong op mijn oorlelletje, de verrukkelijke pijn als hij me er zo heel, heel langzaam mee kietelde.

Ik hoefde nog maar een klein stukje. Ik stond op en liep naar de hal, waar in een smalle kast een strijkplank en een strijkijzer stonden, alsmede een oude hoge stofzuiger waarvan Simon me had verteld dat hij hem op de vlooienmarkt had gekocht omdat hij zo goed paste bij de apparaten in de keuken. Terwijl ik de strijkplank uit de kast wrong passeerde Lane me, richting trap. Ze bleef even staan en keek me aan, leek vervolgens van gedachten te veranderen en liep weer verder. 'Welterusten,' riep ze over haar schouder.

In de keuken zette ik de strijkplank bij een stopcontact, haalde het strijkijzer te voorschijn, sloot het aan en goot er wat water in.

'Weet je,' zei Kilroy, 'ik denk dat ik maar eens op huis aanga.'

Ik was stomverbaasd. Het duurde nog vijftien minuten voor ik klaar zou zijn, twintig op zijn hoogst. 'Ik ben bijna klaar,' zei ik.

'Ja, maar ik ben echt kapot. Ik taai af.' Hij aarzelde even en knikte vervolgens, bij wijze van bevestiging. Hij keek me niet aan maar langs me heen, zodat ik niet kon bepalen wat dit voor mij betekende, of hij wilde dat ik achter hem aan zou komen als ik klaar was, of dat ik nu meteen met hem mee moest, of wat dan ook. Misschien keek hij langs me heen opdát ik het niet kon bepalen.

Zijn jasje hing over een stoel en hij liep naar de andere kant van de keuken en trok het aan. Hij glimlachte en zwaaide me toe, zei 'Tot ziens' en liep langs me heen naar de deur. Ik draaide me om en keek toe hoe hij door de spaarzaam verlichte gang liep, steeds minder duidelijk zichtbaar in de toenemende duisternis totdat hij de voordeur opende en verdween.

Mijn hart bonsde. Ik kon het plekje op mijn nek waar hij me had aangeraakt nog voelen, en alle mogelijkheden die door die aanraking waren gesuggereerd. *Onze eerste ruzie*, dacht ik, maar het was niet leuk, het was onbegrijpelijk. Wat was er nu helemaal gebeurd? Geen ruzie. Hij was kwaad geweest, maar niet op mij. Ik was kwaad – op hem, omdat hij was vertrokken – maar ik stond vooral voor een raadsel. Waarom had hij de naam niet genoemd van zijn kennis die op dezelfde school als Lane had gezeten? Waarom zei je dat je iemand kende om vervolgens niet te willen zeggen wie het was? En hoe zat het met dat voorval met Greg?

Toen ik klaar was met mijn werk ruimde ik alles op en droeg mijn naaimachine weer naar boven. Ik hing het gordijn morgen wel op, als ik een roe had gekocht. Nu plofte ik op de futon neer. Bij mijn hoofdkussen had ik een klein op karton geplakt aquarelletje van een peer gehangen, dat ik van een straatverkoper in SoHo had gekocht. Op zijn tafel had het er fris uitgezien, doordat het zoiets zomers uitstraalde en door het volmaakte geelgroen van de peer, maar aan de muur van het alkoofje oogde het troosteloos – het liet de muur er des te armoediger uitzien. Het vloeroppervlak van het alkoofje was nauwelijks groter dan de futon. Ik woonde in een beige doosje. En ook weer niet – ik had hier al bijna een week niet meer geslapen. Ik dacht aan Kilroys slaapkamer en aan zijn bed, aan hoe snel we hadden bepaald aan welke kant elk van ons sliep: hij aan de linker- en ik aan de rechterkant. Ik had even moeten wennen om aan de rechterkant te liggen, want met Mike had ik altijd aan de linkerkant geslapen. Als Mike en ik lepeltje lepeltje lagen met hij achter mij, lag zijn arm over mijn rechterkant en hield hij mijn rechterschouder vast. Heel wat nachten uit mijn leven was dat zo geweest, tot vijf maanden geleden. Ik herinnerde me hoe hij er slapend uit had gezien, en daarna hoe hij er in het ziekenhuis uit had gezien toen hij niet sliep en nergens op reageerde. Ik had hem nooit precies gevraagd hoe het was geweest om uit die toestand te ontwaken. Het terugkrijgen van het bewustzijn. Ik had gezien hoe het was gegaan, ik wist dat hij in de war was geweest, maar wat had hij gedacht? Wat had het betekend dat hij zichzelf had herkend als niet helemaal zichzelf – niet in staat om te bewegen, om te voelen? Ik had hem nooit simpelweg gevraagd: vertel het me eens. Ik had het niet willen weten.

Op de overloop stond een telefoon met een lang snoer, en ik trok hem het alkoofje in. Het was bijna tien uur, bijna negen uur in Madison. Mevrouw Mayer nam op en viel volkomen stil nadat ik mijn naam had genoemd. Ik wachtte even, toen nog even en vroeg ten slotte hoe het met haar ging.

'Uitstekend,' zei ze, en vervolgens: 'Met *mij* gaat het uitstekend,' alsof ik had kunnen denken dat ze ook namens Mike sprak.

'Kan ik hem spreken?'

Er weerklonk een hoop geritsel, en toen kwam hij aan de lijn. 'Hallo Carrie,' zei hij met een heldere stem die me in elkaar deed krimpen. 'Hoe is het ermee?' vroeg hij. 'Je hebt me mijn ansicht nog niet gestuurd.'

Zijn ansicht van het Empire State Building. Ik was het helemaal vergeten. 'God, het spijt me.'

'Maakt niet uit. Doe het maar als het je uitkomt. Nou, wat is er?'

Ik keek naar mijn ring, de steen was dof in het zwakke licht van het alkoofje. Waarom had ik hem nog steeds om? Ik kon hem niet afdoen, maar ik kon ook niet zeggen: vertel het me eens. Wat kon ik zeggen? Ik zei: 'Ik dacht aan je.' Hij zweeg en ik voegde eraan toe: 'Ik heb veel aan je gedacht en vraag me af hoe het met je gaat.'

'Niet slecht,' zei hij. 'Eigenlijk behoorlijk goed. En jij – wat heb jij uitgespookt?'

Ik aarzelde en wilde alleen de waarheid omzeilen, Kilroy

omzeilen. 'Ik heb gewandeld,' zei ik en voelde me meteen daarna beroerd en beschaamd. Gewandeld? Waarom zei ik niet gewoon: *iets gedaan wat jij niet kunt?*

'Is dat leuk?' vroeg hij.

Ik slikte. 'Ja. Het is of ik elke dag een nieuw stadsdeel ontdek waarvan ik nooit had gehoord. De buurten hebben allemaal een naam, bijvoorbeeld Turtle Bay.'

'Turtle Bay,' zei hij. 'Dat klinkt niet als een goed plekje om te gaan zwemmen.'

'Het is geen echte baai.'

Hij zweeg en een ogenblik later zei ik nog: 'Het spijt me, Mike. Ik wou alleen zeggen dat het me echt spijt.' En toen weerklonk er weer een hoop geritsel en kwam zijn moeder weer aan de lijn.

HOOFDSTUK 20

Toen ik de volgende ochtend wakker werd voelde ik me gedesoriënteerd en beklemd. Meteen werd ik weer bezocht door gevoelens van schuld en doem. Toen ik had geprobeerd in slaap te komen waren mijn gedachten nu eens bij Mike en dan weer bij Kilroy geweest, en dat ging meteen weer door. Mikes stem die helemaal metalig was geweest in zijn poging opgewekt te klinken. Mike die zich nog ongelukkiger voelde dan hij toch al was, vanwege mij. Kilroy die in de hal verdween, altijd buiten bereik.

Het was schemerig in het alkoofje, door het flauwe licht van de vroege ochtend. Ik pakte mijn horloge en zag tot mijn verwondering dat het al na tienen was. Ik stond op en liep naar het raampje in het trappenhuis dat spoedig zou worden afgedekt. Geen wonder dat ik me had verslapen: de lucht was grijs en gesloten.

Ik scharrelde in mijn rommelige koffer wat kleren op en ging naar de badkamer om te douchen. Daarna zag mijn gezicht er in de beslagen spiegel van het medicijnkastje opgeblazen uit. Ik veegde met mijn handdoek een plek schoon, en mijn gezicht wás inderdaad opgeblazen.

Lane en Alice hadden op een plank met toiletartikelen wat ruimte vrijgemaakt voor mijn spulletjes, en ik pakte mijn föhn en stak de stekker in het stopcontact. Ik droogde mijn haar voor de helft en hield er toen weer mee op, moe van de inspanning. Ik trok mijn kleren aan en probeerde mijn sweater glad te strijken, maar gaf het op. Het was hopeloos. Steeds weer maakte ik mijn koffer open en probeerde hem op orde te brengen, maar het hield maar een paar dagen stand. Het dragen van gekreukelde kleren was voor mij vanzelfsprekend geworden.

Toen ik de badkamer uit liep verscheen Lane bijna ogenblikkelijk in haar deuropening, alsof ze erop had gewacht.

'O, sorry,' zei ik. 'Moest jij in de badkamer zijn? Ik ben er een eeuwigheid geweest.'

Ze glimlachte. 'Nee, ík wilde sorry zeggen. Voor gisteravond. Ik bedoel – ik denk dat ik Kilroy heb gekwetst.'

Ik schudde heftig mijn hoofd en zij keek me onzeker aan. 'Heb ik hem niet gekwetst?'

'Om je de waarheid te zeggen,' zei ik, 'snap ik eigenlijk niet wat er is gebeurd.' Tot mijn ontzetting priemden de tranen in mijn ogen, en ik keek omlaag. Even later drukte ik mijn vingertoppen tegen mijn oogleden en veegde de nattigheid weg. Toen ik weer opkeek was er een rimpel tussen haar bleke wenkbrauwen verschenen.

'Gaat het wel met je?'

Ik knikte.

'Wil je even binnen komen zitten?'

Ik keek langs haar heen haar kamer in. Het was de mooiste kamer van het huis: ze had haar muren gerepareerd en ze mooi lichtgroen geschilderd, afgezet met glanzend donkergrijs op het lijstwerk. Ze was op dit uur nooit thuis, en ik vroeg me af of ze ziek was. Haar haren klitten op sommige plaatsen aan elkaar, maar ze was aangekleed, in een dunne zwarte broek en een grijs topje dat haar nog kleiner maakte, met een hals die zo wijd was dat een van haar schouders erdoor ontbloot werd.

'Kom maar,' zei ze, en ze ging naar binnen en stapte voor mij opzij, waarna ze me een kleine bleekblauwe leunstoel in de hoek aanwees. Ze ging op haar bed zitten en schonk me een warme glimlach. Er ging iets opbeurends of misschien troostends van haar uit. Ze had haar deur altijd op een kier staan en riep me 'goeiemorgen' of 'welterusten' toe als ik onderweg was naar of van de badkamer. Als de deur dicht was wist ik dat haar vriendin bij haar sliep.

'Wil je…' begon ze. 'Ik bedoel, ik wil me er niet mee bemoeien, maar als je wilt praten…'

Ik keek naar mijn schoot. Ik dacht aan de eerste jaren van mijn verhouding met Mike, toen ik Jamie alles had verteld. Het was toen alsof de dingen pas echt leken te zijn gebeurd nadat ik ze aan haar had beschreven. We belden met elkaar of lagen op de vloer op haar slaapkamer... Ik vertelde niemand over Kilroy. Simon had er een paar keer naar gevraagd, maar ik had me niet op mijn gemak gevoeld.

Mijn lippen waren droog en ik likte erover. 'Bedankt.'

Voor Lanes muren stonden een paar boekenkasten van ongeveer een meter hoog, en ik liet mijn ogen erlangs gaan. Erbovenop stonden ingelijste foto's en lagen allerlei voorwerpen: schelpen, mandjes en kommetjes met knopen en knikkers. Vlak bij me stond een flesje van blauw glas met een takje lavendel. Ik boog me ernaartoe en rook eraan.

'Geweldig hoe die geur blijft, hè?'

Ik keek naar haar en zag dat ze vriendelijk lachte. 'Zeker,' zei ik. 'Je kamer is zo enig,' vervolgde ik en mijn gezicht gloeide een beetje. 'Ik bedoel, ik weet niet of ik ooit eerder iets enig heb genoemd, maar dat is het goeie woord ervoor.'

Ze glimlachte. 'Dank je. Sorry dat ik je niet eerder binnen heb gevraagd.'

'O nee, alsjeblieft – ik was zo'n rare buur, je kon niet weten hoe lang ik zou blijven. Dat weet je nog steeds niet. Ik weet het zélf niet eens.'

Ze haalde haar schouders op. 'Wat maakt het uit? Volgens juffrouw Wolf is plannen maken iets burgerlijks.' Ze glimlachte. 'Natuurlijk vraagt ze me tegelijk of ik de volgende dag om negen uur in plaats van half tien kan komen omdat ze hulp nodig heeft om de nieuwe werkster in te werken.'

Juffrouw Wolf was haar werkgeefster. Ze was een oudere schrijfster die een zekere bekendheid had genoten en in de buurt van het Metropolitan Museum een appartement met uitzicht op Central Park bewoonde. Lane was haar bezoldigde gezelschapsdame.

'Hoef je vandaag niet te werken?' vroeg ik.

Ze schudde haar hoofd. 'Ze heeft haar nicht op bezoek.'

'Hoe ben je eigenlijk aan dat baantje gekomen?'

238

'Het oudemeisjesnetwerk van de lesbische richting,' zei ze met een lach. 'Mijn favoriete prof op Yale was de nicht van de beste vriendin van de nicht die nu op bezoek is. Juffrouw Wolf neemt mensen aan die minder kans op de arbeidsmarkt maken en ik voldeed perfect aan het profiel: "een jonge, fragiele saffische dichteres", zoals zij het uitdrukte. Haar vorige gezelschapsdame is nu directeur van een rusthuis voor lesbische kunstenaressen in het noorden van de staat New York, dus je ziet dat ik nog een hele carrière in het vooruitzicht heb.'

Ik glimlachte. 'Ben jij een dichteres? Dicht je?'

Er kwam kleur op Lanes bleke gezicht en ze knikte.

'Dat wist ik niet,' zei ik. Ik dacht aan de anderen, aan Simon en Greg met hun ambities als illustrator en acteur. Ik had bijna net zo veel gesprekjes met Lane gevoerd als met Greg, en ze had het nooit over iets anders dan haar baantje gehad.

'Het is niet iets waar ik over praat,' zei ze.

'Ik zou heel graag eens iets van je lezen. Als dat niet te brutaal is.'

Ze keek even omlaag, haar gezicht was nu zelfs nog roder. 'Sorry,' zei ze. 'Dit is belachelijk. Ik doe hier erg stom over.' Ze veegde haar handen af aan haar grijze dekbedovertrek, liep naar een van de boekenkasten toe en haalde er een dunne paperback met een heel zacht blauw omslag uit. 'Hier,' zei ze en stak me het boek toe.

Parapraxis en Eurydice, stond er op het omslag. *Gedichten door Lane Driscoll.*

'Je hebt al een boek gepubliceerd?' vroeg ik.

'Het is maar een simpel uitgaafje.'

Ik nam het aan en sloeg de inhoudsopgave op, die zelf al bijna een gedicht was: 'De blauwe deur in de tuin', 'Waar je stond', 'Kennis van het woordenboek van het lichaam'. Ik bladerde erin en las willekeurige passages, me ervan bewust dat zij me gadesloeg. Eén passage luidde als volgt:

Over het jou in mij:
l'uomo vero,
de echte man.
De vader van het geheugen,
van al mijn tijd.

'Wauw,' zei ik. 'Heb je dit geschreven toen je nog op Yale zat?'

'Toen is het gedrukt,' zei ze, opnieuw blozend. 'Het is niet echt gepubliceerd, het is maar een simpel uitgaafje.'

Ik gaf het aan haar terug. 'Nou, ik ben onder de indruk.'

Ze zette het terug op de plank, waar nog acht of tien andere exemplaren stonden, met hun smalle ruggetjes zorgvuldig op één lijn. Ze wendde zich weer tot mij en lachte me toe. 'Simon heeft, op zijn typische Simon-manier, eens een doos besteld. Hij is toen voor onze eetzaal gaan zitten en heeft zo geprobeerd ze te verkopen – hij zei dat hij mijn publiciteitsagent was. Hij had een bord gemaakt. Ik heb me nog nooit zo gegeneerd gevoeld.'

Ik glimlachte. 'Hoe was hij toen?'

'Net zoals nu, maar met nog iets meer restjes uit Wisconsin in zich.' Ze haalde haar schouders op. 'Hoe was hij op de high school?'

Bij Frans, waarbij we bij elkaar in de klas zaten, was hij stil – niet onvriendelijk, maar erg op zichzelf. Op school glimlachte hij wanneer hij me tegenkwam, maar in zichzelf, alsof hij me een beetje komisch vond. Wat ik waarschijnlijk ook was, vastgebakken als ik zat aan Mike. Uit het niets herinnerde ik me hoe ik op een dag in de kantine bij Mike op schoot had gezeten en Simon op zijn eentje in de rij had zien staan, met alleen een bakje rode Jell-O op zijn blad. Hij betaalde en liep ermee naar een lege tafel aan de andere kant van de kantine. 'Ik kende hem niet zo goed,' zei ik ten slotte. 'Hij was verlegen, denk ik.'

'Gesloten?'

'Absoluut.' Ik keek haar aan. 'Was het lastig om op Yale homo of lesbo te zijn?'

'Het was lastiger om het niet te zijn. Wij hadden geluk met de tijd. Het was eerder zo dat sommige mensen er niet voor uit durfden komen dat ze hetero waren.'

Ik dacht aan Simons huidige openheid. Hij had me verteld dat hij nergens meer heen ging waar hij moest doen alsof hij hetero was. Zou hij dat punt hebben bereikt als hij in Madison was gebleven? Ik betwijfelde het.

'Ik had niet verwacht dat me hier zoiets zou overkomen,' zei ik.

'Dat met Kilroy?'

Ik knikte.

'Vanwege…'

'Mike. Ik bedoel, Simon heeft je erover verteld, hè?'

'Ik ben dol op hem, maar hij is niet discreet.'

'Het is goed,' zei ik. 'Het is prima.' Ik keek haar even aan, keerde me toen naar een plank vlak naast me en streek met mijn vinger over het ruwe oppervlak van een kleine zeester die erop lag.

Ze pakte iets van haar nachtkastje en bracht het op de binnenkant van haar geopende hand naar mij toe. 'Je moet deze eens bekijken,' zei ze. 'En voelen. Hij is heel zacht.'

Het was een stekelloos zeeëgeltje. Ik nam het van haar over en hield het in mijn hand, een zuiver wit schijfje geëtst met fijne naaldjes. Ik raakte het oppervlak aan, dat zo zacht was dat ik me voorstelde dat er fijn stof op mijn vingertoppen zou blijven zitten.

'Ik heb hem als kind op het strand gevonden,' zei ze. 'Het verbaast me altijd weer dat ik hem niet ben kwijtgeraakt.'

Ik gaf hem terug en keek toe hoe ze hem voorzichtig op haar nachtkastje teruglegde. Ik stelde me voor hoe ze in haar eentje op het strand was, in haar eentje maar zonder zich daarom te bekommeren. Een klein meisje met een gebloemd badpak en een grote strohoed. Gravend in het zand. In de wetenschap dat ze veilig was.

Lane moest boodschappen doen, en dus gingen we samen naar buiten en namen ergens op een hoek afscheid van elkaar. Het wolkendek trok op en viel uit elkaar, zodat er linten waterig blauw zichtbaar werden. Op de trottoirs wemelde het van de mensen, die me met gesticulerende handen en geconcentreerde gezichten passeerden. Waar anders dan in New York kon je een vrouw in een roze sari naast een man met groen haar en een gepiercte wenkbrauw zien lopen, met hun gezichten zichtbaar opgetogen naar elkaar toegekeerd? Ik vond het leuk hoe de winkels met elkaar contrasteerden: Cool Comix naast Manny's Shoe Repair, Laundromatic naast *Faïence de Provence*. Een poosje keek ik alleen naar de voeten van de mensen, me afvragend hoeveel voetgangerskilometers er dagelijks over elk stuk trottoir werden afgelegd.

De winkel in huishoudelijke artikelen had zes verschillende gordijnroeden. De roe met veren die ik nodig had kostte maar $3,99, en ik liep ermee door de winkel langs de Tupperware, de verlengsnoeren en de afvalemmers. Het verschafte een speciaal genoegen om rond te neuzen tussen spulletjes die volstrekt praktisch waren, tussen spulletjes die mensen nódig hadden. In een gangetje vond ik dozen met stukken karton waarvan je meubels kon maken: nachtkastjes, systeemkasten, klerenkastjes die je onder je bed kon schuiven. In de grootste doos zat een complete klerenkast, een in krimpfolie verpakte stapel karton met een opdruk van koolrozen. Voor twintig dollar kon ik mijn koffer uitpakken.

Terug in het huis scheurde ik het plastic open en vond de handleiding. Hij telde drie bladzijden en stond vol met gleuven-A en flappen-B. Binnen een paar minuten zagen mijn knokkels rood, maar ik liet me niet ontmoedigen. Ik drukte op het karton en trok eraan, en een uur later had ik een klerenkast. Hij paste precies tussen de futon en de muur, en had vijf laden die niet echt opengleden, maar wel werkten. Ik stortte de inhoud van mijn moeders oude Samsonite op de futon, een chaotische hoeveelheid met elkaar verstrengelde kledingstukken. Niet voor lang meer. Ik begon te vouwen en te schikken: truien, shirts, broeken, zelfs jurken en rokken, want ik wilde niets in de koffer achterlaten, nog geen sok. Als laatste belandden op de futon de zijden nachtpon en peignoir, nog steeds in het tissuepapier verpakt, maar nu helemaal verwrongen en gekreukeld. De onderste la kon niet echt open – zo strak stond de kast tussen de muur en de futon geklemd –, maar ik scheurde hem een paar centimeter in, pakte de beide zijden kledingstukken uit, streek ze zo goed mogelijk glad en legde ze op het gevoel in de la. Ik bracht de lege koffer naar beneden en borg hem met moeite weg op de bovenste plank van de kast met de strijkplank en de stofzuiger. Daarna ging ik terug naar boven en gaf mijn kartonnen kleerkast een liefkozend tikje. Het was veel beter zo.

Om vijf uur belde Kilroy. Hij stond op het punt de deur uit te gaan bij het reclamebureau waar hij de hele week had gewerkt en vroeg of ik met hem wilde afspreken bij McClanahan's, of misschien bij hem thuis, zodat hij zich kon ontdoen van zijn werkkleding…

Ik sprak bij hem thuis af. Ik was er het eerst en wachtte in de vestibule, me afvragend wat ik over de vorige avond moest zeggen en wat ik ervan moest denken. Ten slotte trok hij de buitendeur open en kwam binnen. Zijn haar was achter zijn oren gekamd, zijn gezicht gladgeschoren. Hij ging altijd eerst naar huis om zich te verkleden voor hij iets anders ging doen, maar ik zag hem graag in zijn werkkleding, knap op een ongemakkelijke manier. Vandaag droeg hij een kaki broek en een blauw overhemd dat de lichte plekjes in zijn ogen goed liet uitkomen. 'Sorry voor het wachten,' zei hij. Hij leek enigszins buiten adem. Hij opende de deur van de hal, ging even de postkamer binnen, kwam daar weer uit en drukte op het knopje van de lift. 'Pfff,' zei hij.

'Vermoeiende dag?'

'Ik heb me alleen gehaast.' Hij schoof zijn post onder zijn arm en pakte mijn hand. Hij stak zijn vingers tussen de mijne, maar toen de lift verscheen liet hij me weer los en stapten we de lift in.

'Wat heb jij vandaag gedaan?' vroeg hij.

'Een kleerkast gekocht.'

Hij trok zijn wenkbrauwen op.

'Van karton,' zei ik.

Er krulde een glimlachje om zijn lippen. 'Dat is eigenlijk heel erg hip. Frank Gehry heeft kartonnen stoelen die bij lieden met smaak erg in trek zijn.'

'Staan daar koolrozen op?'

'Dat betwijfel ik,' zei hij. 'Al heb ik de laatste ontwikkelingen niet helemaal bijgehouden.'

We kwamen op zijn verdieping aan, en hij hield de deur open terwijl ik de lift uit stapte. In zijn appartement legde hij zijn post in de keuken en ging vervolgens naar de slaapkamer. 'Zullen we een biertje gaan drinken?' riep hij.

Ik liep de hal door. Hij stond daar in zijn blauwe overhemd, de kaki broek had hij al over een stoelleuning gegooid. De afgelopen vierentwintig uur speelden door mijn hoofd: onze ravioli-maaltijd in het rumoerige Italiaanse restaurantje, Kilroys gesprek met Simon en Greg in de keuken, en toen de geschiedenis met Lane en haar school. Mikes stem aan de telefoon, mijn nacht alleen, mijn gesprek met Lane vanochtend. Eigenlijk wilde ik helemaal geen biertje gaan drinken. Ik liep naar hem toe, en trok intussen mijn sweater over mijn hoofd en gooide hem op het bed. Toen ik bij hem was schoof ik mijn vingers in het pijpje van zijn onderbroek en raakte zijn soepele ballen aan, die ik eventjes tussen mijn vingers liet rollen tot ik eraan toe was mijn vingers rond zijn beginnende erectie te plooien.

'Je verrast me,' zei hij met zachte, verstikte stem.

'Nog steeds?'

'Ja.'

Ik legde mijn hand op zijn mond, knoopte zijn overhemd open en schoof het van zijn schouders af zodat het op de vloer viel. Ik gooide mijn beha weg en manoeuvreerde ons beiden naar het bed. Ik trok zijn onderbroek uit en schoof omlaag tot zijn lid precies tussen mijn borsten zat, erdoor opgeslokt, en ik drukte mijn borsten samen en gleed op en neer over zijn lid, over zijn zachte warmte. Ik bracht mijn mond naar beneden, likte en zoog een poosje en stopte daar vervolgens opeens mee. Ik ging rechtop zitten en rukte mijn spijkerbroek en mijn ondergoed uit terwijl hij zwaar ademend naast me lag. Ik ging weer terug, nam zijn knie tussen mijn benen en zijn lid weer tussen mijn borsten, en we bewogen alsmaar, en toen kreunde hij, keerde me op mijn rug en duwde zich in me. Daarop bewoog hij steeds heviger op en neer, met zijn gezicht vlak boven me terwijl zijn haar langs mijn voorhoofd wreef. Toen kwam ik klaar, en toen hij, en vervolgens lagen we daar nat en hijgend, een hoop met elkaar verstrengelde armen en benen, en we praatten niet.

HOOFDSTUK 21

Die zondag besloot Kilroy dat we zelf moesten koken. Te veel afhaalmaaltijden, zo zei hij mij, waren slecht voor de ziel. Het was een koude oktoberdag, een dag die naar zijn zeggen schreeuwde om een stoofschotel met rundvlees. We verlieten zijn woning en liepen in zuidelijke richting. Om de een of andere reden snelde ik in gedachten voor ons uit naar een winkel in de Village waar ik op een dag tijdens mijn omzwervingen eens was aangeland. Hij had vol gelegen met de meest aanlokkelijke levensmiddelen die ik ooit had gezien: groente en fruit, prachtig uitgestald, worsten die aan het plafond hingen, manden vol brood, planken met verrukkelijk gebak, schalen met olijven, potten geïmporteerde mosterd en verse, schone vis op laagjes ijs. En bovendien een volstrekt ongelofelijke collectie vleessoorten. Alles perfect, alles ver buiten mijn bereik. Hoeveel zou ik moeten bijdragen? Kon ik doen alsof ik geen honger had om de hoeveelheid vlees die we zouden kopen terug te brengen?

'Balducci's?' zei Kilroy toen hij doorkreeg wat ik in gedachten had. 'Bij Balducci's koop je geen stoofvlees.'

'Je bedoelt: ík niet.'

Hij schudde zijn hoofd. 'Ik koop niks bij Balducci's. Goed, misschien als ik in een rare bui ben een stukje buitenlandse kaas dat een uur in de wind stinkt. Maar geen mens haalt daar stoofvlees – bij een stoofschotel gaat het er nu juist om dat je het taaie uit een matig stuk vlees laat wegsudderen tot je iets heerlijks over hebt gehouden.'

En dus gingen we naar A&P. We vulden ons wagentje met voorverpakt stoofvlees, wortels, uien, champignons, bacon, tomatenpuree, runderbouillon, laurierblad en een Frans stokbrood. Bij de kassa wuifde Kilroy het geld weg dat ik uit mijn portemonnee had gehaald.

'Het was mijn idee, ik trakteer.'

'Maar,' zei ik. 'Maar…'

Hij pakte een zak en schoof mij de andere toe. 'Je ontmant me als je me dit betwist.'

'Maar niet als ik een van die zakken draag?'

Hij schudde zijn hoofd. 'Dat staat ietsje lager op mijn lijst.'

Terug in zijn appartement namen we plaats in zijn onberispelijke keuken. Ik sneed de wortels en uien op een grote houten snijplank, terwijl hij het vlees aanbraadde met steeds drie of vier stukken tegelijk. Het kwam me allemaal heel bekend voor, en na een poosje realiseerde ik me waarom: op de high school hadden Jamie en ik eens een Frans kookboek uit de bibliotheek geleend en een complete Franse maaltijd, van *soupe à l'oignon* tot *tarte aux pommes*, voor Mike en Rooster bereid. (Het was erbarmelijk geweest, nu ik eraan terugdacht: Mike had trots een gegapte fles afgrijselijk zoete witte wijn meegebracht, en op het eind had Rooster gevraagd of er ijs was voor de 'taart'.) De hoofdschotel was bijna hetzelfde gerecht geweest dat Kilroy en ik nu klaarmaakten, een stoofschotel met rundvlees, gesauteerde champignons en gesmoorde pareluitjes. 'Hé,' zei ik, 'is dit in feite geen *boeuf Bourguignon*?'

Kilroy keek op van de stoofpot. 'Dat zou het zijn als we in Frankrijk waren. Hier is het gewoon een stoofschotel met rundvlees.'

Ik bloosde. 'O ja.'

Hij draaide zijn hoofd scheef. 'Kom op, niet zo doen. Ik heb gewoon een theorietje dat je moet oppassen met het overnemen van buitenlandse namen en uitspraken. Soms is het nodig, maar vaak doet het aanstellerig aan. Ik heb een vrouw gekend die zei: "Nu, volgende week ga ik naar *Roma*." "Heb je zin in een *kiesj lorrène*?" Ik kwam in de verleiding om haar te wurgen.'

'Wie was dat?' vroeg ik.

'Een vrouw.'

'Dat zei je al.'

Hij keerde zich weer naar het fornuis toe en gooide nog wat

vlees in de pan. 'Het klinkt alsof het een verwaand rijk type was,' zei ik. 'Was het een vriendin van jou?'

'Wat een gruwelijke gedachte.' Het vlees siste en spatte. Hij concentreerde zich erop en draaide het om met een lange houten spatel.

'Nou?'

Hij draaide zich om. 'Het was een vriendin van mijn moeder, goed? Ik kan je niks over haar vertellen waardoor ze interessant zou worden.'

Mijn gezicht gloeide en ik staarde naar de stapel fijngesneden groente op de snijplank. Daar gingen we weer.

'Zeg nog eens *boeuf Bourguignon*,' zei hij, met iets verontschuldigends in zijn stem nu hij op een ander onderwerp overschakelde.

Ik keek naar hem op. '*Boeuf Bourguignon*.'

Hij glimlachte. 'Ik had gelijk. Je hebt een goed accent.'

'Zes jaar Frans. Heb jij ook Frans gedaan?'

'Ik heb er gewoond, lang geleden.'

Ik legde mijn mes neer en staarde hem aan. 'In Frankrijk?'

Zijn lach werd breder en hij knikte.

'Ik wil al zo láng naar Frankrijk,' riep ik uit. 'Ik heb een boek over het modehuis Dior gelezen waardoor ik een poosje Française wilde worden. Hoe lang heb je er gezeten?'

'Ongeveer twee jaar.'

Mijn mond viel open. Ik pakte een stukje wortel en legde het weer neer, met klamme vingers.

'Je hoeft er niet zo van onder de indruk te zijn,' zei hij.

'Ik ben er niet van onder de indruk, ik ben helemaal verbluft. Heb je in Parijs gewoond?'

'Een tijdje in Parijs, een tijdje in de Provence.' Hij haalde zijn schouders op. 'Ik heb een zomer in de Dordogne doorgebracht.'

'Niet te geloven. Hoe oud was je toen?'

'Zevenentwintig, achtentwintig.'

Ik was opeens de kluts kwijt. 'En wanneer was dat?'

'Tien jaar geleden. Nog langer zelfs.'

Ik voelde dat mijn mond weer openviel.

'Ik ben veertig,' zei hij. 'Als je dat wilde weten.'

Veertig. Ik was ervan uitgegaan dat hij achter in de twintig was, dertig op zijn hoogst – bij Viktor en Ania had ik gedacht dat hij van mijn leeftijd was. Het idee dat hij veertig was en een uitzendkracht, dat hij een appartement bewoonde met niet meer meubels dan je op de vingers van je beide handen kon tellen, met niets aan de muren, geen troep – op de een of andere manier zat het me dwars.

'Waar denk je aan?' vroeg hij.

'Ik weet het niet.'

'Bedoel je dat je het niet wilt zeggen?'

Ik schoof wat wortelschraapsel bij elkaar en maakte er een klein hoopje van. 'Goed dan,' zei ik. 'Ik vraag me af waarom je me dat nooit eerder hebt verteld.'

Hij trok zijn wenkbrauwen op. 'Dat ik een tijdje in Frankrijk heb gezeten?'

'Dat je veertig bent.'

'Het is nooit bij me opgekomen,' zei hij met een schouderophalen. 'Wat verwachtte je van me? Dat ik een sollicitatieformulier zou invullen? "Leeftijd". "Verblijfplaatsen". Hij wierp me een doordringende blik toe: '"Mensen die u hebt gekend". Hij kwam dichterbij, legde zijn hand in mijn nek en trok me naar zich toe totdat onze voorhoofden elkaar raakten. '"Vermogen tot waardering van een leuk kleinsteeds meisje dat vol verrassingen zit". Hij zoende me en zijn lippen waren warm, zijn stoppels raspten over de huid rond mijn mond.

'Wat maakt het eigenlijk uit?' vroeg hij, terwijl hij terugliep naar de stoofpot. 'Veertig geeft niet aan wat ik ben, ik geef aan wat veertig is.'

'Misschien,' zei ik, maar ik moest denken aan wat mijn moeder een paar weken geleden aan de telefoon had gezegd, over je daden bepalen en erdoor bepaald worden. En doordat ik aan haar dacht besefte ik dat Kilroy qua leeftijd dichter bij mijn moeder stond dan bij mij.

Ik begon aan een fase van intensief luisteren, in de hoop dat ik meer over hem te weten kon komen. Ik verlangde feiten. Ik beschouwde mezelf als de eeuwige postdoc-studente die ik volgens hem moest worden, maar dan als een studente die hem bestudeerde, een onderzoekster in een studiecel, die aantekeningen maakte op een laptop. Ik had een bibliotheek achter me gelaten en er nu zelf een opgetrokken.

Maar de boekenplanken waren leeg. Of er stonden alleen echte boeken in: ik ontdekte hoe graag hij las. Hij las elke vier of vijf dagen een boek – forse, lijvige werken over de geologie van het zuidwesten van Amerika, de Russische kunst en iconografie, of de geschiedenis van het fundamentalisme in het Midden-Oosten. 's Avonds zat hij te lezen terwijl ik naaide: ik ging terug naar de stoffenzaak en kocht er twee verschillende soorten fijne zwarte stof van kunstvezel voor twee broeken met een zijrits. Vervolgens nam ik mijn Bernina mee naar zijn woning, zodat ik daar kon werken. Op sommige avonden zeiden we urenlang geen woord tegen elkaar en kwam het enige geluid van mijn naaimachine die er een naad uitratelde, waarop zijn boek antwoordde met het omslaan van een bladzijde. Op andere avonden keek hij na een half uur op en zei dat hij dorst had – had ik soms zin in een biertje en een spelletje pool bij McClanahan's?

Hij hield van lezen. Hij hield van bier. Hij hield van pool.

Hij hield ervan met mij te vrijen.

Wat hebben we nu, vroeg ik me af. Dit, zou hij hebben gezegd als ik het hem had gevraagd. Ons.

Op een zaterdagmiddag lag hij op zijn bank te lezen terwijl ik met de hand de zoom van de eerste broek naaide. Op een gegeven moment merkte ik dat ik dacht: *ik pak een draad aan de binnenkant van de pijp, en maak daarmee steken van ruim een halve centimeter voor de zoom.* Ik besefte dat ik mezelf tegenover hem aan het verklaren was, dat ik in stilte de alledaagse dingen vertelde, zodat ze hun plaats konden krijgen tussen wat hij over mij wist.

Ik hoorde een bons, en toen ik opkeek zag ik dat hij zijn boek had dichtgeslagen en het op de vloer had laten vallen. Hij sloot zijn ogen en rekte zich uit, waarbij hij zijn armen boven zijn hoofd strekte en zijn kousenvoeten kromde. Ontspannen keek hij mij aan en zei: 'Hoor je het?'

'Hoor ik wat?'

'De roep van de boekhandel. Hoor je niet dat kleine stemmetje dat roept: "Kilroy, Kilroy"?'

'Heb je dat boek uit?'

Hij veegde zijn haar van zijn voorhoofd. 'Eigenlijk zouden we naar de Strand moeten gaan zodat ik wat ruimte kan scheppen, maar ik denk niet dat ze hebben wat ik zoek.'

'Hoe bedoel je, ruimte scheppen?'

Hij gebaarde naar de boekenkast, die hoog en smal was en zo vol zat met boeken dat ik niet zag hoe er nog een bij kon. 'Tijd om uit te dunnen. Bij de Strand kopen ze gebruikte boeken op.'

'Waarom koop je er niet gewoon een boekenkast bij?' Dat had ik al eens eerder bedacht: hij had er zeker genoeg muurruimte voor.

Hij schudde zijn hoofd. 'Dat is streng verboden.'

'Door wie?'

'Door mijzelf, natuurlijk.'

Ik keek hem raar aan.

'Dit is mijn boekenkast,' zei hij. 'Als hij te vol is snoei ik alles weg wat zijn glans voor me heeft verloren.'

'Waarom?'

'Omdat ik dat zo doe, Carrie. Waarom berg jij je spelden op die manier op?'

Ik keek naar mijn speldenkussen: op de een of andere manier had ik de gewoonte ontwikkeld om mijn spelden er in rijtjes in te prikken. 'Ik ben ordelijk,' zei ik.

'Ik ook.'

'Nee, jij verloochent jezelf.'

'Gewoon een vorm van ordelijkheid,' zei hij met een lachje.

Ik liet mijn blik door zijn appartement gaan, waar de middag-zon schuin naar binnen viel en schaduwblokken op de kale muren wierp. 'Heb je daarom helemaal geen familiefoto's aan de muur?' vroeg ik. 'En geen kunst?'

Zijn hoofd tolde heen en weer. 'God, ik ben de kunst vergeten.'

'Even serieus,' zei ik. 'Zou het niet leuk zijn om één schilderij aan de muur te hebben? Eén heel mooi schilderij waar je heel erg op gesteld bent?'

'Stel je de druk eens voor,' zei hij met een milde lach. 'Eén heel mooi schilderij. Voor die beslissing ben ik niet mans genoeg.'

Hij ging overeind zitten, en ik zuchtte en begon gefrustreerd mijn spulletjes op te bergen. Omdat ik genoeg had gekregen van de kleine geaquarelleerde peer boven mijn futon in het oude huis, had ik hem van de muur gehaald en in plaats daarvan een foto van een huis op een open veld opgehangen, gefotografeerd in een diepe, vochtige nevel. Als Kilroy niet kon besluiten tot één schilderij, waarom deed hij dan niet net als ik, en begon hij zijn eigen cyclus van kiezen en weer vervangen? Had hij dat al achter zich, was hij veertig en vermoeid? Was hij toe aan visuele stilte? Ik dacht van niet. De kaalheid van zijn appartement diende om iets te vermijden, net zo goed als de leegte van zijn verleden.

'Dat is trouwens een apart speldenkussen.'

Hij stond nu dicht bij me, en ik hield hem het speldenkussen voor zodat hij het kon bekijken. Het was een klein speldenkus-sentje van rode zijde dat Mikes moeder in Chinatown voor me had gekocht toen ze 's zomers met zijn allen naar San Francisco waren geweest. Erbovenop stond een kring van kleine opgevul-de figuurtjes met ineengeslagen armen. Ze hadden allemaal een andere felle kleur.

'Het komt uit San Francisco,' zei ik.

'De stad van de mosselgerechten.'

'Wat?'

'Ik heb er bijna niets anders gegeten. Geweldige stad, hè?'

'Ik ben er nooit geweest. Mikes moeder heeft het voor me gekocht.'

We keken elkaar een ogenblik aan. Daarna gaf hij me het speldenkussen terug en liep weg terwijl ik het kussen in mijn naaimandje borg, naast mijn oranje schaar en mijn zware kartelschaar.

'Had je een hechte band met haar?' vroeg hij.

Ik aarzelde even. Op een eigenaardige manier wist ik zeker dat hij hoopte op een bepaald antwoord, al wist ik niet welk. 'Ja,' zei ik ten slotte. 'We gingen als een ongelofelijk beleefde moeder en dochter met elkaar om. Zij noemde mij schat, en ik hielp haar soms in de tuin.'

'En verder?'

'Je weet wel.'

'Ja, maar tussen Mike en jou begon het al minder te gaan. Wat had dat voor uitwerking? Hoe stonden jullie vlak voor het ongeluk tegenover elkaar?'

Die laatste maanden voor het ongeluk, de trage dooi in het voorjaar... Ik herinnerde me hoe ik met haar voor hun huis had gestaan om de eerste paarse krokusjes te bewonderen en hoe ze haar beide handen bij haar hals had gehouden, zo ingenomen was ze ermee. Maar op een andere dag, in de loop van mei, had ik aan hun keukentafel gezeten terwijl Mike boven iets pakte, en zij was bij me komen staan en had met zachte, bezorgde stem gevraagd: 'Gaat alles wel goed?'

'Ik denk dat ze probeerde het niet te zien,' zei ik tegen Kilroy. 'Net als alle anderen.'

We gingen in zuidelijke richting, naar het gevreesde SoHo – in MacDougal Street was een boekwinkel die volgens hem moest hebben wat hij wilde: een vertaalde biografie van Galileï. In de lucht boven ons roerden enorme wolken met grijze randen zich hevig. Ik bedacht hoe Kilroy, aangezien hij hier was opgegroeid, de stad in zijn bloed moest hebben, hoe het verkeer, de mensen en het lawaai voor hem even natuurlijk moesten zijn als hun afwezigheid voor mij. Ik bedacht dat het tumult van New York mij nooit natuurlijk zou voorkomen, ook al zou ik hier mijn hele verdere leven wonen. Ik hoopte van niet, want ik vond het prettig hoe bewust ik me ervan was, hoe de deur uitgaan steeds weer een gebeurtenis was, het ondergaan van een soort vuurproef.

In de boekwinkel scheidden onze wegen zich. Ik dwaalde af naar een uitstalling met grote, kostbare boeken met modefoto's. Ik bladerde diverse boeken door en bestudeerde hoe een bepaalde ontwerper van het ene punt naar het andere was gekomen en hoe het kleurgevoel van een andere ontwerper zich had ontwikkeld. Als ik wat meer geld had, kon ik proberen na de broeken iets ingewikkelds te maken – een pakje, misschien. Of ik kon proberen twee patronen te combineren om af te komen van de lelijke mouwen van het ene patroon met behoud van het silhouet, en op de voorkant van een ander patroon de ronde hals in een V-hals veranderen, om te kijken of dat me zou lukken.

Geld, geld, geld. Ik raakte door mijn spaargeld heen: hier tien dollar, daar weer twintig of dertig. Ik had mijn moeder gevraagd een onderhuurder voor mijn etage te zoeken, met maandelijkse huurovereenkomst, en ze had een rechtenstudent gevonden die mij naast mijn huur honderd dollar betaalde, maar dat was helemaal niks in New York, net genoeg voor de ondergrondse. Mijn creditcard brandde zowat in mijn portemonnee, maar daar wilde ik niet aan beginnen – ik was nog steeds de verantwoordelijke persoon waarvoor Jamie me had uitgemaakt. Het lag voor de hand dat ik mijn auto zou verkopen – het was een last, een kwelling. Maar het was mijn auto, het enige plekje in New York waar ik me helemaal mezelf kon voelen, zelfs al was het maar voor de tien of vijftien minuten die het duurde om hem elke paar dagen te verplaatsen.

Ik legde het boek dat ik in mijn handen had neer en richtte me op een ander boek. Op het omslag stond een imposante zwart-witfoto van een vrouw voor een oud stenen gebouw – misschien een kerk. Ze droeg een volumineuze donkere cape met de kap omhoog, en het enige wat je van haar kon zien was haar mooie gezicht, geheimzinnig en gesloten: ze had lange, gebogen wenk-brauwen en een mond met volle lippen.

Er stond iemand vlak achter me. Ik draaide me om en ont-waarde een vrouw van vijfenveertig of vijftig: zorgvuldig opge-maakt, met goud aan haar oorlellen en om haar hals. Ze droeg een lange, tabaksbruine jas over een broek en een trui van dezelfde kleur – een jas die overal bij kon, bedacht ik.

Haar blik trof de mijne en richtte zich toen op de foto. 'De zelfgenoegzaamheid van de opperste schoonheid,' zei ze met een licht neusophalen.

Ik lachte. 'Ik vond juist dat ze er complex en mysterieus uit-ziet.'

Ze schudde haar hoofd. 'Dat is wat ze je willen laten denken, maar ze is net een odalisk van Matisse of iets dergelijks, verza-ligd van zelfingenomenheid.' Ze bleef even staan, draaide zich vervolgens om en bestudeerde de planken achter mij, waarbij op een klein houten bordje in het gangpad geschreven stond: FILO-SOFIE EN RELIGIE.

Ik richtte me weer op het boek, teleurgesteld dat ze niet meer had gezegd. Het was weer zo'n typisch New Yorks moment, zoals bij de foto-expositie met Simon: een onbekende sprak een ondoorgrondelijke, schitterende zin uit – pretentieus, mis-schien, maar ook onvergetelijk – om vervolgens door te lopen. Misschien zou New York dat uiteindelijk voor me worden: een verzameling van zulke momenten die zich zouden opeenstape-len tot een leven.

Ik keek nog eens naar de foto. Het trof me nu dat het belang-rijkste aspect ervan niet werd gevormd door de vrouw in de cape, maar door de manier waarop het donkere, gladde vlak daarvan contrasteerde met de ruwe, lichtgekleurde stenen, en door de manier waarop de over haar hoofd gedrapeerde kap deed denken aan een klok. Een cape was geen type kledingstuk dat ik ooit serieus had genomen, maar ik bedacht nu dat ik daarin ongelijk had gehad. Terwijl ik hem bewonderde – met zijn lange, vloeiende lijnen en elegante, schuine kap – stelde ik me hem voor in antracietkleurig tweed met een zachtroze voering van kasjmier of merinowol. En toen opeens meende ik Jamie, even duidelijk als een echte stem, te horen zeggen: *Ja, als je eruit wilt zien als de French Lieutenant's Woman.* Ik voelde een stevige ruk, van Jamies grote gekwetstheid die me naar huis terug sleurde. Ik moest haar gauw bellen.

Even later vond ik Kilroy bij de reisboeken, met een opengeslagen boek in zijn handen. Toen hij mij zag sloeg hij een grote kleurenfoto op van een straat omzoomd door hoge wilde kastanjebomen, allemaal in volle bloei. 'Parijs in april', luidde het bijschrift.

'Zullen we?' zei hij.

'Heb je je Galileï-boek gevonden?'

Een traag lachje deed zijn mondhoeken opkrullen en hij tikte op het boek. 'Naar Fránkrijk,' zei hij. 'Zullen we naar Frankrijk gaan?'

Ik staarde hem aan – naar zijn over zijn voorhoofd hangende haren en zijn scherpe, spitse neus. Er was iets serieus in zijn uitdrukking, iets vastberadens. 'Oké,' zei ik. 'Doen we.' En hij knikte kordaat.

'Goed, afgesproken dan.'

Hij kocht het boek over Galileï, en vervolgens verlieten we de winkel en gingen in oostelijke richting. Het was half oktober, en de vrouwen die ik zag deden me denken aan de kleuren van het jachtseizoen, de bruine en geelbruine tinten van het land en het glanzende donkergroen van de vogels waarop jacht werd gemaakt. Een oudere vrouw droeg een paisley stola over één schouder, die langs haar hing als een prachtig gekleurde vleugel.

Ik vertelde Kilroy over de vrouw en het boek met modefoto's. 'Ze sprak het uit als een proclamatie: "De zelfgenoegzaamheid van de opperste schoonheid." Daarna ging ze weer snuffelen bij de filosofie en religie.'

Hij bewoog zijn hoofd naar achteren en lachte. 'Perfect. Waarschijnlijk is het een bekend kennismakingsplekje, het laatste punt waar would-be intellectuelen het proberen voor ze een kennismakingsadvertentie in *The New York Review of Books* zetten. Had ze een uitstraling van vergevorderde seksuele begerigheid? Waarom trouwens "de zelfgenoegzaamheid van de opperste schoonheid"? Waarom niet: "de schoonheid van de opperste zelfgenoegzaamheid"? Of iets totaal anders – het is een leuk taalkundig recept, je neemt gewoon twee zelfstandige naamwoorden en een adjectief, en je speelt er wat mee. Bijvoorbeeld "de afwezigheid van herkenbare intelligentie".' Hij gaf me een porretje met zijn elleboog. 'Kom, jouw beurt.'

Ik schudde mijn hoofd. 'Ik weet er geen.'

'De charme van de uiterste bescheidenheid. De volmaaktheid van de totale onschuld.'

'Maak je me nu belachelijk?'

'Absoluut niet. Mezelf. De *bouleversement* van het plotselinge geluk.' Hij lachte lief naar me en pakte mijn hand, wat hij op straat nooit eerder had gedaan. Ik voelde me opeens raar, alsof ik van een afstand verliefd op hem was, alsof we om elkaar heen draaiden en ons afvroegen wat er te gebeuren stond.

We hadden niet geluncht en even later, ergens op Lafayette Street, aten we soep in een klein zaakje dat me niet zou zijn opgevallen als Kilroy me er niet op had gewezen: een zaakje in een smalle winkelpui met een hoog plafond en boven elk tafeltje een hanglamp van sierglas. We gingen aan de bar zitten en aten schelpen-roomsoep met oyster crackers, terwijl hij sprak over combinaties van gerechten: oude beproefde, zoals deze, vreselijke blunders zoals bacon in warme aardappelsalade, en gedurfde combinaties zoals in bier gestoofd rundvlees – wat kon

– en peren met chocoladesaus – wat niet kon. Chocoladesaus, vond hij, moest voorbehouden blijven aan vanilleijs, en vice versa.

'En dan hebben we nog de salade van wortel met rozijnen,' zei hij. 'Een van de allergruwelijkste dingen die ik ooit heb gegeten.'

Ik had net een lepel soep in mijn mond en moest mijn uiterste best doen om hem door te slikken zonder in de lach te schieten. Ik had tientallen, misschien wel honderden keren salade van wortel met rozijnen gegeten: het was een van mevrouw Mayers specialiteiten, samen met boeuf Stroganoff. Mike had er een hele Tupperware-bak van mee naar de plas genomen op Memorial Day, en ik zag glashelder weer mijn vuile kartonnen bordje voor me op de pier, met een halvemaanvormig stukje hamburgerbrood en een natte plek met wat reepjes wortel erop, glinsterend van de mayonaise-dressing.

'Wat?' vroeg Kilroy. 'Is salade van wortel met rozijnen soms een grote favoriet in het verre Wisconsin?'

'Een heel grote favoriet. Een barbecue is niet compleet zonder.'

Hij schudde zijn hoofd. 'Wat een gruwel.' Hij pakte zijn pakje crackers en strooide er nog een paar over zijn soep. 'Barbecues ook. Moet je je voorstellen: "We nemen een stuk vlees van een beest en steken het in brand." Ik neem aan dat het de vroege in sociaal verband levende mens aansprak, vanwege de kameraadschappelijke sfeer rond het kampvuur en de poging om de opdringende duisternis buiten te sluiten.'

Hij grijnsde me toe, en ik glimlachte: hij had gesproken met wat ik beschouwde als zijn snoeverige stem, waarmee hij poseurs en dikdoeners placht na te doen. Hij was ook een intellectueel, maar van het soort dat er niet bij hoort en alle anderen bekritiseert. Echt dol was hij op het ontvouwen van theorieën, zoals toen hij mij vertelde dat alle straten in New York nerveus, majestueus of gesloten waren, en dat alle taxichauffeurs gespannen of juist ongedisciplineerd waren. Een paar dagen geleden, tijdens een wandelingetje, had hij verteld dat hij tot de conclusie was gekomen dat de duiven op Washington Square een complexe sociale structuur kenden, zodat wanneer je op een bepaald moment een duif zag dat geen kwestie van toeval was maar van een geheime rangorde.

'Je bent een snob,' zei ik nu. 'Een grootsteedse snob.'

'Oei. Hoe dat zo, heb je vaak gebarbecued?'

'Natuurlijk,' zei ik, maar daarmee had ik niet alles gezegd: het ging er niet om wat ik had gedaan, maar om wat *wij* hadden gedaan. Wij. Mike en ik. En opeens was ik weer terug in Madison, op de avond voor het ongeluk, en keek ik vanuit mijn slaapkamer toe hoe Mike onze hamburgers op het grillrooster op de oprijlaan legde en vervolgens tegen de oude garage leunde terwijl ze werden geroosterd. Mijn ogen waren nog warm van mijn recente huilbui die was begonnen in de keuken terwijl ik hem op de bank zag liggen, alsof dat de enige plek op de wereld was waar hij werkelijk thuishoorde. Toen hij mij hoorde kwam hij meteen van de bank naar me toe. Maar nadat hij me een poosje had vastgehouden maakte ik me van hem los en pakte de bakplaat met de rauwe hamburgers, die ik hem toeschoof zodat hij zich tussen ons in bevond, zijn aandacht afleidde van wat er zojuist was gebeurd en hem weer attendeerde op het eten. Hij nam hem aan en liep zonder een woord te zeggen via de trap bij de achterdeur de oprijlaan op. Toen ik hem een paar minuten later vanuit mijn slaapkamerraam gadesloeg, had ik het gevoel dat er iets in me lossloeg en werd ik razend. *Kijk omhoog,* dacht ik. *Kijk omhoog.* En ten slotte deed hij het, hij keek omhoog en staarde me aan: lang en trouwhartig. Hij stond te kijken met zijn armen naast zijn lichaam, de spatel in zijn rechterhand, en net toen ik dacht dat ik het niet langer uithield, toen ik wilde gaan zwaaien, nam hij de spatel in zijn linkerhand, bracht zijn rechterhand naar zijn voorhoofd en salueerde.

Kilroy zat naast me, zijn lepel in de lucht geheven, en keek me aan. 'Wat is er?' vroeg hij.

Ik voelde me wankel. Ik liet mijn lepel rammelend in de soep-kom vallen. Ik bracht mijn handen naar mijn gezicht, zodat ze mijn mond en neus bedekten maar mijn ogen vrij lieten. Ik sloot ze niet, zodat ik het bord met de specialiteiten aan de andere kant van de bar kon zien: schelpen-roomsoep, reuben sandwich en kalkoen in jus. De ober, een jongen van mijn leeftijd met een donkere huid, die op een kruk in de *Post* zat te lezen. Het koffie-zetapparaat – geen espressomachine maar een koffiezetapparaat – met een pot met een bruine tuit voor de gewone koffie en een pot met een oranje tuit voor de cafeïnevrije koffie. De mensen achter ons, gereflecteerd in een spiegelrand: twee in het zwart geklede vrouwen van in de dertig, een oudere man onder de verfspatten, een jongen met een staartje in gesprek met een vrouw met grijs haar en een mosterdgeel pakje. Uit niets kwam naar voren dat dit New York was en niet Madison, maar toch kwam het naar voren. Misschien zat het in de hanglampen, of in het extra hoge plafond van geperst metaal. Misschien zat het in mij.

'Het gaat langzaam,' zei Kilroy, en hij raakte mijn arm aan. Hij tilde zijn hand op en liet hem langs mijn achterhoofd gaan. 'Het duurt zo lang als het duurt.'

HOOFDSTUK 22

Ik wist dat Kilroy gelijk had en dat ik tijd nodig had, maar ik wilde het achter de rug hebben en me goed kunnen voelen. Tegelijk wilde ik dat Mike zich ook goed voelde en dat hij er vrede mee had dat ik er niet voor hem was, maar ik wist dat dat onmogelijk was.

De herfst was erg koud in Madison, de wind kwam dan van over de meren en drong overal doorheen. Ik dacht aan de lange, brede ramen van de fysiotherapie-zaal en Mikes uitzicht daar doorheen: bomen zonder bladeren, die skeletachtig afstaken tegen de grijze lucht. We hadden er altijd voor gezorgd in oktober naar Picnic Point te gaan om een lange wandeling tussen de verkleurende bomen te maken. Het was nu bijna november. Ik dacht steeds meer aan hem, totdat het denken aan hem uitgroeide van een daad tot een aanwezigheid in me, een doffe pijn midden in mijn borst. Toch belde ik hem niet meer. Wat kon ik verder nog zeggen, naast *het spijt me*? Ik kon niets bedenken.

Het begon te regenen. Er viel een lichte, kille regen die de hele stad somber maakte. Buiten zijn was onprettig, maar binnen zijn, gevangen zitten met het idee dat iedereen in de stad zich opgesloten voelde, ook. Ik was te rusteloos om boeken te kunnen lezen, en daarom kocht ik een stapel modebladen en las ze met een zorgvuldigheid alsof ik ze voor school moest bestuderen.

Op een middag zat ik in mijn kille alkoofje bij het zwakke licht van mijn lamp in de *Vogue* te kijken. Ik rilde alleen al bij het zien van de voorjaarsjurken, maar ik bladerde verder. Wat was er toch met mode? Sinds mijn aankomst in New York had ik die fascinatie, die dwangmatige neiging om naar kleren te kijken, gekoesterd. Het had niet zozeer te maken met schoonheid als wel met transformatie. Wat voor iemand zou ik worden met een wijde turquoise paisley jurk en sandalen met kraaltjes aan?

Tegen vijven was het buiten helemaal donker – de vroege, drukkende duisternis van een novembermiddag, met nog een lange nacht voor de boeg. Ik hoorde voetstappen, en Lane verscheen boven aan de trap met een nog druipende ingeklapte paraplu. Ze reageerde pas in tweede instantie toen ze mij in elkaar gedoken onder Simons ruwe deken zag zitten. 'Carrie,' zei ze, 'je ziet eruit alsof je het ijskoud hebt.'

Ik haalde mijn schouders op. 'Alleen de hand waarmee ik de bladzijden omsla.'

'Kom even op mijn kamer,' zei ze. 'Ik meen het. Ik ga thee voor ons zetten – ik moest juffrouw Wolf de hele middag voorlezen en mijn keel kan wel wat gebruiken.'

Het was warm in haar kamer, en er stonden bakken met water onder de radiatoren zodat het niet te droog zou aanvoelen. Ze wees mij de leunstoel, sloot een elektrische ketel op het lichtnet aan en hield mij een koektrommeltje vol theezakjes voor. Ik koos orange pekoe en zelf nam ze lemon mint. Daarna haalde ze kopjes van een plank en legde de theezakjes erin. Toen de ketel ging fluiten trok ze stekker uit het stopcontact en goot het kokende water op.

'Weet je, je mag op mijn kamer zitten als ik er niet ben,' zei ze. 'Het is daar veel te koud.'

'Dank je.'

De thee was geurig. Ik nam langzame teugjes van mijn thee en hief vervolgens het kopje op om naar de bloemetjes langs de rand te kijken – kleine paarse bloesems afgewisseld met donkergroene bladeren. Over het tere oortje van het kopje liep een gouden lijntje, evenals rond de onderkant.

'Het komt van mijn grootmoeder,' zei Lane vanaf haar bed, waar ze in kleermakerszit op haar dikke dekbed zat. Ze hield haar kopje omhoog, dat hetzelfde motief had. 'Ik heb na haar dood het servies geërfd.'

'Jij? Niet je moeder?' Mijn moeder had het porseleinen servies van haar moeder in een kast in de eetkamer staan. Als we het gebruikten, op verjaardagen en feestdagen, zei ze spottend dat we er voorzichtig mee moesten zijn omdat ik het zou erven – we moesten het met de hand afwassen, afdrogen en meteen weer op zijn plaats zetten.

'Het was mijn grootmoeder aan vaderskant,' zei Lane. 'Hij is overleden toen ik nog een kind was, en daarom was ik haar enige nazaat.'

Ik keek naar haar boekenkast waar de lichtblauwe boekjes stonden. Hoe luidde haar dichtregel ook alweer? *De vader van het geheugen.*

'Ik heb haar piano ook gekregen,' zei ze. 'En ik heb geen idee wat ik ermee aan moet.'

'Speel je niet?'

'Een beetje, maar ik ga hem hier toch maar niet neerzetten.'

We glimlachten naar elkaar. De begane grond van het huis was uitsluitend met afdankertjes ingericht – smerige oude sofa's, kapotte tafels, stoelen die opnieuw moesten worden bekleed. Alles wat mooi was bevond zich op de slaapkamers en werd apart gehouden.

'Op een gegeven moment heb je een huis waar je hem neer kunt zetten.'

'Of een appartement,' zei ze. 'Misschien nemen Maura en ik er samen een.'

Maura was haar vriendin – een lange roodharige vrouw die op Wall Street werkte. 'Waar woont ze nu?'

'In een studio, een heel eind weg in de East Nineties. Het is een ellende, maar ze wilde hier niet wonen.'

'Waarom niet?'

'Ze kan niet te veel Simon tegelijk verdragen.' Ze stond op, liep de kamer door, pakte een foto van een plank en liet hem aan mij zien. Er stond een oude dame in een bloemetjesjurk op die voor een groot houten huis op een rieten stoel zat met een klein kind op schoot. Naast hen stond hand in hand een stel met bijpassende strohoeden op. 'Mijn oma, mijn ouders en ik,' zei Lane.

Ik nam de foto aan en bestudeerde hem. Het paar was nog jong, rond de dertig, en de man stond met zijn tenen iets naar buiten en omhooggericht, zoals Lane ook wel kon staan. In het kind kon ik de Lane die ik kende onderscheiden: in de spitse kin en de smalle, gebogen wenkbrauwen. 'Hoe oud was je toen hij stierf?' vroeg ik.

'Zeven.'

Ik gaf haar de foto terug en knikte.

'Wat is er?' vroeg ze.

'Wat bedoel je?'

'Zoals je kijkt. Is jouw vader ook dood?'

Ik vroeg me af wat ze had gezien. Een poosje later zei ik: 'Hij is bij ons weggelopen. Toen ik drie was.'

'O, het spijt me.'

'Het is goed.'

Ze haalde een verpakking te voorschijn en bood hem mij aan, zandkoekjes die strak in cellofaan met een Schots ruitje zaten. Ik wurmde er een koekje uit en daarna nam ze er zelf een.

'Hij is – zomaar weggelopen?' vroeg ze. Ze hield haar koekje vast zonder erin te bijten.

Ik nam een hap van mijn koekje en knikte.

'Maar je weet waar hij is,' zei ze. 'Je hebt contact met hem.'

Ik schudde mijn hoofd. 'Misschien zit hij wel in China. Ik weet het niet. Of in New York.'

Aan weerszijden van haar neusbrug verscheen een rimpel. Ze liep terug naar haar bed, legde het koekje naast haar thee neer en keek me weer aan, met een verontruste uitdrukking op haar gezicht. 'Je hebt hem sinds je derde niet meer gezien? Hij is gewoon in leven en jij weet niet waar hij zit?'

Ik knikte. 'Vermoedelijk.'

'Betaalde hij geen alimentatie?'

'Ooit van blutte pappies gehoord?'

'God,' zei ze.

'Mijn moeder heeft een tijd naar hem gezocht, maar toen had

ze zoiets van, als hij niet bij ons wil zijn...' Mijn stem stierf weg en ik staarde naar mijn schoot. Het was vreemd om erover te praten.

Ze pakte haar theekopje op, blies erover en zette het weer neer zonder te hebben gedronken. 'Dan denk ik dat we iets gemeen hebben – we zijn zonder vader opgegroeid.'

'Ja, blijkbaar.'

Ik zette mijn thee op de vloer, stond op en stapte naar het raam. Vanaf het zwarte glas staarde mijn spiegelbeeld me aan. Mijn haar hing op mijn schouders, een beetje kroezend van alle regen.

'Vraag je je ooit weleens af,' zei Lane, 'hoe je leven eruit zou zien als je vader gebleven was? Of je het nog wel terug zou kennen?'

Ik knikte zonder me om te draaien. In de loop der jaren had ik bij tijd en wijle gedacht dat alles anders zou zijn geweest als mijn vader niet was vertrokken – ik zou misschien nooit verkering met Mike hebben gekregen. Ik dacht aan het telefoongesprek met mijn moeder in september – hoe ik daarna het gevoel had gehad dat mijn vader op de een of andere manier mijn ontgoocheling thuis had veroorzaakt of op zijn minst gestimuleerd. Nu ging ik nog verder en beschouwde ik zijn verdwijnen als een fysieke kracht die mij van het rustige huis van mijn moeder naar het rumoerige huis van de Mayers had gejaagd en me vervolgens weer verder had gedreven. Hij had me geleerd dat trouw, verantwoordelijkheid en liefde niets voorstelden. Dat ze waardeloos waren: licht en oplosbaar als zeepbellen. *Jump on a ferrie, Carrie. Just set yourself free.*

'Waar denk je aan?' vroeg Lane.

Ik draaide me om. 'Zoiets als dat gebeurtenissen zo veel macht hebben – dat ze zo veel bepalen.'

'Dat vind ik altijd van mensen.'

'Zoals je vader?'

Ze glimlachte dromerig. 'Hij was een rare vent. De ene minuut zat hij vol plannen – dan zou hij me meenemen naar het circus, dan zouden we zélf een circus beginnen – en daarna ging hij op een oude bank in onze huiskamer liggen, met zijn blote voeten op de armleuning, zijn teennagels helemaal geel verhoornd, en dan sloeg hij nauwelijks meer acht op me. Hij had namelijk een hersentumor, maar dat kwam ik pas later te weten. Ik was zes of zeven, dus het woord "hersentumor" kan niet meer kracht hebben gehad dan hij.' Ze glimlachte weer. 'Ik denk dat het net zozeer een gevolg is van hem als van zijn dood.'

'Dat wat daar een gevolg van is?'

Ze haalde haar schouders op. 'Ik.'

Ik dacht na over de man die ik me herinnerde. De man in badjas die schreeuwde naar mijn moeder, de man met de paaltjes in de besneeuwde tuin. Ik kreeg een bepaald gevoel wanneer ik aan hem dacht, een dof, bedrukt gevoel, waarvan ik altijd had verondersteld dat het voortkwam uit wat hij had gedaan, niet uit zijn persoon. Nu vroeg ik me af hoe het in die drie jaar van zijn aanwezigheid was geweest: mijn moeder met een klein kind in huis, en die man met zijn woede en chagrijn. Hoe vaak had ze mij appelmoes zitten voeren terwijl hij aan het tieren was of op iets zat te broeden, binnenkwam of naar buiten stormde? Mijn moeder met een baby in haar armen en later een peuter op haar heup, zodat hij haar niet eens volledig tot zijn beschikking had om met hem te ruziën. Ze was eenentwintig toen ze met hem trouwde en drieëntwintig toen ik werd geboren – net zo oud als ik nu.

Lane zette haar thee aan de kant en draaide zich op haar buik. Ze plantte haar ellebogen op haar dekbed en liet haar kin op haar kleine vuisten rusten. Haar handen waren doorzichtig, met bleekblauwe, golvende aderen, als meanderende rivieren gezien van grote afstand. 'Juffrouw Wolf zegt me altijd dat het gezin de vijand van de kunstenaar is,' zei ze. 'Maar ik denk dat het gezin juist de kunstenaar *is*. Net als de lucht, of alle boeken die je hebt gelezen.'

Ik knikte, maar dacht aan alle ontwijkende antwoorden van Kilroy over zijn familie en zijn verleden. Wat deed hij nu met al die boeken die hij las? Vulde hij zichzelf, vulde hij zichzelf opnieuw om wat er eerder was geweest steeds verder weg te schuiven?

Een paar dagen later kwam er met de ochtendpost een klein pakje in het huis aan, een kleine gewatteerde enveloppe met mijn naam erop. Het handschrift kwam me vaag bekend voor, maar ik kon het niet thuisbrengen. Het poststempel was van Madison.

Erin zat alleen, zonder begeleidend briefje, een niet geëtiketteerd cassettebandje. Opeens wist ik dat het van Mike afkomstig was en dat mijn naam op de enveloppe geschreven was door zijn moeder, die zich er niet toe had kunnen brengen haar eigen naam en adres in de linker bovenhoek te zetten.

Het huis was leeg, en hoewel ik zeker wist dat ik een van de installaties in huis kon gebruiken, vond ik dat ik dat eerst moest vragen. Ik ging met het bandje naar mijn auto, die twee blokken zuidelijker onder een kale boom geparkeerd stond. De autostoel voelde koud door mijn spijkerbroek heen. De auto startte vlot, sputterde en sloeg weer af. Door alle regen rook hij vochtig. De motor kwam weer aan de praat, ik gaf een beetje gas, zette de verwarming aan en schoof het bandje in de cassettespeler.

Allereerst weerklonk er een krakerig geluid, en vervolgens de stem van mevrouw Mayer, die fluisterde: 'Oké, alles staat goed.' Vervolgens haar voetstappen, ik zag voor me hoe ze zich van Mikes bed naar de deur spoedde. En toen een zwakke klik – het sluiten van de deur.

Het eerste geluid van Mike was een diepe zucht, en ik beet op mijn lip, me afvragend of ik het zou kunnen verdragen.

'Hallo Carrie, het is dertig oktober. Ik denk dat ik dat moet zeggen – als ik je een brief zou schrijven zou ik het opschrijven. Ik wilde proberen te schrijven, op de computer bij bezigheidstherapie, maar ik wou niet dat het vijf jaar zou gaan duren, dus... Hé, bedankt dat je laatst belde. Loop je nog steeds overal rond? Wees wel voorzichtig, hè. Ik weet dat je er niet op zit te wachten dat ik zeg dat je voorzichtig moet zijn, maar ga niet 's nachts in je eentje op stap en zo, oké?' Er viel een lange stilte. 'God, wat is dit raar. Sorry. Weet je, als je een brief schrijft kun je stoppen en nadenken over wat je daarna gaat zeggen, maar als ik stop krijg je alleen een leeg stuk band. Of misschien hoor je me ademhalen.

Hé, wat ik nu bedenk, ik heb fantastisch nieuws. Ben je er klaar voor? Rooster gaat trouwen. Met Joan. Kun je het geloven? Niemand kan het geloven, iedereen heeft het er steeds maar over dat hij het niet kan geloven, wat eigenlijk nogal beledigend voor Rooster is, als je erover nadenkt. Ik geloof dat hij haar in Oconomowoc gevraagd heeft, ze waren daar op een zaterdag heen gegaan. Ik heb die jongen nog nooit zo gelukkig gezien. En zij is erg aardig. Ik weet niet hoe goed jij haar hebt leren kennen, maar ze is geweldig. Het gaat eind december gebeuren en – ik bedoel was jij van plan met de kerst thuis te komen? Ik weet dat hij wil dat je komt, je zult zeker nog van hem horen.

Iets anders. Ik heb een nieuwe kamergenoot, Jeff is naar huis gegaan. Dit is een prima kerel. Hij is van de leeftijd van mijn pa, maar daar gedraagt hij zich niet naar. Daar wil ik niks kwaads mee over mijn pa zeggen of zo, maar deze vent heeft niks van een zakenman. Hij is dan ook brandweerman. Of dat was hij, ik geloof dat hij nu aan zijn armen en benen verlamd is. Hij heeft bij een auto-ongeluk letsel aan zijn wervelkolom opgelopen – nog hoger dan ik, de stakker. Hij kan me nu niet horen, als je je dat afvraagt. Zijn vrouw heeft een walkman voor hem meegebracht en daar luistert hij veel naar. Opera. Hij heeft haar een van zijn bandjes op mijn speler laten draaien, en het was echt heel mooi. Het muzikale gedeelte, dan. Het zingen is nogal moeilijk uit te houden.

Met de revalidatie gaat het goed. Misschien mag de halo er

volgende week af – ze gaan foto's maken, dan zullen we het wel merken. Stu en Bill zijn laatst op een avond geweest, ik had ze allebei een tijd niet gezien. En Jamie is ook geweest. Ze – nou ja, je moet nu niet kwaad worden, maar ik denk dat je haar moet bellen. Ik bedoel, het gaat mij niet aan, maar – o, laat maar. Schrap dat maar. Vervelend dat ik geen stukken van de band kan wissen. Die stomme knoppen op dit apparaat zijn onmogelijk in te drukken, ik moet er een voor invaliden krijgen. Ik zou mam kunnen vragen het bandje voor me te bewerken als ik klaar ben, maar ik wil liever niet dat zij ernaar luistert – je had me haar moeten horen uitleggen waarom ik haar buiten wilde hebben terwijl ik dit inspreek. Ik heb denk ik een nogal puberale mentaliteit, dat ik zo stiekem doe. Volgens King zit ik erover in dat ik mijn privacy kwijtraak. Je snapt wel, als ik eenmaal thuis ben en zo, hier heb ik toch geen privacy. En dus heb ik geprobeerd daar voor hem over in te zitten.' Gelach. 'Die therapeut, weet je wel, Dave King. Ik noem hem koning David. Hij is niet zo kwaad. Hij vertelt me waar ik over in moet zitten en dan zit ik erover in. Het is eigenlijk nogal maf. Therapie. Ik moet altijd aan jouw moeder denken. Je weet hoe ze soms nogal stil en behoedzaam kan doen, hoe ze je terwijl je zit te praten kan aankijken alsof ze diep nadenkt over wat je zegt? Nou, dat irriteerde me altijd. Ik bedoel, dat kan ik je nu zeggen. Daarom had ik nooit zin om te praten met haar in de buurt. Maar ik denk dat het misschien door haar werk komt, snap je? En dan kan ze het niet helpen. Ik weet het niet. Toen ik met King praatte moest ik denken aan die briefjes die we elkaar schreven, weet je nog? Nogal maffe dingen soms, die we in elkaars kastje legden. Heb jij de mijne bewaard? De jouwe liggen allemaal thuis in mijn kast, ik weet precies waar ze zijn, en het zit me echt dwars dat ik ze er door iemand uit moet laten halen als ik ze weer wil lezen. Snap je? Om de een of andere reden is dat een stuk erger dan weten dat mijn pa de rest van mijn leven elke dag mijn lul moet bedienen. Of de rest van zijn leven, afhankelijk van wie er het langst leeft.'

Er viel een stilte. Ik pakte mijn tasje van de passagiersstoel en haalde mijn portemonnee eruit, waarin een oude foto van hem zat, zijn schoolfoto van het laatste jaar van de high school. Hij grijnsde zijn highschool-fotogrijns, met het blauwe overhemd aan dat hij op mijn aanraden had gekocht. Ik had achter hem in de rij gestaan, en ik had toegekeken hoe hij op het krukje was gaan zitten en toen weer was opgestaan zodat de assistent van de fotograaf het lager kon draaien. Voordat hij opnieuw plaatsnam riep hij mij toe: 'Kom op, laten we samen op de foto gaan,' en een moment lang dacht ik dat er geen enkele reden bestond waarom wij afzonderlijk op de foto zouden moeten.

'Hoe dan ook,' zei hij op het bandje, 'alles is verder ongeveer hetzelfde. Harvey zegt dat we onze geest net zo actief moeten maken als ons lichaam vroeger was. Harvey, mijn kamergenoot – had ik zijn naam al genoemd? – laat zijn vrouw elke avond filosofische teksten voorlezen. Hij zegt dat hij de rest van zijn leven de kennis gaat opdoen waarvoor hij een te luie donder was toen hij naar de universiteit had gekund. Gisteravond heeft ze hem Plato voorgelezen. Pla-to, niet Pluto. Je kent de hond Pluto toch, hè?' Een pauze. 'Hij heeft haar een bandje met Charles Dickens voor ons laten meenemen. *A Tale of Two Cities*. Daar gaan we elke avond een uurtje naar luisteren – het duurt zo'n tien uur. We gaan er morgen aan beginnen. Wel wat anders dan de tijd met Jeff, hè? Wat?' Er weerklonk rumoer dat ik niet kon thuisbrengen. 'Wacht eventjes, wacht. Ik ben tegen Carrie aan het praten. Ja. Zeg maar iets tegen haar, zeg haar maar gedag.' Meer rumoer. 'Hoor je dat, Carrie? Dat was Harvey die je gedag zei. Hé, zeg het nog eens, maar dan harder, goed?' Er viel een stilte, en toen klonk er een zwakke nieuwe stem die zei: 'Hallo Carrie. Ik ben Mikes kamergenoot. Aangenaam kennis te maken.' En toen was Mike er weer: 'Nou, dat was Harvey. Zijn bandje is afgelopen. Ik denk dat ik nu ook maar eens stop. Ik heb mam gezegd dat het een kwartierje zou duren, dus ze zal zo wel terug zijn om de band stop te zetten. Nou, misschien moet ik doorgaan tot ze weer terugkomt. Eh, wat voor weer is het? Haha. Hé, wat doe je met Thanksgiving? Misschien ben ik dan weer thuis. Nou ja, wie weet. O, daar is mam. Nee, nee, ik ben klaar, ik ben klaar, het is in orde. Dag, Carrie, dag.'

Er weerklonk een laatste klik, en toen het gezoem van de band in het apparaat. Ik boog me ernaar over en drukte op de terugspoelknop. Daarna liet ik mijn voorhoofd op het stuurwiel rusten. Ik voelde me licht en vreemd, fel belicht langs de buitenkant en donker aan de binnenkant.

Die middag had ik met Kilroy na werktijd bij McClanahan's afgesproken. Hij vond zes uur een prettige tijd, de bar was dan maar halfvol. Minder yuppies.

Op het trottoir voor het oude huis knoopte ik mijn jasje dicht en ging in oostelijke richting. Ik had de hele dag over Mikes bandje nagedacht en vervolgens geprobeerd er niet aan te denken. Ik had met de rechtopstaande stofzuiger de hele begane grond van het huis gezogen en toen de trap, totdat ik me opeens net mevrouw Mayer voelde. Zij was een fanatieke huisvrouw, en ik borg de stofzuiger op, zette thee voor mezelf en gooide hem weg omdat ook dat me aan haar deed denken. Vervolgens maakte ik nieuwe thee, want mevrouw Mayer kon mij er verdorie niet van weerhouden om thee te drinken.

Terwijl ik over de drukke trottoirs naar McClanahan's liep, dacht ik aan Roosters huwelijk. Hoe kon Rooster nu gaan trouwen? Hij was een verstokte vrijgezel – ik zag hem dat leventje nog niet opgeven, zijn puinhoop van een appartement met de bank die stonk als een otter, zijn kant-en-klaarmaaltijden met een paar stukken hotdog erbij. Ik begreep niet dat zij daar behoefte aan had, de mooie, koele Joan: dat zij behoefte had aan hem en datgeen waar hij goed in was – spullen repareren, de hele nacht aan het stuur zitten terwijl verder iedereen sliep en heel hard boeren na een biertje.

En dan hoe ze elkaar hadden leren kennen, op de intensive

care terwijl Mike bewusteloos lag. Liefde, noodlot en al die zaken daargelaten kwam ik steeds weer terug op de simpele vraag hoe ze iets konden bouwen op het fundament van Mikes ongeluk.

En ook op de simpele vraag hoe ik daar toe in staat was.

Kilroy zat aan de bar toen ik binnenkwam. Hij droeg zijn leren jasje over een bruin hemd en had een halfleeg biertje voor zich staan. Hij keek op en lachte me toe met wat volgens mij zijn geamuseerde lach was, alsof hij geamuseerd was door mij en het feit dat wij iets met elkaar hadden. Mike had me altijd lichamelijk begroet, met een eenarmige omhelzing, een kusje op mijn voorhoofd en een hand die een weg om mijn middel zocht. En met een glimlach die zei: *ik ben blij je te zien.*

'Nog wat nieuws beleefd?' vroeg hij terwijl ik de kruk naast de zijne besteeg.

Ik haalde mijn schouders op.

Hij keek me vorsend aan, haalde een doosje lucifers te voorschijn en speelde ermee met zijn vingers. 'Geen nieuws is goed nieuws, neem ik aan. Een biertje?'

'Ja hoor.'

Hij maakte een handbeweging naar de barkeeper, Joe, een man van in de vijftig met een volmaakt kaal hoofd. Joe kwam aankuieren en trok zijn wenkbrauwen op.

'Carrie hier wil een pilsje,' zei Kilroy.

Joe glimlachte. 'Ik denk dat dat geregeld kan worden.' Hij liep naar de tap en ik keek toe hoe hij een glas vulde, dat hij schuin hield terwijl het bier erin stroomde. Aan de andere kant van de bar zat een eenzame man met een net pak aan, die een ouderwets glas in zijn hand hield.

Terwijl hij het biertje voor me neerzette keek Joe Kilroy raar aan. Ik vroeg me af hoe lang Kilroy al hier kwam en of Joe andere vrouwen had zien komen en gaan van het plekje waar ik nu zat. Ik nam een slok bier, koud, granig en schuimend. Er ging een tinteling door mijn armen.

'Nou,' zei Kilroy. 'Vertel het me eens.'

'Ik heb vandaag een bandje gekregen.'

'Een bandje?'

'Van Mike.'

Hij trok zijn wenkbrauwen op, en ik zei: 'Hij kan niet schrijven.'

'Dat weet ik,' zei hij. 'Dat weet ik.' Hij nam een slok van zijn bier en veegde vervolgens zijn vingers af aan zijn spijkerbroek, de 501 vol gaten die hij elke dag na zijn werk aantrok. 'Je ziet er verslagen uit.'

Ik schudde mijn hoofd.

'Wat dan?'

'Verdrietig.'

'Snap ik.'

Ik voelde een soort razernij in me opkomen en pakte mijn biertje net zo lang vast tot de kou me pijn deed.

'Wat zei hij?' vroeg Kilroy.

Ik staarde recht voor me uit. 'Nou, Rooster gaat bijvoorbeeld trouwen. Met Joan, de intensive-careverpleegster. En hij heeft een nieuwe kamergenoot – Mike, dus. Op de revalidatie. Hij is aan het revalideren, weet je wel – zijn moeder moest de knop van de recorder voor hem indrukken.' Ik hield op met praten en keek Kilroy aan. Ik wilde dat hij voelde wat ik voelde, dezelfde verwarring. Of ik wilde dat hij tot me doordrong en het gevoel wegnam, bedwong. Maar hij sprak niet en even later keerde ik me weer naar mijn bierglas en pakte het op voor een lange teug. 'Waarom toch,' vroeg ik, 'wil je me niet vertellen over jouw vroegere vriendinnen? Wanneer ben je voor het laatst gek op iemand geweest?'

Er verscheen een vermoeide trek op zijn gezicht. 'Ik was al gek van mezelf.' Hij zuchtte. 'Sorry, niet zo origineel.' Hij krabde over zijn kin. 'Ik heb geen vroegere vriendinnen zoals jij je vroegere vriendje hebt, oké?'

'Wat heb je dan?'

'Niets.' Hij legde zijn wijsvingers naast elkaar op de bar. 'Je gaat tegen de verkeerde tekeer.'

Joe leunde tegen de spoelbak in de bar, met zijn armen over elkaar geslagen, en ik dacht aan wat Kilroy me op onze eerste avond had verteld – *ik ben gewoon iemand die van kroegen houdt.* Ik vroeg me af of hij in de loop der jaren stukje bij beetje zijn leven tegenover Joe uit de doeken had gedaan, of dat houden van kroegen inhield dat je niets uit de doeken hoefde te doen. Ik keek Kilroy nog eens aan en zag dat hij me opnam met een merkwaardige uitdrukking op zijn gezicht, die dreigde te gaan omslaan. Met een klein, verstikt stemmetje zei ik: 'Tegen wie moet ik dan tekeer gaan?' Toen Kilroy zijn blik afwendde kon ik niet anders meer, ik moest de druk opvoeren. 'Nou? Tegen wie?'

'Je zou ook niet tekeer kunnen gaan,' viel hij uit. Hij staarde me aan met een vreselijk hatelijke, scheve grijns op zijn gezicht, en ten slotte stapte ik van mijn kruk en vertrok – de bar langs, tussen de lege tafels door, de zware deur door en de avond in.

Ik liep in hoog tempo Sixth Avenue af, tussen de lanterfanters en slenteraars door. Wat mankeerde hem? Wat mankeerde mij, dat ik dit totnogtoe had genomen, die geslotenheid van hem, die vestingmuur om hem heen? O, hij was de vriendelijkheid zelve, hij was medelevend en vol begrip, maar het richtte zich allemaal naar buiten, en er was geen enkele ingang tot hem.

Zo'n twee blokken voor 14th Street sloeg ik af in oostelijke richting, door duistere canyons, langs oude pakhuizen en stil-staande, wachtende vrachtwagens. Ik zag een stel tegen een gebouw aan staan: allebei lang, allebei met zwarte leren jasjes aan. Drie jongens van mijn leeftijd, die snel en zwijgend voort-stapten. Een magere zwarte man met een Sherlock Holmes-hoed, die in een deuropening stond en zei: 'Ik wacht het goede moment af, ik wacht het goede moment af.' Een oude vrouw vol bulten in een badjas, die onder een lage plank van een steiger stond, met een verdwaasde blik in haar ogen. En een mooi meis-je dat net terwijl ik langsliep vanuit een taxi het trottoir opstapte, haar haren zijdeachtig, haar broek modieus kort boven laarzen met brede neuzen, haar gezicht sereen maar behuild.

Ik dacht: als het met Kilroy niet lukt kan ik evengoed in New York blijven en kan ik een New Yorkse worden.

New Yorkers waren anders. Of ze nu oud of jong, gek of geniaal, lelijk of beeldschoon waren – ze liepen niet zomaar op straat, ze maakten een show, ze presenteerden zichzelf. Ze zeiden: *dit ben ik, vandaag ben ik iemand die zulke laarzen aanheeft, ik loop hier rond met zo'n gelaatsuitdrukking, ik heb een diepgaand en moeilijk gesprek met een lastige maar dierbare vriend.*

Ik liep een hele tijd. Ik liep Broadway af, zag de optocht over St. Mark's Place, volgde Avenue A tot voorbij East Houston Street en ging de oude smalle straatjes van de Lower East Side in. De stad was verlicht door de straatverlichting en de ramen van appartementen, waarvan de gordijnen of jaloezieën open waren, zodat je als je omhoog keek de bovenkant van een schilderij of een deuropening naar een donker gat kon zien. Ik was mijn handschoenen vergeten en trok mijn armen uit de mouwen van mijn jasje. Zo liep ik met mijn handen in mijn oksels en bungelende lege mouwen. Pas tegen negenen kwam ik terug in het oude huis. Simon, Greg, Lane en zelfs Alice zaten rond de keukentafel. Ze dronken rode wijn en aten van een schaal met stukken boerenbrood en gemarineerde groenten, waarvan het rood en paars glom van de olie. Een snelle blik op het mededelingenbord leerde me dat Kilroy niet had gebeld.

'Pak een stoel,' zei Simon. 'Je ziet eruit of je wel een glaasje wijn kunt gebruiken.'

Ik vond een stoel tegen de muur en schoof hem naar de tafel, naast Lane. Ze droeg een wijd thermo-T-shirt, en haar bleke gezicht zag roze bij haar neus en wangen, alsof ze een fijn penseel in haar wijn had gedoopt en zichzelf een heel licht kleurtje had gegeven.

Simon goot wijn voor me in een beker. 'En Carrie,' zei hij, 'hoe stuitend zielig vind jij me nu?'

Ik sloeg een blik op de anderen en zag aan hun onderdrukte lachjes dat ze wisten waar hij op uit was.

'Cijfers van één tot tien,' ging hij verder. 'Waarbij tien staat voor een kind in de vierde dat stinkt en nooit op verjaarsfeestjes wordt gevraagd en één voor Kevin Spacey.'

'Kevin Spacey is niet zielig,' riep Greg uit. 'Hij is juist ontzettend cool. Hij is God.'

'Dat bedoel ik nou juist,' zei Simon en hij rolde met zijn ogen. 'Jezus.'

'Simon,' begon Lane, maar hij gebaarde haar dat ze moest zwijgen.

'Het gaat nu om mij en Carrie. Hoe stuitend zielig?'

'Drie?' zei ik. 'Nee, twee.'

Hij keek Alice aan, en ze barstten allebei in lachen uit. 'Jij bent veel te aardig om in New York te kunnen wonen,' zei hij tegen mij. 'Greg en Lane zouden me waarschijnlijk niet meer dan een vijf geven, en Alice – ' Hij wierp haar een schalkse blik toe. 'Ik weet het niet, pop, wat denk je – een acht? Of een negen?'

Ze meesmuilde en haalde haar hand door haar korte, gebleekte haar, dat ze in een fraaie slordige coupe droeg, met een pony op haar voorhoofd. 'Liefje,' zei ze. 'Gunst. Ik zou je toch altijd wel een zeven geven.'

Hij glimlachte en wendde zich weer tot mij. 'Deze kwestie speelt vanwege wat ik vandaag heb gedaan.'

'Wat dan?'

'Ik heb Dillon gebeld.' Hij glimlachte ironisch naar me. 'Uit de galerie, weet je nog?'

Ik wist het nog: Dillon met zijn razendknappe kop, vervelde neerbuigende houding en pseudo-intellectuele praatjes. 'Wauw,' zei ik. 'Ga je iets met hem drinken?'

Zijn gezicht liep roze aan en hij begon weer te lachen. Lane fronste lichtjes haar voorhoofd en keek naar haar handen. Hij lachte harder, en zijn gezicht werd nog roder.

'Pas op,' zei Alice. 'Je begint bijna te kwijlen.'

Hij schudde zijn hoofd, maar lachte nu in stilte, met schokjes. Hij maakte een handbeweging naar Alice bij wijze van aanmaning.

Zij nam een slokje van haar wijn en keek mij aan. 'Dillon zei, en ik geloof dat ik hem hier woordelijk citeer: "Weet je, ik ben nu mijn dossierkasten opnieuw aan het indelen en ik voel me echt heel erg overbelast."'

Greg giechelde, en ik keek Simon aan. 'Echt waar?'

Hij knikte heftig, nog steeds geluidloos lachend. 'Met andere woorden,' bracht hij ten slotte uit, terwijl hij de tranen uit zijn ogen wreef, '"wil je alsjeblieft een einde maken aan het bestaan van je weerzinwekkende persoon?"'

Alice schudde haar hoofd. 'Ik denk dat het eerder betekent: "Wil je alsjeblieft een nieuwe dosis Prozac voor me halen?" Ik bedoel, zijn dossierkasten opnieuw inrichten?'

'Alice,' zei Greg geërgerd. 'Snap je het dan niet? Hij bedoelt dat hij nog liever zijn dossierkasten opnieuw indeelt dan dat hij met Simon uitgaat.'

Er verscheen een ongeduldige trek op het gezicht van Alice. Ze opende haar mond om wat te zeggen en leek vervolgens van gedachten te veranderen.

'Dank je voor de uitleg, Greg,' zei Simon.

'Je hebt een vervelende dag gehad,' zei Lane opeens. Ze keek mij een ogenblik aan en wendde zich toen weer tot hem. 'Gewoon, weet je wel...'

'Wat?' vroeg hij. 'Nu genoeg geluld daarover?'

'Nee,' zei ze zacht. 'Je weet dat ik dat niet bedoel.'

Hij zuchtte. 'Dat weet ik.' Hij pakte een stuk brood en doopte het in de olijfolie. Hij nam er een hap van en legde de rest op zijn bord. 'En,' zei hij tegen Alice. 'Waar is Frank eigenlijk? Het is heel lang geleden dat je op deze tijd hier was.'

'Hij heeft een etentje met die zak van een neef van hem,' zei ze. 'Ik kreeg op het laatste moment plotseling vernietigende koppijn.' Ze glimlachte. 'Hé, heb ik dat al aan jullie verteld? Hij wil dat ik bij hem intrek.'

'Dat je bij hem intrekt?' zei Simon. 'Je woont er al.'

'Officieel,' zei ze.

Lane nam haar nauwlettend op. 'En ga je dat doen?'

Alice haalde haar schouders op. 'Misschien. Zijn woning is zo klein, als het op een andere manier niet lukt gaan we misschien vlugger uit elkaar als ik daar de hele tijd met mijn spullen ga zitten.'

Simon en Greg lachten. 'Je bent gestoord,' zei Simon.

'En denk ook eens aan het geweldige materiaal,' ging ze verder. 'Ik zou een eenakter kunnen schrijven waarin alles zich op bed afspeelt.'

Ze schreef toneelstukken, of wilde dat misschien alleen: elke dag weer zag ik, als ik langs de open deur van haar lege kamer liep, haar ongebruikte computer op haar bureau staan, onder een Barbie-strandlaken. Ik had dat eens aan Kilroy verteld, en hij had opgemerkt dat ik in een huis met dikdoeners woonde. Ik herinnerde me wat hij over Simon had gezegd – *hij probeert iets te zijn wat hij niet is* – en mijn woede jegens hem nam toe. Wat was er zo vreselijk aan om iets anders te willen zijn dan je was? Hoe kon je ooit iets worden zonder dat eerst te hebben gewild? Plotseling schaamde ik me dat ik het schrijven van Alice zo had afgedaan. Wist ik veel of ze niet ook een laptop had, of met de hand schreef, of er gewoon veel over nádacht! Kop dicht, zei ik in gedachten tegen Kilroy, en toen brak er iets in me en voelde ik mezelf in wanhoop wegzinken. Wat had het te betekenen dat ik in gedachten tegen hem tekeer ging? Was ik zelfs maar in zijn gedachten?

'Gaat het wel met je?' vroeg Lane, me bezorgd aankijkend.

Ik nam een grote slok wijn en knikte.

Iedereen keek nu naar me, Simon met zijn hoofd opzij gedraaid en zijn ogen samengeknepen achter zijn brillenglazen.

'Ik denk dat ik gewoon nogal moe ben,' zei ik.

'Weet je,' zei Alice, 'ik zit hier nu de hele tijd al te denken dat ik je shirt zo leuk vind, maar stom genoeg zeg ik het niet. Het is echt cool.'

Ik had een rood T-shirt met lange mouwen aan, waarop ik ongeveer een jaar geleden, in een weekend toen ik me verveelde, wat verfraaiingen had aangebracht: rood- en goudkleurig band langs de hals en de voorkant, waarnaast ik om de paar centimeter een koperen knoop had gezet. Ik had bij mijn heupen zelfs met band schuine strepen van ruim zeven centimeter gezet, om kleine zakjes te suggereren. 'Dank je,' zei ik.

'Het doet me denken aan mijn oma,' voegde ze eraan toe.

'Alice,' riep Simon uit.

'Dat is een compliment,' zei ze. 'Mijn oma heeft veel gevoel voor stijl.' Ze schoof haar haren achter haar oor. 'Serieus, het lijkt op het jasje van een van haar Adolpho-pakjes, maar met een ironische draai eraan. Het is heel postmodern en fin de siècle – Adolpho achterhaald door de Gap.'

Ik keek om me heen of iemand dit net zo idioot vond klinken als ik en realiseerde me toen dat degeen met wie ik een blik wilde uitwisselen – degeen naar wie ik echt zocht – Kilroy was.

Ik stond op en bracht mijn glas naar de gootsteen.

'Waar ga je heen?' vroeg Simon.

Ik draaide me om en zag dat ze allemaal naar me keken: Simon met zijn gezicht nog een beetje roze van zonet, Greg donkerharig, vriendelijk en een tikje trager dan de anderen, Alice elegant met een polyester blouse en dikke zwarte eyeliner, Lane stil en oplettend. Wie waren deze mensen? Waarom was ik bij hen? 'Naar boven,' zei ik. 'Ik moet even bellen.'

Op de tweede verdieping plofte ik op de futon neer. Ik wilde hem bellen en ook weer niet, ik wilde dat hij mij zou bellen en dat hij zou verdwijnen. Ik keek rond door het alkoofje, dat werd verlicht door een lelijke lamp van imitatiekoper met een vergeelde kap. Alles ontbrak in deze kleine ruimte: ikzelf en mijn hele leven, dat ik mee had genomen naar Kilroy en daar zorgvuldig aan de muren had gehangen, precies daar waar niets hing.

Vanuit de keuken kon ik een zwak geroezemoes van stemmen horen, en vervolgens het aanzwellen van gelach. Ik liep naar de overloop om de telefoon te pakken en nam hem mee naar de futon. Halverwege het kiezen van het nummer verbrak ik de verbinding. Ik zat daar met de telefoon op schoot en toen, eigenlijk zonder erbij na te denken, draaide ik Jamies nummer in Madison.

Toen ze mijn stem hoorde viel er een lange stilte, en vervolgens zei ze: 'Hoe gaat het ermee,' op zo'n manier dat ik het niet abusievelijk als vraag kon opvatten. Ze lachte een kort, kil lachje.

'Het spijt me, Jamie,' zei ik, beseffend dat ik mezelf herhaalde, dat ik herhaalde wat ik al tegen Mike had gezegd: het spijt me, het spijt me, het spijt me. 'Ik had je eerder moeten bellen. Echt waar.'

Ze haalde diep adem, en ik hoorde haar ook weer uitademen, hard, alsof ze zuchtte. Om de een of andere reden wist ik dat ze in haar keuken stond, met de vaat van die dag netjes gerangschikt in het afdruiprek bij de gootsteen, en met maar één lamp aan, die laag over de gespikkelde linoleum tafel hing.

'Jamie,' zei ik.

'Wat.'

'Probeer het alsjeblieft te begrijpen. Ik moest wel vertrekken.'

Ze zweeg een tijdje, en ik stelde me voor hoe ze eruit moest zien, met haar lichte haar dat haar gezicht en haar heldere groene ogen omlijstte. 'Dat begrijp ik,' zei ze ten slotte. 'Eerst snapte ik het niet, maar nu wel. Maar dat was bijna twee maanden geleden. Elke dag vraag ik me af wat er mis is met mij dat jij me haat.' Ze begon te huilen, en al luisterend voelde ik me vreselijk, monsterlijk en afgesneden van haar: haar tranen beroerden mijn hart volstrekt niet. Ze vervulden me van medelijden, maar van een koud, verstandelijk medelijden – van medelijden met mezelf, niet met Jamie.

'Dat is niet zo,' zei ik. 'Ik haat je niet, Jamie. Alleen…'

'Je hebt Mike wel gebeld,' snikte ze. 'Je hebt hem twee keer gebeld.'

'Dat weet ik.'

Ik hoorde haar voetstappen en toen een gedempt geluid van hoe ze haar neus snoot.

'Jamie?' Ik wond het telefoonsnoer strak om mijn vinger en maakte het weer los, zodat mijn vinger vol rode strepen zat, als een zuurstok.

'Wat?'

'Mag ik – mag ik je vragen hoe het met je gaat en wat je gedaan hebt?'

Ze snoot nogmaals haar neus. 'Nou, om je een voorbeeld te geven: afgelopen zaterdag heb ik parcheesi gespeeld met Lynn en mijn ouders. O, en dan dit – na het derde spelletje hebben we een popcorn-pauze gehouden.'

Ik kon me hen vieren levendig voor de geest halen: meneer en mevrouw Fletcher tegenover elkaar aan de wiebelige kaarttafel in hun met grenenhout betimmerde huiskamer, Jamie en Lynn naast hen. Mevrouw Fletcher warrelig met een blouse en een trui aan – ze moest er steeds aan herinnerd worden wanneer het haar beurt was. Meneer Fletcher nauwelijks aanwezig, Jamie ernaar verlangend dat ze afwezig kon zijn. En Lynn – Lynn die met te veel oogmake-up op naar de klok zat te turen. Ik dacht aan hoe ze bij de Alley had gestaan met dat korte, strakke rokje aan en vroeg me af hoe *ik* haar advies had durven geven: ik die een puinhoop van mijn leven had gemaakt. 'Hoe gaat het met Lynn?' vroeg ik even later.

'Belachelijk. Mijn moeder en zij maken me knettergek met hun gezeur over elkaar. Ze móet het huis uit.'

'Jammer – als ik er eerder aan had gedacht had ze mijn etage in onderhuur kunnen krijgen.'

Er viel een stilte, en toen zei Jamie: 'Heb jij je etage onderverhuurd?'

Ik voelde angst opkomen. Wist ze dat niet? Hoe kon ze dat niet weten, terwijl iedereen in Madison alles wist over iedereen?

'Nou?'

'Ja, inderdaad.'

Er weerklonk een tik, en vervolgens niets meer, stilte, alleen het geruis van alle ruimte tussen ons in.

'Jamie.' Ik wachtte en zei het nog eens, en nog eens: 'Jamie. Jamie? Jamie?' Toen begreep ik het: ze had het toestel neergezet en was weggelopen. Ik zag het voor me, Jamie die aan de andere kant van de keuken woedend en in tranen naar de telefoon stond te staren. 'Jamie!' schreeuwde ik, maar hoewel ik nog minutenlang aan de lijn bleef en steeds weer haar naam riep, kwam ze niet terug.

Ik hing op en bracht de telefoon weer naar de overloop. Bij het kleine raampje in het trappenhuis schoof ik het gordijn opzij en keek naar buiten. De herenhuizen achter ons waren gedeeltelijk verlicht: een benedenraam hier, een bovenraam daar, dan een hoop duisternis en dan weer vier helverlichte verdiepingen. Iemand anders zou misschien naar een boodschap in het patroon van de verlichting hebben gezocht, maar ik stond daar alleen maar te staren, met het gevoel dat ik het allerkleinste plekje op de wereld innam.

HOOFDSTUK 23

Kilroy kwam de volgende morgen langs. Ik was alleen thuis en zat koffie te drinken, en toen ik de deur opendeed schrok ik van zijn aanblik: hij stond in het koude, felle licht – nauwelijks meer dan een silhouet voor de donkere nis van het portiek. Hij had zijn handen op zijn heupen en een norse, geërgerde uitdrukking op zijn gezicht: hij was gekomen omdat hij moest, in opdracht van zichzelf.

'Vraag je me niet binnen?'

'Wil je binnenkomen?'

'Ja, dat wil ik.'

In de keuken schonk ik hem een kop koffie in en ging vervolgens zitten. Na een poosje ging hij ook zitten. Hij was ongeschoren en droeg zijn spijkerbroek, een gescheurd grijs sweatshirt en zijn leren jasje, dat hij niet uitdeed. Het was tien voor half elf, hij moest hebben besloten niet naar zijn werk te gaan.

'Die Kilroy,' zei hij, aan zijn koffie nippend. 'Wat is daar nou mee?'

Ik begreep dat hij zich niet rechtstreekser ging verontschuldigen en kon niet meer doen dan mijn lachen inhouden.

'Wat is er?'

Ik schudde mijn hoofd.

Hij tilde zijn mok op en keek langs de bovenkant naar mij. 'Wat heb je gisteravond gedaan?'

'Je bedoelt nadat ik naar de Lower East Side en weer terug was gelopen?'

Een zweem van verbazing verscheen op zijn gezicht en verdween weer. 'Ja.'

'Ik heb wijn zitten drinken met Simon en de anderen. Alice zei dat mijn shirt erg postmodern en fin de siècle was – Adolpho achterhaald door de Gap.'

Kilroy schudde zijn hoofd. 'O, de dwalingen der jeugd.'

'Wat moet dat nu weer betekenen?'

'Het is net zoiets als met dat mens in de boekwinkel een paar weken geleden. "De zelfgenoegzaamheid van de opperste schoonheid." Praten omwille van de klank, niet omwille van wat je echt wilt zeggen.'

'En wat wil je dan echt zeggen?'

Hij hield zijn ogen even op mij gevestigd en wendde toen zijn blik af.

Ik bracht mijn koffie naar de gootsteen en goot hem in de rechter bak, die vol lag met half kapotte mokken met daarin de melkresten van de koffie van mijn huisgenoten. Geen van de twee bakken was groter dan een mengkom en allebei lagen ze altijd vol, zodat er geen ruimte was om iets af te wassen. In de linker bak wasemden de glazen van de vorige avond een wijnlucht uit. Ik schoof de mokken opzij, deed een rubber stop in de afvoer van de rechter bak, draaide de warme kraan open en spoot er een straal afwasmiddel bij.

'Welk shirt is dat?' vroeg Kilroy.

Hij was naast me komen staan, met zijn rug tegen het aanrecht en zijn ene been voor het andere gekruist. Hij nipte van zijn koffie en keek me strak aan.

'Welk shirt?'

'Het fin de siècle-shirt.'

'Bedoel je niet: "einde van de eeuw"? Hoe zat het ook weer met je stelregel over buitenlandse uitdrukkingen?'

Hij glimlachte en schudde zijn hoofd. 'Fin de siècle moet fin de siècle zijn omdat het slaat op de ontaarding en de walging van Parijs omstreeks 1890.'

Ik draaide de kraan dicht en begon de mokken af te wassen.

'Ik heb geschiedenis als hoofdvak gedaan,' legde hij uit. 'Aan Princeton. Heb ik je ooit eerder verteld dat ik aan Princeton heb gestudeerd? Ik ben magna cum laude afgestudeerd, niet om op te scheppen. Ik had elk jaar een andere kamergenoot, maar het enige wat ze gemeen hadden was dat ze allemaal zuiderlingen met een drankprobleem waren. Er werd heel wat afgekotst, en ik zat in de weekenden ergens anders. O, en jaren later kwam ik toevallig een van hen in een bioscoop tegen, waarop hij zei: "Kilroy, ouwe rukker, leef je nog?"' Kilroy staarde me aan. 'Wat vind je daarvan?'

Mijn hart bonsde. Hij zette zijn kop op het aanrecht, pakte me vast en trok me tegen zich aan. 'Jij kent me beter dan je uit dat soort informatie kunt leren,' zei hij heel zacht, met zijn mond op mijn oor. 'Je denkt misschien van niet, maar het is wel zo.' Hij zoende me, en ik wendde mijn hoofd af, boos en toen plotseling vol verlangen om hem te zoenen en vervolgens weer boos omdat ik hem wilde zoenen. Ik duwde me van hem af en ging aan de tafel zitten.

'Ik heb gisteravond Jamie gebeld,' zei ik. 'Voor het eerst. Ze wist niet dat ik mijn etage onderverhuurd had. Toen ik het erover had, deed ze iets raars – ze hing niet op, maar zette het toestel neer en liep weg.' Ik staarde hem aan, niet wetend waarom ik dit had gezegd in plaats van iets anders: *Wat wil je van me? Wat doe je godverdomme in mijn leven?*

'Ze verstijfde,' zei hij.

'Verstijfde?' Ik was verbaasd dat hij reageerde.

Hij haalde zijn schouders op. 'Jazeker. Ze kon niet anders. Ze kon niks zeggen, ze kon je niet ophangen, dit was het enige wat ze nog kon.'

'Waarom kon ze niet ophangen?'

'Omdat ze van je houdt,' zei hij. 'Net als ik, zij het op een wat andere manier.'

Er vormde zich een dun zweetlaagje op mijn voorhoofd en mijn bovenlip. 'Hou je van me?'

Hij knikte plechtig. 'Natuurlijk hou ik van je.' Zijn gezicht stond neutraal, zijn stem klonk nuchter. 'Wist je dat niet? Ik ben tot over mijn oren verliefd. Volkomen verpletterd.'

Hij hield van me, en het leek of dat alles was wat ik had willen weten, alles wat ik nodig had gehad om de volgende stap te kunnen zetten. Ik vroeg om een sleutel van zijn appartement en nam de gewoonte aan daar te zijn als hij van zijn werk thuiskwam. Ik zat dan in een tijdschrift te bladeren of een biertje te drinken, belust op een vrijpartij. Erg belust op vrijen – hoe meer we het deden, des te meer ik wilde. Seks was ons medium, even verhelderend als een langdurige uitwisseling van informatie.

Want wat moest ik nu werkelijk weten? Ik kon op de hoogte zijn van namen, plaatsen en data, of ik kon weten dat hij ervan hield als ik met mijn tong over zijn tepels ging, dat hij de krant uitspelde en dat er op de buitenkant van zijn linkerkuit een plekje zat waar geen haar groeide, alsof iemand het er met zijn vinger had afgewist.

Ik had volop vrije tijd, maar dat veranderde niet zozeer mij als wel de tijd zelf: de ochtenden besteedde ik aan de wandeling terug naar het oude huis, een lange douche en bepalen wat ik aan moest trekken. Ik ontbeet rond het middaguur, met koffie die ik zette in de lege keuken van het huis en, elke dag weer, een zachtgekookt ei op een beboterde geroosterde boterham. De dooier was warm en vloeibaar, met een vleugje zout erbij, het wit net lang genoeg gekookt om in mijn mond vorm te houden. 's Middags had ik nauwelijks tijd genoeg voor de kleine klusjes en ondernemingen die ik mezelf oplegde: het verplaatsen van mijn auto, het doen van de was en het maken van een wandelingetje, of zelfs een rit met de ondergrondse naar een stadsdeel dat ik nog moest bekijken. Als gezelschap had ik mijn eigen gedachten: mijn gefascineerdheid door de ervaring om op zo'n raadselachtige manier te worden bemind en de liefde in de plaats van zoveel andere zaken te laten komen. De liefde met Mike was tenslotte totaal anders geweest: een snelle sprong in het diepe, die we samen hadden gemaakt. We waren verliefd op elkaar, verliefd op de liefde. We wachtten elkaar op bij lokalen, liepen dicht tegen elkaar aangedrukt en zaten zo dicht naast elkaar als we konden, hij met zijn arm om me heen en de toppen van zijn vingers net in de tailleband van mijn broek. Elke avond zaten we urenlang met elkaar aan de telefoon, en we sliepen in met elkaars foto's onder onze kussens. Goed, we waren veertien, maar dat was het niet alleen: Mike was heel open en ongecompliceerd, terwijl ik bij Kilroy door een doolhof dwaalde, vol doodlopende paadjes waar ik soms op belandde en waar ik dan weer een uitweg uit moest zien te vinden.

Ik wist dat ze er waren. Dat ik er weer een tegen zou komen was alleen een kwestie van tijd.

De ochtend van Thanksgiving Day. Gehuld in een badstoffen badjas strooide Kilroy bloem direct op het aanrecht en begon er kleine blokjes koude boter doorheen te kneden, waarbij hij zijn handen open en dicht liet klappen als iemand die aangeeft dat een ander oeverloos aan het zwetsen is. Later op die dag zouden we met een nagerecht en een groenteschotel naar het oude huis gaan. Hij had in zijn woning kalkoensandwiches willen eten, maar ik had betoogd dat het er bij Thanksgiving niet alleen om ging kalkoen te eten, maar ook om met veel mensen bij elkaar te zijn, en ten slotte had hij toegegeven.

Geeuwend en nog doezelig van de slaap keek ik vanuit de deuropening toe terwijl hij bezig was. Ik nam een slokje van de koffie die hij had gezet voordat hij mij had gewekt en zei: 'Sommige mensen zouden een kom gebruiken.'

Hij keek over zijn schouder en glimlachte. 'Ah, maar dan doen ze het lang zo goed niet. Dit is verreweg superieur.'

'Het ziet er veel rommeliger uit.'

'Het is de Franse methode,' zei hij. 'De Fransen zijn geniale rommelmakers.' Met de rug van zijn bebloemde hand veegde hij een stel haren uit zijn gezicht. 'Kun je me wat ijswater aangeven?'

Ik zette mijn mok op het aanrecht en pakte een glas. Ik vulde het met ijs, deed er water bij en roerde de blokjes tot mijn vinger koud was. Ik zette het glas naast hem neer en zei: 'Hoe ken jij de Franse methode?' Ik zag hem min of meer voor me in een boerenkeuken waar een mademoiselle met donkere ogen hem liet zien wat hij moest doen, maar ik kon het niet echt geloven. 'Ik heb een cursus gevolgd,' zei hij. 'In Parijs, bij de Cordon Bleu. Als we naar Parijs gaan zal ik er je mee naartoe nemen, het is fantastisch.'

We wisselden een lachje uit dat van zijn kant betekende: *omdat we gaan, weet je wel,* en van mijn kant: *ja, vast wel.* Hij bracht Frankrijk vaak even ter sprake en zei bijvoorbeeld: *je zult Aix prachtig vinden* of: *wacht maar eens tot je hebt gezien hoeveel beter de métro is dan de ondergrondse hier.*

Met zijn vinger sprenkelde hij wat water over de bloem. Hij zei: 'Ik had het idee om de worteltjes en de zoete aardappels te koken en ze dan in een gratinschotel met boter en een beetje Calvados te leggen.'

'Geen miniatuur-marshmallows?' vroeg ik.

Hij keek naar me op en glimlachte. 'Zo hoort het in Wisconsin?'

'Zo hoort het bij de Mayers.'

'Vierde je Thanksgiving bij de Mayers?'

'De laatste acht jaar. Er waren zo'n twintig Mayers met neven en nichten, plus mijn moeder en ik. Maar eigenlijk dus eenentwintig Mayers met neven en nichten plus mijn moeder, want ik was een van hen.'

Kilroy had van de bloem en de boter een los deeg gekneed. Hij waste nu zijn handen, wikkelde het deeg in plastic en legde het in de koelkast. 'Dat heeft een uurtje de tijd nodig,' zei hij. 'Vond je moeder dat erg?'

Ik dacht na over zijn vraag. Hoe ze voor het eten altijd in de keuken stond terwijl mevrouw Mayer en haar zus, tante Peg, druk in de weer waren bij het fornuis en de oven. Hoe ze haar kleine dingetjes lieten doen als boter smeren, maar meer als gunst jegens haar dan dat zij hun een dienst kon bewijzen. Mike en ik zaten met zijn neef Steve te praten of organiseerden in de kelder een dartscompetitie met de jongere kinderen, en telkens wanneer ik langs de keuken kwam glimlachte mijn moeder naar me, alleen met haar mond. Meestal ging ze meteen na het eten naar huis en liet ze mij later door Mike thuisbrengen. Een aantal keren kwam ze helemaal niet: ze aanvaardde dan een andere uitnodiging maar zei tegen mij: *nee, ga maar – het is prima.*

'Ik denk dat ze er maar in meeging,' zei ik tegen Kilroy en hij knikte ernstig.

'De bekende weg van de minste weerstand, een echte val.'

'Wat bedoel je?'

'Je denkt: *ik ga er maar in mee om niet flauw te zijn* – en voor je het weet ben je ergens beland waar je nooit had willen zijn en is er geen weg terug.'

'Ik weet niet,' zei ik. 'Het was maar Thanksgiving.'

Hij lachte. 'Maar Thanksgiving. Dat zou weleens een oxymoron kunnen zijn.'

Toen het deeg klaar was begon ik aan de appels en ontdeed ze in lange spiralen van hun groene, citroenachtige schillen. Ik sneed het vruchtvlees in stevige, witte schijfjes die ik met suiker en kaneel bestrooide en vervolgens in de bakvorm legde waarin Kilroy het dun uitgerolde deeg had aangebracht.

Een poosje later, toen de taart in de oven stond en de groenten waren gekookt en in een ovenschaal gelegd, ging hij douchen. Ik schonk mezelf nog wat koffie in en bedacht hoezeer ik gesteld was op zijn huiselijkheid, op het feit dat hij *mij* had gewekt om te gaan koken. Ik genoot ervan hem in de keuken bezig te zien, waar hij nooit een kookboek gebruikte maar als vanzelf de opeenvolgende bewerkingen uitvoerde, alsof hij de ingrediënten zo goed kende dat hij precies wist hoeveel van elk ingrediënt bijdroeg aan de juiste combinatie van smaken.

Ik dronk mijn koffie op en ging vervolgens opruimen. Ik gooide de schillen bij het afval, waste de messen en kommen die we hadden gebruikt af en veegde het aanrecht schoon met een met azijn besprenkelde spons, een van zijn handigheidjes.

Ik hoorde dat hij de douchekraan dichtdraaide, en een ogenblik later ging de telefoon. Ik staarde ernaar. Dit overkwam me voor het eerst, de vraag of ik zijn telefoon wel of niet moest opnemen: zo zelden werd er opgebeld.

De telefoon ging nog een keer over, en ik liep de kamer door en nam op, met de gedachte dat het misschien Simon was die ons wilde vragen onderweg nog iets te halen. 'Hallo,' zei ik, en pas na een lange stilte weerklonk er een vrouwenstem aan de andere kant van de lijn, die heel aarzelend hallo terugzei.

'Spreek ik met…' vroeg ze. 'Heb ik…' Ze begon opnieuw: 'Is Paul aanwezig?'

Ik zei bijna dat ze verkeerd verbonden was, maar toen drong het tot me door: Paul, zijn ware naam. 'Een minuutje,' zei ik en liep met het draadloze toestel naar zijn slaapkamer, met mijn hand over de microfoon. Ik klopte op de half gesloten badkamerdeur.

Hij trok hem open met zijn voet, naakt, en op zijn gezicht begon een glimlach door te breken. De ruimte hing vol stoom, de vochtige lucht was zwaar van de cedergeur van zijn zeep. Hij had een toefje scheercrème op zijn handpalm, stijf als geklopt eiwit.

'Telefoon,' zei ik, en ik overhandigde hem het toestel en liep weg.

Terwijl ik me verwijderde overwoog ik de slaapkamerdeur te sluiten, maar ik deed het niet, en toen was het te laat. Ik hoorde zijn hallo, gevolgd door een lange stilte. In de keuken draaide ik de kraan open, om hem daarna weer snel dicht te draaien. De stem van de vrouw had – een ander woord bestond er niet voor – hoogbeschaafd geklonken. Ouder. Al wist ik niet of dat ouder dan ik of ouder dan Kilroy was.

'Nee,' zei hij, en toen viel er weer een stilte. 'Daarom niet,' zei hij, en toen: 'Die heb ik inderdaad, ja.' Vervolgens draaide ik de kraan open en liet het water lopen tot ik iets in mijn ooghoek ontwaarde en net op tijd de slaapkamer inkeek om het toestel met een plofje midden op het bed te zien landen.

Gehuld in zijn gebruikelijke spijkerbroek maar ook in een gesteven wit overhemd kwam Kilroy even later de keuken in en hing het toestel op zijn plaats tegen de muur. Hij bukte zich en trok de ovendeur open. 'Nog tien minuten,' zei hij en liet de ovendeur zo hard dichtslaan dat ik de taart een stukje omhoog zag wippen.

'Wie was dat?' vroeg ik.

Hij likte langs zijn lippen. 'Mijn moeder.' Hij stond even onbeweeglijk, en pakte toen de spons en begon met hoekige, rukkerige bewegingen het aanrecht schoon te vegen dat ik al had schoongeveegd.

'Dat heb ik al gedaan,' zei ik en hij wierp vanuit de andere kant van de keuken de spons in de gootsteen. Hij keek naar mij, maar op een vreemde manier – meer naar mijn mond dan naar mijn ogen, met een wezenloze uitdrukking op zijn gezicht. Hij draaide zich om en liep de slaapkamer in. Ik liep hem achterna en keek toe hoe hij even bij het raam ging staan en toen zijn schoenen uitschopte en op het bed ging zitten met een kussen achter zich. Hij pakte het boek dat hij aan het lezen was van zijn nachtkastje.

'Gaat het wel met je?'

Hij knikte.

Ik ging op het bed zitten, bij zijn voeten. Hij had zwarte sokken aan, en ik legde mijn hand om zijn tenen en liet ze vervolgens weer los. 'Wat doet zij vandaag? Of wat doen ze vandaag? Wat zijn ze aan het doen?'

'Ze eten gans,' zei hij vanachter zijn boek. 'Maar nu hebben ze waarschijnlijk een vieze smaak in hun mond.'

Ik wachtte tot hij zou opkijken om me toe te lachen of op zijn minst door mij te worden toegelachen, maar dat deed hij niet – hij zat daar alleen maar, het ene been over het andere geslagen, zijn gezicht verscholen achter het boek.

Buiten was het koud en stil – de winkels waren dicht, en er waren maar weinig auto's op straat. De schemering hing al in de lucht en liet de duisternis over de stad neer. Met mijn jas aan en mijn dikste wollen sjaal om hield ik de ovenschaal vast, terwijl Kilroy de taart vervoerde, die hij voor zich uit hield als een gevouwen vlag op een militaire begrafenis. Voor de zesde of zevende keer in de afgelopen uren herhaalde ik bij mezelf zijn aandeel in het telefoongesprek dat ik had afgeluisterd. *Nee. Daarom niet. Die heb ik inderdaad, ja.* Het was niet moeilijk te bedenken wat zijn moeder had gezegd: Kom je eten? Waarom niet? Heb je plannen? Wat ik niet begreep, was waarom hij zo kortaf was geweest en daarna zo geërgerd. Dat was het enige goede woord ervoor: geërgerd. Haar hallo had verfijnd en mondain geklonken. Als van iemand met een vriendin die 'kiesj lorrène' zei – of als van iemand die dat zelf zei. Als van iemand die at in de restaurants die Kilroy verfoeide, en die het chique patina bezat waar hij van walgde. Als hij van rijke komaf was, wat was er dan gebeurd? Wanneer was hij dan het spoor bijster geraakt? Of was hij een ander spoor ingeslagen – het leek me niet dat er bij hem veel per ongeluk was gegaan.

We sloegen Simons straat in en passeerden mijn auto. De voorruit was zo smerig dat ik de eerstvolgende keer dat ik hem moest verrijden én een keukenrol én een glasreiniger mee moest nemen.

In het oude huis zetten we onze gerechten op de keukentafel neer. Kilroy schonk zichzelf een glas wijn in en voegde zich in de huiskamer bij Lane en een paar anderen, terwijl ik bij Simon bleef, die over een steelpan op het fornuis gebogen stond.

'Jus aan het maken?' vroeg ik.

'Niemand anders weet hoe het moet. Ik heb ze gezegd dat je het vet uit de braadpan moet halen, en ze hadden allemaal iets van: "gossie".' Met een garde maakte hij snelle roerbewegingen, waarbij de onderkant over de bodem van de pan ging. 'Het heeft zijn voordelen als je uit het Midwesten komt,' zei hij.

'Nu we het daar toch over hebben: heb je vanmorgen je ouders aan de lijn gehad?'

Hij grijnsde. 'Mijn moeder denkt met feestdagen alleen aan het werk. Het eerste wat er uit haar mond kwam was: "Vergeet niet de rijst in je soep te doen." Ik had zoiets van: "Jij ook een fijne Thanksgiving." O ja, en het sneeuwt daar, er is afgelopen nacht meer dan zeven centimeter gevallen.'

'Je soep?'

'Kalkoensoep, meid. Niet aan te ontkomen. Het wordt lekker, we kunnen er nog weken van eten. Je zult het wel merken, of dat zou je doen als je ooit hier was.' Hij keek mij nadrukkelijk aan, doopte een lepel in de jus en overhandigde hem aan mij. 'Hier, proef dit eens.'

Uit de zware, geurige damp die van de lepel opsteeg maakte ik op hoe warm de jus was, en ik blies er eerst over. Toen slurpte ik ervan, en het was schandelijk lekker, zout en zo vet dat mijn lippen wel ingesmeerd leken. Ik likte de lepel leeg en stak hem in de steelpan om nog wat te nemen.

'Nog een keer?' zei hij. 'En dat doet Carrie Bell? Ik kan mijn ogen haast niet geloven.'

'Kop dicht.' Ik slurpte nog eens en legde de lepel daarna in de volle gootsteen.

'Heb jij je moeder aan de lijn gehad?' vroeg hij.

'Gisteravond.' Bij het horen van haar stem had ik haar gemist, waarna ik me had gerealiseerd dat ik haar steeds al had gemist, zonder het echt te beseffen.

'En Mike?' vroeg Simon.

Ik schudde mijn hoofd. Ik had hem al een maand niet gebeld, had hem niet geschreven om hem te bedanken voor het bandje en hem zelfs nooit die kloteansicht van het Empire State Building gestuurd. Ruim zeven centimeter sneeuw. Ik vroeg me af of Mike thuis was. Ik zag voor me hoe meneer Mayer hem in zijn rolstoel over hun schoongeveegde tuinpad naar de voordeur reed, het gazon aan weerskanten spierwit, maar toen was het gedaan met het beeld: ik wist niet hoe hij de bakstenen trap op moest.

Ik ging terug naar de huiskamer, die haast nooit werd gebruikt. Ze hadden hun best gedaan om hem er feestelijk uit te laten zien: overal stonden kleine witte votiefkaarsjes, in groepjes in de donkere hoeken van de kamer en in een rij op de kapotte schoorsteenmantel. Simon was op één muur zelfs begonnen aan een wandschildering van een echte eetkamer: een tafel gedekt met servetten, zilveren bestek en wijnglazen. Hij had alleen duidelijk niet genoeg tijd gehad. Alles was al wel getekend, maar pas één rand was geschilderd.

Kilroy was in gesprek met Lane en haar vriendin Maura. Zij was lang en breedgeschouderd, en had dik kastanjerood haar en donkerbruine ogen, de donkerste ogen die ik ooit bij een roodharige had gezien. Ze droeg een roestkleurige jurk van gaasachtige stof en was mooi op een manier die precies tegenovergesteld was aan Lanes schoonheid – lang, sterk en kleurrijk tegenover klein, teer en bleek. Toen ik bij hen ging staan richtte ze zich tot mij en zei: 'Ik vertelde Kilroy net dat hij me ontzettend bekend voorkomt.'

Hij tilde zijn glas op om een slokje wijn te nemen. Hij haalde zijn schouders op en zei: 'Ik heb nu eenmaal zo'n gezicht.'

Er verscheen een rimpel op haar voorhoofd. 'Wat voor gezicht?'

'Je weet wel, zo'n dominant soort gezicht dat sommige mensen hebben. Jij hebt ook zo'n gezicht. Carrie en Lane zijn meer recessief.'

Lane grinnikte. 'Ik weet niet of ik het zo'n leuk idee vind om recessief te zijn.'

'Dat zou je wel moeten vinden,' zei hij. 'Het betekent dat het ongewonere in je de overhand heeft op het gewonere. Bij jouw gezicht komt dat door je kin en je wenkbrauwen.'

Haar spitse kin en haar smalle, gebogen wenkbrauwen. Ik dacht aan de foto die ze me had laten zien en waarop ze als kind bij haar grootmoeder op schoot zat. Zelfs toen sprongen haar kin en haar wenkbrauwen er al uit.

'Is Kilroy je voor- of je achternaam?' vroeg Maura.

'Geen van beide, het is maar een bijnaam.'

'Hoe heet je dan echt?'

'Paul Fraser.'

'Fraser,' zei ze nadenkend. 'Fraser.'

Hij gaf me een por met zijn elleboog. 'Zal ik ze vertellen hoe ik aan mijn bijnaam ben gekomen?'

'Ik weet niet hoe je daaraan bent gekomen.'

Ik dacht aan onze eerste avond samen, in Washington Square Park.

Is Kilroy je voornaam of je achternaam?

Geen van tweeën.

Is het je tweede voornaam?

Ik heet Paul Eliot Fraser. Kilroy zit er helemaal niet bij, zo word ik gewoon genoemd.

Waarom?

Omdat het er helemaal niet bij zit.

Waar was hij op uit? Lane keek me nieuwsgierig aan en wendde toen haar blik af.

'Goed,' zei hij. 'Dan zal ik het jou ook vertellen. Je kent dat grapje uit de Tweede Wereldoorlog: "Kilroy was here"? Wat Amerikaanse soldaten overal opschreven, met dat gezichtje erbij?' Hij nam zijn wijnglas in zijn linkerhand en tekende met zijn rechter wijsvinger iets in de lucht. 'Het was een bepaald gebruik, een soort graffiti – ze tekenden kleine gezichtjes en schreven er "Kilroy was here" naast. Nu was ik op de high school helemaal gek van de Tweede Wereldoorlog, ik las er alles over wat ik te pakken kon krijgen, en op een gegeven moment begon ik "Kilroy was here" op de schriften en de kastjes van mijn vrienden te schrijven, zomaar voor de lol: Kilroy was here, Kilroy was here. Na een tijdje gingen ze me Kilroy noemen en dat is aan me blijven kleven.'

295

Ik dronk van mijn wijn en keek geen van de anderen aan. Ik was van mijn stuk gebracht omdat hij het mij niet eerder had verteld, omdat ik het onbenullige verhaaltje over hoe hij aan zijn bijnaam was gekomen samen met Lane en Maura had moeten aanhoren. Er was een druk achter mijn ribbenkast, een benauwd gevoel. Ik ademde diep in en toen weer uit. In Madison had ik iets anders gewild. Ik had gewild dat het leven en de mensen minder voorspelbaar zouden zijn. En terwijl ik naast Kilroy stond, zijn hand met een wijnglas erin op maar een paar centimeter van mijn schouder, dacht ik: *kijk uit met je wensen.* Vervolgens dacht ik: *Nee. Wees ook anders. Maak je hier niet druk om.*

Toen we een paar uur later na het eten het oude huis uit gingen liepen Kilroy en ik zonder te overleggen in westelijke richting, niet de kant van zijn appartement uit. We liepen zwijgend, en gingen naar het zuiden en verder naar het westen totdat we de Hudson bereikten – met achter ons grote, donkere pakhuizen en voor ons de snelstromende rivier, waarop lichtstrepen flitsten. Aan de overkant lag New Jersey, maar het leek veel verder weg, het leek deel uit te maken van een andere, mindere wereld. Ik dacht aan de ruim vijftienhonderd kilometer die ik had afgelegd, aan de eindeloze lege stukken land die er nu stil en zwart bijlagen. En aan Madison daar ergens ver weg, waarvan de kleine lichtjes glinsterden op de avond van Thanksgiving Day.

Hij nam me mee naar een bankje waar we gingen zitten, met onze schouders tegen elkaar aan. Voor ons stak een oude pier in het water, verzakt tussen het paalwerk als was hij van karton. Kilroy strekte zijn nek en keek naar de lucht. 'Het was niet gek geweest om astronoom te zijn,' zei hij. 'En ergens afgelegen in een observatorium op een heuvel te wonen.'

'Waarom word je dan geen astronoom?' vroeg ik, zijn profiel bekijkend.

Hij keek me even aan en glimlachte ironisch. 'Daar is het te laat voor, ik ben al wie ik ben.'

Wie was hij? Iemand die aan Princeton gestudeerd had en die

gek was geweest van de Tweede Wereldoorlog. De zoon van een vrouw die gans at. Ik wendde mijn blik van hem af en keek naar het water en toen naar de lucht, waar in het zuiden een dalend vliegtuig naar Newark toe vloog.

'Laten we iets gaan doen,' zei hij. 'Laten we naar de top van het Empire State Building gaan.'

'Wat, nu? Is dat dan wel open met Thanksgiving?'

'Dat zou wel moeten.'

We vonden een taxi en reden naar het noorden, door de stil geworden straten. Het was een vreemde gedachte hoeveel Thanksgiving-maaltijden er zo dicht bij elkaar waren genuttigd. We stapten uit op de hoek van Thirty-fourth Street en Sixth Avenue en liepen in oostelijke richting, terwijl de wind tegen ons aan blies. We moesten met een roltrap naar beneden om kaartjes te kopen, en daarna met een andere roltrap omhoog om in de rij voor de liften te kunnen gaan staan. Boven kocht ik voor Mike een ansicht van het gebouw, waarop het zich hoekig aftekende tegen een felblauwe lucht. Ik voelde me verschrikkelijk omdat het zo lang had geduurd, maar elke keer dat ik eraan had gedacht was ik geremd door wat ik moest schrijven en welke toon ik moest aanslaan. Onder toeziend oog van Kilroy stopte ik de kaart in mijn tasje.

Op het platform was de wind nog sterker. Ik trok mijn jas strak om me heen. Hoog boven de stad probeerden we vergeefs het plekje aan de rivier te ontdekken waar we een half uur geleden hadden gezeten. De Hudson was hier een strook tafzijde met plooien van licht erop. Onder ons vermenigvuldigde en deelde de stad zich op in buurten, blokken en gebouwen – maar in de gebouwen lagen complete landen, complete werelden. Er kwam geen einde aan de lichtjes, en we liepen naar de noordkant van het platform en zagen Central Park liggen als een enorm donker meer, omgeven door glinsterende stukjes bos. Fifth Avenue liep ernaast, verlicht en gloedvol.

'Daar wonen jouw ouders toch?' zei ik. 'De Upper East Side?'

Tot op dat moment had ik niet eens geweten dat ik dat vermoedde. De Upper East Side – waar de rijkaards woonden.

Kilroy knikte. 'Yep.'

Terwijl we verder liepen liet hij me Queens en Brooklyn zien, allebei uitgestrekt en diffuus. Ten slotte bleven we staan op de zuidpunt van het platform. De wind was nog sterker dan voordien, en ik maakte mijn sjaal beter vast en stak mijn gehandschoende handen onder mijn armen. Ik keek naar de torens van het World Trade Center, die op voldoende afstand waren om klein en bijna onbeduidend te lijken – ze oogden absoluut niet meer als de symbolen die ze pas tien weken geleden vanuit New Jersey hadden geleken.

Kilroy stak zijn handen in zijn zakken. 'Wat doet Maura?'

Ik was verrast door zijn vraag, die zo onverwachts werd gesteld. 'Maura, Maura van Lane? Ze werkt op de beurs, hoezo?'

Hij trok een schouder op en liet hem weer zakken. 'Gewoon nieuwsgierig,' zei hij achteloos, maar er was iets kunstmatigs in zijn achteloosheid, alsof hij het echt had willen weten – alsof hij het eigenlijk al had vermoed en op het idee was gekomen om het te verifiëren omdat we naar Wall Street stonden te kijken.

Hij draaide zich om en leunde met zijn rug tegen de balustrade, terwijl hij in zijn blote handen wreef tegen de kou. 'Ik dacht dat ze net zo'n aspirant-kunstenmaakster was als de rest van het stel,' zei hij. 'Beeldhouwster of zo – daar heeft ze wel de handen voor.'

Ik viel even stil. 'Waarom is het zo vreselijk om iets te willen worden?'

Even lichtte er iets verrasts op zijn gezicht op. 'Dat is het niet, tenzij het alleen een maniertje is om te zorgen dat je jezelf niet gewoon hoeft te vinden.' Hij sloeg zijn armen om zijn borstkas en trok zijn schouders op tegen de wind.

'En jij?' vroeg ik. 'Heb jij ooit iets anders willen worden dan je bent?'

'Zeker,' zei hij. 'Dat heb ik gewild en dat wil ik nog steeds.'

Mijn hart ging iets sneller slaan. 'Wat dan?'

Hij haalde zijn schouders op. 'Iemand met rust in zijn hoofd.'

Mijn ogen schoten vol en ik hield ze wijdopen. Ik zag hem lezend op zijn bank, lopend over het trottoir. Pool spelend bij McClanahan's, met een uitdrukking van intense concentratie op zijn gezicht. Rust in zijn hoofd. Hij stond nog geen halve meter van me vandaan, maar ik voelde dat er een enorme kloof tussen ons gaapte, een kloof vol lawaai: van de wereld en van mij. Hier werd het bevestigd.

Net op dat moment passeerde ons een vrouw met imposante blonde haren en een felrode jas, en toen ze mijn betraande ogen zag wierp ze me een blik van mededogen toe. *Nee*, wilde ik zeggen, *zo zit het niet* – maar hoe het dan wel zat wist ik ook niet.

HOOFDSTUK 24

Begin december, op een zondag toen ik naar het oude huis terug was gegaan om te douchen en me om te kleden, belde Rooster. Ik feliciteerde hem met zijn verloving en hij bedankte me met de woorden: 'Ik wed dat je dacht dat het er nooit van zou komen. Ikzelf had het zeker niet verwacht.' Zijn stem klonk vertrouwd maar op de een of andere manier ook niet vertrouwd – er klonk iets onzekers in door. Hij leek niet te weten hoe hij zich moest richten tot mij, iemand die hij al sinds jaar en dag kende. Iemand die ervandoor was gegaan.

'Zijn jullie al druk aan het plannen?' vroeg ik.

Hij lachte. 'Joan heeft alles goed voor elkaar. Van tijd tot tijd sleept ze me ergens mee naartoe om taart te proeven of zo, maar meestal is ze samen met haar moeder in de weer.'

'Mike had het over eind december.'

Hij aarzelde. 'Ja.' Er viel een stilte, en ik dacht dat hij nog wat zou gaan zeggen. Maar toen hij zijn mond weer opendeed was dat om een ander onderwerp aan te snijden. 'En heb jij het naar je zin? Bevalt New York je wel?'

'Het is fantastisch.' Ik klonk vlak en deed een nieuwe poging: 'Het is echt geweldig.' Ik was teleurgesteld omdat hij me niet meer over de bruiloft vertelde.

'Hoe zit het nou?' vroeg hij. 'Woon je nou in een soort woonkazerne? Voor niks?'

Ik legde uit hoe het met het oude herenhuis zat. 'Uiteindelijk gaat de eigenaar het helemaal verbouwen of verkopen, maar nu heeft het in feite de laagste huur die er is, en ik hoef *geen* huur te betalen.'

'Dat is flink geluk hebben.'

'Dat weet ik.'

Ik had Simon kort geleden verteld dat ik me schuldig voelde omdat ik niet aan de huur meebetaalde, maar hij had dat van tafel geveegd. *Ja, het is voor ons allemaal een enorm probleem dat jouw spullen – niet zozeer jijzelf maar je spullen – een heel klein stukje ruimte in beslag nemen die nergens anders goed voor is.*

'Carrie?' zei Rooster aarzelend, en ik zag nu in dat ik een uitnodiging voor de bruiloft verwachtte – dat ik een uitnodiging wilde. Daarom was ik eerder teleurgesteld geweest.

'Ja?'

'Ik ben kwaad op je,' zei hij. 'Ik bedoel, ik moet wel kwaad op je zijn, snap je? Maar ik snap het ook. Je stond onder een enorme druk.'

Mijn keel voelde dik. Ik herinnerde me de dag in juli voor de bibliotheek, hoe hij met zijn vuist tegen de muur had gebeukt. En hoe we, toen we daarna bij Mike op bezoek waren, elkaar nauwelijks aan hadden kunnen kijken. 'Dank je,' zei ik.

'Maar ik ben wel kwaad,' zei hij.

'Dat weet ik.'

'En dan nog dit...' begon hij, maar daarna brak hij af en viel er een stilte op de lijn. Ik besefte plotseling hoe moeilijk dit voor hem was. Hij had er met Joan over gesproken. Ze hadden voorbereid wat hij zou gaan zeggen. 'Goed,' zei hij, 'dit klinkt waarschijnlijk nogal egoïstisch, maar het zou veel voor me betekenen om te weten dat jij blij voor me bent.'

Een warm gevoel trok door mijn borst en naar mijn gezicht. Ik dacht aan alle jaren dat ik hem al kende, aan de Rooster die meisjes bij een afspraakje afschrikte met bloemen en een te veel aan enthousiasme, aan de Rooster die op een zondagmorgen op mijn etage was verschenen om Mike en mij op schaapachtige toon verslag uit te brengen over het meisje bij wie hij net vandaan kwam, over hoe raar ze bij het ontwaken had gedaan: *alsof ze kwaad op me was.* Plotseling raakte ik ervan doordrongen: Rooster was nog nooit zo geweest. Liefde. Die had hij nooit eerder gekend.

'Dat ben ik,' zei ik. 'Ik ben heel erg blij voor je. Ze is een geluksvogel, Rooster. Echt waar. En ze heeft me altijd erg aardig geleken.'

'Dat ís ze ook,' riep hij uit. 'Ze is érg aardig. En ze... ze mag mij. Ik bedoel, dat ligt voor de hand, maar...' Hij brak af. 'Kijk,' zei hij, 'dit is lastig, ik weet niet wat jouw plannen zijn, maar Joan en ik zouden het erg prettig vinden als jij op onze bruiloft zou komen, dat is alles. Daarom belde ik eigenlijk. Het is op 23 december, en jij bent uitgenodigd.'

'Rooster.' Tranen stroomden over mijn wangen. 'Heel erg bedankt. Ik zal er zijn, ik aanvaard de uitnodiging. Dank je wel.'

'Echt?' vroeg hij. 'Kom je?'

'Ja.'

Er viel een korte stilte. 'Kan ik het tegen Mike zeggen?'

Ik aarzelde. Wat wilde hij tegen Mike zeggen? Ik zou daarna naar New York teruggaan – dat wist ik zonder erover na te hoeven denken. Ik zou teruggaan en een baantje nemen. Vanzelfsprekend zou ik niet altijd zo blijven aanlummelen als nu.

'Carrie?'

'Bedoel je: tegen hem zeggen dat ik op jullie bruiloft kom?'

'Ja.'

'Natuurlijk,' zei ik. 'Doe dat.'

Hij zuchtte. 'Oké, dat doe ik.'

Ik zou een baantje nemen, en Kilroy en ik – zouden we gaan samenwonen? Misschien zou het beter zijn als ik ergens een eigen woning had, een kleine woning, misschien samen met iemand anders. Of misschien zou hij me vragen bij hem in te trekken.

'Dus,' zei Rooster, 'ga ik je een uitnodiging sturen, maar het is om vier uur in onze kerk.'

'In jullie kerk?'

'Wat, bedoel je omdat Joan uit Oconomowoc komt? Normaal trouw je geloof ik in de woonplaats van de bruid, maar op deze manier is het veel makkelijker voor Mike om erbij te zijn.'

'Dat is erg aardig,' zei ik.

'Ik zou nooit kunnen trouwen als Mike er niet bij was.'

'Dat weet ik van je.'

Hij ademde diep in en weer uit. Alles wat niet gezegd kon worden hing daar tussen ons in. Wat hij voor Mike zou doen. Wat ik niet zou doen.

'O, dat was ik haast vergeten,' zei hij. 'De avond daarvoor hebben we ook een etentje bij mijn ouwelui thuis. Ik bedoel, als je ervoor voelt. Het wordt niks groots – alleen onze families en Mike en de Mayers. O, en Jamie en Bill.' Hij gniffelde een beetje. 'Het nieuwe thema.'

'Wat?'

Er viel een korte stilte. 'Weet je dat niet?'

'Weet ik wat?'

Hij lachte. 'Jamie en Bill gaan met elkaar.'

Ik was verbijsterd. 'Sinds wanneer?'

'Sinds een paar weken, en je kunt je niet voorstellen hoe ze samen zijn. Je denkt, als ze dit kunnen, hoe is het dan mogelijk dat ze elkaar al die tijd gekend hebben zonder dat ze stapelgek op elkaar zijn geworden?'

'Als ze wat kunnen?'

'Echte tortelduifjes zijn. Ik wil er niet eens aan denken wat zich achter gesloten deuren afspeelt. Jamie is volkomen door het dolle heen – ik kan niet geloven dat ze het niet aan jou heeft verteld.'

Ik kon niet geloven dat ze hem niet had verteld dat ze nooit meer contact met mij had. En Bill en zij: ook dat kon ik niet geloven. Wat had ze ook weer gezegd bij de afscheidsbrunch voor Christine? *De Beav oogt triest.* Ik herinnerde me hoe Bill tegenover me aan tafel had gezeten en Christine over haar haren had gestreeld. Christine zat nu in Boston, maar een dag rijden bij mij vandaan. Wist zij dit? Kon het haar wat schelen?

'Ik dacht dat je het wel zou weten,' zei Rooster.

'Nou, ik wist het niet.'

We praatten nog wat langer, maar algauw wisten we niets meer te zeggen. We konden maar tot een bepaald punt gaan zonder dat het gevaarlijk werd, zei mijn gevoel me. Ik was in de keuken, en nadat ik had opgehangen liep ik naar de deur en keek naar buiten. In de achtertuin stond een oude picknicktafel, niet ver van een barbecue die balanceerde op een paar verweerde bakstenen. In de zomer hadden Simon en de anderen volgens de verhalen een verlengsnoer naar buiten gelegd en 's avonds laat, wanneer de duisternis inviel, piña colada's gemaakt. Het herinnerde me aan zomeravonden thuis, als we met een groepje morellentaart aten op mijn balkon. Mike, ik en onze begeleiders Rooster en Jamie. Die geen begeleiders meer waren. Het leven was verder gegaan. Nu was het hun beurt.

Ik had iets schitterends nodig om op de bruiloft te dragen. Er stond me iets verbluffends voor ogen, iets dat me eruit zou doen springen als anders dan de anderen. De volgende paar nachten lag ik lang wakker en verzon jurken. Terwijl Kilroy naast me lag te slapen dacht ik aan een bruin T-shirt van stretchkant op een lange bruine tafzijden rok, en aan een tot de knie vallende wijnrode satijnen jurk met een bijpassend zwierig jasje. Ik wilde iets donkers en chics voor een bruiloft in de kersttijd. Een goudkleurig geplisseerd jasje op een jurk van paislcy brokaat, cen dieprode wikkeljurk met een diep V-vormig decolleté. Ik had schoenen en een tas nodig. Ik had ongeveer tienduizend dollar nodig.

Op woensdag stak ik me in een van de zwarte broeken met zijrits die ik had gemaakt en in een mooie chenille trui. Ik ging naar het hart van de stad, waar ik de traag voortbewegende groepen winkelaars op Fifth Avenue achter me liet en Bergdorf Goodman binnenstapte. Ik wilde er alleen maar rondkijken. Om te zien wat er te krijgen was.

Ik was in mijn leven al in heel wat warenhuizen geweest, in Madison en Chicago, maar nooit in een zaak als deze, waar dikke tapijten lagen en een diepe stilte heerste, als was het een museum van kostbare artikelen. Ik liep langs de accessoire- en parfumerie-afdelingen en maakte rondjes over de stille en geparfumeerde benedenverdieping, onderwijl de voortreffelijk geklede verkoopsters bestuderend. Er waren niet veel andere klanten: een paar rijke weduwes in tweedpakjes bekeken handschoenen, terwijl een lang blond stel in rijkleding een glanzende portefeuille bekeek, zacht pratend in een vreemde taal.

De roltrap ging geruisloos omhoog. Boven dwaalde ik rond langs kledingstukken die als kunstwerken in zorgvuldig uitgelichte opstellingen hingen. Ik viel voor een grijs broekpak van stretchstof en toen voor een donkerblauwe trui met parels en zijden borduurwerk bij de manchetten. Op een andere afdeling vond ik een dieppaars topje met een wijde U-hals dat boven een tweelagige zilver met paarse wikkelrok hing. Er vlakbij hing een schitterende koperkleurige jurk van pure tafzijde waarin een nauwsluitende bruine onderjurk zichtbaar was.

Een tot de knie vallende jurk van groen fluweel lonkte me naderbij. Hij was diep woudgroen en vanuit sommige hoeken bijna zwart, het fluweel was zijdeachtig, diep en weelderig als een dicht woud. Het ontwerp was compleet en eenvoudig, met een ronde hals en een prachtig gemodelleerde vorm. Over de rug liep een rij kleine satijnen knoopjes in hetzelfde groen als het fluweel. Er zaten ook lange satijnen manchetten aan, die elk nog eens drie knoopjes hadden. Aan een van de manchetten hing een prijskaartje waarop stond: $ 3000.

'Zoudt u hem willen passen?' vroeg een verkoopster die uit het niets opdook.

Ik volgde haar naar een enorme paskamer met een chintz fauteuil, een verstelbare driedelige spiegel en flatterende gedimde verlichting. Ik trok mijn kleren uit en gleed de jurk in. De voering voelde koel en zijdeachtig toen hij over mijn hoofd ging. Net toen ik me af begon te vragen hoe ik de knoopjes weer moest sluiten, kwam de verkoopster terug en deed het voor me, waarbij ze het fluweel over mijn schouders gladstreek. Toen ze weg was keek ik in de spiegel. De jurk paste perfect, de getailleerde naden sloten aan bij mijn rondingen, de mouwen zaten strak maar soepel genoeg om beweging toe te laten en de satijnen manchetten lagen als zijden armbanden om mijn polsen. Schitterend.

Ik wist genoeg knoopjes los te maken om de jurk uit te kunnen doen en vervolgens keerde ik hem doelloos binnenstebuiten en staarde naar de lijnen van de naden.

'Hebt u nog iets nodig?' vroeg de verkoopster, en ik keerde de jurk weer goed, trok mijn kleren aan en liep weg, terwijl ik haar met een treurig lachje meedeelde dat hij net te ruim bij de schouders zat.

Donkergroen fluweel. Dat wilde ik. De beklemming van mijn armoede gaf me een benauwd gevoel, en ik ademde diep in en langzaam weer uit. Het was pas begin december. Ik had nog de tijd om iets te vinden.

Op de begane grond dwaalde ik opnieuw rond, bevoelde sjaals en liep door pasgesproeide nevels van uiterst kostbare parfums. Bij de sieraden keek ik naar snoeren met zwarte parels en naar complexe, plastisch vormgegeven oorbellen. Mijn kleine diamantje oogde hier broos, alsof het uit een andere tijd en een andere wereld afkomstig was. Ik vroeg me af of Mike er nog weleens aan dacht, of hij veronderstelde dat ik hem nog droeg. Ik vroeg me af hoe hij zich voelde, in de wetenschap dat hij me over een paar weken zou zien.

'Carrie?'

Ik draaide me om, en daar was Lane, gekleed in een zwarte fluwelen overall en een dun tricot t-shirt. Met haar hand ondersteunde ze de elleboog van een oudere vrouw die nauwelijks langer was dan zij, ondanks de prachtige duifgrijze suède pumps met zeven centimeter hoge hakken die ze aanhad.

'Dit is juffrouw Wolf,' zei Lane. 'Juffrouw Wolf, dit is Carrie Bell, de nieuwe vriendin over wie ik u heb verteld.'

Juffrouw Wolf zette een stap in mijn richting en nam me schattend op. Ze moest een jaar of tachtig zijn: haar gezicht was vervallen en haar haren oogden als bleekgrijs dons, maar ze bestudeerde mij met een uiterst geconcentreerde blik en haar ogen stonden helder en scherp. 'Ja,' zei ze. 'Het meisje uit het Midwesten, is het niet?'

Ik keek naar Lane, verrast dat ze met juffrouw Wolf over me had gesproken, al besefte ik dat ze voortdurend op zoek moest zijn naar onderwerpen waarover ze met haar kon praten, naar nieuws uit de buitenwereld.

'Dat klopt,' zei Lane. 'Carrie komt uit Madison in Wisconsin.'

Juffrouw Wolf trok haar lippen samen. 'De universiteit daar had lang geleden een uitstekende faculteit Engels, maar ik denk niet dat ze de theoretici beter hebben weten te weren dan elders.'

Ze staarde me aan alsof ze een antwoord verwachtte. Omdat ik amerikanistiek als hoofdvak had gedaan had ik een aantal colleges Engels gevolgd, maar om de een of andere reden schoot me een Shakespeare-cursus te binnen die Mike in zijn laatste jaar had gedaan en die de bijnaam 'hoeren, ridders en boeren' had gekregen.

'We wilden net thee gaan drinken,' zei ze. 'In de Palm Court, nota bene. Ga je met ons mee?'

We liepen Bergdorf uit en het verflauwende licht van de late namiddag in. Over Fifth Avenue reden stromen taxi's, en voor het majestueuze gebouw waarvan ik wist dat het het Plaza Hotel was stond een rij grote zwarte sedans. Lane hield onder het lopen haar hand op juffrouw Wolfs elleboog en ging vervolgens vlak achter haar staan met haar handen alert opgeheven, terwijl juffrouw Wolf een voor een de met rood tapijt bedekte traptreden naar de lobby besteeg.

Binnen stonden reusachtige bloemstukken, en aan het hoge plafond hingen grote, glanzende kroonluchters. De muren waren van roomwit marmer, doorschoten met spikkels goud. Mensen stonden in kleine groepjes te praten. Ze zagen er gewichtig uit in hun kostuums en met hun zorgvuldig gekapte haren.

De Palm Court lag midden in de lobby. Er stonden enkele

tientallen wit gedekte tafels omringd door hoge palmen in potten. Juffrouw Wolf wimpelde de menu's af en droeg de ober op ons thee met alles erbij te brengen.

'Zo,' zei ze toen de thee kwam. 'Schenk jij in, Lane?' Er waren kannen met warm water en koude melk, en de ober had een theezeef van filigrein zilver op een kleine, ondiepe kom gelegd. De citroen lag in flinterdunne schijfjes op een bord, elk schijfje was plat en raakte zijn buurman net aan.

Ik nam het kopje dat Lane me aanbood en nipte ervan.

'Vertel me eens,' zei juffrouw Wolf. 'Hoe red je het?'

Ik zette mijn kopje neer en keek naar Lane, die me kort en nadrukkelijk toefronste, als om zich te verontschuldigen.

'Met mij gaat het goed,' zei ik. 'Uitstekend.'

'En hoe lang ben je hier?'

'Bijna drie maanden.'

Juffrouw Wolf tilde haar kopje op en nipte eraan. 'Rokeriger dan gewoonlijk,' zei ze. 'Niet dat ik dat erg vind.' Ze zette het kopje met een klap neer. 'Ik ben in je geïnteresseerd,' zei ze tegen mij. 'Je doet me denken aan mezelf toen ik nog jong was. Ik kwam natuurlijk uit de hoofdstad – heel anders, zoals je misschien weet – maar het verhaal...' Haar stem stierf weg en ze sloot haar ogen. Zoals ze daar zat, in haar zuiver wollen pakje, haar gepoederde oude gezicht even gerimpeld als een stuk gekreukt papier, maakte ze een bijna ondraaglijk verdrietige indruk op me – iets zo eenzaams omgaf de restanten van deftigheid en grandeur die haar nog aankleefden.

Lane strekte haar arm over de tafel uit en legde haar vingertoppen op de mouw van juffrouw Wolf.

Juffrouw Wolf sloeg haar ogen op.

'Ik weet niet zeker of Carrie uw boek heeft gelezen,' zei Lane.

Juffrouw Wolf kneep haar lippen samen. 'Ik heb niet gezegd dat ze het wel had gelezen.' Ze pakte een plakje cake van de drievoetige schaal die de ober ons had gebracht: een soort pound cake, een met poedersuiker bestrooide smalle plak die op zijn zijkant op de schaal lag. Ze trok het onderleggertje weg en hapte erin, waarbij een paar plekjes poedersuiker op haar bovenlip achterbleven.

Lane richtte zich tot mij. 'De eerste roman van juffrouw Wolf gaat over een vrouw die een invalide vriend in de steek laat om naar Europa te gaan.'

Mijn gezicht begon te gloeien, en Lane wierp me weer een verontschuldigende blik toe. Ik schudde mijn hoofd een beetje, omdat ik niet zozeer gekwetst als wel geïntrigeerd en nieuwsgierig naar het boek was.

'Dat is de plot,' zei juffrouw Wolf een beetje knorrig.

'Hoe smaakt de cake?' vroeg Lane haar. 'Ik denk dat ik eens een van deze probeer.' Ze pakte een kleine, korstloze sandwich, driehoekig van vorm en zo dun dat het moeilijk voorstelbaar was dat er nog iets in zat. 'Komkommer,' zei ze, terwijl ze een klein hapje nam. 'Heerlijk. Moet je proberen, Carrie.'

'Jullie meisjes moeten op reis gaan,' zei juffrouw Wolf.

Lane legde haar sandwich neer en allebei keken we juffrouw Wolf aan, wier ineengeslagen vingers op de rand van de tafel lagen.

'Lane, dit geldt ook voor jou. Luister naar een oude dame die weet waar ze het over heeft. Ga naar Europa, ga naar het Verre Oosten, ga zo ver weg dat telefoneren onbetaalbaar is, maar ga. Het gezin is de vijand van de kunstenaar – en van elke jonge vrouw of man die op een serieuze, zinvolle manier in het leven probeert te staan. Je moet eropuit gaan.'

Ik keek naar Lane, die met een bedachtzame uitdrukking op haar gezicht zorgvuldig mijn blik vermeed, terwijl ze beleefd luisterde naar wat ze al vele malen eerder had aangehoord.

'Je denkt dat ik het niet meen,' zei juffrouw Wolf.

Lane bette haar mond met een klein stoffen servet. 'Als ik zou gaan,' zei ze kalm, 'hoe zou het dan verder met u moeten?'

Juffrouw Wolf bewoog haar hand op en neer. 'Dood. Geef me nog een of twee jaar, dat is alles wat ik nog wil.'

'Juffrouw Wolf,' zei Lane.

Juffrouw Wolf keerde zich naar mij en haar diepbruine ogen boorden zich in me. 'Jij luistert,' zei ze. 'Ik denk dat jij wel hebt gehoord wat ik zei.'

Toen we klaar waren namen zij een taxi en ging ik over Central Park South in westelijke richting, langs fraaie rijtuigjes met donkere, snuivende paarden en langs auto's en taxi's die vaststonden in het verkeer. Het was nu koud genoeg om bont te dragen, en toen ik vlak langs een rijzige vrouw in een lange, donkere nertsjas moest voelde ik stiekem met mijn hand aan het koele, zijdeachtige bont.

Het gezin is de vijand van de kunstenaar. Ik dacht terug aan de dag waarop Lane en ik thee hadden gedronken op haar kamer. Ze had toen gezegd dat ze het niet met juffrouw Wolf eens was, dat volgens haar het gezin juist de kunstenaar *was. Net als de lucht, of alle boeken die je hebt gelezen.* Haar boek met het heel lichtblauwe omslag – door wat voor proces was de inhoud daarvan ontstaan? Ze was anders dan Simon en de anderen: ze sprak nooit over de poëzie als een ambitie. Het leek veeleer in haar te zitten en eruit getrokken te moeten worden. Als ik ook zoiets in me had – tja, dan zou ik anders zijn, dan zou ik niet zomaar iemand zijn.

Maar de jurk. De donkergroene fluwelen jurk daar bij Bergdorf. Op een bepaalde manier voelde ik dat ik een versie van die jurk in me had, dat ik de mogelijkheid van zijn bestaan ergens in me droeg. Bij Sixth Avenue zakte ik af naar 57th Street en begaf me naar de stoffenzaak die ik in oktober had ontdekt.

Het was kwart voor zes, vijftien minuten voor sluitingstijd. Vanachter de kassa werd ik gadegeslagen door een oudere man met een voorschoot over zijn witte overhemd en brede polyester das. Er waren drie donkergroene fluwelen stoffen, een van katoen, een van kunstzijde en een van zijde, en ik koos de zijden stof vanwege zijn volmaakte pijnboomachtige kleur. Ik vond een glanzende satijnen stof voor de manchetten en besloot het helemaal goed te doen en voor de voering Chinese zijde in plaats van acetaat te nemen. Om vijf voor zes ging ik zitten met een patroonboek van *Vogue*, en binnen een paar minuten had ik bijna gevonden wat ik zocht: een eenvoudige, getailleerde jurk met een ronde hals. Bijna, maar niet helemaal. Ik keek op naar de man, die met zijn armen over zijn voorschoot gekruist stond, klaar om mij buiten te zetten ondanks de drie stoffen die ik op de snijtafel had gelegd. Kon ik afwijken van het patroon, in plaats van de rugrits knoopjes gebruiken en een manier ontdekken om zelf lange manchetten te ontwerpen? Ik stond op en vond de *Vogue*-patronen, ging de nummers langs tot ik de goede la had ontdekt, trok hem open en zocht snel langs de patronen tot ik het goede patroonnummer en vervolgens mijn maat had gevonden. Ik nam de enveloppe mee naar de snijtafel, legde hem daar neer, opende mijn portefeuille en pakte mijn creditcard.

HOOFDSTUK 25

Ik naaide. Fluweel geeft stof: overal op Kilroys eettafel lagen vezeltjes, en op de vloer rond mijn stoel lag een hele baan. Ik had nooit eerder iets met fluweel gedaan en werkte traag en behoedzaam, waarbij alleen al het gewicht van de stof me eraan herinnerde dat het ernst was. En opwindend: ik moest kennis uit eerdere projecten inzetten om uit te vinden hoe ik de rugknoopjes moest aanbrengen, en experimenteren met tissuepapier en mousseline voordat ik de juiste vorm voor de manchetten kon bepalen. Mijn oplossingen klopten, maar ik verlangde naar meer zekerheid, naar de vaste hand waarmee Kilroy kookte en zijn weg vond in de ondergrondse: een vaste hand die voortkwam uit kennis en ervaring.

De stad raakte vervuld van de kerstsfeer, en Kilroy en ik bezochten de boom bij Rockefeller Center en slopen naar binnen bij een late voorstelling van Händels *Messiah*. Toen ik opmerkte dat Kilroy van Kerstmis leek te houden, reageerde hij ontkennend. Ik zat helemaal fout: hij hield niet van Kerstmis, maar van de geconcentreerde voorbereiding erop. Voor mij waren de twee onlosmakelijk met elkaar verbonden.

Toen we op de avond van de 21ste december een Spaans restaurant in de West Village uit kwamen, ontdekten we dat het licht sneeuwde. Vlokken als kleine bloemblaadjes vielen door de lichtbanen van de straatverlichting. Boven de stakerige zwarte bomen was de lucht geel. Opgetogen hielden we halt. Er vielen vlokken in onze wimpers en onze haren. We hielden onze hoofden achterover en lieten de sneeuw onze mond ingaan, waar hij eerst zacht, toen koud en toen nat voelde. We liepen langzaam in noordelijke richting en zagen de stad wit worden. De volgende morgen zou ik naar Madison vliegen.

Weer bij hem thuis overhandigde hij mij mijn kerstcadeau.

'Mag ik het nu openmaken?'

'Natuurlijk.'

Hij had het ingepakt in een strippagina van een zondagskrant, met keukentouw bij wijze van lint. Ik trok het touw eraf en maakte het plakband los. In het pakje zat een ingelijste foto van een gebouw of een deel van een gebouw – de bovenste verdieping en het dak, steil en grijs, en daarboven een lucht vol wolkjes. Achter het dak was een waslijn gespannen met wit ondergoed eraan: ondergoed van een man en een vrouw door elkaar gemengd.

'Dat is Parijs,' zei hij en ik keek naar hem op.

'En jij hebt de foto gemaakt.'

Hij bewoog zijn vinger een paar centimeter boven de foto heen en weer. 'Hier heb ik een poosje gewoond.'

'Ik vind hem prachtig,' zei ik. 'Dank je wel. Heb je hem zelf ingelijst?' De lijst was mooi, van hout dat in precies dezelfde kleur grijs als het dak was geschilderd.

Hij haalde zijn schouders op. 'Ik vind altijd dat de mooiste cadeaus cadeaus zijn die je zelf maakt.'

Ik onderdrukte een glimlachje. Ik had voor hem een corduroy overhemd gemaakt, in tijd die voor mijn jurk bestemd was. Ik liep naar de kast en haalde er de zak uit waarin ik het hemd had verstopt. 'Als je wilt kun je het nog bewaren voor kerstochtend,' zei ik, en allebei glimlachten we: na het telefoontje op Thanksgiving Day nam ik aan dat hij met de kerst alleen zou zijn, dat hij door de verlaten straten zou lopen en vervolgens in zijn appartement in een splinternieuw boek zou gaan lezen dat hij speciaal voor dat doel had gekocht. Had hij broers en zussen? Zou een hele familiegroep van Frasers samen de kerst doorbrengen, een hele familiegroep min één? Of zouden zijn ouders samen alleen zijn, met een vieze smaak in hun mond?

'Ik denk dat ik doorga,' zei hij.

Het overhemd was donker wijnrood, in een fijne ribstof die overal fijn stof had achtergelaten. Hij trok het papier eraf en maakte de doos open. 'Mooi,' zei hij toen hij het hemd uit de doos haalde en openschudde. 'Heel zacht.' Hij legde het op tafel en liet zijn hand over de voorkant gaan. Ik was voorzichtig met de stof geweest, en door omlaag te strijken werd het corduroy plat en donkerder. Ten slotte drong het tot hem door: hij trok de kraag omlaag om naar een label te zoeken.

Hij keek me aan en ik knikte. Hij liet zijn hoofd achterover vallen, zijn nek spande zich. 'Ik weet niet wat ik moet zeggen,' zei hij.

'"Dank je wel" is genoeg.'

'Niet echt.'

Hij liep met het hemd naar het raam en tuurde naar buiten. We hadden nauwelijks licht aan en ik kon net zijn weerspiegeling zien, een schimmige veeg tegen de donkere achtergrond. Hij streelde over het hemd en draaide zich om. 'Weet je, niemand heeft ooit eerder iets voor me gemaakt, tenminste – tenminste al heel lang niet meer.' Zijn stem klonk onvast. Ik kon het nauwelijks geloven. 'Dit is ongelofelijk lief.' Hij kwam naar mij terug en schoof met de rand van zijn hand mijn haar uit mijn gezicht. 'Je komt toch wel terug?'

Over vierentwintig uur zou ik daar zijn en zou ik slapen in mijn oude bed op de eerste verdieping van het huis van mijn moeder. Ik zou samen met haar de rit vanaf het vliegveld hebben gemaakt, door straten waarvan ik wist dat ik ze leeg en griezelig stil zou vinden. Ik zou kerstbomen in de omlijsting van huiskamerramen hebben gezien, en gekleurde lichtjes op de ene gevel na de andere. New York zou dan een droom zijn, nauwelijks geloofwaardig tegenover zoveel zo bekends. Ik wilde dat Madison de droom was – en deze kamer en deze avond duurzaam.

'Ja,' zei ik. 'Het zal snel gaan. Dat zul je zien.'

Die nacht, terwijl mijn vliegticket in mijn tasje klaarlag, droomde ik dat Mike weer gezond was. Ik stond onder aan de trap van mijn etage in Madison en zag hem ruggelings, op zijn zitvlak, naar boven gaan. Hij droeg een kaki broek en een geruit flanellen hemd en had de halo op, maar ik wist dat hem niets mankeerde – dat hij kon lopen als hij dat wilde.

Daarna lagen we op een ziekenhuisbrancard met elkaar te vrijen. Er lagen geen lakens op de brancard, we lagen direct op het vinyl. Hij drukte zwaar op me, zijn kont lag harig en vochtig in mijn handen en ik kon bijna geen adem krijgen, al was ik ook heel erg opgewonden. Steeds weer stootte hij in me.

's Ochtends was de hemel blauw en de lucht buiten Kilroys slaapkamerraam helder door de pas gevallen sneeuw. Terwijl Kilroy nog naast me lag te slapen stapte ik uit bed om naar buiten te gaan kijken. Er was een pak van een aantal centimeters gevallen, en de trottoirs waren wit. Seventh Avenue glom over zijn hele breedte van het vocht. Bij het koffiehuis aan de overkant van de straat kwam een stelletje de deur uit met bekers met deksels in hun gehandschoende handen. Ze liepen in de trage pas die hoort bij de eerste sneeuw totdat ze uit het gezicht verdwenen.

'Hé.'

Ik draaide me om en zag Kilroy die op zijn zij naar me lag te kijken, zijn hoofd steunend op zijn hand.

'Het is blijven liggen.' Ik liep terug naar het bed en ging naast hem liggen, de lakens aan mijn kant waren nog warm.

'Wat is er blijven liggen?'

'De sneeuw.'

Hij glimlachte en strekte zijn arm naar me uit. 'Jammer dat je vertrekt. We hadden een sneeuwtocht kunnen maken.'

'Doe je dat niet op het platteland?'

'Een sneeuwtocht in de stad,' zei hij. 'Een speciale variant.'

'Waar zouden we dan heen zijn gegaan?'

Hij dacht even na. 'Gramercy Park.'

Ik had meer dan driehonderd dollar uitgegeven aan mijn vliegticket, een tweede grote aanslag op mijn creditcard. Ik had toegezegd dat ik naar de bruiloft zou komen, en keihard gewerkt aan een kostbare jurk voor die gelegenheid. Ik werd verwacht op het etentje van morgenavond – Roosters moeder had me persoonlijk gebeld om Roosters uitnodiging nog eens te herhalen. Mijn eigen moeder had me gevraagd ten minste één avond vrij te houden voor een speciaal diner met haar. En ik had Mike de ansicht van het Empire State Building gestuurd met achterop geschreven: *tot gauw* – ik had hem naar hem thuis gestuurd, omdat hij daar nu was, ontslagen uit het ziekenhuis, klaar om te beginnen aan zijn verdere leven.

Maar ik wilde niet gaan. Dat was me plotseling heel erg duidelijk: ik wilde niet gaan.

'Misschien blijf ik wel,' zei ik.

Kilroy trok zijn wenkbrauwen op. 'Wil je dat?'

Ik knikte.

'Dan moet je dat doen.' Hij raakte mijn schouder aan, streelde er een paar keer over en bewoog toen zijn hand langs mijn arm naar beneden. Zijn aanraking voelde verrukkelijk aan, droog en stevig. Hij liet zijn vingers op en neer over mijn onderarm gaan, en toen over mijn sleutelbeen en midden over mijn borst, tussen mijn borsten. Vervolgens was mijn gezicht aan de beurt. Hij volgde de lijnen van mijn voorhoofd en mijn kaak. Hij nam er de tijd voor en schonk aandacht aan elk onderdeel van me. Mike was een snellere, minder democratische minnaar geweest. Mijn droom kwam me weer voor de geest, en ik probeerde hem met geweld de kop in te drukken: Mikes grote, zware lichaam boven op me, dat me tegen de brancard aan drukte. Kilroys vingers waren tussen mijn tenen en kropen langs mijn scheenbeen omhoog. Naar mijn knie en de binnenkant van mijn dij. Zijn handpalm gleed naar mijn heup en verder omhoog, naar mijn borsten. Ik liet mijn hand langs zijn been omhoog gaan, naar het zachte, harige nest van zijn ballen. Ik sloot mijn ogen, maar het maakte niet uit: Mike was ook aanwezig, hij stond tegen de deur en keek naar ons.

Ik moest mijn moeder op haar werk bellen, kreeg haar voicemail en sprak een boodschap in dat er iets was veranderd en dat ik het later nog eens zou proberen. Daarna belde ik naar het huis van de Mayers. Ik was er zeker van dat ik mevrouw Mayer zou krijgen, maar John junior nam op, met een lagere stem dan de laatste keer dat ik met hem had gesproken. Mike? Jazeker, die was er.

'Ik ben het,' zei ik en onmiddellijk wist ik dat hij het wist: hij bleef zwijgen en liet mij luisteren naar zijn ademhaling. 'Luister...'

'Niet doen.' Er was een pauze, en hij zei: 'Goed? Laten we – laten we gewoon even praten, kan dat?' En ik knikte, alsof hij me kon zien, en een pijnscheut trok door mijn gemangelde hart. Ik was met de telefoon in de slaapkamer gaan zitten en had de deur dichtgedaan, maar ik kon Kilroy in de keuken bezig horen met het zetten van koffie.

'Hoe is het om thuis te zijn?' vroeg ik.

Hij aarzelde. 'Goed. We zijn nog bezig de zaken goed te regelen.'

'En waar ben je nu precies?'

'In de huiskamer.'

In de huiskamer. In zijn rolstoel. Zou hij lang op één plaats blijven, of zou hij bedrijvig rondrijden? De huiskamer van de Mayers stond vol met meubels: banken, tafels en het grote antieke meubelstuk dat mevrouw Mayer de etagère noemde. In de kersttijd werd alles verplaatst en nog dichter op elkaar gezet.

'Staat er een boom?' vroeg ik.

'Een van tweeëneenhalve meter hoog.'

Mike had altijd de lichtjes in de boom moeten hangen – wat moest het moeilijk zijn geweest om toe te kijken terwijl iemand anders dat deed. De versierselen in hun tissuepapier, de mokken met warme cider, de kerstliedjes op de stereo – dat alles had altijd zo sterk herinnerd aan onze eerste zoen onder de mistletoe.

'En waarom kom je niet?'

Ik had besloten dat ik met een goed, degelijk excuus moest komen, maar nu stokte ik – een excuus zou voor mezelf bedoeld zijn, niet voor hem, om te zorgen dat ik me wat minder onaardig hoefde te voelen. 'Ik kan het gewoon nog niet, Mike,' zei ik. 'Ik wil het niet.'

'Dat had ik al bedacht.'

'Toen je mijn stem hoorde?'

'Nee, toen Rooster me vertelde dat je ja had gezegd. Ik heb het niemand verteld, maar ik ging ervan uit dat je van gedachten zou veranderen.'

Ik zuchtte, en zuchtte daarna nog eens omdat ik hem de eerste zucht had laten horen. Ik zei: 'Haat me niet, goed?'

'Waarom niet?'

Dat was een goede vraag, een vraag waarop ik geen antwoord kon geven.

'Ik haat je niet,' zei hij. 'Maar ik weet niet waarom niet.'

Even later gingen Kilroy en ik de deur uit voor een laat ontbijt. Ik voelde me gelukkig en beroerd. De mensen liepen behoedzaam langs de ramen van de restaurants, voorzichtig op de besneeuwde trottoirs. Het verkeer reed stapvoets. Toen we hadden ontbeten gingen we naar het oude huis, zodat ik kon douchen en me kon verkleden. Het was een zaterdag, maar er was niemand thuis – misschien waren ze kerstinkopen aan het doen. Ik voelde een steek bij de gedachte dat we de vorige avond onze cadeaus hadden uitgepakt. Wat zouden we met Kerstmis doen? Naar een film gaan, misschien. Of iets koken waar Kilroy bedreven in was, iets ingewikkelds en verrukkelijks. Of allebei.

Het was weer bewolkt geraakt, en terwijl we door de stad liepen begon de sneeuw van de trottoirs op te stuiven, kleine vlagen wervelden aan onze voeten. Ik was nooit eerder in Gramercy Park geweest, een rechthoek van herenhuizen rond een klein, besloten park. Het begon licht te sneeuwen, en de huizen vormden een intieme afscheiding voor de bladerloze bomen. Ik had me in een andere eeuw kunnen wanen als niet overal Acura's en Lexussen geparkeerd hadden gestaan, vaak met de kofferbak open om de gulle giften te ontvangen voor de feestdagen die buiten de stad zouden worden doorgebracht.

'Mooi, hè?' zei Kilroy.

Ik keek hem aan en vroeg me een ogenblik af of hij sarcastisch was – vanwege de chique auto's en de uitgesproken deftigheid van de huizen. Maar hij leek serieus.

'Het is prachtig,' zei ik. 'Je kunt je bijna voorstellen dat je in een ver verleden bent waarin nog geen auto's bestonden.'

Hij lachte breed naar me. 'Dat is precies wat ik ook dacht – precies.' We waren stil blijven staan voor een pand van rode baksteen, en nu zetten we ons weer in beweging. 'Soms wou ik dat ik in een andere eeuw was geboren, weet je? Het leven zou zwaarder zijn geweest. Denk maar aan alles wat we nu hebben – alleen al aan de elektriciteit: verlichting, verwarming, de koelkast. Om maar te zwijgen over alle mooie spulletjes als computers.' Hij keek me doordringend aan. 'Stel je voor dat er geen stroom was: je zou 's avonds niet kunnen lezen, alleen met een kaars. Stel je voor dat je zelf brandhout zou moeten hakken en het naar binnen zou moeten brengen, omdat je anders dood zou vriezen. Denk eens aan de lichamelijke uitputting om een minimum aan comfort te bereiken.'

'Je zou nog steeds zo kunnen leven,' zei ik. 'Min of meer. Als je dat zou willen.'

Treurig schudde hij zijn hoofd. 'Nee, het zou een vorm van aanstellerij zijn.'

We liepen verder naar de East Side. We hielden halt toen we bij de Verenigde Naties kwamen om het brede, met vlaggen omgeven plein over te steken en bleven vervolgens staan kijken naar de East River, die staalgrijs was en voortjoeg onder de fletse lucht. Mijn haar was nat van de verse sneeuw, dat van Kilroy vochtig aan de randen onder zijn wollen muts. Hij sloeg zijn arm om me heen en trok me naar zich toe. Hij zoende me op de zijkant van mijn gezicht, en nestelde toen zijn hoofd dicht tegen me aan, waarbij zijn ijskoude neus tegen de zijkant van mijn hals kwam te liggen. Terwijl we daar stonden stelde ik me ons samen voor in een ingesneeuwde hut, met een brandende haard en ramen die koud aan je vingers voelden. Buiten hingen ijspegels aan de dakranden, terwijl verder weg, overal om ons heen, pijnbomen met witte toppen oprezen, die licht knarsten in de wind.

Toen we thuiskwamen was het vroeg in de avond. Kilroy ontdooide wat zelfgemaakte champignon-gerstsoep, die we zwijgend aten, ik met mijn voeten op zijn schoot onder de tafel. Daarna deed hij de afwas terwijl ik weer met de telefoon naar de slaapkamer ging om mijn moeder te bellen. Ze nam bij het eerste overgaan al op, en hoorde me zwijgend aan terwijl ik uitlegde dat ik had besloten te blijven, steeds meer stamelend naarmate zij niets bleef zeggen. Ik hoorde Kilroy borden opstapelen en wou dat ik meer kon zijn zoals hij, dat ik gewoon kon zeggen wat ik te zeggen had en er dan klaar mee kon zijn.

'Nou,' zei ze toen ik klaar was.

'Wat is er?'

'"Wat is er?"'riep ze uit. 'Jij vraagt mij wat er is? Weet je hoe vaak Mike heeft gebeld om te vragen hoe laat je vandaag aankomt? Drie keer! En het is voor hem niet makkelijk om te bellen!'

'Dat weet ik,' zei ik. 'Ik voel me er alleen nog niet klaar voor.'

'Dit is geen kwestie van of jij er wel klaar voor bent,' schreeuwde ze. 'Heb je geen hart? De kwestie is dat Mike op jou zat te wachten. Dit is een kwestie van wreedheid.'

Ik begon te huilen, heel hard, mijn ogen brandden en stroomden over. Ik drukte de telefoon tegen mijn oor en hij werd nat, net als mijn handen en mijn polsen. Mijn moeder praatte nooit zo tegen me, en ik bleef maar snikken, wachtend tot zij iets zou zeggen waarmee ze alles terug zou nemen. Ze was meestal zo uitgebalanceerd. Toen we klein waren zei Jamie altijd dat ze van moeder wilde ruilen, dat ze mijn kalme moeder wilde in plaats van haar nerveuze moeder. Waar mevrouw Fletcher bezorgd was en standjes gaf vroeg mijn moeder: wat voor gevoel kreeg je daar nu door? Blijkbaar bestond er gedrag dat te erg was voor zo'n benadering. Er kwam me een beeld van mevrouw Fletcher voor de geest, met een tafelmes in haar zachte, besproete hand terwijl ze het glazuur op een cake aanbracht, met haar lippen peinzend op elkaar geknepen. Een tijdje had *ik* ook gewild dat Jamie en ik van moeder konden ruilen, totdat ik Mike leerde kennen en zijn gezin wilde – en dat ook kreeg. Ik stelde me mijn moeder voor in haar schone, sobere keuken, met de gordijnen die ik afgelopen zomer had gemaakt vrolijk voor de zwarte ramen, en ik vroeg me af hoe ze me kon hebben laten gaan. Ik begon weer te snikken, met schokkende schouders.

'Liefje,' zei ze. 'Het spijt me.'

'Nee, het is waar,' zei ik. 'Het is waar.'

'Het is een zware tijd voor je,' zei ze. 'Dat weet ik.'

Ik schudde nogmaals mijn hoofd. Ik wilde niet denken aan haar daar alleen in die keuken, maar ik kon het niet tegengaan. Misschien had ze eten voor ons samen klaargemaakt. Misschien stond het nu op het aanrecht, een lasagna die ze in de op een laag pitje brandende oven had willen zetten voordat ze naar het vliegveld vertrok. 'Mam,' zei ik. 'God. Ik heb helemaal niet aan de *kerst* gedacht.'

Ze zweeg, en ik stelde me voor dat ze net als ik dacht aan de kersttraditie die we samen hadden gehad voor zo lang als ik me kon heugen: ontbijt bij het haardvuur terwijl we onze cadeaus uitpakten, 's middags samen bezig in de keuken en dan, kort nadat het donker was geworden, met ons tweetjes in de eetkamer met een perfecte rode rosbief op een zilveren schaal, omdat we het kerstdiner niet bij de Mayers gebruikten.

'Mam,' zei ik nogmaals. 'Het spijt me zo.'

'Maak je er maar geen zorgen over,' zei ze. Ze zweeg even en zei toen, in een opwelling: 'O, luister – daar heb ik eerder niet eens aan gedacht. Met mij zit het wel goed. Ik heb een dik nieuw boek dat ik graag wil gaan lezen. Ik gooi gewoon flink wat hout op het vuur en dan lummel ik de rest van de dag lekker wat aan.'

Wat betekende dat ze vanwege mij de kerst precies zo zou doorbrengen als ik het me voor Kilroy voor ogen had gehad: alleen en lezend. Ik kon haar voor me zien, met een boek in haar hand terwijl Vivaldi aanstond en er voor de vorm een klein kerstboompje in de hoek stond, met kleine witte lichtjes erin.

HOOFDSTUK 26

In New York wemelde het van de mannen. Jonge mannen met piercings in hun neus, oude mannen met aluminium wandelstokken. Zwarte mannen, latino's, Aziaten. En blanke mannen van middelbare leeftijd, duizenden blanke mannen van middelbare leeftijd die mijn vader hadden kunnen zijn.

Nu ik weg was uit Madison werd ik me steeds bewuster van hem – van zijn afwezigheid in mijn leven. Op de straat bekeek ik zorgvuldig mannen die ik een jaar eerder niet zou hebben opgemerkt. Ik was daarbij niet zozeer op zoek naar mijn vader als naar een voorstelling van hem: een gezichtsuitdrukking, een schouderomtrek. Ik vroeg me af of hij nog andere kinderen had, misschien had hij overal in het land een hele reeks achtergelaten, halfbroers en halfzussen van mij zonder dat we er weet van hadden.

Op een koude dag in het begin van januari liep ik over Fifth Avenue naar de openbare bibliotheek van New York. De sneeuw van voor de kerstdagen was al lang weer gesmolten, maar de goten stonden nog steeds vol met vuil water, en ik moest over grote plassen heen springen. In de bibliotheek was het warm en rook het naar stof en zweet. Ik wist dat ze alle telefoongidsen van het land moesten hebben, trof ze aan op microfiche en was urenlang met een misselijk gevoel in mijn lijf bezig de kleine plastic kaartjes door te nemen. Mijn vader heette John Bell en woonde uiteraard overal: in Chicago en Cheyenne, in Seattle, St. Louis en Sioux Falls. In Houston, Austin, Arlington, Albuquerque en Atlanta. Alleen al in Manhattan woonden twaalf John Bells.

Ik ging weg bij het microficheapparaat en dwaalde verward door de beroemde bibliotheek, door de grote zalen en brede gangen. Ik had nog maar een paar honderd dollar. Mijn moeder had me voor de kerst een cheque gestuurd, maar ik kon het nauwelijks twee maanden meer volhouden, zeker niet met de zorgen over de betalingen van de creditcard erbij. Ik overwoog uit te zoeken hoe ik een sollicitatie moest indienen om hier te werken – ik was tenslotte met bibliotheken op de hoogte –, maar toen zag ik een vrouw van voor in de dertig met sluik haar bij een wagentje met boeken staan, haar hand op de ruggen rustend terwijl ze even halthield om een op een mededelingenbord geprikte aantekening te lezen. Ik keek naar haar vale gezicht en dacht: nee.

Terug in het oude huis begon ik de was op te vouwen die ik eerder had gedaan. Bibliotheek of niet, ik moest een baantje nemen, en gauw ook. Ik had bij Kilroy zelfs geïnformeerd naar uitzendwerk, maar hij had met afgrijzen gereageerd en gezegd dat het te vergelijken viel met het overwegen van een loopbaan waarin ik een voor een alle haren uit mijn hoofd zou moeten trekken. 'Jij doet het toch,' zei ik, en hij fronste zijn wenkbrauwen en schudde zijn hoofd. 'Geloof me,' zei hij. 'Je zou het haten.'

Nu, terwijl ik kleren zat op te vouwen, dacht ik eraan in een winkel in SoHo te gaan werken. Een van die vrouwen met een perfect kapsel en perfecte wenkbrauwen te worden, die ervoor zorgden dat de kledingstukken precies goed aan hun hangertjes hingen. Ik zou korting op kleren krijgen, en tijdens mijn lunchpauzes rondlopen om de etalages van concurrerende zaken te bekijken. Het enige probleem was dat ik niet de juiste uitstraling had om zo'n baantje te krijgen. De juiste kleren, maar wellicht had ik ook daarmee niet de 'juiste uitstraling'.

Ik hoorde voetstappen, en Simon verscheen onder me op de trap. Hij kwam in T-shirt en joggingbroek vanaf de eerste verdieping naar boven.

'Wat doe je thuis?' vroeg ik. Het was nog niet eens vier uur.

'Ik heb gisteren de hele nacht doorgewerkt,' zei hij en liet een hand door zijn wanordelijke haardos gaan. 'Ik ben vanmorgen om half acht thuisgekomen. Ik ben net wakker.'

'Dat klinkt gruwelijk.'

'Het is eigenlijk niet verkeerd. Ik krijg dubbel betaald voor afgelopen nacht en ik krijg ook vandaag doorbetaald, ook al hoef ik niet te komen.'

Ik schudde mijn hoofd. 'Je bent een bofkont.'

'Goedbetaalde slavenarbeid heeft zo zijn bekoringen.'

'Kun je mij daar niet aan een baantje helpen?'

Hij aarzelde even en schudde vervolgens zijn hoofd. 'Daar wil je niet werken.'

Ik hield een paar sokken in mijn handen, maakte er een bolletje van en gooide ze op mijn stapel sokken. 'Iedereen vertelt me waar ik niet zou willen werken. Waar moet ik dan gaan werken?'

Hij stapte de futon op en vlijde zich in kleermakerszit tegen de muur aan. 'Hmmm.'

Ik pakte een t-shirt en vouwde het op. 'Er wil je niks te binnen schieten, hè?'

'Je bent zowat blut?'

Ik knikte.

'Geweldige stad, vreselijke prijzen.'

'Vertel mij wat,' zei ik, en ik pakte een spijkerbroek van de hoop en schudde hem uit.

'Maar met jou en de heer K. gaat alles lekker?'

Ik dacht aan gisteravond, toen Kilroy en ik een kip hadden gegrild en hem met onze handen hadden verorberd. We hadden het vlees van de botten getrokken totdat onze vingers en monden glommen van het vet. Toen we klaar waren was hij opgestaan en teruggekomen met warme handdoeken, waarna hij mijn vingers een voor een had schoongeveegd.

'Zeker,' zei ik.

'Het is een rare vogel, maar ik denk dat dat eigenlijk wel goed is.'

Ik glimlachte. 'Wat ben ik blij dat hij jouw goedkeuring kan wegdragen.'

'Hé, ik ben jouw sponsor – ik vorm me een mening.'

'Mijn sponsor? Je doet of ik een buitenlandse studente in een uitwisselingsprogramma ben.'

Hij nam me een poosje onderzoekend op. 'Gaat het wel goed met je?'

Ik knikte. Ik was klaar met het opvouwen van de was, stond op en begon de spullen in mijn kartonnen klerenkast te leggen: ondergoed en sokken in de bovenste la, shirts en truien in de volgende. De kast bleek niet zo duurzaam. Ik had overwogen op zoek te gaan naar een goedkope houten kast, maar dat leek gezien de deprimerende staat van het alkoofje nauwelijks de moeite waard. Die ochtend, toen ik voorbereidingen voor de was trof, had ik met moeite de lakens van de futon getrokken, en toen hij terugplofte stoven de plukken stof als muisjes over de vloer.

'De onderste la kun je niet gebruiken, hè?'

Ik draaide me om en keek naar hem zoals hij daar tegen de muur zat, met een bezorgde uitdrukking op zijn gezicht. Soms, meestal wanneer er anderen bij waren, vergat ik weleens hoezeer ik op hem gesteld was. Ik zei: 'Er is niet genoeg ruimte om hem open te kunnen maken.'

Hij drukte nadenkend zijn lippen op elkaar. 'Ik denk dat je eigenlijk de extra ruimte wel kunt gebruiken. Er moet iets op te vinden zijn.' Hij bleef nog even zitten, kwam toen plotseling overeind en liep naar de trap. 'Wacht even, ik ben zo terug,' riep hij over zijn schouder terwijl hij zich naar beneden spoedde. Ik hoorde zijn stappen doorgaan naar de begane grond en toen in de richting van de keuken gaan.

Ik richtte me weer op mijn kleren. Een deel van het probleem was dat de laden veel te vol waren. Ik wurmde de derde la open en propte mijn spijkerbroek erin, bovenop de broeken en rokken die er al in lagen. Ik moest van een deel van die spullen af: er waren kleren bij die ik sinds mijn aankomst in New York niet meer had gedragen, die gewoon te slonzig waren. Als de mensen in de winkels in SoHo alleen al zouden weten dat ik ze had, zouden ze me ogenblikkelijk afschrijven.

Ik dacht aan de groene fluwelen jurk, die in Kilroys voorste muurkast hing zodat ik hem niet in mijn klerenkast hoefde te frommelen. 'Wanneer ga je hem dragen?' vroeg hij me alsmaar, maar nu ik de kans had laten lopen om hem te dragen bij de gelegenheid waarvoor hij was gemaakt, had ik geen idee. Hij was niet bepaald geschikt voor het sjofele Cubaans-Chinese eettentje dat we een paar avonden geleden hadden geprobeerd.

Simons voetstappen werden weer hoorbaar, en vanaf de overloop op de eerste verdieping riep hij: 'Je zult erg blij zijn.' Ik liep naar de trap, en daar stond hij, halverwege, en hij hield twee wankele stapels bakstenen tegen zich aan. Er verscheen een brede lach op zijn gezicht. 'Ze lagen in de achtertuin,' zei hij. 'Ze zijn perfect.'

Hij kwam bovenaan de trap aan, hurkte behoedzaam neer en legde de stenen een voor een op de vloer. Het waren er een stuk of twaalf, rood en verweerd, hier en daar wat smerig. We veegden ze schoon boven de afvalbak in de badkamer, kantelden vervolgens de klerenkast opzij en schoven er drie stapels van twee stenen onder. Simon bracht zijn vingers onder de andere kant van de kast en tilde hem op, en ik schoof de overige stenen op hun plaats, die ik uit elkaar probeerde te leggen zodat het gewicht gelijkmatig verdeeld zou worden. 'Je bent absoluut briljant,' zei ik.

'Als ik absoluut briljant was zou ik dit hebben bedacht toen ik je kartonnen pronkstuk voor de eerste keer zag.'

Hij ging de badkamer in om zijn handen te wassen, kwam weer naar buiten, hurkte voor de kast neer en trok de onderste la open. 'Voilà,' zei hij, maar vervolgens veranderde zijn gezichtsuitdrukking, en hij stak zijn hand in de la en haalde mijn zijden nachtpon en peignoir eruit. 'Nou zeg,' zei hij. 'Wat is dit?'

Mijn gezicht gloeide. 'Niks.'

'Daar ziet het anders niet naar uit.' Hij pakte de nachtpon, kwam overeind en liet hem openvallen in een werveling van goud. Hij hield hem bij de dunne bandjes en draaide hem heen en weer, waarbij de lange lap stof het licht ving. Hij legde hem op de futon en pakte de peignoir, die hij zorgvuldig openvouwde. 'Jezus, Carrie, hoe ben je hier aangekomen?'

'Ik heb ze gemaakt.'

Hij staarde me met opengesperde ogen aan. 'Je wilt zeggen: genaaid? Verkoop me geen lulpraat.'

Ik glimlachte. 'Dat doe ik niet.'

Hij legde de peignoir naast de nachtpon neer en bekeek de twee kledingstukken, een zee van zijde die een beetje golfde op de plooien in de ruwe groene deken die hij me had geleend. 'Jezus,' zei hij nog eens. 'En je doet ze niet eens aan bij je schattebout.'

Ik onderdrukte een lachje. Ik kon me niet voorstellen dat ik ze aan Kilroy zou laten zien, laat staan dat ik ze bij hem zou dragen.

'Hier hebben we namelijk de oplossing,' zei hij.

Een ogenblik dacht ik dat hij de oplossing voor mijn problemen met Kilroy bedoelde, en mijn hart bonsde. Maar ik had geen problemen met Kilroy: ik had Kilroy, die soms nogal een raadsel voor me was, maar geen probleem.

'Je snapt het niet, hè?' zei Simon. 'Jij gaat een beroemde modeontwerpster worden.'

Ik glimlachte. 'Waarschijnlijk morgen al.'

'Carrie, kom op. Het is me al eerder opgevallen – je hebt belangstelling voor kleren. Voor mode. Dat heb je. En moet je dit nu eens zien: je hebt duidelijk talent.'

'Ik kan naaien.'

'Ga er dus in verder,' zei hij geprikkeld. 'Serieus. Volg een cursus.'

'Ik heb geen geld.'

Hij zuchtte, ging op zijn knieën liggen en vouwde de peignoir op. Hij was er voorzichtig mee en streek hem al doende glad. Hij legde hem in de la en deed hetzelfde met de nachtpon. 'Ik ga een douche nemen,' zei hij. 'En dan gaan jij en ik een eindje wandelen.'

We gingen naar de Parsons School of Design en haalden daar de prospectus met hun cursussen, die met de aanbiedingen voor doorlopende opleidingen erin. We gingen ermee naar een café en bekeken hem samen. De namen van de cursussen interesseerden me meteen en leken me vervolgens spannend en veelbelovend: kleur en ontwerp, draperen, patronen maken. Modetrends, ontwerptekenen en naaitechnieken voor couture. Simon zat naast me te stralen van plezier. Op een papieren servetje krabbelde hij een jurk en schreef er 'Carrie Bell, ontwerpster' naast. 'Ik ben zo tevreden over mezelf dat ik het bijna niet kan verdragen,' zei hij. De cursussen startten over enkele weken, en kostten 380 dollar per cursus. Wat betekende dat ik er maar op één manier aan kon beginnen: door mijn auto te verkopen. Zo simpel was het opeens – ik moest de auto die ik nooit gebruikte opgeven om iets te krijgen wat ik wel kon gebruiken. Natuurlijk zou ik mijn auto verkopen! Dat Mike er een soort verzorger van was geweest – dat hij me had geholpen hem te kopen, een pech-onderweg-set had samengesteld voor in de kofferbak en me een paar keer uit de brand had geholpen toen hij was afgeslagen – was van geen belang meer. Eerder was dat een reden geweest om de auto aan te houden, een zenuw die me nog verbond met een geheel van oude gewoonten. Nu lag die zenuw los, als een klein *Fremdkörper* in me naast de aanhoudende pijn van mijn onvermogen om met Kerstmis naar huis te gaan.

Ik kreeg er 2500 dollar voor, van een stel dertigers in dure sportjacks die een weekendhuisje op Long Island hadden en een extra auto wilden hebben om daarheen te kunnen. Ik schreef me in voor draperen, patronen maken en een cursus met de naam 'procédés', die dit voorjaar voor het eerst werd gegeven en werd beschreven als een 'algemene, uitgebreide inleiding in de mode'. In afwachting van het begin van de lessen hield ik me bezig met mijn garderobe, met wat ik bij wat kon dragen en hoe ik dat cachet kon geven. De uitverkoop van januari zoog me winkel in en winkel uit, en al gauw bezweek ik voor een zwart fluwelen shirt, vervolgens voor een paar enkelhoge zwarte laarsjes en ten slotte voor een emmervormige zwartleren boekentas met gespen van geruwd nikkel.

Het was raar om weer naar school te gaan. Ik voelde weer alle kriebels van opwinding van het begin van een schooljaar in Madison, van hoe het was een derdeklasser met een nieuwe jurk te zijn of te beginnen aan het laatste jaar van de high school terwijl ik me afvroeg wat een nieuw schooljaar zou betekenen voor mijn vriend en mij. Mijn lessen werden gegeven op de Parsonscampus midden in de stad, op maar een paar blokken afstand van Times Square, en ik voelde een golf van opgetogenheid als ik de ondergrondse uitkwam en de straat betrad met zijn chaos van claxonnerende auto's en piepende bussen, torenhoge gebouwen, reusachtige elektronische lichtreclames, hotdoggeuren en eindeloze mensenmassa's. Eenmaal in het gebouw nam het tumult af, of beter, het veranderde in een visueel tumult: van pik- en pikzwart geverfd haar, van extreem hoge hakken en enorme laarzen met bolle neuzen, van gewaagde combinaties van kleuren en motieven. Zuidelijker in de stad wemelde het van dit alles, maar het was raar er zo'n concentratie van aan te treffen midden in dat andere New York, het New York van de toeristen en het zakenleven: een enclave van het extreme.

Bij draperen en patronen maken kwamen vaardigheden aan de orde waarvan ik direct begreep dat ik ze altijd zou blijven gebruiken, maar ik keek uit naar de lessen procédés. De leraar was Piero Triolino, een kleine, gezette Italiaan die voor elke les een anders gekleurde coltrui van merinowol droeg, die in een zwarte spijkerbroek was gestopt. In zijn Engels met Italiaans accent vertelde hij ons steeds weer dat inspiratie overal te vinden was – in films, door het oculair van een microscoop of telecoop en in de alledaagse werkelijkheid van tientallen uitheemse culturen. Hij liet ons grote cahiers met harde kaft en ongelinieerde bladzijden aanschaffen en droeg ons op daar onze ideeën in vast te leggen – over kleuren en silhouetten of over wat dan ook.

Aanvankelijk voelde ik me als verlamd, vanuit de gedachte dat ik toch geen ideeën had, maar toen liet een jongen uit de klas me een paar bladzijden met textielmonsters zien die hij in zijn cahier had geniet, en opeens had ik het door. Ik plakte stukjes papier van Chinese voorspellingskoekjes in mijn cahier omdat ik de grijzige pasteltinten mooi vond. Ik kocht kleurpotloden en markerstiften en experimenteerde met onverwachte combinaties, zoals kersrood en lichtgeel of olijfgroen en lichtblauw. Me herinnerend hoe ik in de zomer in Madison had geprobeerd jurken te tekenen, poogde ik zelfs een paar ideeën voor kledingstukken te schetsen.

Een zonderling warme zaterdag in februari lokte Kilroy en mij de straat op, en voor ik er erg in had koerste hij af op het Museum of Modern Art, waar ik nog nooit was geweest. Ik was niet zo gek op musea, maar dit was precies waar Piero ons steeds toe aanmoedigde: *ga naar nieuwe dingen, kijk met nieuwe ogen,* en dus was ik er voor in. Ik had mijn schetsboek in mijn schoudertas.

In het museum gingen we de hal binnen en gaven onze jassen af, waarna we in de rij voor de kaartjes gingen staan. Naast ons stond een lang, knokig meisje met het kortste Schotse rokje aan dat ik ooit had gezien. Ik haalde mijn schetsboek te voorschijn en tekende haar, waarbij ik haar lange, wijde Shetland-trui veranderde in een dun, kort vestje dat een centimeter van haar middenrif bloot zou laten. Ik werkte haar panty weg ten gunste van een paar kniekousen waarop ik het kabelmotief krabbelde dat ik me herinnerde van een paar Bonnie Doon-kousen van de lagere school. Aan haar voeten probeerde ik een paar klompen te tekenen, maar voeten waren moeilijk. Schetsen was moeilijk: ik wilde hierna ontwerptekenen doen, of misschien zelfs modeltekenen.

'En, wat wil je zien?' vroeg Kilroy nadat we hadden betaald.

'Alles, denk ik,' zei ik met een schouderophalen.

Hij grinnikte. 'Jij dacht dat ik zomaar wat wil gaan rondslenteren door het hele gebouw? Vergeet het maar, dat is hetzelfde als etalages kijken met een rugzak van twintig kilo op je rug. De enige manier om een museum als dit te bedwingen is om maximaal vier dingen uit te kiezen en binnen een uur weer buiten te staan. Geen wonder dat je de pest hebt aan musea.'

'Ik heb geen hekel aan musea.'

'En of je dat hebt,' zei hij met een glimlach. 'Je krijgt er pijn van in je voeten en na afloop voel je je altijd heel dom.'

Ik moest lachen, het was helemaal waar.

'Wanneer ben je voor het laatst in een museum geweest?'

Ik keek naar het hoge plafond en dacht na. 'Een paar jaar geleden in de zomer, samen met Jamie. We zijn toen naar het Art Institute in Chicago geweest. Ze had net een cursus over het Impressionisme gedaan en ze was onuitstaanbaar. Er is zo'n schilderij dat helemaal uit stippeltjes bestaat – *Een zomerzondag op de Grande-Jatte*. Ik moest twintig minuten lang alles over het "pointillisme" aanhoren.'

'Het is een bijzonder schilderij,' zei Kilroy.

'Ben je weleens in Chicago geweest?'

Hij knikte.

'Het is wel goed,' zei ik.

Ik dacht aan de dag met Jamie, een dag waaraan ik in geen tijden meer had gedacht, waar ik misschien nooit echt aan had gedacht. Het was in de zomer voor ons laatste jaar op de universiteit, en we waren samen een weekend in Chicago, waar we bij haar tante logeerden. We liepen de hele Michigan Avenue af en kochten sandalen in een schoenenwinkel in Water Tower, dezelfde sandalen, al kocht zij witte en ik bruine. Na het Art Institute kochten we bekertjes ijs van een ijsverkoper op de stoep, en gingen ze naast elkaar op de trap oplepelen. Jamie had net een mislukte verliefdheid achter de rug, en terwijl we daar zaten keek ik naar haar en zag tranen op haar wangen. Ik zette mijn ijsje neer en wilde een arm om haar schouder slaan om haar te troosten, maar ze schudde krachtig haar hoofd. 'Ik ben gelukkig,' zei ze. 'Ik huil omdat ik gelukkig ben.'

Kilroy keek naar me, en zijn ogen zochten de mijne. 'Bel haar,' zei hij, maar ik schudde mijn hoofd. Bellen was niet de manier. Ik had Mike vlak na nieuwjaar gebeld en zijn stem was zo zacht geweest dat het had geleken of hij zijn woorden niet zozeer articuleerde als wel gewoon liet lopen. Door met de kerst niet terug te gaan had ik Madison en iedereen die daar woonde iets aangedaan: ik had ze op een ijsschots gezet en een zetje gegeven. Wat moest ik nu doen, ze met veel bombarie nawuiven?

We namen de roltrap en zaten een kwartier op een bankje voor een enorm schilderij dat helemaal zwart was. Er liepen mensen voor ons langs, maar meestal hadden we een onbelemmerd zicht. Het schilderij leek me alleen maar zwart: ik wilde niet gaan zeggen dat ik het zelf had kunnen schilderen, maar dat was wel ongeveer wat ik dacht totdat de randen opeens begonnen te trillen. Er was niets veranderd, het licht in de zaal niet, het geluidsniveau niet en voor zover ik kon nagaan ook mijn geestesgesteldheid niet, maar toen Kilroy me aanstootte en vroeg of ik klaar was om verder te gaan, vond ik het moeilijk om mijn ogen ervan af te houden.

Vervolgens bekeken we een schilderij dat ik betoverend vond, al merkte ik dat Kilroy er geen hoge dunk van had – toen ik mijn pas inhield blikte hij bijna verlangend naar de ingang van de volgende zaal, voordat hij samen met mij bleef staan. Wat ik er mooi aan vond waren de kleuren, roze, hemelsblauw en helder grasgroen, dat alles tegen een crèmekleurige achtergrond waarmee iets gebeurde wanneer je er beter naar keek en die zelf voorgrond leek te worden voordat hij weer vervaagde. In mijn schetsboek schreef ik: 'Framboosroze, maar een beetje vergrijsd', 'Blauw boven Lake Mendota midden in de zomer' en 'Groen als gras in de zon, niet als wier, maar geler – geelgroen als een peer, maar verzadigd'. Ik vroeg me af of de woorden deze kleuren ooit bij me zouden kunnen terughalen. Het was jammer dat ik mijn markerstiften niet bij me had.

Kilroy zei dat hij een ander deel van het museum op het oog

had voor de twee laatste schilderijen, en we begaven ons naar een zaal die vol hing met wat ik herkende als doeken van Matisse.

'Deze vind je vast wel mooi,' zei hij, en toen ik me omdraaide om hem aan te kijken grijnsde hij.

'Ja, jij niet?'

'Kies er een uit.'

Ik zocht met mijn ogen de zaal af en koos toen een schilderij uit dat een uitzicht door een raam leek te zijn, maar van zo diep binnenskamers dat het raam zelf een onderdeel van het schilderij vormde. Buiten lag een haventje met boten en stonden een paar huizen: niets wereldschokkends of belangrijks, maar hoe langer ik ernaar keek, des te meer ging het doek me bevallen, totdat ik ontdekte dat ik het prachtig vond – vanwege de kleuren, vanwege de manier waarop de rand van het gordijn je deed denken aan de kamer, vanwege het luchtige tafereeltje eronder, maar vooral vanwege het plezier waarmee het, naar ik zeker wist, was geschilderd.

'Ik vind dit prachtig.'

Kilroy glimlachte. 'Het is verrukkelijk.'

'Waarom heb ik het gevoel dat dat de kus des doods is?'

'Helemaal niet – wie zou dit niet mooi kunnen vinden? Maar als je klaar bent, kom dan mee,' zei hij, 'dan laat ik je er nog een zien.' En hij liep naar het midden van de zaal en wachtte op me, alsof er voor hem niets meer aan te zien viel – hoe verrukkelijk dit schilderij ook was.

Ik wist dat hij zijn favoriet voor het laatst bewaarde, en toen ik het doek zag had ik een belabberd gevoel dat ik moest gaan kiezen tussen hem teleurstellen en liegen.

'Goed,' zei hij, 'je weet van wie dit is, nietwaar?'

'Picasso?'

'Zo is het. Dit is mijn favoriete schilderij op aarde. Als ik zo zou kunnen schilderen zou ik volkomen gelukkig mijn urn ingaan.'

Ik keek hem verrast aan. 'Schilder je dan?'

Hij schudde zijn hoofd.

Ik aarzelde. 'Heb je dan geschilderd?'

'Nee, Carrie, ik heb niet geschilderd. Ik heb niet geschreven, ik heb geen muziek gecomponeerd – ik heb geen piano gespeeld, geen acteerles gehad en niet gefotografeerd.'

'Er is veel dat je niet hebt gedaan,' zei ik.

'Het viel niet mee.'

We staarden elkaar aan in de warme zaal, terwijl er mensen om ons heen liepen. Ik voelde dat zich op mijn bovenlip vocht verzamelde. 'Je hebt alles over de Tweede Wereldoorlog gelezen wat je te pakken kon krijgen,' zei ik na een poosje.

'Dat is waar,' zei hij. 'Dat heb ik wel gedaan.'

Toen kwam er een stel de zaal binnen, en ik keek toe terwijl de vrouw zich vooroverboog om iets te zeggen tegen de peuter die ze voortduwden in een prachtig marineblauw wandelwagentje. Net als zijn ouders was hij helemaal in het zwart gekleed, met snoezige rood met zwarte schoentjes en een zwartleren baseballpetje op zijn krullenbol. Een klein zwartleren jasje was over de handgreep van het wandelwagentje gedrapeerd.

'Dat is nu een design-baby,' zei Kilroy.

Ik keek naar hem: hij had een lichtelijk smalende trek op zijn gezicht. 'Wat bedoel je?'

'Het arme kind is volkomen kansloos. Ze zouden moeten worden opgesloten omdat ze dat kind zo hebben aangekleed.'

'Hij ziet er toch leuk uit.'

Kilroy schudde vol walging zijn hoofd. Hij leek in dezelfde trant door te willen gaan, maar toen ging er een knop om en zei hij alleen nog: 'Ach ja, dit is het MOMA op zaterdag, wat wil je ook?'

Hij keek nog eens naar de Picasso, maar ik voelde me afgeleid en kon me niet meer concentreren. Wat was er aan de hand? Er stond iets op het spel, maar ik wist niet wat.

'Wat bedoelde je zonet,' zei ik, '"met je urn ingaan"?'

Het was niet precies de vraag die ik had beoogd, maar voor ik

335

het kon rechtzetten wendde hij zich met een glimlach tot mij en zei: 'Het was een manier van zeggen – na mijn dood wil ik gecremeerd worden. Jij niet?'

'Ik heb er eigenlijk nooit zo over nagedacht.'

'Dat zal het leeftijdsverschil zijn,' zei hij met een grijns.

Ik keek hem even aan. 'Weet je ook waar je je as wilt laten uitstrooien?'

Hij dacht een moment na. 'Misschien op een heuvel in Frankrijk.' Hij knikte. 'Ja, op een heuvel in de Var, ongeveer een half uur landinwaarts vanaf Cannes. Op de plek waar ik heb ontdekt wat de zin van het leven is.'

'En die is?'

'Dat het zinloos is, natuurlijk. Dat je in je leven alles kunt doen wat je wilt en dat het uiteindelijk helemaal niks uitmaakt.' Zijn toon was licht, maar hij had opeens een kleur gekregen. Ik pakte zijn arm en trok mijn hand weer terug toen hij me niet aankeek.

'Maar hoe dan ook,' zei hij, 'mijn emotionele reactie daarop is: kijk naar dit schilderij. Zoek een schilderij en kijk er gewoon naar.'

Ik deed wat hij zei. Ik ging tegenover het schilderij staan en keek er heel goed naar. Het was een klein, donker portret van een menselijk gezicht, gebroken door een angstwekkend prisma en weer opnieuw opgebouwd zonder consideratie met de natuur of het geluk. Kubisme. Ik vond dat het woord niet bij machte was om te beschrijven wat zich op het schilderij afspeelde en hoe onheilspellend het in mijn ogen was.

'Het valt niet mee om ernaar te kijken,' zei ik, en hij knikte.

'Natuurlijk. Daardoor is het ook zo briljant. Je kunt de hele dag naar Matisse kijken zonder ergens over na te hoeven denken.'

Ik glimlachte.

'Daarmee bedoel ik niets tegen Matisse of tegen jou, maar zie je niet hoeveel meer gewicht dit heeft? Hoeveel zwaarder het is, hoe hard? Wacht maar tot in Parijs – dan gaan we naar het Picasso Museum en vallen alle stukjes van de puzzel voor je op hun plaats.'

'Of niet,' zei ik.

Hij schudde ongeduldig zijn hoofd. 'Natuurlijk wel, het duurt alleen een poosje. Het valt niet mee om ernaar te kijken – maar het is ook scherp, hard en compromisloos.' Hij zweeg even. 'Heb ik nooit eerder mijn verhandeling over zachte en harde kunst tegen je afgestoken?'

Ik schudde mijn hoofd.

'Nou dan.' Hij sloeg een pseudo-geleerde toon aan en begon: 'Alle kunst, of het nu gaat om schilderkunst, poëzie, muziek, dans of iets anders, kan worden onderverdeeld in twee groepen: hard en zacht. En hoe aangenaam het zachte ook is, het harde is altijd superieur – dat zou evengoed een natuurwet kunnen zijn.' Hij zweeg even, en toen hij weer verder ging had hij de geposeerde toon laten vallen en sprak hij sneller. 'Matisse en Picasso zijn twee van de duidelijkste voorbeelden. Denk aan Renoir: volkomen zacht. Monet, Sisley – je kunt ze oplepelen. Terwijl Vermeer, die hen in de schaduw stelt, die ongelofelijke strakheid heeft. Voor muziek en beeldhouwkunst geldt hetzelfde – ik hou toevallig erg van Beethoven, maar hij is romantisch, hij is zacht, en qua ondraaglijke perfectie is Bach niet te verslaan, omdat hij die harde kant heeft.'

Hij staarde me met glanzende ogen aan, en er was iets in hem wat ik nooit eerder had gezien, misschien wel verrukking. Toen opeens verdween het weer. Hij stootte een vreemde lach uit. 'God,' hinnikte hij. 'Sorry. Jezus.'

'Wat?'

'Niks. Je herinnerde me alleen aan iemand anders. Of aan mezelf met iemand anders.'

Mijn hart bonsde. Nu dit moment was aangebroken was ik intens nerveus. 'Aan wie?' vroeg ik bevend. Ik wist zeker dat zijn antwoord een enorme jaloezie in me zou losmaken, want natuurlijk bedoelde hij een vrouw. 'Aan wie?' vroeg ik nogmaals, met de gedachte dat hij dit keer beslist antwoord moest geven.

Maar hij zei: 'Aan niemand. Vergeet het verder. Het doet er niet toe.' En ik zuchtte en wendde me van hem af, niet zozeer boos als wel beschaamd. En verdrietig.

'Zullen we nu gaan?' zei hij, en toen ik me weer naar hem toe-keerde ontdekte ik dat hij ongemakkelijk glimlachte. 'Het heeft een uur geduurd,' vervolgde hij. 'Als we veel langer blijven krij-gen we museumvoeten.'

Ik volgde hem naar de roltrap en de uitgang terwijl ik nadacht over de kleine voordracht die hij zonet had gehouden – over harde en zachte kunst. Het was haast of ik getuige was geweest van een mystiek verschijnsel, als bij iemand die in vreemde ton-gen sprak. Het ene idee na het andere was uit hem gerold alsof hij was voortgedreven. *Je herinnerde me alleen aan iemand anders. Of aan mezelf met iemand anders.*

Buiten was het die middag kouder geworden. Hij knoopte met een afwezige uitdrukking op zijn gezicht zijn jas dicht, en terwijl ik naar hem keek viel de straat in de stad weg en zag ik hem op die heuvel in Frankrijk – in de Var, wat dat ook mocht zijn –, een man alleen op een heuvel. Ik zag hem op een lage, met gras begroeide heuvel, waarschijnlijk helemaal geen Franse heuvel. Het was namelijk een heuvel buiten Madison waar ik soms met Mike was gaan picknicken, maar dat maakte niet uit, want wat ik zag was dat hij, toen hij daar over de zin van het leven stond na te denken, iets voelde wat hij in het museum nog nauwelijks had aangestipt.

HOOFDSTUK 27

Er was de week daarop een hoop te doen in het oude huis. Alice vertrok – ze vertrok echt en gaf haar kamer op om bij haar vriend te gaan wonen op zijn tweekamerappartement bij Tompkins Square. Simon wees erop dat ze meer huur ging betalen voor minder ruimte, maar dat was voor haar de prijs van de liefde.

En voor mij een bof, want ik kon haar kamer krijgen. Haar kamer van bijna vier bij vijf met een hoog plafond, twee ramen, een muurkast en een *deur*. Bij een huurprijs van 125 dollar per maand betekende dat, dat ik maar 25 dollar hoefde bij te leggen bij de 100 dollar die ik elke maand van mijn onderhuurder in Madison kreeg. Het was zo echt, zo opwindend, zo makkelijk.

'Wat vind jij,' vroeg ik aan Kilroy. 'Moet ik hem nemen?'

We waren in zijn huiskamer. Hij lag op de bank te lezen en ik zat op het randje van de bank, nog in de jas die ik voor de wandeling naar hem toe had aangetrokken. Het was niet echt een vraag, ik wauwelde maar wat, maar door de manier waarop hij naar me keek – er gebeurde iets met zijn mond, een soort verstrakken van zijn bovenlip – sloeg er een golf van angst door me heen.

'Ik bedoel,' zei ik. 'Dat is…'

Hij sloot het boek om zijn vinger en legde het op zijn maag. 'Waarom is het van belang wat ik vind?'

Mijn hart sloeg een slag over, en ik keek de kamer door, naar waar het gordijnloze raam onze weerspiegeling naar onszelf terugkaatste. 'Dat is het niet,' zei ik. 'Ik bedoel, dat is het wel, maar het zou niet zo moeten zijn.' Om de een of andere reden dacht ik aan mijn zijden nachtpon en peignoir, weggeborgen in mijn onderste la. Ik keek weer naar hem en vond zijn blik. 'Ik weet het niet, een tijdje was ik bang dat jij zelfs vond dat ik mijn cursus aan Parsons niet moest volgen.'

Hij zuchtte en wendde zijn blik af. Daarna sloeg hij zijn armen over elkaar, zijn boek nog stevig vasthoudend. 'Agent Kilroy,' zei hij. 'Is dat wat ik ben?'

Ik was verbluft. 'Nee.'

'Goed dan,' zei hij. 'Ik wil niemands politieagent zijn, en het allerminst die van jou.'

'Waarom het allerminst die van mij?'

'Omdat dat tot waanzin voert.'

'Pardon?'

'Het is maar een uitdrukking,' zei hij. 'Een citaat, zoals mensen in hun dommigheid zeggen.' Hij sloeg het boek open, keek erin en sloot het toen weer rond zijn vinger.

'Ik ben de kluts kwijt,' zei ik.

Hij schudde zijn hoofd. 'Geeft niet, laten we erover ophouden. Neem in elk geval die kamer – ik denk dat dat een goed idee is.'

Ik staarde naar hem: hij had zijn onderarmen over het boek gekruist en zijn in spijkerbroek gestoken benen bij de knie gebogen. Ik zei: 'Ik wil er niet over ophouden.'

Hij wendde zijn blik af.

'Wat is er toch aan de hand?' vroeg ik. 'Je bent soms zo afstandelijk. Je bent een en al onbereikbaarheid.'

Hij keek weer naar me en trok even zijn wenkbrauwen op, en dat gebaar maakte me razend: hij kon dit wel uitzitten, wilde het zeggen. Hij kon wel wachten tot ik klaar was.

'Waarom weet ik zo goed als niks over je verleden?' schreeuwde ik. 'Aan wie deed ik je in het museum denken?'

'Je lijkt ontsteld,' zei hij laconiek.

'Krijg de kolere!' Ik sprong van de bank en stormde de keuken in, waar ik de koelkast opentrok en weer dichtsmeet nadat ik de golf van kou had gevoeld. Er stond een leeg bierflesje op het aanrecht, en ik kon het gladde glas al bijna voelen, en hoe het door mijn hand zou rollen voor het tegen de muur te pletter zou slaan.

Hij kwam na me binnen en bleef toen abrupt staan, zijn han-

340

den in de voorste zakken van zijn spijkerbroek gestoken. Even later trok hij ze eruit en stak ze in zijn achterzakken. 'Het spijt me,' zei hij. 'Ik weet dat dit moeilijk voor je is. Ik ben niet zo toeschietelijk.'

'Je bent niet zo toeschietelijk?'

Hij glimlachte niet.

'Hoe zit het met je ouders?' vroeg ik. 'Met jou en hen?'

Hij schudde vermoeid zijn hoofd. 'Ik zoek geen uitvluchten, het is alleen dat – ik zou niet eens weten waar ik het verhaal moet beginnen.'

'Begin er gewoon maar aan.'

Hij ademde krachtig uit, naar boven toe, zodat zijn haar even van zijn voorhoofd omhoogwipte. 'Wat voor de een "begin er gewoon maar aan" is, is voor de ander het beklimmen van de Mount Everest, ja?' Hij fronste zijn voorhoofd. 'Kijk, het is gewoon – ik ben altijd erg op mezelf geweest en het hebben van deze relatie met jou is nieuw voor me.'

'Waarom ben je eraan begonnen?' vroeg ik scherp. Mijn frustratie was enorm, als een groot vliegend wezen in me dat heftig met zijn vleugels sloeg.

'Omdat je onweerstaanbaar was,' zei hij. 'Was en bent.'

Ik zuchtte.

'Dat is waar.'

'Wilde je eerder nooit iemand?'

'Iemand of om het even wie?'

'Allebei.'

'Niet echt. De seks was enigszins een probleem, maar ik heb verschillende methoden tot sublimatie ontdekt.'

We lachten allebei, en ik voelde me een beetje beter: zijn gezicht lichtte op terwijl hij lachte, op een alleraardigste manier. Ik overwoog naar de andere kant van de keuken te lopen, de troost van zijn lichaam te aanvaarden. De troost en vervolgens de stilte. We konden nu meteen gaan vrijen, eventueel hier in de keuken, staand tegen de gootsteen: dicht bij en dichterbij met

341

elke stoot, tot we bijna met elkaar versmolten. En daarna zouden we tegen elkaar aan blijven staan tot onze versnelde polsslag weer vertraagde en het terugvloeien in onszelf begon.

Hij keek me hoopvol aan – de keus was aan mij. Ik liet de verleiding voor wat hij was. 'Waarom heb je geen vrienden?'

Hij ademde diep in en toen weer uit. 'In de loop der jaren zijn er mensen geweest met wie ik praatte en met wie ik naar de film ging en met wie ik in kroegen en restaurants zat, maar om de een of andere reden ben ik daar meestal niet mee doorgegaan.'

'Je doet er zo nonchalant over.'

Hij haalde zijn schouders op. 'Het maakt me niet uit, ik denk er niet over na.'

'Waar denk je wel over na?'

'Kom.'

'Wat?'

Hij draaide met zijn ogen. 'Ik denk na of ik de *Daily News* wel of niet zal kopen. Hoe ik van hier naar Chinatown moet komen zonder de L-lijn te hoeven nemen. Ik denk aan de huid aan de binnenkant van jouw bovenarm en ik denk erover na of ik zongedroogde tomaten wel of niet lekker vind.'

'Waarom aan de huid aan de binnenkant van mijn bovenarm?'

'Vis je naar een complimentje? Omdat hij zacht en intiem is en ik een beetje lichaamsgeur onder je deodorant kan ruiken.'

Snuivend lachte ik een beetje. 'Daar heb ik om gevraagd, denk ik.'

'Je hebt nergens om gevraagd. En ik ook niet. We zijn alleen – tja, hier zitten we, met elkaar, en ik ben er blij om.' Hij kwam naar me toe en hield zijn hand omhoog, als voor een *high five*. Een ogenblik later legde ik mijn hand tegen de zijne, en hij schoof zijn vingers tussen de mijne en hield mijn hand stevig vast tot ik mijn vingers ook omkrulde. 'Twijfel je eraan dat ik dat wil?' zei hij.

Ik schudde mijn hoofd. Dat was er zo grappig aan – zo lachwekkend: ik kende geen enkele twijfel. Hij wilde bij mij zijn en ik wilde bij hem zijn, zijn geheimen en opwellingen van misantropie ten spijt. Ze hoorden er nu eenmaal bij, maar meestal stopte ik ze weg in een donker hoekje van mijn geest. Ik liep er met een grote boog omheen en bepaalde me in plaats daarvan tot de doorgaande gangen, waar alles schoon en goedverlicht was.

'Nee, dat doe ik niet.'

Hij liet mijn hand los en liep naar het aanrecht. Hij duwde zichzelf op en ging naast de gootsteen op het aanrecht zitten, met zijn hielen tegen de afwasmachine. Hij zei: 'Je wilde weten wat ik ervan vind als je die kamer neemt. Ik denk dat het me een ongemakkelijk gevoel bezorgde omdat het de vraag opwierp waarom je niet hier woont.'

Ik voelde dat mijn gezicht kleurde en wendde mijn blik af. Koelkast, fornuis. De keuken was zo schoon. Er stond niets buiten een kast, nog geen zoutvaatje, nog geen mok. Het leek wel een keuken in een modelappartement, een en al mogelijkheden. Ik was teleurgesteld door waar hij op doelde, maar wilde niet echt bij hem in huis wonen. Ik zou zelfs nog geen kleurige pannenlap kunnen ophangen zonder bang te hoeven zijn dat ik hem van zijn stuk zou brengen.

'Het is in orde,' zei ik, en ik keek hem weer aan. 'Ik begrijp het. Het is nog te vroeg.'

Hij grijnsde. 'Mijn biologische klok is afgesteld in de ijstijd.'

Ik begreep waar hij op doelde: dat hij zich even traag verplaatste als een gletsjer, in het tempo waarin ijs centimeter bij centimeter aangroeit en zo door de tijd en de ruimte schuift, maar ik dacht aan de kilte daarvan, aan de kilte in hem.

Dat weekend verhuisde ik naar de kamer van Alice. Simon en ik versjouwden samen de futon en droegen toen de klerenkast tussen ons in naar boven. Nu ze tegen de muren stonden gaven mijn meubels de kamer een troosteloze sfeer. Een bed op de vloer was prima geweest voor het alkoofje, waar eigenlijk geen vloeroppervlak over was geweest, maar hier was het onprettig: een auto gestrand in een enorme woestijn.

Een paar minuten nadat Simon was weggegaan werd er aangeklopt, en toen ik me omdraaide zag ik Lane in de deuropening staan met een vaas paarse tulpen in haar handen.

'Een kleinigheidje voor je nieuwe woning.'

Ze overhandigde me de bloemen, en ik bedankte haar en boog me naar ze toe, om hun donzige stevigheid tegen mijn wang te voelen. 'Wat lief van je.'

Ze haalde haar schouders op en glimlachte. 'Ik ben blij dat je nu een echte kamer hebt.'

Ik had haar ruim een week niet gezien, maar op de een of andere manier gaf dat niet. Mijn vriendschap met haar verschilde van alle andere vriendschappen die ik ooit had gehad – van mijn vriendschap met Jamie. Lane en ik waren net lijnen die elkaar sneden en dan weer uit elkaar gingen, zonder vast patroon maar met een reden. Jamie en ik waren DNA, een dubbele spiraal. Of beter, dat waren we geweest – nu waren we niets meer, hoewel ik haar soms op een moment incens voelde, alsof haar helft van de spiraal onzichtbaar was geworden, maar nog steeds aanwezig was en langs de mijne slierde.

Ik zette de tulpen op mijn klerenkast en wendde me weer tot Lane. 'Ze voegen veel toe – het was een beetje deprimerend.'

Ze keek rond. 'Alice is nooit tot schilderen gekomen. Een verfje en een tapijt zouden waarschijnlijk al veel schelen.'

Een nieuwe laag verf. Ik dacht aan bleek blauwgroen voor de muren, met misschien donker leiblauw voor het lijstwerk. Ik had precies die kleuren bij mijn kleurpotloden. Ik zei: 'Ik zou hem uiteindelijk dolgraag dezelfde sfeer als jouw kamer geven. Vredig.'

Ze glimlachte. 'Grappig dat kamers een eigen stemming hebben, hè? Die van Simon is bijvoorbeeld uitbundig.'

Ik lachte. Simon had een beddensprei met rood met roze zigzagstrepen en een boekenkast die hij had beschilderd met een pantermotief. Aan de muur hing een schilderij dat hij had gemaakt van drie honden op een bank, die kromlagen van het lachen.

Dat kamers een stemming hadden deed me denken aan mijn opdracht voor procédés. Bij onze laatste les had Piero iedereen een kaartje gegeven waarop maar één woord stond: 'grillig', 'melancholiek', 'teruggetrokken'. Op het mijne stond 'geestig'. Volgende week moesten we een kledingstuk meenemen dat de stemming op ons kaartje uitdrukte. Ik vertelde dat nu aan Lane. 'Dus als je een geestig kledingstuk kunt verzinnen, laat het me dan weten.'

'Zoiets als een beha die moppen vertelt?' zei ze, en toen: 'Grapje.' Ze maakte een hoofdbeweging in de richting van mijn klerenkast. 'We kunnen samen je kleren eens doornemen.'

Ik schudde mijn hoofd. 'Als mijn spullen al kunnen praten, zeggen ze: timide, voorzichtig – weet ik veel. Beslist niet: geestig.'

Ze kneep haar ogen samen. 'Je spullen of jijzelf?'

'Waarschijnlijk allebei.'

Ze fronste haar voorhoofd. 'Ik snap niet hoe je dat kunt zeggen.'

'Waarom niet?'

'Je bent zo dapper.'

Ik bracht mijn vingers naar mijn borstbeen. 'Ik?'

'Bedenk eens hoe je van huis bent weggegaan.'

Ik keek naar de vloer. Een ogenblik later keek ik weer op. 'Bedoel je niet: egoïstisch?'

Er kwam een geschokte uitdrukking op haar gezicht, en ze schudde haar hoofd. 'Helemaal niet. God, lig je daar 's nachts over te piekeren?'

'Nee, ik lig te piekeren over waar ik met Kilroy mee bezig ben.'

Zo gauw ik die woorden had uitgesproken, maakte een nerveuze onrust zich van me meester. Wat had ik daarnet gezegd? Wat had het te betekenen? Ik lag 's nachts niet te piekeren, ik sliep de hele nacht naast hem en ontwaakte uitgerust, alert en helder. Opgewonden. Bezorgd.

'Shit,' zei ik.

'Het valt niet mee, hè?'

Ik schudde mijn hoofd. Ik dacht aan Simon, die Kilroy een rare vogel had genoemd en vroeg me af of Lane en hij over Kilroy hadden gesproken. Over mijn maffe kerel. Mijn halvegare.

Lane zei: 'Tussen Maura en mij was het in het begin behoorlijk wankel. We sliepen bijvoorbeeld bij elkaar, en als we elkaar dan in de eetzaal tegenkwamen dachten we allebei dat de ander koel deed, dus gedroegen we ons koel, en – nou ja, het was een hele tijd nogal akelig.'

'Wat hielp daartegen?'

'De tijd,' zei ze. 'En bij mij een hoop therapie.'

Ik dacht aan de zomeravond toen Dave King mij buiten het ziekenhuis had aangetroffen – of was hij me gevolgd? Hij had gevraagd of ik overwoog zelf met iemand te gaan praten. Er kwam me een beeld voor de geest, van mijn moeder in haar kleine werkkamertje met de twee naar elkaar toegekeerde stoelen, en ik schudde mijn hoofd om het uit te wissen.

'Mag ik je iets vragen?' vroeg Lane.

'Zeker.'

'Hou je van hem?'

Ik dacht aan zijn gezicht. Aan hoe zijn stoppelbaard prikte als we zoenden. Aan hoe vlug hij was, hoe grappig en hoe aardig. Aan hoe zijn beginnende erectie tegen me voelde als we lepeltje lepeltje lagen en hij zijn heupen nog niet naar achteren had geschoven zodat zijn lid omhoog kon. 'Ja,' zei ik.

'Nou, dat breng je waarschijnlijk dan op hem over.'

We praatten nog wat, en daarna nam ze afscheid en ging naar haar eigen kamer. Daar hoorde ik haar rondlopen, waarbij de vloer onder haar voeten kraakte, en na een poosje hoorde ik het zwakke gefluit van haar ketel. Ik opende de deur van mijn muurkast en keek naar de groene fluwelen jurk, die ik eerder uit Kilroys woning had meegenomen. Hij leek niet op zijn plaats in die stoffige kast. Hij drukte een stemming uit waarin ik niet verkeerde.

Ik liep naar de andere kant van mijn kamer en ging op de futon zitten. Mijn benen staken uit op een manier die me deed denken aan de benen van de dode heks in *De tovenaar van Oz*, die uitstaken onder het verpletterende gewicht van het huis van Dorothy. Ik schoof naar achteren en ging toen liggen, met mijn hoofd op mijn kussen. Starend naar het plafond merkte ik een heel web van scheuren op die ontsprongen bij het ophangpunt van de lamp. Het herinnerde me ergens aan, en ik bleef ernaar staren terwijl ik probeerde te bedenken waaraan. Toen besefte ik het: het deed denken aan de uitvalswegen van een stad. Verona, Oregon, Stoughton, Lake Mills – ik dacht aan de uitvalswegen uit Madison.

Ik was die week vroeg voor de les van Piero, met mijn geestige kledingstuk opgevouwen in mijn schoudertas. Piero kwam precies op tijd binnen, en terwijl meestal een aantal mensen door bleef kletsen totdat hij zijn keel had geschraapt en begon te spreken, viel vandaag iedereen abrupt stil. Ik nam aan dat ze zich allemaal net zo voelden als ik en bezorgd waren over wat ze hadden meegebracht. Ik vroeg me af of iemand een kaartje had gekregen met het woord 'nerveus'.

'Hangen jullie je werk op, alsjeblieft,' zei Piero, en allemaal stonden we op, en begonnen onze projecten te schikken op hangertjes die we vervolgens bevestigden aan korte, uitschuifbare staven die uit de muren kwamen.

'Wat vinden jullie?' vroeg hij. 'Hangen jullie je woord erbij, of niet? Misschien is het beter van niet, dan kunnen we proberen het woord te bepalen aan de hand van het werk.'

We begonnen achter in het lokaal, waar een meisje met roze haar een zwart linnen jasje met een hoge stijve boord en een losse, wijde vorm had opgehangen.

'Wat zegt dit?' vroeg Piero.

'Begrafenis?' zei iemand.

'Maar dat dan alleen omdat het zwart is,' zei een ander.

'Het is nogal geslachtsloos,' zei weer een ander, en Piero knikte.

'Ja, inderdaad, hè – een Mao-jasje, eigenlijk.' Hij richtte zich tot het meisje dat het had meegenomen. 'Wat probeerde je tot uitdrukking te brengen?'

'Teruggetrokken,' zei ze. 'Ik dacht aan de hoge hals, snap je, en dat het zo los valt dat het de mens zou verbergen.'

Piero knikte. 'Ja, dat begrijp ik, maar ben je misschien niet te letterlijk geweest? Laten we verder gaan.'

Het volgende kledingstuk was een slipje dat over een beha hing, terwijl ze aan elkaar vastgestikt waren zodat het kanten randje op de behacups zichtbaar was. De vrouw die het had gemaakt zag er al gegeneerd uit.

'Sexy,' zei iemand.

'Flirterig,' zei een ander.

'Mijn woord was flirtziek,' zei de vrouw, en ze keek Piero hoopvol aan.

'Ja, maar hier speelt hetzelfde probleem, niet? Het kledingstuk geeft geen uitdrukking aan het flirtzieke, maar werkt als een soort telegraaf. Het zegt: slipje, beha en kiekeboe, in plaats van met subtielere middelen de geest van het flirtzieke op te roepen, zoals bijvoorbeeld een katoenen zonnejurkje met een felgekleurd bolletjesmotief dat zou doen. Waarop duidt het woord: niet rechtstreeks op seks, maar eigenlijk meer op het tegengestelde daarvan, het idee van sexy zijn, de belofte. Ik denk dat het erom gaat iets op te roepen, niet iets te vertalen.'

We gingen verder, met grillig, melancholiek en uitzinnig. Het kledingstuk waarover Piero het meest te spreken leek was een dun, marineblauw T-shirt met witte strepen dat op een bijpassende korte broek met een verticaal streepmotief hing. De jongen die ze had meegebracht had ook witte kniekousen en visserssandalen meegenomen, en in mijn ogen was dit het eerste wat we hadden gezien dat iemand echt kon dragen.

'Heel leuk,' zei Piero. 'Heel speels. Was dat je woord: speels?'

De jongen knikte. 'Ik vond het iets wat een vrouw op een vrije dag zou kunnen aantrekken, gewoon omdat ze in een goed humeur is.'

'Goed gedaan,' zei Piero. 'Precies goed.' Hij keek om zich heen naar alle studenten. 'Zien jullie hoe de geest van het woord tot uitdrukking is gebracht?'

Ten slotte kwamen we bij mijn kledingstuk. Alleen door stom geluk had ik iets bedacht – door stom geluk en een spiegel, want de vorige avond had ik, in mijn wanhoop om een oplossing te vinden, door Kilroys appartement geijsbeerd tot ik tot staan was gebracht door mijn eigen spiegelbeeld, door de badkamerspiegel die me mezelf liet zien met mijn 'Adolpho achterhaald door de Gap'-t-shirt, zoals Alice het had geformuleerd.

Nu hing het in Piero's lokaal, afgezet met band, een rij koperen knopen met ankertjes erop over de voorkant. Het had bijna dezelfde kleur rood als Piero's coltrui, een heel licht tomatenrood, alsof er een miniem drupje oranje aan was toegevoegd.

'Dit is geweldig,' zei iemand.

'Ja, dit is echt slim.'

'Geestig,' zei Piero, en hij keerde zich met een glimlach naar mij toe. 'Dat was toch jouw woord, hè?'

Ik knikte.

'Het leuke aan dit project,' zei hij, 'is de manier waarop er twee ideeën naast elkaar zijn geplaatst – het elementaire t-shirt en het nogal duffe Adolpho-pak. En daar komt geestigheid eigenlijk vaak op neer: op het onverwachts versmelten van tegengestelde ideeën. Goed gedaan, Carrie. Ik denk dat we vandaag iets over stemmingen hebben geleerd.'

Het lesuur was voorbij, en iedereen vertrok. Ik schoof het t-shirt in mijn schoudertas. Ik was halverwege de deur toen Piero mijn naam riep.

'Ik heb over je nagedacht,' zei hij, staand bij zijn tafel voor in het lokaal, waar hij papieren in een aktetas stopte. 'Je doet toch ook draperen?'

Ik was verbaasd dat hij dat wist. 'En patronen maken.'

'En je bent al eerder afgestudeerd?'

'Aan de University of Wisconsin.'

Hij glimlachte. 'Wat vind je er totnogtoe van, heb je plezier in je werk hier? Ik neem aan dat je overweegt fulltime te gaan studeren? Dat je een diploma wilt halen?'

Ik voelde me gevleid maar om de een of andere reden opeens ook zenuwachtig, alsof ik het niet zelf voor het zeggen had of ik weer ging studeren. 'Ik weet het niet – het is niet goedkoop, hè?'

'We kunnen natuurlijk financiële steun bieden,' zei hij achteloos. 'Vertel me eens, dat T-shirt – heb je overwogen om nog wat meer met het idee te spelen en misschien verschillende varianten te proberen?'

Ik beet op mijn lip. 'Hoe bedoel je, verschillende varianten?'

'Nou, een T-shirt is in bepaalde opzichten een onbeschreven blad, nietwaar? Een tabula rasa. Je kunt er een ketting van nepparels op zetten, en dan maak je een toespeling op de avondjurk. Ik meen dat het smoking-T-shirt jaren geleden al eens gedaan is, maar dat is geen reden om nu niet nog wat ideeën te proberen.'

Ik dacht na. Ik had het rode T-shirt voor de grap bewerkt. Over alternatieven zou ik moeten piekeren.

'Rommel gewoon wat aan,' zei hij. 'Ik ben benieuwd waar je mee op de proppen komt. En denk eventjes na over ons gesprek, ja? Volgens mij ben je nog jong – het is nog niet te laat om een nieuwe carrière te kiezen.'

Ik bedankte hem en zei hem gedag. Buiten op straat wikkelde ik mijn sjaal om mijn hoofd tegen de maartse wind. Ik nam meestal de ondergrondse naar de lessen, maar had de gewoonte aangenomen om naar huis terug te lopen. Het had iets aantrekkelijks om aan het eind van de dag buiten en onder de mensen

te zijn, om deel uit te maken van de stroom van tweerichtings-
verkeer van New Yorkers op weg naar huis.

Een nieuwe carrière. Een carrière in stoffen, silhouetten, kleur,
styling en stemming. Wat Simon in zijn hoofd had gehad, maar
dan echt. Onder het lopen vroeg ik me af of het mogelijk was.

Ik dacht aan wat Kilroy lang geleden bij McClanahan's had
gezegd: *zie je, daar heb je het nou, het verraderlijke idee dat wie je
bent bepalend moet zijn voor iets zo onbeduidends als hoe je de kost
verdient. Het leven zit niet zo in elkaar. Het is niet zo kneedbaar.
Het is niet zo mooi.*

Maar als het dat nu eens wel was? Als het dat wel kon zijn? Ik
was iemand die het opwindend vond om naar stoffen te kijken,
om ze aan te raken en in mijn hoofd met kleur en vorm te spelen. Waarom zouden die aspecten geen centrale plaats in mijn
leven kunnen gaan innemen? Waarom zou ik ze die niet kunnen
geven? Ik liep over Seventh Avenue. De straat lag er in de late
namiddag koud en beschaduwd bij en het wemelde er van het
verkeer en de voetgangers. Opeens bleef ik staan en begon hard
te lachen. Op de kruising voor me zag ik het intussen vertrouwde beeld van een man die een groot rek met kleren door het verkeer voortrolde, en ik bedacht hoe perfect het was dat ik mijn
gedachten van zojuist precies tijdens het lopen door het kle-
dingdistrict had gehad.

HOOFDSTUK 28

De week daarop liep ik na de les draperen achter de lange, magere Maté de klas uit. Hij was de prater van de groep, en zijn zangerige Engels met Caraïbisch accent golfde vaak langs alle hoeken van het helverlichte lokaal. Hij placht lange, kleurige sarongs te dragen met daarop een bij het middel samengeknoopt overhemd van oxfordkatoen. Vandaag had hij, toen hij op het punt stond te vertrekken, een ruime, losgeweven bruine omslagdoek over dit ensemble geslagen, zodat alleen zijn magere bruine kuiten en zijn rode suède klompjes nog te zien waren. Bij de eerste paar lessen had hij me geïrriteerd, maar vandaag had ik mezelf erop betrapt dat ik zijn extravagante stijlgevoel bewonderde, en nu, achter hem lopend, besefte ik dat hij me deed denken aan een model op een catwalk, door de manier waarop hij voortschreed op zijn lange benen en de omslagdoek strak hield, zodat bij iedere beweging zijn lichaamsvormen werden onthuld.

Bij de uitgang hield hij de deur extra lang open, zodat ik erdoor kon, en bleef vervolgens buiten op me staan wachten. 'Citroengeel,' zei hij. 'Ik wil dat vrouwen deze zomer citroengele jurken met witte borduursels gaan dragen. Maar losvallend, niet stijf. Een soort combinatie van Lilly Pulitzer en Badgely Mischka. Met daarbij witte sandalen met heel erg dikke zolen.'

Ik glimlachte en vroeg me af of ik met zo'n radicaal idee had kunnen komen.

'Ja, dat wil ik,' zei hij. 'Als je al die ellendige zwarte jassen om je heen ziet kun je het toch wel uitschreeuwen?'

Het was lunchtijd, en hele massa's mensen in het zwart spoedden zich langs ons met hun hoofd omlaag, voortsnellend door de kou.

'Vrouwen zouden weer hoeden moeten gaan dragen,' ging hij verder. 'Klink ik nu als Diana Vreeland? "Roze is het marineblauw van India!"' Hij maakte een zwaaiende beweging met zijn vingers naar me, sloeg toen een andere richting in en liep met wiegende heupen weg in zuidelijke richting.

Ik bleef staan om mijn sjaal strakker om me heen te wikkelen. Het was gewoon een kwestie van ruimer denken. Misschien van ruimer dúrven denken. Ik draaide me om, en daar stond Kilroy, tegen een bij een bushalte geparkeerde kleine blauwe auto geleund, naar mij te kijken. Verrast stak ik het drukke trottoir over.

'Wie was dat?' vroeg hij, Maté nakijkend.

'Een jongen bij mij uit de klas. Hij vindt dat vrouwen weer hoeden moeten gaan dragen.'

'Dan geeft hij tenminste ergens om.'

'Ha-ha.' Ik tastte in mijn zakken naar mijn handschoenen. 'Wat doe je hier trouwens?'

'Wil je soms ook weten waarom ik op zo'n bezitterige manier tegen dit voertuig geleund sta?'

Hij stond met zijn rug tegen het rechter portier van iemands auto aan. Hij hield zijn hand omhoog, en aan zijn wijsvinger bungelde een stel sleutels.

'Wat is hier aan de hand?'

'Ik heb hem gehuurd,' zei hij. 'Voor het weekend. We moeten oefenen in het samen reizen voor we naar Frankrijk gaan.'

Zoiets had hij nog nooit gedaan, en er kwam een brede lach om mijn mond. Het was zo romantisch – zo impulsief. Hij glimlachte ook, zijn lach leek te onderschrijven dat hij uit zijn rol was gevallen, dat ik dat leuk vond en dat hij het leuk vond dat ik dat leuk vond.

'Waar gaan we heen?' vroeg ik.

'Naar Montauk.' Hij strekte zijn hand uit en schoof mijn haren achter mijn oor. 'Waar vrouwen zich warm moeten aankleden.'

We reden naar het oude huis en ik rende naar binnen om een tas in te pakken. Daarna vertrokken we, en Kilroy schoot tussen het zware verkeer door alsof het kleine autootje een knikker was die tussen bakstenen door rolde. We verlieten de stad via de

Midtown Tunnel en reden door Queens naar de Long Island Expressway. Het landschap was eerst grijs en industrieel, vervolgens grijs en voorstedelijk en ten slotte grijs en plattelands.

Hij was een knoppendrukker. Ik wachtte af of we niet één liedje in zijn geheel te horen zouden krijgen, en dat was inderdaad het geval. Ten slotte strekte ik mijn hand uit en hield hem tegen toen hij weer naar de radio tastte.

Hij gaapte me aan. 'Hou jij van Cassiope?'

'Hun tweede plaat was mijn eerste plaat.'

'Geen Frankrijk dus,' zei hij huiverend. 'Cassiope gaat over de schreef.'

Het werd een spelletje. We stopten ergens voor een late lunch, en ik was ontsteld toen hij mosselen bestelde: 'Er is geen sprake van dat ik met jou naar Frankrijk ga.'

Ik had moeite met het lezen van de kaart om de weg naar ons motel te vinden: 'Ik ga zeker niet in het buitenland op reis met iemand die niet kan kaartlezen.'

Maar in werkelijkheid ging het lekker tussen ons. Het had iets te maken met het samen in een auto zitten, met het geluid van de weg als we niet praatten en de klank van onze stemmen als we wel praatten. Ik had met Kilroy in bed gelegen en in restaurants, bioscopen en bars gezeten – maar dit was iets nieuws, iets prettigs.

Toen het schemerig werd parkeerden we op een leeg stuk weg en liepen naar het strand. De wind voelde scherp tegen onze gezichten, het zand was grijs en bezaaid met zeewier, het water was donker. Terwijl we langs de kustlijn liepen hing aan de horizon een staalkleurige, aangroeiende wolkenbank. Kilroy hield zijn armen strak voor zijn borst tegen de kou, en terwijl ik naar hem keek, naar zijn tot op zijn boord reikende, verwarde haren en zijn bleke, stoppelige gezicht, voelde ik hoe het geluk me in een soort vredigheid overspoelde.

'De eerste keer dat je de oceaan ziet?' vroeg hij.

Ik schudde mijn hoofd. Toen ik vier of vijf was had mijn moeder me meegenomen naar een neef van haar aan de kust van New Jersey – haar neef Brian, op wiens schouders ik een hoorntje met zwartekersenijs had gegeten, alleen om jaren later te geloven dat zijn schouders die van mijn vader waren geweest. Ik kon me niet meer herinneren dat ik op Brians schouders had gezeten, ik kon me alleen herinneren dat ik het me had herinnerd – toen ik een jaar of negen was en vastbesloten was zo veel mogelijk van John Bell te laten herrijzen. Bijna een jaar lang had ik af en toe bij het in slaap vallen geprobeerd mijn vader terug te halen uit de leegte waarmee hij me had achtergelaten. Het was een soort bordloos spiritistisch letterspel, waarbij de vingertoppen van mijn ene hand die van de andere hand vonden, zodat mijn handen een open mosselschelp vormden: een soort gebedsloos gebed. Waar ben je, waar ben je? Ten slotte kwam mijn moeder, die me op een avond in mezelf hoorde mompelen, mijn kamer binnen en vroeg of ik haar had geroepen, en van het ene moment op het andere besloot ik ermee op te houden. De volgende dag smeet ik de puntenslijper die hij voor me had achtergelaten in de afvalbak bij school, met de terechte heftigheid van een negenjarige.

Maar waar was hij? Waar? Wie was hij geweest en wie was hij geworden?

Kilroy raakte mijn gezicht aan. 'Waar ben je dan geweest?'

Ik schudde mijn hoofd. Ik had hem het hele verhaal verteld – wat viel er verder nog over te zeggen? 'In New Jersey,' zei ik. 'Waar ik voor het eerst de oceaan heb gezien.'

We kwamen aan in een klein motel langs de kant van de weg, waar Kilroy erop stond te betalen. Onze kamer lag achteraan in de rij en kraakte een beetje in de wind. Gordijnen met een bruin met oranje Schots motief, een bobbelig tweepersoonsbed. We douchten en gingen vervolgens dineren, in een restaurant dat was gevestigd in een soort tochtige schuur. We aten er kreeft met uitzicht op het zwarte strand. Schimmige wolken verduisterden de zwakke halvemaan en gaven hem vervolgens weer bloot.

Terug in het motel gingen we op het bed liggen. Mijn benen waren moe van de strandwandeling, en ik sloot mijn ogen, met de gedachte een paar minuten te rusten. Een tijd later werd ik wakker in het donker en besefte dat Kilroy me van mijn schoenen aan het ontdoen was. Eerst kon ik hem niet zien – ik voelde alleen zijn handen op mijn enkel en voelde hoe hij mijn sok over mijn voet omlaag trok. Na een poosje was er een natte warmte: zijn tong die heen en weer ging over en tussen mijn tenen, en me kietelde zodat het bijna pijn deed. Kusjes bovenop mijn voet, op mijn voetzool en mijn hiel. Geleidelijk aan onderscheidde ik zijn silhouet. Ik wist dat hij wist dat ik wakker was, maar zei niets. Hij ging omhoog, maakte de knoop van mijn spijkerbroek los en ritste hem vervolgens open. Ik bleef slap liggen en hielp niet mee toen hij mijn spijkerbroek uittrok. Hij stak zijn hand in mijn onderbroekje en liet een vinger bij me naar binnen glijden. Daarna haalde hij hem eruit en trok een nat cirkeltje rond mijn navel. Ik liet mijn handen een stukje van mijn zijden liggen, met de palmen omhoog, bij wijze van oefening in lijdzame zelfbeheersing. Onze ogen vonden elkaar, maar we gingen op dezelfde voet door. Roerloos voelde ik mijn trui uitgaan, en toen mijn beha. Het was koud in de kamer. Kilroy zoog aan mijn tepels, waarbij zijn hoofd en borst mijn bovenlijf toedekten met een lichte warmte. Hij schoof weg, en meteen was ik verkleumd en kreeg ik kippenvel. De veren van het bed piepten terwijl hij opstond, en hij staarde me door het donker aan terwijl hij zich uitkleedde. Ik had het erg koud, maar hij ging naast me liggen zonder het dek terug te slaan, en zijn koude hand spreidde zich op mijn onderbuik. Nu was het moeilijker om niet te bewegen. Ik voelde zijn erectie tegen mijn been, zijn hand die over mijn buik heen en weer ging. Ik wilde hem dolgraag aanraken, maar ik wilde dat ook heel graag niet doen en deze geschiedenis van passiviteit volhouden tot het definitieve moment waarop ik zou knappen en alles zou weerleggen.

We werden de volgende ochtend laat wakker, nog zwaar van de slaap in de door de gordijnen verduisterde kamer. We kleedden ons aan, stapten weer in de huurauto en reden rond de punt van Long Island en door een paar van de daar liggende charmante plaatsjes. In maart waren ze uitgestorven, maar Kilroy zei dat dat 's zomers wel werd goedgemaakt, als heel Manhattan er met gsm'etjes arriveerde. In een slecht verlicht café met een klein rommelwinkeltje achter in de zaak ontbeten we uiteindelijk, met donkere, dampende mokken koffie en grote, stoere stukken gebak, met een centimeterdikke kruimige laag van havermeel er bovenop.

Daarna bekeken we de spullen die achter in de zaak waren uitgestald. Smoezelige oude quilts, dof geworden koperen potten, bijzettafeltjes van ruig vurenhout.

'Ik wil een souvenir,' zei ik, terwijl ik een houten opscheplepel met een lange steel bevoelde.

Kilroy grinnikte. 'Ik heb verderop in de straat een zaakje met zeewatertoffees gezien.'

'Een *echt* souvenir,' zei ik. 'Het is zo heerlijk om hier te zijn. Verlang jij er ook niet een beetje naar dat we ons hier een poosje zouden kunnen schuilhouden?'

Schuilhouden. Dat woord beviel me niet, en ik deed of mijn aandacht in beslag werd genomen door een afgeleefde haan van aardewerk. Waarom had ik 'schuilhouden' gezegd? 'Ik bedoel dat we hier langer dan alleen een weekend zouden kunnen blijven,' zei ik, maar dat was ook niet juist: ik zou patronen maken missen als we morgen niet terug zouden gaan, en ik wist dat ik geen enkele les wilde missen. Wat wilde ik? Met Kilroy buiten het leven staan en op mijn eentje in het leven staan? Ik hoopte van niet. Ik wilde niet dat ik dat wilde.

Ik pakte zijn hand, trok zijn arm om me heen en legde zijn hand tegen mijn rug aan. Ik pakte ook zijn andere hand en trok zijn andere arm om mijn andere kant heen. We stonden nu een paar centimeter van elkaar, elkaar omhelzend in een leeg rom-

357

melwinkeltje op Long Island. Ik bracht mijn gezicht omhoog om hem te zoenen, en hij aarzelde. Hij keek naar voren, waar onze serveerster door het caféraam naar het trottoir stond te turen. 'Ik daag je uit,' zei ik, en hij richtte zich weer tot mij en drukte zijn lippen op de mijne: eerst licht en toen nog eens echt.

Toen we de volgende middag teruggingen naar de stad praatten we een beetje, maar meestal reden we in stilte, nog moe van een lange wandeling over het strand die ochtend. Mijn benen waren aangenaam pijnlijk, en mijn gedachten verplaatsten zich van de uitgestrektheid van de oceaan naar Kilroys rustige aanwezigheid naast me en naar wat ik de komende week zou gaan doen.

Het autoverhuurbedrijf zat op 17th Street, ten oosten van Third Avenue. We keken rond of we een taxi zagen voor we aan de wandeling terug naar zijn woning begonnen. De blokken leken zich eindeloos voor ons uit te strekken nu we door het zand hadden gelopen. 'Nog één blok,' zei hij met een gespeeld zielig lachje terwijl we Sixth Avenue overstaken. Vervolgens zei hij niets meer voordat we bij zijn gebouw waren aangekomen en hij de buitendeur had ontsloten en op de knop voor de lift had gedrukt. 'Oost, west, thuis best,' zei hij, en daarna glimlachte hij en zoende me op mijn kin.

Boven liet hij zijn schoudertas voor de deur van zijn appartement neerploffen en zocht in zijn zak naar zijn sleutel. Hij draaide de deur van het slot en duwde hem open. Daar, op de vloer van het halletje, lag een dikke, crèmekleurige enveloppe.

'Wat is dat?' vroeg ik.

Hij bromde zacht, bukte zich en raapte hem op. De zwierige initialen op het achterklepje ontgingen me, maar het ene woord dat op de voorkant geschreven stond was makkelijk te lezen: *Paul.*

'Kut,' zei hij op fluistertoon. Hij stak de enveloppe in zijn jaszak en hield de deur voor me open. Ik ging de slaapkamer in en liet mijn tas neerploffen, waarna ik toekeek hoe hij zijn tas naar binnen droeg, hem openritste en hem boven het bed openhield, waarna er een stortvloed van vuile kleren uit rolde. 'Neem me niet kwalijk,' zei hij en verdween naar de badkamer, waar hij de deur achter zich dichttrok.

Paul. De enveloppe moest van zijn ouders komen.

Ik staarde door het raam naar het grauwe licht en naar de mensen die getweeën of gedrieën over de avenue liepen. Een taxi kwam tot stilstand op de hoek aan de overkant, en een man in een overjas stapte uit en boog zich over naar het voorste raampje om te betalen.

De wc werd doorgespoeld, en Kilroy kwam naar buiten en bleef aan de andere kant van de kamer staan, met zijn jas nog aan. 'Luister,' zei hij. 'Ik moet, eh, een boodschap doen. Wil je een warm bad nemen, of – ik weet het niet – wil je liever terug naar het oude huis?'

Ik trok mijn ondertanden over de onderkant van mijn bovenlip, die gesprongen was door het winderige weekend. 'Wat voor boodschap?' vroeg ik. 'Waar ga je heen?'

Hij schudde zijn hoofd. 'Ik moet ergens de stad voor in.' Hij zette zijn handen op zijn heupen en keek naar zijn schoenen. 'Ik moet namelijk mijn ouders opzoeken.'

Hij zag er vuil en vermoeid uit, zijn haren waren totaal verwaaid en in de war, en uit zijn wangen groeiden stoppels. Hij wilde gaan en doen wat hij moest doen, maar ik kon mezelf niet inhouden. 'Mag ik met je mee?'

Een seconde puilden zijn ogen uit. Hij herstelde zich weer en zei: 'Dat wil je niet, geloof me.'

'Maar ik wil het wel.' Mijn handpalmen waren vochtig en ik veegde ze af aan mijn spijkerbroek. 'Ik hou van je,' zei ik. 'Ik wil je ouders ontmoeten zelfs als…' Ik stond op het punt om te zeggen: *zelfs als jij dat niet wilt*, maar bedwong mezelf. '…zelfs als jij ze haat.'

'Ik haat ze niet,' zei hij. 'Het zit nogal ingewikkeld in elkaar.'

Hij likte langs zijn lippen. 'Maar ik ben wel blij dat je dat hebt gezegd.'

Hij bedoelde 'ik hou van je'. Ik had dat in het donker, in bed wel gezegd, maar ik had het nu voor het eerst gezegd terwijl hij mijn gezicht kon zien. Het gaf me een beverig gevoel die woorden te hebben uitgesproken. Niet omdat ik ze niet meende, maar omdat ze zo breekbaar aanvoelden.

'Weet je wat?' zei hij. 'Kom. Eigenlijk denk ik…' Hij brak af en schudde meewarig zijn hoofd. Daarna liep hij langs de rand van het bed en kwam voor me staan. Hij stak zijn hand uit en zei: 'Alsjeblieft. Ik zou graag willen dat je mijn ouders leert kennen.'

We namen een trein van de A-lijn naar 42nd Street en stapten vervolgens over op de RR naar de Lexington Avenue-lijn. Zijn ouders woonden op 77th Street tussen Park Avenue en Madison Avenue, in een enorm huis dat net zo groot was als twee oude huizen van rode baksteen bij elkaar, maar dat was opgetrokken uit een lichtere steensoort. Aan de voorkant lagen twee boogvormige trappen die bij elkaar kwamen voor een glanzende deur van donker hout. Een dienstmeisje liet ons binnen.

Ik volgde Kilroy door een woonkamer vol antiek en overdadige Perzische tapijten naar wat volgens mij de bibliotheek moest zijn, een kleinere, knussere kamer met donkergroene muren en diverse leren meubelstukken. Alle boeken leken in reeksen te staan, met gouden sieropdruk. Op een luxueuze mahoniehouten tafel stond een enorm bloemstuk. Het schikken moest uren hebben gekost, alle puntgave, in het seizoen niet bloeiende bloemen waren juist geplaatst. In de haard brandde een vuur, op een tafel stond een blad met karaffen. Het geheel deed me denken aan een klassiek kostuumdrama.

'Wat drinken?' vroeg Kilroy. Hij was in de ondergrondse prikkelbaarder geworden, en nu klonk zijn stem gespannen en onevenwichtig.

'Graag.'

Hij deed ijs in zware kristallen glazen en schonk wat in uit een van de karaffen. Ik proefde van mijn glas, niet zeker wetend of ik de sterke, zacht rokerige smaak lekker vond.

We gingen naast elkaar op een bank met diepe kussens zitten. 'Aardig optrekje,' zei hij droog. 'Uiteraard zou ik zelf graag wat beter terechtkomen.'

In de deuropening verscheen een kleine, gedrongen man van rond de zeventig met grijs haar en een sportjasje met een onnadrukkelijk Schots ruitmotief. Hij leek zo veel op Kilroy dat ik in één oogopslag zag hoe Kilroy oud zou worden, hoe er lijntjes om zijn smalle mond en sterke ogen zouden komen en hoe zijn lichaam minder strak zou worden bij zijn middel. Maar dan de minzame, onbezorgde uitdrukking van de man: die zou Kilroy waarschijnlijk nooit krijgen.

Naast mij kwam Kilroy overeind. 'Pap.'

De man kwam naar voren en stak Kilroy zijn hand toe. Hij werd gevolgd door een verfijnde dame van ongeveer vijfenzestig. Ze was slank, elegant en gekleed in wat naar ik wist een weekend-outfit was: een broek met een bruin en crèmekleurig ruitmotief en een twinset van bruine kasjmierwol. Haar gezicht was licht opgemaakt, voor overdag – voor een dag thuis waarop je zoon, die van je vervreemd was geraakt, kon langskomen. Ze had geen facelift gehad, en de zachtheid bij haar kin en onder haar ogen droeg bij aan haar schoonheid – ze was zo'n vrouw die altijd mooi zou blijven.

Kilroy liep om de salontafel heen en kuste haar op haar bleke roze wang. 'Morton Fraser, Barbara Fraser, dit is Carrie Bell.'

Ik stond op, meneer Fraser en ik schudden elkaar de hand en vervolgens stak mevrouw Fraser me haar slanke, koele hand toe. 'Wat aardig je te leren kennen,' zei ze. Ze glimlachte en zette haar hoofd scheef, zodat haar zachte, goudgrijze haar over haar schouder streek. 'Het gebeurt niet vaak dat we de kans krijgen kennis te maken met een van Pauls – ze aarzelde – 'vrienden of vriendinnen.'

'Zo,' zei meneer Fraser. 'Ik ben blij dat je langs kon komen.' Hij wierp zijn vrouw een snelle blik toe, en zij schudde nauwelijks waarneembaar haar hoofd. Ik vroeg me af wat er in het briefje had gestaan: een soort oproep? We stonden daar met zijn allen zonder elkaar echt aan te kijken, totdat een man in een donker pak binnenkwam en wat te drinken inschonk. Mevrouw Frasers mond verstrakte een beetje toen ze zag dat wij al wat hadden. Ik wou dat ik geen spijkerbroek aan had.

'Hoe is het je vergaan?' vroeg Kilroys vader aan hem. 'Het is weer even geleden.'

Kilroy knikte. 'Goed.' Een van zijn mondhoeken ging omhoog en vormde een scheef lachje. 'Hetzelfde, hetzelfde.' Toen keek hij even naar mij en zei zachtjes: 'Nu ja, bijna.'

Mevrouw Fraser boog zich naar voren, met ineengeslagen handen. 'Vertel ons eens wat je doet,' zei ze tegen mij. 'Werk je, of studeer je?'

'Ik studeer in deeltijd,' zei ik. 'Ik volg een cursus aan Parsons.'

'Werkelijk?' zei ze. 'En wat studeer je?'

'Mode ontwerpen.'

'Ligt helemaal in jouw lijn, mam,' zei Kilroy niet onvriendelijk.

Zijn moeder glimlachte. 'Werk je met fantastische stoffen?'

'We gebruiken over het algemeen gewoon mousseline,' zei ik. 'In deze fase ligt de nadruk op het leren passen en draperen.'

'Ach zo,' zei ze, en ze knikte. 'Wat interessant.'

Er viel opnieuw een lange stilte. Kilroy en ik zaten samen op de bank, zijn ouders zaten op leren fauteuils tegenover ons. Achter hen liep een derde bediende langs de geopende deur met een hoge zilveren vaas vol licht verwelkte rozen.

'Nu,' zei meneer Fraser. 'Hoe hebben jullie, eh – wat hebben jullie dit weekend gedaan?'

Voordat hij helemaal was uitgesproken kwam Kilroy al met zijn antwoord, met een net wat hogere en luidere stem dan gewoonlijk, alsof hij zijn vader wilde overstemmen. 'Carrie en ik zijn naar Montauk geweest – we hebben een auto gehuurd en zijn vrijdagmiddag vertrokken. Zij was daar nog nooit geweest.

362

Het verkeer viel op de terugweg helemaal niet tegen, al werd het een beetje lastig toen we vanmiddag terug de stad inkwamen.'

'En wat vond je van Montauk?' vroeg meneer Fraser aan mij.

'Het was geweldig.'

Er kwam een brede lach om zijn mond. 'Het is een van de beste plekjes ter wereld. Hoe was het weer?'

'IJskoud en winderig. De lucht was zo spectaculair dat ik bijna hoopte op regen.'

Hij straalde. 'Waar ik heel erg van hou is thuiskomen nadat je kletsnat bent geworden in een stortbui op het strand.'

'De perfecte buitenman,' zei Kilroy, en allebei grinnikten ze een beetje.

Mevrouw Fraser bracht haar glas naar haar mond, waarbij ze haar lippen maar net voldoende opende om iets van haar drankje binnen te laten. 'Jane heeft gisteren gebeld,' zei ze. Ze aarzelde, en ik vroeg me af wie Jane was. Wat was er gaande? Er hing iets in de lucht waarvan zij zich alledrie bewust waren, maar ik wist niet of het alleen hun ongemakkelijkheid met elkaar was, of ook nog iets anders.

'Hoe is het met haar?' vroeg Kilroy.

'Ze zijn net terug van een duikvakantie op de Caymaneilanden. Mac heeft oog in oog met een haai gestaan.'

'Wat ironisch,' zei Kilroy, en zijn ouders onderdrukten allebei een lachje.

'Ze vroeg naar jou,' zei mevrouw Fraser.

'Vast wel.' Kilroy richtte zich tot mij. 'Mijn oudere zus,' legde hij uit, en zijn ouders wisselden een licht verbaasde blik omdat hij me dat moest vertellen.

'Lucia wil een pony hebben,' ging mevrouw Fraser verder. 'Jane vertelde dat ze een tekening van zichzelf te paard had gemaakt en die op hun bed had gelegd. Ze had erbij geschreven: "Lucia wilde op haar zevende amazone worden."' Mevrouw Fraser glimlachte. '"Amazone." Dat woord gebruikte ze zelfs al.'

Meneer Fraser boog zich naar voren. 'Ze is tegenwoordig een

echt bijdehandje, Paul. Ook lief, maar jongen, wat kan ze nijdig worden. Dan verdwijnt ze naar haar kamer en is ze niet meer aanspreekbaar.'

Kilroy gniffelde. 'Moet iets erfelijks zijn,' zei hij, en zijn ouders aarzelden en glimlachten toen allebei wat ongemakkelijk.

Ik had mijn glas nauwelijks aangeraakt, maar dat van Kilroy was bijna leeg. Hij zette het op de salontafel en plaatste het zorgvuldig op een onderzetter die hetzij van malachiet was, hetzij zo beschilderd dat hij van malachiet moest lijken – hij paste perfect bij de groene muren. Hij stond op en zei tegen mij: 'We moesten nu maar gaan, met het oog op die reservering.'

Zijn moeder keek naar hem op. 'Reservering?' Ze wierp een blik op mij, een snelle blik op mijn spijkerbroek en mijn verwarde haren. 'Waar gaan jullie naartoe?'

'Een zaak in het zuiden van de stad.'

'Paul denkt dat wij nooit ten zuiden van 50th Street komen,' zei ze tegen mij, 'maar een van onze favoriete zaken ligt in SoHo. Ken je Clos de la Violette?'

Ik schudde mijn hoofd.

'Het is er heerlijk,' zei ze.

We zwegen allemaal even, totdat Kilroys vader abrupt ook overeind kwam. 'Nu,' zei hij. 'Ik ben blij dat jullie langs konden komen. Heel aardig.'

Kilroy haalde zijn schouders op. 'Ik ben gek op je Schotse whisky.'

Zijn vader leefde op. 'Werkelijk? Kan ik je een fles meegeven?' Hij wendde zich tot mevrouw Fraser. 'Zou jij willen bellen?'

'Ik maakte maar een grapje,' zei Kilroy.

In de hal sloeg een klok zeven keer, en even later schudde meneer Fraser Kilroy weer de hand, waarna mevrouw Fraser en hij ons uitgeleide deden naar de deur. In de gang lag een vloer van zwart met wit marmer, en in het midden rees een houten trap op die glanzend zwart geschilderd was. Ik keek naar boven om zo veel mogelijk van de eerste verdieping te kunnen zien. Ik

zag een open ruimte met gele muren en twee brede deuropenin-
gen die dieper het huis in leidden.

Mevrouw Fraser stond te wachten om afscheid te kunnen
nemen. Ze schudde mij de hand en legde vervolgens haar hand
op Kilroys arm, haar dunne vingers rustten op zijn tweedjas. 'We
zien je haast nooit meer,' zei ze luchtig, en hij bloosde en keek
omlaag. Daarna greep hij de glanzende koperen deurknop vast.

HOOFDSTUK 29

Kilroy was die avond prikkelbaar en afstandelijk, en wilde niet over het bezoek praten – hij wilde niet praten, punt uit. Midden in de nacht werd ik wakker en merkte dat zijn plaats in bed leeg was. Ik sloop naar de huiskamer en vond hem in slaap op de bank, in elkaar gekropen onder zijn jas, met het leeslampje aan en zijn boek naast hem op de vloer. Ik haalde zijn kussen uit de slaapkamer en schoof het tussen zijn hoofd en het harde frame van de slaapbank. Daarna ging ik terug naar bed en lag lange tijd wakker. Ik woelde van mijn ene zij op mijn andere, piekerend over wat ik had gezien en gehoord in het huis van zijn ouders en me afvragend hoe het te rijmen viel met zo'n breuk. Ze leken zo behoedzaam, zo voorzichtig met hem. En verbaasd dat hij het met mij nooit over zijn zus had gehad. Jane. *Ze zijn net terug van een duikvakantie op de Caymaneilanden.* Jane, Mac en Lucia. Ik keerde me op mijn rug. Ik had er een hekel aan om midden in de nacht wakker te liggen, bang dat ik de hele volgende dag doodop zou zijn. *Morton Fraser, Barbara Fraser, dit is Carrie Bell.* Dat huis, luxueus en vol personeel. Zijn moeder was zo knap geweest. Haar koele, slanke hand in de mijne. Ik lag alsmaar te draaien. Ik was nog wakker bij het aanbreken van de dag, toen de vormen weer duidelijk werden in het sterker wordende licht.

Vervolgens werd ik plotseling wakker door het geluid van de dichtvallende voordeur. Drie over half negen, volgens de rode cijfers van Kilroys wekker. Hij was op weg naar zijn werk.

Ik was beneveld van uitputting, dof in mijn benen en trillerig. Ik zakte weer weg in slaap, maar iets haalde me terug: het feit dat hij nooit eerder was weggegaan zonder afscheid te nemen. Als ik doorsliep terwijl hij douchte kwam hij altijd op bed zitten, raakte mijn schouder aan en fluisterde een plan voor later.

Ik dacht aan hem zoals hij midden in de nacht op de slaapbank had gelegen, met alleen zijn hoofd zichtbaar boven de zware wol van zijn jas. Vervolgens dacht ik weer aan zijn ouders. Hoe ze naar elkaar hadden gekeken, hoe ze naar hem hadden gekeken. Ik trapte de dekens van me af maar bleef nog een poosje niet toegedekt liggen voor ik me over mijn gezicht wreef en overeind ging zitten.

Geen briefje in de keuken, geen koffie in het koffiezetapparaat. Ach, hij had zich waarschijnlijk ook verslapen. Ik liep naar de huiskamer en schoof zijn jas opzij zodat ik op de bank kon gaan zitten. Een paar minuten nadat we de vorige avond samen naar bed waren gegaan had ik mijn arm naar zijn zij uitgestrekt, en ik had gevoeld hoe hij iets terugdeinsde en daarna dieper ging ademen om mij te laten denken dat hij sliep. Ik dacht aan het gezicht van zijn moeder, aan haar zachte, grijzende blonde haar. Aan de glimlach van zijn vader. Ik trok de jas naar me toe en tastte in de zak, half hopend dat hij het briefje eruit had gehaald, maar daar was het, het stijve, strakke papier lag te wachten op mijn vingertoppen. Wat vreselijk om zoiets te doen. Ik trok het uit de zak en bekeek het. Ik zag nu dat op het achterklepje BFL gekrabbeld stond. Barbara en nog iets Fraser. En op de voorkant stond *Paul*, in meisjesachtige, naar links overhellende blokletters.

Ik tilde het klepje op en haalde een stevige kaart uit de enveloppe.

Schat, jij moet de datum evenzeer in je hoofd hebben als wij. Zou je niet langs willen komen en iets met ons willen drinken? Het zou zo veel voor je vader betekenen. We zijn vandaag en morgen thuis.

Ik schoof de kaart terug in de enveloppe en stak die weer in Kilroys jaszak, waarna ik de jas lukraak op de slaapbank neerlegde. De kaart was gedateerd op 20 maart, dat was zaterdag geweest: het briefje had een hele dag op Kilroy liggen wachten. Ik vroeg me af wat *jij moet de datum evenzeer in je hoofd hebben als wij* betekende en waarom ze, in plaats van het briefje te posten, helemaal naar Chelsea was gekomen en misschien een tijd voor de deur had gestaan totdat er iemand naar buiten was gekomen zodat zij het gebouw had kunnen betreden en de enveloppe onder zijn deur door had kunnen schuiven.

Opdat hij het niet kon missen, daarom. Waarschijnlijk had ze eerst gebeld: op vrijdagavond, zaterdagmorgen en zaterdagavond.

Ik probeerde hem na de les patronen maken vanuit het oude huis te bellen – om zes uur, als hij meestal weer thuis was, toen om zeven uur, en toen, met toenemende ongerustheid, om acht uur. Er werd niet opgenomen, en ik kon geen boodschap inspreken omdat hij natuurlijk geen antwoordapparaat bezat. Was hij thuis, liet hij de telefoon overgaan? Ik liep naar McClanahan's, het was een donkere, natte avond, een lichte regen bevochtigde mijn haar. In de bar was het rumoerig. Joe de barkeeper was druk bezig glazen te vullen, maar Kilroy was nergens te bekennen. Ik belde bij zijn appartementsgebouw aan, maar er werd niet gereageerd, en ik was bang om mijn sleutel te gebruiken: ik kon hem gebruiken als hij niet thuis was, maar niet als hij wel thuis was, en ik vermoedde dat hij thuis was. Het was over negenen toen ik terugging naar het oude huis, en daar probeerde ik hem nog een keer te bellen. Tegen half tien lag ik in bed, opnieuw klaarwakker in het donker. Het was stil in huis, en in mijn kamer – *mijn* kamer – rook het naar oud stof dat mij volkomen vreemd was.

Toen ik de volgende middag voor Kilroys deur stond klopte ik voor de vorm één keer aan, en stak vervolgens mijn sleutel in het slot. Het was nog voor vijven, maar ik wilde er zijn als hij thuiskwam van zijn werk: dan hoefde ik niet nog een avond als de vorige te beleven, en hoefde ik niet te weten te komen hoeveel dagen achtereen hij de telefoon niet zou opnemen als ik belde. Binnen kwam me een geur van verbrand geroosterd brood tegemoet, en ik stond op het punt naar de keuken te gaan toen Kilroy vanuit de huiskamer verscheen, verfomfaaid ogend met een joggingbroek en een gescheurd wit T-shirt aan. *O, ben jij het* – hij hoefde het niet te zeggen: dat deed zijn gezichtsuitdrukking al voor hem.

'Sorry,' zei ik. 'Ik had niet verwacht...' Ik brak mijn zin af en schudde mijn hoofd. 'Ben je vandaag niet naar je werk gegaan?'

Hij liet zijn hoofd zakken en bewoog het op en neer zonder zijn blik van de vloer af te wenden.

'Sorry,' zei ik nog eens. 'Ik dacht: ik wacht hier op je tot je thuiskomt. Ik maakte me gisteravond zorgen over je, gaat het – gaat het wel goed met je?'

Hij ademde met veel geweld uit, keek naar me op en glimlachte weinig overtuigend. 'Zeker wel.'

'Dat zie ik, ja.'

Hij zette een wat stuurs gezicht op, draaide zich om en liep terug naar de huiskamer. 'Kom binnen,' zei hij met tegenzin en plofte op de slaapbank neer, waar hij zijn houding bijstelde totdat zijn hoofd midden op het kussen lag dat ik daar zondagnacht had neergelegd. Ik vroeg me af of hij gisternacht ook in de huiskamer had geslapen.

'Wat is aan de hand?' vroeg ik.

Hij trok zijn knieën op en sloeg zijn ene been over het andere. 'Kilroy?'

'Bedoel je "hoe gaat-ie?"' vroeg hij met een plat accent. 'Of "wat mankeert je?"'

'Allebei,' zei ik.

Hij antwoordde niet en ik zuchtte. Er lagen verschillende stapels boeken voor de boekenkast, wankele torens van elk tien of twaalf boeken. De boekenkast zelf was nu gedeeltelijk leeg. Twee planken waren ontruimd, alsmede het grootste deel van een derde plank, en ik wist dan ook waar hij mee bezig was geweest: *als hij te vol is snoei ik alles weg wat zijn glans voor me heeft verloren*. Als hij te vol was, of als hij zijn geest ergens mee bezig moest houden.

Hij pakte *Contemporaneity and Consequences*, het boek dat hij al voor Montauk aan het lezen was – ik had geen idee waar het over ging. Hij sloeg het open en bracht het naar zijn gezicht.

'Ik ruik verbrand geroosterd brood,' zei ik.

Hij liet het boek zakken en staarde me aan. 'Nog andere observaties?'

Pas toen zag ik zijn jas, die op een hoopje op de vloer achter de slaapbank lag. Toen hij zag dat ik ernaar keek trok mijn maag zich samen van angst. Kon hij weten dat ik het briefje had gelezen? Had dit alles daarmee te maken? Maar nee, dat kon hij niet weten, dat was onmogelijk.

'Wil je dat ik opstap?' vroeg ik.

'Maakt me niet uit.'

Ik draaide me om en liep naar het halletje en de keuken, waar drie of vier borden met kruimels van geroosterd brood op het aanrecht stonden, en ernaast een schotel met een vormloos stuk boter. In de slaapkamer was de zonwering omlaag getrokken en het bed was een puinhoop van gekreukelde en verwrongen lakens en in rare vormen geknede en aan hun lot overgelaten kussens. Op de vloer stonden een halflege koffiemok en nog een bord met kruimels van geroosterd brood. Ik liep langs het voeteneind van het bed en ging op mijn kant van het bed zitten. Mijn foto van het Parijse dak stond tegen de rugleuning van de keukenstoel die ik als nachtkastje gebruikte. Ik pakte hem en bewonderde in het halfdonker de volmaakte harmonie van de grijze verf van de lijst en het grijze dak van het gebouw. Ik dacht terug aan de avond waarop hij me de foto had gegeven. Wat waren we toen gelukkig geweest.

Ik hoorde zijn voetstappen, en toen ik me omdraaide zag ik hem in de deuropening staan, met zijn boek dichtgeslagen over zijn vinger. 'Heb je zin in eten?' vroeg hij. 'Ik heb wel trek in Chinees.'

Ik legde de foto neer en sloeg mijn handen voor mijn gezicht – ik wist niet of ik moest lachen of huilen. *Ik heb wel trek in Chinees* – alsof dit een gewone avond tijdens onze relatie was.

'Wat is er?' vroeg hij, en hij liep om het bed heen en bleef voor me staan.

Ik keek naar hem op en schudde mijn hoofd. 'Hoe kun je nou doen alsof er niks is gebeurd? Wil je echt Chinees gaan eten?'

Hij hief zijn beide handen ten teken van protest. 'Ho, ho – Italiaans zou ook prima zijn.'

Ik beukte met mijn vuist op het matras. 'Ben je nou geschift? Of ben ik het, want er zit hier iets helemaal fout en ik heb zelfs niet het gevoel dat we nog op dezelfde planeet zitten.'

Zijn gezichtsuitdrukking verduisterde en hij keerde zich naar het raam, waar de jaloezieën voor het glas hingen. Ik kon zijn gezicht in kwartprofiel zien, zijn mond die zich over zijn tanden heen vertrok. Er kwam een zweetlucht van hem af.

'Waardoor ben je zo van je stuk gebracht?' vroeg ik.

Hij hief zijn handen bij zijn benen vandaan en liet ze vervolgens weer zakken. Nog altijd naar het raam gekeerd zei hij: 'Nergens door.'

'Kilroy, ik ben het. Je was zondagavond van je stuk gebracht nadat we bij je ouders waren weggegaan, en dat ben je nog steeds. Ik voel me volkomen buitengesloten.'

'Het spijt me,' zei hij dof. Toen keerde hij zich naar mij toe. 'Goed?' vervolgde hij, en zijn stem klonk nerveuzer. 'Het spijt me dat ik je daaraan heb blootgesteld.'

'Dat was uitstekend,' zei ik. 'Ze waren heel erg aardig – dat bedoel ik helemaal niet, dat weet je best. Ik heb je gisteravond een miljoen keer geprobeerd te bellen, ik ben langsgekomen. Wat is er mis?'

Hij ademde zwaar uit en wendde zijn blik af. 'Het is gewoon moeilijk voor me om ze te zien,' zei hij. 'Ik heb problemen met ze. We zijn gewoon – we zijn heel verschillend, dat is alles.'

Ik schudde mijn hoofd. 'Nee, dat is het niet.'

Hij staarde me een ogenblik aan en draaide zich toen weer om, naar het raam toe. Na een poosje trok hij met duim en wijsvinger de lamellen van elkaar en keek naar buiten. In de baan zwak licht die naar binnen scheen wervelden stofdeeltjes. Toen ik hem daar zag staan, met zijn rug naar me toegekeerd, voelde ik opeens hoe het voor zijn ouders moest zijn om hem in de buurt te hebben wonen – zo dichtbij en toch zo ontoegankelijk.

'Kilroy?' zei ik.

Hij draaide zich om. Voor de jaloezieën zag hij er in het nauw gedreven uit, in de val gelopen – als iemand bij een getuigenconfrontatie.

'Waarom blijf je hier?'

Er kwam kleur op zijn wangen en hij wendde zijn blik af. 'Wil je zeggen: waarom maak ik mijn kennelijk enorme aandelenpakket niet te gelde en koop ik geen leuk appartementje op Central Park West?'

'Nee,' riep ik uit. 'God. Zo'n vraag zou nooit bij me opkomen. Ik weet dat ik weleens eerder heb gezegd dat ik dacht dat jouw familie veel geld had, maar wat je daar wel of niet mee doet, gaat mij niet aan.'

'Ik probeer het niet te gebruiken,' zei hij vlak. 'Daarom. Zo'n klootzak ben ik nu ook weer niet.'

Ik draaide met mijn ogen. 'Je bent helemaal geen klootzak.'

Hij glimlachte. 'Natuurlijk ben ik dat wel.'

'Kilroy.' Hij stond er zo ongelukkig bij, met zijn kapotte t-shirt en zijn flauwe lachje. 'Dat kun je niet menen.'

'Ik zal niet bepaald worden uitgeroepen tot *perfect gentleman*,' zei hij bitter.

Ik stond op en liep naar hem toe, maar toen ik in zijn buurt kwam trok hij zich terug, alsof hij bang was dat ik hem zou aanraken. Ik bleef abrupt staan, terwijl ik werd overspoeld door een misselijk, heet gevoel. Ik wilde hem aanraken – ik wilde dat hij mij ook wilde. 'Die *perfect gentleman* zou een oersaaie suflul zijn,' zei ik.

'Mike was zo'n *perfect gentleman*, hè?'

'Dit heeft niks met Mike te maken.'

'Maar dat was hij wel, hè? Een aardige jongen?' Zijn mondhoeken vertoonden een verwrongen trek. 'Zo heb ik het me altijd voorgesteld.'

'"Een aardige jongen,"' zei ik. 'Dat zeg je over iemand die je niet kent. Mike was – Mike ís iemand. Ja, zeker, hij is aardig – hoeveel mensen ken jij die niet aardig zijn?'

Kilroy schudde zijn hoofd. 'Vergeet het,' zei hij en hij krabde over zijn borstelige kaak. 'Ander onderwerp.'

Ik zuchtte en wendde mijn blik af. Wat voor onderwerp? Met alle onderwerpen die we tot onze beschikking hadden konden we niet goed overweg. Misschien konden we niet goed met elkaar overweg, punt uit. Mijn zorgen uit het rommelwinkeltje op Long Island besprongen me weer. Was het waar dat het in de buitenwereld niet goed ging tussen ons, maar alleen op geïsoleerde, beschermde plekjes? Mike en ik hadden geen moeite gehad met overschakelen tussen privé en openbaar: we waren op een feestje net zo goed onszelf als op mijn etage. Uit het niets herinnerde ik me een bierfeest in een huis van een studentenvereniging tussen onze laatste examens en ons afstuderen: we waren elkaar een poosje kwijt geweest, en toen ik hem weer zag zat ik op de trap naar de eerste verdieping te praten met een meisje met wie ik een vak samen had gedaan. Hij was een beetje aangeschoten en keek naar mij omhoog. Hij strekte daarbij zijn armen op zo'n manier dat ik wist dat hij me ten dans vroeg. Hij stond onder ons – groot, sterk, met haar dat krulde in de vochtige feestlucht, knap op een schalkse, jongensachtige manier – en er sloeg een golf van vreugde door me heen omdat hij van mij was.

'Wat bedoelde je zonet precies?' vroeg Kilroy. 'Toen je vroeg waarom ik hier blijf?'

Ik keek op. Hij keek me nieuwsgierig aan, en ik vroeg me af wat hij in me zag: een leuk kleinsteeds meisje dat bereid was geweest het hart van een aardige jongen te breken.

'In New York,' zei ik.

'O,' zei hij, met een scheef lachje, 'dat is makkelijk. Ik hou van het verkeerslawaai.'

Ik slaakte een zware zucht en stapte hoofdschuddend bij hem vandaan. Ik ging weer op het bed zitten. Op de vloer zag ik een verdwaalde groene sok liggen die ik dacht kwijt te zijn. Ik boog me naar voren om hem te pakken, haalde er een pluk stof af en tikte die weg.

Kilroy sloeg mij gade van bij het raam, met dichtgeknepen ogen en een wijsvinger tegen zijn kaaklijn. Hij staarde me zo lang aan dat ik me nerveus begon te voelen en me afvroeg wat er zou gebeuren als hij sprakeloos naar me zou blijven staren. Hoe lang zouden we zo door kunnen gaan? Van elkaar verwijderd, zwijgend. Mijn handen rustten zwaar in mijn schoot.

Ten slotte veranderde hij van houding en schraapte zijn keel. 'Weet je nog dat jij gewoon in je auto bent gestapt en weg bent gereden, op die avond in september? Dat je gewoon de deur van je etage op slot hebt gedraaid, je rotzooi hebt gepakt en bent weggereden? Nou, soms is het simpelweg niet mogelijk om dat te doen, of lost het helemaal niks op. Ik zoek mijn ouders niet vaak op, en daarom is het moeilijk als ik ze opzoek. En, omgekeerd, omdat het moeilijk is als ik ze opzoek, zoek ik ze niet vaak op. Het spijt me van gisteravond – ik had de telefoon moeten opnemen. Ik had het moeten doen, maar ik heb het niet gedaan, en daar zitten we nu. Ik weet echt niet wat ik er verder nog over moet zeggen. We gaan door, of we stoppen ermee. Ik kan geen ander mens worden, hoe graag jij dat ook zou willen – hoe graag ik het zélf ook zou willen. Dus wat ik nu zou willen doen is opruimen en dan wat gaan eten.' Hij wierp me een smekende blik toe. 'Goed? Alsjeblieft?'

Ik knikte. Ik was niet zozeer hongerig als wel moe, dood- en doodop, maar ik begreep dat hij niets meer kon zeggen en dat we even de deur uit moesten. Terwijl hij douchte maakte ik het bed op, en vervolgens liepen we samen door het halletje, richting voordeur, en stootten onhandig tegen elkaar aan.

HOOFDSTUK 30

De daaropvolgende weken was Kilroy meestal zijn grappige, sardonische zelf, maar over het geheel was hij somberder geworden, en die somberheid lag vlak onder de oppervlakte. Hij klaagde over zaken die hij in de krant had gelezen of ging tekeer over iets wat hij op straat had gezien – bijvoorbeeld over twee vrouwen die het trottoir blokkeerden met boodschappentassen voor zich op de grond, zonder zich te bekommeren om de mensen die zich een weg om hen heen moesten banen. De lente kwam met een koude, frisse wind die voor een blauwe hemel zorgde en zachtere en warmere lucht achterliet dan er in maanden was geweest. Ik hunkerde ernaar om wandelingen te maken, maar Kilroy wilde niet en zat in plaats daarvan in de weekends hele middagen binnen te lezen. De pas leeggemaakte planken van zijn boekenkast raakten geleidelijk vol met lijvige geschiedenisboeken en meerdelige biografieën. Het werd lastig om zijn aandacht te krijgen: toen hij op een avond op de bank een boek over gotische bouwkunst lag te lezen noemde ik vier keer zijn naam zonder dat hij me hoorde. Ten slotte ging ik zitten en liet een vinger over de onderkant van zijn voet gaan, waarop hij zo hevig schrok dat hij het boek liet vallen en zijn armen en benen geschrokken omhooggooide.

'Carrie, jezus. Wat is er?'

'Ik heb al vier keer je naam genoemd.'

'Nou, sorry dan – ik was verdiept in mijn boek.'

Het klinkt alsof hij kortaf was, maar dat was hij niet, niet echt: hij was afstandelijk en onduidelijk, maar precies zo lang als ik kon verdragen. Net als ik de grens van de echte frustratie naderde, trok hij bij, kwam achter me staan om over mijn schouders te wrijven en stelde voor te gaan eten, naar een film te gaan of een spelletje pool bij McClanahan's te gaan spelen. Het was griezelig hoe hij mijn grenzen kende, alsof ik iets uitzond wat hij kon ruiken of vaag kon horen. We sliepen dichter tegen elkaar aan dan ooit tevoren, met onze benen in elkaar verstrengeld en onze armen om elkaar heen geslagen, maar als hij 's morgens wakker werd onttrok hij zich behoedzaam weer aan me. Hij trok dan zijn armen weg en rolde zich op zijn rug voordat hij iets tegen me zei of me weer aanraakte.

Vroeg op een morgen – nog heel vroeg, het was nauwelijks licht – stond ik op om naar de wc te gaan, en toen ik terugkwam lag hij met open ogen naar mijn kant van het bed gekeerd. Hij strekte zijn armen naar me uit, en ik kroop naar hem toe en voelde zijn stijve tegen mijn been en toen tussen mijn dijen. Hij trok me boven op zich en ging bij me naar binnen in één vloeiende beweging, en onder het bewegen drukte ik mijn wang tegen de zijne, allereerst op zoek naar het schuren van zijn stoppels en toen naar nog iets meer. Ik drukte mijn gezicht hard tegen het zijne, hij drukte terug en zo gingen we door tot het voorbij was en mijn gezicht echt pijn deed.

Toen ik veel later wakker werd voelde ik dat de lakens naast me koel waren. Ik rolde ernaartoe, in de verwachting dat het bed verder leeg was, maar daar lag hij, zo ver weg dat ik mijn arm uit moest strekken om hem aan te kunnen raken. Hij lag op zijn rug in het niets te staren, en toen hij mijn hand tegen zijn arm voelde schrikte hij even op, waarna hij zijn armen uitstrekte en zijn handen achter zijn hoofd plaatste, zodat zijn ellebogen naar de muur achter ons wezen.

'Dag,' zei ik.

'Dag.'

Ik raakte hem nog eens aan, ditmaal op zijn zij, maar hij reageerde niet – hij keek me niet aan en draaide zich niet naar me toe of wat dan ook.

'Wat droomde je vanmorgen om vijf uur?' vroeg ik.

'Niks.'

'Niks omdat je het niet meer weet, of niks omdat je het niet wilt vertellen?'

Hij haalde zijn schouders op. 'Niks omdat ik het niet meer weet – ik herinner me mijn dromen nooit.'

'Nooit?'

'Alleen de vervelendste, banaalste dromen. Ik heb zo'n zes jaar lang een droom gehad die steeds terugkwam en waarin ik over een weg liep, alsmaar liep, totdat ik uiteindelijk bij een winkeltje kwam waar ik een schrijfblok en een pen kocht. Nadat ik had betaald liep ik naar de deur, en dan draaide ik me plotseling om omdat ik nog iets nodig had, en op dat moment werd ik wakker.' Hij keek naar me en glimlachte. 'Zie je, het verveelt je zo dat je niet eens meer oplet.'

'Dat doe ik wel.'

'Nee, je dacht beslist ergens anders aan.'

Dat was waar: mijn gedachten waren afgedwaald, maar alleen naar hoe we eerder waren geweest en hoe hij dat had uitgewist. Het was alsof we afgezanten hadden uitgestuurd om seks te hebben, die allebei erg gedreven waren en elkaar niet kenden – waarna een van hen niet bereid was geweest rapport uit te brengen. Het deed me denken aan mijn eerste keer met hem, de aarzeling en de extase waarin het ons was overkomen. Toen kwamen mijn gedachten op Mike, op onze eerste keer, bij Picnic Point – met de hoge bomen om ons heen, de geur van de aarde en de manier waarop de badhanddoek onder me gekreukeld raakte. Na afloop vertelde Mike me dat het heel anders was geweest dan hij had verwacht, maar hij kon niet zeggen hoe. Maar nu we het eenmaal hadden gedaan en de toestand van het nog niet te hebben gedaan was opgeheven, zei hij dat het zelfs anders voelde om opgewonden te raken. Terwijl ik me dat herinnerde vroeg ik me af of Mike nu nog seksuele dromen over me had. Kon je nog een seksuele droom hebben als je geen seksuele gevoelens meer kon hebben? We hadden elkaar in geen drie maanden gesproken, maar ik had zijn ring nog altijd om mijn vinger. Ik bedacht hoe hij er in bed uit moest zien, al dan niet slapend, in de vroegere studeerkamer, met zijn verlamde lichaam voor zich uitgestrekt. Aarzelend gingen mijn gedachten terug naar de eerste avond met Kilroy in Montauk, toen ik bewegingloos op bed had gelegen en hem met me had laten vrijen alsof ik niet in staat was me te verroeren. Alsof ik Mike was geworden.

Op een zaterdag haalde ik Kilroy over om te gaan wandelen. Het was nu april en heel New York ging de deur uit – hippe en straatarme lieden, maar ook mensen die zich de hele winter hadden schuilgehouden, zoals gezinnen met kinderen en bejaarden. Het gaf een goed gevoel om buiten te lopen. De zon verwarmde ons en ook de mensen die we passeerden, zodat ze op de een of andere manier vertraagd, uitvergroot en gelukkig leken. Kilroy, die meestal snel en doelgericht voortstapte, ongeacht of hij nu wel of geen doel had, liep vandaag in een soort kuierpas en bleef soms zelfs even staan om zijn gezicht naar de zon te keren. Terwijl we ons in zuidelijke richting begaven had ik het idee dat we naar onszelf toe liepen, naar wie we samen waren en wie we konden worden.

Op de hoek van Sixth Avenue en Houston Street bleef hij staan kijken naar een stel jongens die aan het basketballen waren op een klein speelveld achter harmonicagaas. Ik bleef ook staan. Onder onze ogen bemachtigde een van de spelers – geen bijzonder lange jongen, maar slank en snel in zijn joggingpak – de bal en dribbelde naar de andere kant van het terrein waar hij een afstandsschot afvuurde dat met een klap de ring raakte, waarna de bal door de netloze basket viel.

'Prachtig,' riep Kilroy uit. Hij keerde zich naar mij toe. 'Moet je je voorstellen hoe dat voelt. Om dat te kunnen.'

'Heb jij ooit aan sport gedaan?'

Hij glimlachte. 'Ik heb gehonkbald. Als kind wilde ik honkballer worden, serieus. Ik heb van mijn zevende tot de high school vijf, zes maanden per jaar als tweede honkman gespeeld. Ik had een goeie arm, maar ik was vooral snel. Niet zozeer met lopen – daarin was ik snel genoeg, maar ik bedoel dat ik snel reageerde. Als ik een bal zag aankomen dacht ik al na of ik moest uittikken of werpen. Ik was ook een behoorlijke slagman, niks bijzonders, maar ik stond mijn mannetje. Wat een geweldig spel. Ik was er dol op.'

'Waarom ben je er dan mee gestopt?' vroeg ik. 'Wat is er op de high school gebeurd?'

Hij haalde zijn schouders op. 'Ach, je weet wel. Zo gaan die dingen. Ik verloor mijn interesse.'

'Maar je was er dol op.'

Hij haalde nogmaals zijn schouders op.

Kilroy als honkballer voegde iets heel nieuws toe aan mijn beeld van hem. Het was verbluffend gemakkelijk om hem te zien als fanatieke kleine tweede honkman, mager in zijn kleine witte broek, zijn ogen geconcentreerd samengeknepen. Acht of negen jaar oud. Het was veel moeilijker om me hem als highschool-leerling voor te stellen. Ik vroeg me af wat hij tegenover me ver-zweeg over de reden van zijn stoppen. Was het net zoiets als met Mike en het ijshockeyen, als met Mikes beslissing in ons eerste jaar op de universiteit om niet door te gaan? Hij zou in het uni-versiteitsteam zijn gekomen, maar als speler van het tweede gar-nituur, niet als ster. Was dat Kilroy ook overkomen?

We staken Houston Street over, sloegen af en sloegen vervol-gens MacDougal Street in, waar we langs de boekwinkel kwa-men waar de vrouw achter me had gestaan die het had gehad over *de zelfgenoegzaamheid van de opperste schoonheid*. Terwijl ik een vluchtige blik door het spiegelglas in de donkere nissen van de winkel wierp, vroeg ik me af wie ze was en waar ze nu was. De banden tussen vreemden in New York lagen over de stad als een vaag rooster, breekbaar als de draden van een spinnenweb.

We begaven ons naar de Hudson, waar we langs het water lie-pen over het drukke wandelpad van Battery Park City. Er suis-den mensen op skates voorbij en er wandelden mensen met honden. Kilroy wees me Ellis Island en het Vrijheidsbeeld aan, dat in de verte even klein leek als een van de replica's die ik overal in de stad te koop had gezien. De kleur trok weg uit de lucht en de warmte van de dag verdween, maar wij liepen verder door de kille, smalle ravijnen van Wall Street. Ik was verrast door de massieve vorm van Brooklyn Bridge die opeens in de lucht opdoemde en bleef staan om me te verbazen over de enorme afmetingen ervan.

'We zijn er toch nooit overheen gelopen, hè?' zei Kilroy.

Ik schudde mijn hoofd.

Er vormde zich een brede lach op zijn gezicht. 'In voor een speciale belevenis?'

Ik keek op mijn horloge. We hadden al drie of vier uur gelopen.

'Kom op,' zei hij. 'Dit kan niet wachten.'

Boven het verkeer liep een afzonderlijke voetgangerspromenade midden over de brug. Er slenterden stelletjes en gezinnen overheen, en een paar eenzame zakenlieden die na een zaterdag op kantoor teruggingen naar Brooklyn. De brug zelf was verbluffend: de vier machtige stenen torens, de vier enorme kabels en de vele tientallen kleinere kabels die oprezen in de hoogte en dun als garen leken.

'Niet mis, hè?' zei Kilroy. 'Niet te geloven dat ik je nooit eerder mee hier naartoe heb genomen.'

We waren blijven staan, en ik keek met achterovergebogen hoofd omhoog naar het graniet en filigrein tegen het verblekende blauw met wolkenstrepen erin. Toen ik mijn rug weer rechtte sloeg Kilroy me gade, rimpeltjes prijkten rond zijn tegen de lage zon toegeknepen ogen. De uitdrukking op zijn gezicht was – een ander woord bestond er niet voor – zacht. Zijn wangen waren vol, zijn mond ontspannen. Ik vermoedde dat zijn stemming minder te maken had met mij dan met hemzelf, dat hij zich erover verwonderde dat hij dit deed: zijn plekjes laten zien aan een vrouw. Glimlachend strekte ik mijn hand naar hem uit en raakte hem aan vlak onder zijn oog. Hij pakte mijn hand beet en leidde mijn vingertoppen over zijn gezicht – omlaag langs zijn wang, rond zijn mond en over zijn gesloten oogleden. Hij liet mijn hand los, keek me een ogenblik aan, pakte toen mijn schouders vast en trok me tegen zich aan. Zoals ik daar met hem stond voelde ik de afstand tussen ons wegvallen en het gevoel van de afgelopen paar weken eindelijk verzwakken en verdwijnen. Met onze hoofden tegen elkaar bracht ik mijn hand naar zijn haar, dat verward en borstelig voelde onder mijn strelingen.

Een poosje later zetten we ons weer in beweging. Bij Brooklyn Heights gingen we naar de Promenade en keken om naar Manhattan, waar de skyline van de binnenstad van opzij werd beschenen door de ondergaande zon. Het was nu koud, en we hadden geen van beiden handschoenen aan en rilden in onze dunne jasjes. We ontdekten een bar, de Royal Ascot, en dronken bier onder een gehavend dartboard terwijl uit een oeroude jukebox Frank Sinatra klonk. Een paar zwaarlijvige mannen van in de veertig stonden dicht bij ons met glazen Guinness, schuimig en zwart als espresso.

Toen we opstapten was het donker. We vonden een station van de ondergrondse en gingen naar het perron. Daar stonden we een hele tijd, totdat we zo lang hadden gewacht dat we ons afvroegen hoe lang wel niet. Achter ons liep het perron gestaag vol. Uit de luidsprekers weerklonk een onverstaanbare mededeling, en een zucht ging door de menigte. Er verstreken nog eens vijftien minuten, toen twintig. Ten slotte hoorde ik het geratel van de trein, die nog ver weg was, en achter me drukten de mensen tegen me aan. De meesten waren gekleed voor een zaterdagavond in de stad en drongen naar voren met hun geparfumeerde geurtjes en koude leren jasjes. Ik greep een ogenblik te laat naar Kilroys hand, en we werden van elkaar gescheiden. De trein kwam met een geraas binnenrijden, en voordat de deuren open waren gegaan werd ik opzij gedrukt, waarbij mijn schoen bijna van mijn voet werd getrokken. Het rijtuig was al vol, te vol voor iedereen die meewilde. Ik stapte over de spleet tussen het perron en de trein, en werd op de een of andere manier naar een plaats tussen een stoelrand en een lange man met een naar worst stinkende adem geperst. Ik had geen idee waar Kilroy was. 'Deuren vrijmaken,' zei de bestuurder, en de deuren gleden dicht. Enigszins slingerend vertrokken we en maakten al gauw vaart. Ik zag hier een hoofd van opzij en daar een schouder – niet veel meer. Toen verschoof er iets – iemand perste zich in een nieuw stukje vrije ruimte – en opeens was daar Kilroy, drie meter bij me vandaan, met zijn hand omhoog bij een stang. Ik zag hem van opzij, terwijl hij naar het zwarte raam staarde. Ik moest denken aan een spelletje dat ik op de high school wel deed, toen Mike en ik elkaar pas kenden: ik bekeek hem dan van een afstand – in de kantine, tijdens een les die we gezamenlijk volgden of zelfs in de foyer van een bioscoop – en probeerde mezelf te verrassen alsof ik hem voor het eerst zag. Wat voor iemand was hij, vroeg ik me dan af. Hoe zou hij zijn? Ik sloot mijn ogen en schudde lichtjes mijn hoofd. Ik bedacht dat ik met het rumoer van de trein, de mensen en de geuren mezelf erop kon betrappen hoe ik zou reageren op Kilroy alsof hij een vreemde was. Ik meende dat ik daar iets van kon leren. Maar toen ik mijn ogen weer opende had hij mij ontdekt, en terwijl ik hem opnam lachte hij me toe, hief zijn hand op en zwaaide naar me.

Ik heb de indruk dat we elkaar in etappes leren kennen: eerst de feiten, later de betekenis daarvan, net als ontdekkingsreizigers die stuiten op een watermassa zonder aanvankelijk te weten of ze zijn aangeland bij een in nevelen gehulde rivier of een uitgestrekte oceaan. We houden vol totdat we het weten, maar al doende gaat er iets verloren: het nieuwe wordt oud, vervolgens wordt het vanzelfsprekend en vervolgens raakt het in de vergetelheid. Met Kilroy wilde ik zowel vooruitsnellen als vasthouden aan elk onthullend moment.

Dat was met Mike misgegaan. Ik had alles over hem geweten, maar was er niet in geslaagd het plezier van het ontdekken vast te houden. In plaats daarvan had ik hem in me opgenomen. Het landschap van zijn verleden, van zijn geest: het waren mijn eigen landschappen geworden, zo vaak had ik ze bereisd. Ze waren als Madison zelf, de meren aangenaam en vertrouwd, het terras van de sociëteit, de met bomen omzoomde buurten waar mijn vrienden en vriendinnen woonden. Met Jamie was het net zo. Jamie wás voor mij mijn kindertijd: de pruimenboom in de achtertuin van haar ouders, de wandeling van tien huizenblokken naar het huis van mijn moeder, en elke zaterdagmiddag naar het winkelcentrum. Ze had een bepaald luchtje, van cakemix met wasmiddel, dat je rook precies op het moment dat je van de bijkeuken van de Fletchers naar de keuken liep, als toevallig de kelderdeur openstond en mevrouw Fletcher die dag iets had gebakken, wat bijna altijd het geval was.

In het laatste jaar van de high school hadden Jamie en ik oeverloos besproken of we op de universiteit wel of geen kamergenotes moesten worden. We zaten dan in de keuken van de Fletchers van haar moeders rozijnencake te knabbelen, fluisterden in de schoolbibliotheek met elkaar, of zaten bij een ijshockeywedstrijd toe te kijken hoe Mike en Rooster over het ijs zeilden terwijl om ons heen de menigte schreeuwde. Zij wilde dat we kamergenotes zouden worden, en ik zag de aantrekkingskracht daarvan – gewoon anderhalve kilometer verderop gaan wonen, met Jamie in dezelfde kamer als ik en Mike vlak in de buurt – maar zelfs toen al had ik het gevoel dat er iets niet helemaal goed aan was, dat het wat te makkelijk was. Ik vond dat onze levens moesten veranderen, dat er een verrassing in het verschiet moest liggen. Uiteindelijk zei ik nee, ervan overtuigd dat het beter was er net zo aan te beginnen als alle anderen: weliswaar niet zonder vangnet, maar wel met een kleiner exemplaar.

Zij had het niet makkelijk in haar eerste jaar. Haar colleges waren te moeilijk, en ze klaagde over haar kamergenote, een kostschoolmeisje uit de North Shore van Chicago en volgens

Jamie een snob. De grote droom van het studeren lag nog buiten haar bereik – ze was nog altijd zichzelf, nog altijd Jamie. Toen ik een keer op een novembermiddag laat thuiskwam in mijn studentenhuis trof ik haar liggend in de gang voor mijn kamer aan. Ze lag werkelijk gestrekt op het smerige tapijt, haar rugzak bij wijze van kussen onder haar hoofd. Terwijl ik vanaf de lift door de hal liep, dacht ik dat ze zichzelf in die positie had gebracht om medelijden bij me te wekken, al was ik niet zo hardvochtig als het klinkt: veeleer veronderstelde ik dat ze me nodig had en me dat uit alle macht liet weten. Maar toen ik dichterbij kwam en zij zich niet op een elleboog oprichtte en mij met roodomrande ogen aankeek, bevreemdde me dat. Was ze gewond? Of ziek? Ik versnelde mijn pas een beetje en toen bleek – toen bleek dat ze sliep. Ze lag daar om vier uur in de middag in een drukbelopen gang van een rumoerig studentenhuis te slapen. Het gaf me een heel raar gevoel haar zo te zien: ik voelde me vereerd en verontrust. Ik was dat allemaal vergeten totdat ze me in New York opbelde en me vroeg naar huis te komen.

Het was een paar dagen na mijn wandeling met Kilroy, en ik was in het oude huis. Ik kwam net de douche uit en stond me in mijn kamer aan te kleden toen Greg op mijn deur klopte en zei dat er telefoon voor me was. Eerst huilde ze nog niet – ze sprak mijn naam duidelijk uit – maar toen begon ze: een diep, verschrikkelijk gehuil. Ik vroeg: 'Wat is er? Wat is er toch?', maar ze huilde maar door, en ik dacht dat ze was gedumpt door Bill, dat het allemaal weer voorbij was voordat ze de kans had gekregen er mij over te vertellen.

Maar het had niets met Bill te maken. Haar zusje Lynn was aangerand – op de parkeerplaats van een bar aan de westkant van de stad, waar ze in elkaar was geslagen door een man die in een Cutlass reed. Ze had een blauw oog, bloeduitstortingen bij haar mond en *vingerafdrukken in haar hals*. De Alley, zo heette de bar, een smerig tentje vlak bij het restaurant waar ze werkte. En Jamies moeder – Jamies moeder was volkomen de kluts kwijtgeraakt. Jamie was buiten zichzelf, maar daar kwam het in de kern op neer. Ik wist niet wat ik moest zeggen, want ik kon alleen maar bedenken dat de Alley het tentje was waar ik Lynn toegetakeld als delletje had gezien. Zoals ze voor de bar had gestaan, met haar haren getoupeerd en zo opgemaakt dat ze ergens om leek te vragen: om narigheid, opwinding, redding, wat dan ook. Ik wist het toen, maar was te zeer in beslag genomen door mezelf om meer te kunnen doen dan het op te merken en weer verder te gaan. Terwijl ik luisterde naar Jamies gesnik herinnerde ik me hoe Lynn naast me in mijn auto had gezeten, uitdagend en aangeschoten, met haar mollige benen en haar grote, ronde zilveren oorringen: *vertel het niet aan Jamie*, had ze gezegd en dat had ik niet gedaan. Dat had ik niet gedaan.

'O Jamie,' zei ik. 'O God.'

'Ik ben bang,' snikte ze. 'Ik ben echt bang.'

'Ik weet het. Wat verschrikkelijk – ik vind het zo verschrikkelijk.'

Ik hoorde hoe ze haar neus snoot, het geluid van het papieren zakdoekje dat langs de telefoon streek.

'Ik heb je nodig,' zei ze. 'Ik weet dat ik je helemaal niet heb gebeld en dat we nogal, eh, afstandelijk zijn geweest, maar...' Ze begon opnieuw te huilen. 'Ik heb je nódig. Zou je kunnen komen? Zou je naar huis kunnen komen?'

Ik had gestaan, met de telefoon op de vloer bij mijn voeten, en nu liep ik naar de futon toe, met de telefoon als een weerspannig hondje achter me aan.

'Carrie?' vroeg ze.

'Bedoel je nu?'

'Ik dacht morgen. Of dit weekend?'

Morgen was de les van Piero – een van zijn vroegere leerlingen, nu ontwerpster van gebreide kleding voor een groot merk, zou een praatje voor ons komen houden. *Ze is fabuleus*, had Piero gezegd. *Zij is mijn grote voorbeeld*. Ik wilde haar niet missen, en bovendien had ik eenvoudigweg het geld niet – een vliegticket op zo'n korte termijn zou een kapitaal kosten. Het kwam nu slecht uit. Dat zei ik ook tegen Jamie: 'Het komt me nu slecht uit. Maar ik kan met je praten – kunnen we niet gewoon door de telefoon praten?'

Er viel een lange stilte. Toen ze ten slotte weer sprak, wist ik dat ik onze vriendschap, of wat daar nog van restte, had verbroken. IJskoud, zonder een spoor van tranen, zei ze: 'Ik had het kunnen weten. Ik weet niet waarom ik het zelfs maar heb gevraagd. Iemand die haar vriend dumpt vlak nadat hij zijn nek heeft gebroken? Vergeet het maar, natuurlijk zou jij niet komen.' En toen hing ze op.

DEEL DRIE

Kilroy was here

HOOFDSTUK 31

Vanuit het vliegtuig kon ik zien hoe de winter zijn einde naderde. De sneeuw aan de randen van de akkers zag er vermoeid en grijs uit. Het boerenland ten zuiden van Madison, door landwegen in vierkante vakken versneden, was zwart en vochtig. Ik verbeeldde me dat ik de aarde kon ruiken, de geur van de grond die door de dooi met de dag verder tot leven kwam.

Ik nam een taxi vanaf het vliegveld. De gebouwen waar ik langskwam oogden plomp, de straten waren breed en leeg. Het was midden op een donderdagmiddag, en ik voelde me verdoofd na de vliegreis van die ochtend en het regelen van mijn vertrek de vorige avond. De stilte in de taxi had iets droomachtigs: alleen de chauffeur en ik, voortrazend door een kaal landschap. Ik keek uit het raampje en zag de afslag naar mijn etage, maar ik voelde er niets bij, niet het minste verlangen om mijn oude woning terug te zien.

Het huis van mijn moeder zag wezenloos op de straat uit. Ik liet mijn tas in de hal neerploffen en ging naar de keuken. De stoelen stonden tegen de tafel aangeschoven, het zout en de peper stonden perfect op het midden van de tafel. Onder een magneetje op de koelkast hing haar boodschappenbriefje: rijst, tomatenpuree, lampen van 75 watt.

Ik maakte de koelkast open en haalde er een pak sinaasappelsap uit. Ik dronk een vol glas en zette het glas in de gootsteen, maar veranderde toen van gedachten, waste het behoorlijk af en zette het op de afdruipplaat. Mijn moeder had wel een afwasmachine, maar ze gebruikte hem maar zelden, alleen als ze bezoek had.

Ik liep naar de telefoon en belde Jamie in haar ouderlijk huis. Ik had weinig hoop dat ze me te woord zou staan, en dat deed ze ook niet: ze hing op zo gauw ze mijn stem hoorde, zoals ze dat nu al zes keer had gedaan, gisteren vier keer en vandaag twee keer. Ik belde Kilroy.

'Ik dacht net aan je,' zei hij.

'Wat toevallig.'

'Niet echt.'

We lachten allebei, en ik bedacht hoe hij me die ochtend op Seventh Avenue had gezoend, hoe hij me had gezoend en had gezegd: 'Goed, ga nu maar.'

'En?' vroeg hij. 'Ben je er?'

'Ja. Jamie heeft me net weer opgehangen.'

'Voor of nadat je kon zeggen dat je terug was?'

'Ervoor.'

'En wat ga je nu doen?'

'Ernaartoe gaan, denk ik.'

'Hou me op de hoogte.'

'Zal ik doen.'

Ik hing op en liep de keuken uit. Het zou een koude wandeling naar de Fletchers worden. Ik stond in de hal en keek uit het raam. Ik wilde niet weg. Tien minuten nog, dacht ik, vijf minuten, en ik draaide me om, liep de trap op en dwaalde rond op de eerste verdieping. Haar slaapkamer lag in het late namiddaglicht, een baan zwak zonlicht viel over haar keurig opgemaakte bed. Ik liep erheen en ging erop zitten. Het was koud in huis, en ik stak mijn handen onder mijn trui en trok ze meteen weer terug, verstijfd door mijn eigen aanraking. Ik ging op het bed liggen. Ik was nog geen dag weg, maar mijn lichaam voelde zich verstoken van Kilroy, mijn huid schreeuwde in alle toonaarden om zijn aanraking. Ik wilde zijn handen op me voelen, zijn prikkende gezicht tegen mijn blote schouder. Hij had niet begrepen waarom ik terugging. *Waarom schrijf je haar geen lange brief?* had hij gezegd.

De duisternis viel al in toen ik het huis van mijn moeder uitging, de vroege duisternis van een vroege voorjaarsavond, een hoge, koele duisternis die vanuit de bomen omlaag kwam. Een spookachtige stilte. Het huis van de Fletchers was maar tien blokken lopen, maar ik kwam op het trottoir niemand tegen. Op een gegeven moment reed er een auto langs, zijn lichten flitsten een ogenblik over me heen. Toen hij voorbij was bleef ik staan en sloot mijn ogen, overweldigd door de stilte en de onmetelijkheid van de avond.

Het huis was volkomen donker, zelfs het licht op de veranda was uit. Ik klopte aan met de koperen klopper in de vorm van een ananas, en drukte daarna voor de vorm nog op de bel. Er was niemand thuis. Ik haalde een stukje papier uit mijn tasje en schreef een briefje voor Jamie. *Ik ben thuisgekomen. Bel me alsjeblieft bij mijn moeder.*

Toen ik terugkwam was mijn moeder er nog altijd niet. Ik ging naar de keuken en zette een pan water op. Een van Kilroys favoriete gerechten voor als er nagenoeg niets in huis was, was spaghetti met olijfolie en knoflook, en ik vond een doos spaghetti in de provisiekast en zelfs wat verse peterselie in de groentela om eroverheen te strooien. Toen het water kookte zette ik het laag, omdat ik de pasta pas wilde klaarmaken als mijn moeder er was.

Maar ze kwam niet. Na een poosje concludeerde ik dat ze wel bij iemand zou zijn gaan eten, kookte een muizenhapje spaghetti en nam aan de tafel plaats, waar ik onder het eten de ochtendkrant doornam. In New York zat Kilroy in zijn huiskamer te lezen, of misschien las hij in bed. Of zou hij naar McClanahan's zijn gegaan? Ik vond het geen prettige gedachte dat hij daar alleen aan de bar zat terwijl het steeds rumoeriger werd in de zaak.

Mijn moeder kwam iets voor tienen binnen. Haar hand vloog naar haar keel in de flits waarin ze mij zag en nog niet zag dat ik het was. 'O jezus,' zei ze. 'Lieve God, wat laat je me schrikken.'

'Sorry.'

We omhelsden elkaar, en ik rook de vochtinbrengende crème die ze al gebruikte sinds ik klein was. Ze had haar London Fog-regenjas aan, de ceintuur dichtgeknoopt rond haar smalle middel. Ze zette haar aktetas neer. 'Is dit vanwege Jamie?'

'Weet je ervan?'

Ze glimlachte vermoeid naar me. 'Ik ben vanaf zes uur in het ziekenhuis geweest.'

Jamie bleek haar de vorige dag te hebben gebeld, nog voordat ze mij had gebeld – om advies en hulp te vragen. Mijn moeder en ik gingen in de keuken zitten en ze vertelde me het hele verhaal: hoe Jamie haar vanuit het ziekenhuis had gebeld, en hoe mijn moeder al haar andere afspraken had afgezegd en naar het ziekenhuis was gegaan. 'Ik denk dat het al een tijd niet goed ging bij de Fletchers,' zei mijn moeder. 'Blijkbaar gebruikte mevrouw Fletcher al een poos valium, en toen Lynn vorige zomer als serveerster ging werken en zo laat thuiskwam, begon ze een paar glazen te drinken om rustig te worden terwijl ze zat te wachten.' Mijn moeder schudde haar hoofd.

'Wat?'

'Dat is een slechte combinatie. Dat is – dat is welbekend. Volgens mij staan er waarschuwingen op de valiumetiketten.'

Ik vroeg me af wat het verband was met wat Lynn was overkomen. Met een gevoel van schuld herinnerde ik me Jamies verzuchtingen over Lynn en haar moeder. Ik herinnerde me de zomerdag toen ik Jamie en mevrouw Fletcher was tegengekomen. De wazige indruk die mevrouw Fletcher had gemaakt, en hoe Jamie terwijl ze toekeek hoe haar moeder wegreed, me had gevraagd of ik niet dacht dat ze iets gebruikte. Ik had gedacht dat ze een grapje maakte.

'Hoe dan ook,' vervolgde mijn moeder, 'toen Lynn eergisteravond thuiskwam en mevrouw Fletcher haar zag, is ze ingestort. Lynn was – nou ja, ze had onder meer een blauw oog en was natuurlijk helemaal buiten zinnen. Meneer Fletcher was de stad uit, en mevrouw Fletcher nam valium en drankjes, van allebei te veel. Lynn belde Jamie pas gisterochtend, en mevrouw Fletcher was intussen buiten kennis geraakt. Jamie legde een grote tegenwoordigheid van geest aan de dag: ze belde een ambulance, vond de medicijnen – ik weet niet of ik het van Jamie had durven verwachten, maar ze heeft alles goed gedaan. Ze heeft de politie gebeld, en daar zeiden ze haar dat ze Lynn naar het ziekenhuis moest brengen. En dus zijn ze daar samen naartoe gereden, een minuut of vijf na de ambulance. Toen ik in het ziekenhuis aankwam werd in de ene kamer mevrouw Fletchers maag leeggepompt en in een andere kamer werd Lynn onderzocht, terwijl Jamie tussen de twee kamers heen en weer liep.'

Ik staarde mijn moeder aan. Uit mijn gesprek met Jamie was me de ernst van de toestand van mevrouw Fletcher niet duidelijk geworden. 'Bedoel je dat mevrouw Fletcher heeft geprobeerd zelfmoord te plegen?'

Mijn moeder fronste haar wenkbrauwen. 'Wat haar bedoelingen ook waren, Jamie heeft haar leven gered. De dokter met wie ik heb gesproken zei dat als ze een uur of twee later had ingegrepen, het waarschijnlijk te laat was geweest.'

'O God,' zei ik. 'O God.' Ik was diep geschokt. Ik kon bijna niet geloven dat ik aan de telefoon zo kil tegen Jamie was geweest. Het komt me nu slecht uit. Jamie had gelijk gehad toen ze mij ophing, en ze had gelijk dat ze me niet had willen aanhoren toen ik had teruggebeld. 'Hoe gaat het nu met haar?'

'Met mevrouw Fletcher?'

'Met Jamie.'

Mijn moeder haalde haar schouders op. 'Zo goed als je mag verwachten. Bill was vanavond bij haar.'

Ik wendde mijn blik af, en mijn moeder strekte haar hand over de tafel uit en legde hem op de mijne. 'Raar dat het leven zonder jou is doorgegaan?'

Ik knikte. Het was raar maar onontkoombaar. Mijn leven was ook doorgegaan. Een ogenblik wenste ik dat Kilroy bij me was om alles aan te horen: zodat ik het hem niet zou hoeven uitleggen, zodat hij het zou weten. Hoe zou ik kunnen overbrengen wat voor gevoel het gaf om tegenover mijn moeder te zitten in de wetenschap dat zij Jamie nu beter kende dan ik?

'Hoe gaat het met mevrouw Fletcher?' vroeg ik.

'Ze wordt geobserveerd. Ik weet niet wat er gaat gebeuren.' Ze beet op haar lip en zuchtte. Ze zag er moe uit: ze had haar haar laten uitgroeien, en daardoor leek haar gezicht kleiner en rimpeliger dan ik had gedacht.

'En Lynn? Weet je hoe het met haar is?'

Mijn moeder fronste haar voorhoofd. 'Het duurt wel even voor je over zoiets heen bent. Lichamelijk is ze denk ik wel in orde.'

Ik knikte en was bijna niet in staat mijn volgende vraag te stellen: 'Is ze verkracht?'

'Kennelijk niet. Maar ik denk dat je dat van Jamie moet horen.' Mijn moeder keek me doordringend aan, en ik vroeg me af of ze wist dat Jamie me had gevraagd naar huis te komen. Wist ze dat ik nee had gezegd? Ze likte langs haar lippen, stond op en haalde een glas uit de kast. Ze vulde het bij de gootsteen en dronk, met haar rug nog naar me toegekeerd.

'Ik heb het verknald toen ze me belde,' zei ik. 'Ze vroeg me of ik naar huis kwam en toen heb ik gezegd dat ik niet kon.'

Mijn moeder draaide zich om, haar gezicht was nu vol medeleven. Ze wist het.

'Ik heb haar sindsdien wel een miljoen keer geprobeerd te bellen. Ze wil niet met me praten. Wat kan ik doen?'

Mijn moeder zette haar waterglas op tafel en kwam toen naar mij toe. Ze gaf me een klopje op mijn schouder. 'Ik denk dat je dat wel weet.'

De volgende morgen trok ik een van de zwarte broeken aan die ik in de herfst had gemaakt en het fluwelen shirt dat ik in januari had gekocht, en vertrok naar de Fletchers.

Er stonden geen auto's voor de deur, alleen de stationcar van mevrouw Fletcher stond aan het eind van de oprijlaan. Ik klopte op de voordeur, liep achterom en probeerde de bijkeuken. Er reageerde niemand, maar de deur zat niet op slot, en ik duwde hem open en ging stilletjes naar binnen. Meteen zag ik Jamies winterjas aan een haak hangen, en de aanblik daarvan prikkelde me en stuurde me langs de keldertrap en rechtstreeks naar de keuken, die nog steeds licht rook naar, ja naar wat? – naar maïsbrood.

Het was na elven – na twaalven in New York. Kilroy zat deze week in het midden van de stad en kocht waarschijnlijk precies op dit moment een hotdog van een straatventer. Voordat ik bij mijn moeder de deur uit was gegaan had ik hem kort gesproken, alleen om hem de toestand van mevrouw Fletcher te melden. Uit zijn korte stiltes begreep ik dat hij teleurgesteld was en dat hij eigenlijk wilde weten wanneer ik terug zou komen.

Ik liep de achterste trap op en sloop op mijn tenen naar Jamies oude kamer. De deur stond op een kier, en ik trommelde er zachtjes met mijn vingers tegenaan terwijl ik hem tegelijk openduwde.

Ze lag in bed, slapend. In foetushouding, met gebogen knieën en haar armen dicht tegen haar lichaam aan. Haar polsen waren zo sterk gebogen dat haar knokkels tegen haar borst aankwamen en haar handruggen tegen haar kin. Ze was weggekropen onder haar kussen, dat als een maffe, opgevulde muts op haar hoofd lag.

Ik liep de kamer in. Jamies meisjeskamer was me even vertrouwd als mijn eigen kamer. Er was behang met een motief van verstrengelde klimopranken, crème met donkergroen, geaccentueerd door trosjes donkerpaarse bessen. Ze had het gekregen toen we een jaar of tien oud waren, en ik was gek van jaloezie: vanwege haar behang, haar goudomrande witte meubels en haar hemelbed.

Ik hoorde van beneden een geluid, liep over tapijt naar het raam en zag Jamies auto voor huis geparkeerd staan. Ik wist zeker dat hij daar vijf minuten geleden nog niet had gestaan. Ik liep haar kamer uit en ging de voorste trap af naar de eetkamer, waar ik haar middelste zus Mixie aantrof. Ze zat aan tafel met een kartonnen koffiebekertje in haar hand en een enigszins verveelde uitdrukking op haar gezicht die volstrekt niet veranderde toen ze mij zag.

'Ik kwam even binnenvallen,' zei ik.

Ze haalde haar schouders op. Ze had er altijd al leuk uitgezien, maar nu was ze mooi, op een pruilerige, zelfbewuste manier. Ze was perfect zonnebankbruin, en terwijl we elkaar aankeken veegde ze een zijdeachtige lok haar uit haar gezicht. 'Heeft ze met je gepraat?'

'Ze slaapt nog.' Ik trok de stoel tegenover haar onder de tafel vandaan en ging zitten. Ze had de afgelopen zomer in Californië gezeten, wat betekende dat ik haar bijna een jaar niet had gezien. 'Hoe gaat het met je?'

'Wat denk je?' Ze nam een slokje van haar koffie, en ik wou dat ik ook koffie had – iets om in mijn handen te houden.

Ik zei: 'Ik heb me gisteren als een trut gedragen, maar nu ben ik hier. Denk je dat ze nog met me wil praten?'

Ze haalde haar schouders op. 'Ik weet het niet. Het gaat niet alleen om gisteren.'

'Wat bedoel je?'

'Lynn heeft ons verteld dat ze je afgelopen zomer bij die bar is tegengekomen. Ze wist zeker dat je het aan Jamie had verteld. Ze was gekrenkt dat het Jamie niet leek te kunnen schelen.'

Ik slaakte een diepe zucht. 'Ze liet me beloven het niet te vertellen,' zei ik slapjes.

'Jamie vindt dat je dat in elk geval wel had moeten doen.'

Ik draaide me om en keek uit het voorraam. Er hipte een kraai over het trottoir, die vervolgens stilhield om iets op te pikken. Even later reed er een lichtblauwe Oldsmobile voorbij, net zo'n auto als die van meneer Mayer. Zou ik Mike bellen nu ik hier was? Hoe kon ik dat doen? Hoe kon ik het niet doen?

Mixie pakte haar tasje en haalde er een pakje sigaretten uit. Ze schudde er een sigaret uit en stak hem onaangedaan op, waarna ze de eerste rook richting plafond blies. 'En hoe is New York?' vroeg ze.

'Geweldig.'

'Ik moet zeggen dat je er fantastisch uitziet. Dat shirt – dat had ik nooit achter je gezocht.'

'En terecht.'

We sloegen elkaar een poosje gade, Mixies ogen stonden groot, nieuwsgierig en nietszeggend. Zij wendde als eerste haar blik af. Ze wond een haarlok om haar vinger en pakte toen een stuk krant dat aan de andere kant van de tafel lag.

'Wat is er nou gebeurd?' vroeg ik.

'Gebeurd?'

'Met Lynn.'

Ze liet de krant los en schudde haar hoofd. 'Mmmm.'

'Mixie.'

Ze staarde naar een punt ergens boven mijn linkerschouder en nam een lange trek van haar sigaret.

'Alsjeblieft?'

'Waarom zou ik dat aan jou vertellen?'

Ik keek naar de tafel. Ja, waarom.

Ze blies een wolk rook uit. 'Ze had een klant aan een van haar tafels die met haar bleef flirten. Hij was alleen en ze dacht: *arme man, is vast eenzaam, ik geef hem een snoepje bij zijn eten.* En dus flirtte ze een beetje met hem, en daarna vroeg hij haar om iets met hem te gaan drinken en toen probeerde hij wat met haar, en zij ging over de rooie, en toen heeft hij…' Abrupt brak Mixie haar zin af.

'En toen heeft hij wat?'

'Toen heeft hij haar in elkaar geslagen! Hij heeft haar een blauw oog geslagen! Hij heeft haar op haar gezicht en haar armen geslagen, je zou de blauwe plekken op haar armen eens moeten zien waar hij haar heeft vastgehouden. En toen heeft hij haar zijn auto ingeduwd en haar gedwongen hem te pijpen.'

Ik sloeg mijn handen over mijn neus en mond.

Mixie keek me woedend aan. 'Niemand kent dat laatste deel van het verhaal, behalve Jamie en ik, dus niet verder vertellen,

397

oké? Zelfs niet aan je moeder.'

'Dat zal ik niet doen,' zei ik hoofdschuddend. 'Dat beloof ik.' Ik staarde haar aan. 'Wat afschuwelijk.'

'Ja.'

We wendden onze blik van elkaar af. *Mijn fout.* Dat dacht ik: het was mijn fout. 'Ik vind het zo erg,' zei ik.

Van boven weerklonk plotseling een aanhoudend gepiep: Jamies wekker.

'Je moet gaan,' zei Mixie. 'Ik bedoel, het maakt mij niet uit, van mij mag je blijven, maar zij lag er vannacht pas heel laat in en ik denk niet…' Haar stem stierf weg en ik stond op. Ik sloeg haar een ogenblik gade, zoals ze daar zat met haar sigaret, en haar goudbruine onderarmen die op de tafel rustten. Het waren niet de armen van iemand die iets als dit doormaakte. Haar haar was niet het haar van iemand die iets als dit doormaakte. De gloed van de ellende: hij ontbrak evenzeer in haar als hij aanwezig was geweest in Jamie, zelfs tijdens haar slaap. Op de een of andere manier kwam alles op Jamie neer: een enorme, verschrikkelijke last.

Ik liep terug naar mijn moeder. Het enige geluid was het klakken van mijn New Yorkse enkellaarsjes op het trottoir. Ik had Jamie een dag of twee voor mijn vertrek naar New York voor het laatst gezien: we hadden eerst ijskoffie gedronken en waren toen naar Lake Mendota gelopen en hadden samen op een bankje gezeten. Wat tussen Mike en mij op handen was hing tussen ons in, immens en onuitsprekelijk. Zij kon mijn stilzwijgen erover niet verdragen, en ik kon niet verdragen dat zij wilde dat ik erover praatte. 'Ik moet weer eens gaan,' had ik na maar vier of vijf minuten gezegd, en toen ik mijn hand naar haar uitstrekte had ze met tegenzin haar hand op de mijne gelegd maar me niet willen aankijken.

Bij mijn moeder belde ik Kilroy. 'Mixie?' zei hij. 'Wat is dat nou voor een naam?'

In de middag liep ik naar State Street. Het was een heel eind, langs een route die ik zelden had gelopen, en hoewel ik gewend was aan urenlange wandelingen in New York, werd ik er hier doodmoe van – het ene blok na het andere met lege oprijlanen, en daarna het grauwe, kleurloze stuk Campus Drive.

Eerst ging ik naar Cobra Copy. Binnen stond een handjevol studenten tegen de toonbank geleund terwijl achter hen de reusachtige machines de ene kopie na de andere uitbraakten. Zoals ik had verwacht was Jamie niet aanwezig, maar ik kreeg haar rooster van iemand bij de kassa, die me vertelde dat ze zich voor een aantal diensten had afgemeld maar morgen weer terug zou komen.

Op straat zag iedereen er saai uit. Het was wat warmer geworden, en de jassen hingen open en boden uitzicht op afgeleefde spijkerbroeken, haveloze sweatshirts en donkere flanellen ruitjeshemden. Kapsels leken bij gebrek aan beter te zijn ontstaan, meisjes hadden hun haar langs hun gezicht hangen, jongens hadden eigenzinnige lokken op hun voorhoofd en op drift geraakte krullen langs hun kraag. Wat komisch dat ik terechtgekomen was bij de enige man in New York die eruitzag alsof hij in Madison kon wonen. Goedbeschouwd was dat wel en niet het geval: wat betreft zijn haar en zijn kleren wel, maar zijn gezicht was puur New Yorks, scherp en geconcentreerd. En ook zijn loopje was New Yorks, kop omlaag, geen oogcontact maken, en opschieten, opschieten.

Hier kuierden de mensen. Ik liep op straat langs hen heen. Ik keek in de etalages, maar er lag niets dat me aanlokte – niet na SoHo.

Bij een kar op de hoek van Johnson Street kocht ik een boeket narcissen en ging terug naar de Fletchers. Jamies auto stond nu op de oprijlaan, vlak achter de stationcar van haar moeder geparkeerd.

Dit keer liep ik direct achterom. Ik klopte op de deur van de bijkeuken en tuurde vervolgens door het raam, in een poging de keuken in te kijken. Ik hoorde dat er een radio aanstond, de heldere klanken van een popliedje.

Jamie verscheen. Ze bleef staan toen ze zag dat ik het was, kwam toen verder en opende de deur.

'Jamie,' zei ik.

Ze stond me daar aan te staren, haar blonde haar strak achter haar oren, haar gezicht bleek en vermoeid. Ze droeg een effen zwarte trui met U-hals, en haar sleutelbeenderen oogden knokig en fragiel.

'Jamie,' zei ik opnieuw. Ik stak de bloemen naar voren en hield het felle geel tussen ons in. Toen ze niet reageerde liet ik ze zakken. 'Het spijt me zo. Alles. Het was afgrijselijk van me om niet te zeggen dat ik meteen zou komen.'

Haar gezicht splitste zich in twee delen, de bovenste helft was rood en betraand, terwijl haar mond zich verwrong en haar kin verstrakte. Het gaf me een vreselijk gevoel om naar haar te kijken, niet alleen vanwege de huidige situatie, maar vanwege alle maanden dat we geen contact hadden gehad.

'Kan ik binnenkomen?' vroeg ik. 'Kunnen we praten?'

'Nee,' zei ze, en ze duwde de deur dicht en ging terug naar de keuken.

Ik ging op weg naar mijn moeder. Om de narcissen zat een elastiekje, en onder het lopen trok ik ze los en gooide ze een voor een in de goot. Ik voelde me als Hans en Grietje die een pad markeerden, het lange spoor dat lag tussen waar ik moest zijn en waar ik was.

Die avond nam mijn moeder me mee uit eten. Zonder dat ik het had gezegd leek ze te begrijpen wat zich met Jamie had afgespeeld. In plaats daarvan praatten we over New York en Parsons, en over de eindeloze mogelijkheden die ik nu in de wereld van de kleding ontwaardde.

'Kleren zijn zo nauw verbonden met ons eigen zelfbeeld,' zei ze, en vervolgens vertelde ze hoe ze als tiener eind jaren zestig een heimelijke obsessie had ontwikkeld voor strakke heupbroeken met veteresluiting – die ze eerst tegenkwam in modebladen en later in het echt zag tijdens een zaterdags uitstapje in Madison. 'Ik geloof dat ik het idee had dat zo'n broek me helemaal zou veranderen,' zei ze met een lach. 'Maar ik heb er toch nooit een gekocht.'

'Waarom niet?'

'Ik woonde in Baraboo, liefje. En mijn vader zou een hartverlamming hebben gekregen.' Ze zweeg even, draaide met haar ogen en lachte een beetje, want uiteindelijk had haar vader inderdaad een hartverlamming gekregen, een jaar voor mijn geboorte. Mijn grootmoeder had daarna nog vijf jaar geleefd, maar ik kon me haar niet goed herinneren.

Mijn moeder nam een slok van haar wijn. We zaten in de Good Evening – een idiote naam, maar het was de zaak waar we meestal samen gingen eten, in een woonwijk ten zuiden van de ringweg. Het zag eruit zoals de naam klonk – gekleurde gordijntjes, bijpassende gekleurde schortjes voor de serveersters – maar het eten was uitstekend.

'En toen leerde ik natuurlijk je vader kennen,' zei ze. 'Hij hield ervan als je, hoe zal ik het zeggen, er zedig uitzag.'

'Geen zichtbaar middenrif?'

'Geen zichtbaar middenrif, niet te veel been, geen blote schouders. Ik gehoorzaamde maar al te graag.' Ze glimlachte me een beetje treurig toe. Ik overwoog haar te vertellen over mijn middag in de openbare bibliotheek van New York en al die John Bells, maar ik deed het niet.

'Was hij preuts?' vroeg ik.

'Meer iemand die controle wilde hebben. In alles probeerde hij zijn wil op te leggen. Toen jij werd geboren…' Ze brak af, en er verschenen rimpels op haar voorhoofd. 'Gut, ik moet aardig teut zijn dat ik deze ouwe koeien uit de sloot ga halen.'

'Toen wat?'

Ze haalde haar schouders op. 'Nou, toen jij werd geboren probeerde hij me te bepraten om geen borstvoeding te geven. Hij zei dat het moeilijk was om dat in het openbaar te doen, wat ook zo was, maar ook dat het – hoe zei hij het ook weer – een onnatuurlijke band tussen ons zou scheppen.'

'Tussen jou en mij?'

Ze schudde haar hoofd. 'Wat een flauwekul. Als ik flesvoeding had willen geven was hij met tien doorwrochte theorieën gekomen over hoe schadelijk dat voor jouw ontwikkeling zou zijn.'

Ik nam een hapje kippenpastei van mijn vork en kauwde erop. 'En heb je het dus wel gedaan?' vroeg ik.

'Borstvoeding geven?' Ze draaide aan een houten armband rond haar pols. 'Ik heb het een poosje geprobeerd, maar het ging niet goed – je kwam niet snel genoeg aan, en dokter Carlson liet me overgaan op flesvoeding.' Ze raakte haar mes aan en liet haar vinger over het bloemmotief op het heft gaan. 'Ik was er kapot van,' zei ze.

Haar wangen zagen roze, en haar stem klonk zo geëmotioneerd dat ik me een beetje gegeneerd voelde en mijn blik afwendde.

'Hoe dan ook,' zei ze, 'dat is voltooid verleden tijd.'

We aten ons eten op, namen samen een schotel gemberkoekjes uit eigen keuken en dronken koffie terwijl vlak bij ons een groot familiegezelschap steeds rumoeriger werd. Grootouders, ouders, volwassen kinderen, baby's: er leken vier generaties aanwezig te zijn.

Ten slotte vertrokken we. Onze jassen hingen aan kapstokjes vlak achter de deur. We deden ze aan en gingen naar buiten. De avond was overweldigend: helder door de sterren, vol van een eindeloze rust. Zo anders dan in New York. We liepen naar de auto van mijn moeder, onze voeten knarsten over het grind.

Langs de rand van het parkeerterrein stond een groepje esdoorns, maar aan de andere kant reikten de akkers tot aan de horizon en scheen een sikkelvormige maan halverwege de oprijzende hemel.

Tijdens de rit naar huis zwegen we. Ik voelde mijn vader boven ons zweven, en ook Mike, over wie we het nauwelijks hadden gehad, en zelfs Kilroy. Ten slotte reed mijn moeder haar oprijlaan op, zodoende via een sensor een schijnwerper ontstekend die op de garage was aangebracht. Tijdens het eten was er een voorjaarsbries opgestoken, en mijn haren zwiepten rond mijn gezicht toen ik uit de auto stapte. Ze zwaaide in de richting van het keukenraam van de buren, en keerde zich toen met grote ogen naar mij toe. 'Weet je dat trouwens?' vroeg ze.

'Wat?'

'Rooster en Joan wonen hiernaast – ze hebben het huis van de Nilssons gehuurd. Die zijn naar Arizona verhuisd.'

Ik draaide me om en keek naar het keukenraam van de Nilssons, maar degeen naar wie ze had gezwaaid was weg. 'Rooster, Rooster? Mijn Rooster?'

'Die, ja.'

We gingen naar binnen maar ik was onrustig, kon niet stilzitten, meed eerst de ramen aan de kant van de Nilssons en stond er toen lange tijd door naar buiten te turen. Ten slotte trok ik mijn jas aan en liep erheen, met een vreemd gevoel over alles: over het feit dat ik terug in Madison was en Mike nog niet had gebeld, over het vooruitzicht dat ik Rooster te zien zou krijgen en over het besef dat hij daar getrouwd zat, getróuwd.

Hij deed open en ik kon van zijn gezicht aflezen dat hij mij niet had gezien toen hij naar mijn moeder had gezwaaid. Hij was verbluft. Ik dacht aan het telegram dat ik in december had verstuurd – KAN TOCH NIET KOMEN STOP GEFELICITEERD STOP – en werd misselijk van wroeging.

Zijn rode haar ving het licht in de hal en straalde als glanzend koper. Hij zei: 'Dit is raar op zo veel manieren dat ik het niet eens kan tellen.'

'Ik heb er niet genoeg vingers voor.'

Vanaf de drempel keek ik langs hem heen de huiskamer in. Ten tijde van de Nilssons was hij opgetuigd geweest met allerlei Scandinavische versierselen: met een hoop meubels van licht grenenhout met sjablonen van hartjes en sneeuwvlokjes, en met beschilderde klompjes op de schoorsteenmantel. Nu heerste Laura Ashley: een bloemetjesbank, een bloemetjesfauteuil en een bloemetjestafelkleed op een ronde tafel met daarop een bloemetjeslamp met een bloemetjeskap.

Hij volgde mijn blik. 'Joans spulletjes,' zei hij grijnzend. 'Herinner je je mijn luie stoel nog?'

Zijn luie stoel was een klapstoel met een bekleding in een blauw met bruine Schotse ruit geweest, die wankelde als je hem openklapte.

'Die heeft de selectie niet doorstaan?'

'Geen schijn van kans. Daar kun je je geen voorstelling van maken.'

Hij deed een stap terug en ik volgde hem naar de keuken, die licht en vrolijk was, wit met een hoop rode accenten. Geamuseerd constateerde ik dat er een ingelijste Matisse-poster boven de tafel hing. Maar was hij 'hard'?

Er stond een geopend blikje Cola light op het aanrecht. Hij nam er een slok uit, liep naar de koelkast en gaf mij ook een blikje. 'Proost.'

Ik had sinds mijn vertrek geen Cola light meer gedronken. Ik opende het blikje en nam een teug. De smaak was donker en zoet, ik was hem bijna vergeten. 'Je ziet er op de een of andere manier anders uit,' zei ik, en dat was waar: zo was zijn lichaam strakker, maar er was meer, iets in de manier waarop hij me stond op te nemen. Het was alsof ik op zijn dubbelganger was gestuit: een man, terwijl de Rooster die ik had gekend nog een jongen was, onafhankelijk, terwijl mijn Rooster – en dat had ik nooit eerder bedacht – op je leunde, je op de een of andere manier als een schaduw volgde met zijn ergernissen en opinies.

Hij glimlachte en knikte, maar antwoordde niet. 'Dus je bent weer terug,' zei hij na een tijdje.

'Voor een paar dagen maar.'

'En wat brengt je hierheen?'

Ik aarzelde. Zou hij het weten? Was het in orde om het aan hem te vertellen? Ik zei: 'Jamies familie zit in de problemen.'

'Is het goed met Jamie?'

'Ik heb haar nog niet echt gesproken.'

'O, je bent er net?'

'Sinds gistermiddag, om precies te zijn.'

'Ja-ja,' zei hij lijzig. Hij liep voor me langs en ging aan de tafel zitten, waarop hij met een scherpe tik zijn blikje neerzette. Hij droeg een trui van polarfleece op een afgeknipte joggingbroek, en toen hij op de stoel plaatsnam vielen mij zijn knieën op – de samengeklitte rode haren, de sproeten, de knokige contouren.

Hij keek mij uitdrukkingsloos aan. 'Mike weet het niet.'

Ik schudde mijn hoofd, maar hij deelde het me mee, hij vroeg het me niet. Hij wendde zijn blik af en nam een slok van zijn cola.

'Hoe gaat het met hem?' vroeg ik na een poosje.

'Hij houdt vol.'

'Houdt vol?'

'Hij heeft zijn goeie en zijn slechte dagen – je kunt het je wel voorstellen. Ik heb hem vandaag mee uit lunchen genomen en hij maakte een opgewekte indruk.'

'Je hebt hem mee uit lunchen genomen?' Om de een of andere reden kwam het me vreemd voor, alsof Rooster had gezegd dat ze samen een afspraakje hadden. Maar Mike kon natuurlijk niet autorijden. 'Waar zijn jullie heen geweest?'

'Brenda's. Daar gaan we elke vrijdag naartoe.'

Ik stond nog en voelde me opeens ongemakkelijk, te kwetsbaar. Ik ging achter het middenaanrecht staan, zodat het tussen

Rooster en mij in lag. Naast de gootsteen stond op het aanrecht een diepe witte schaal met Golden Delicious-appels, kennelijk voor de versiering.

We spraken geen van beiden. We deden niet wie het langst kon zwijgen, maar na een poosje ging het wel zo voelen.

'En waar is Joan?' vroeg ik ten slotte.

'Die is aan het werk.'

'En hoe gaat het met haar?'

'Uitstekend.'

'Mooi,' zei ik. Ik zag Joan voor me in haar witte verpleegsters-uniform, over Mikes bed gebogen en zich omdraaiend om mij een bemoedigende blik toe te werpen. Het viel niet mee om haar weg te denken uit het ziekenhuis, haar haren los te maken, haar een spijkerbroek aan te trekken en haar in deze keuken neer te zetten, waar ze een zak appels waste en ze vervolgens een voor een oppoetste waarna ze ze allemaal in een schaal legde.

Ik hief mijn hoofd op. 'Dus het huwelijk is goed?'

Rooster lachte me voluit toe, met het soort brede grijns dat je tevergeefs in toom probeert te houden. Hij schoof zijn blikje van zijn ene hand naar de andere. 'Ik kan niet voor de hele instelling spreken, maar ik ben absoluut tevreden over het mijne.'

'Ik ben blij voor je,' zei ik. En dat meende ik. Ik wilde dat hij dat wist en zei bijna: *en dat meen ik*. Maar waarom zou ik het niet zeggen?

'Laten we het niet over Mike hebben,' zei hij toen. 'Oké? Was je dat van plan? Want ik heb er echt geen zin in.'

'Goed,' zei ik. 'Prima. Afgesproken.'

We praatten nog vijf of tien minuten en toen stapte ik op. Het was stil in het huis van mijn moeder. Ik ging naar de keuken, vond een vel papier in een la en begon toen aan een briefje voor Jamie. Ik zei nog eens dat het me speet, dat ik haar had gemist en dat ik alleen een kans wilde krijgen om haar onder vier ogen te spreken. Ik vond een reservesleuteltje van de auto van mijn moeder en reed laat in de avond naar het huis van de Fletchers.

Het was bijna middernacht maar alle lichten waren nog aan, boven en beneden. Ik vroeg me af of ze bij elkaar zaten, of dat alle zussen boven op hun eigen kamer waren en meneer Fletcher alleen in de studeerkamer zat. Mijn moeder had me verteld dat mevrouw Fletcher een van de komende dagen naar een psychiatrisch ziekenhuis zou worden overgebracht.

Ik klopte op de voordeur. Een ogenblik later kwam meneer Fletcher opendoen. Zijn haar was een beetje grijzer en een beetje dunner dan de laatste keer dat ik hem had gezien. Hij droeg een bobbelig bruin gebreid vest over zijn witte overhemd.

'Carrie,' zei hij. 'Wat een verrassing.'

Hij was altijd nogal een raadsel voor me geweest, en ik kon niet zeggen of hij gereserveerd was of gewoon zichzelf. We stonden elkaar lang aan te kijken, hij in de gang en ik op de drempel, totdat we, bijna tegelijkertijd, op elkaar afstapten voor een stijve omhelzing.

'Is Jamie thuis?'

'Nou, ze... ze, eh...' Hij deed zijn hand in zijn zak en haalde hem er weer uit. 'Ik denk dat ze al naar bed is,' zei hij. 'Ze is nogal moe. Dat zijn we allemaal.'

Ik boog mijn hoofd, het speet me dat ik hem had laten liegen. 'Ik weet het,' zei ik. 'Ik vind het zo vreselijk.'

Hij knikte.

Ik stak het briefje naar hem uit, dat was dubbelgevouwen, met Jamies naam erop. 'Kunt u dit aan haar geven?'

'Natuurlijk,' zei hij en nam het van me aan. Hij leefde een beetje op, blij dat hij iets te doen had. 'Dat komt voor elkaar.'

Jamie moest de volgende dag om twaalf uur met werken beginnen. Ik wachtte tot één uur, leende mijn moeders auto en reed naar de stad. Ik parkeerde op de plaats waar ik voor mijn werk altijd had geparkeerd. Ik vroeg me af of Viktor nog in de bibliotheek werkte en hoe het met Ania en hem ging. Het was onvoorstelbaar dat ze Kilroy kenden, dat iemand in Madison hem kende. Het etentje bij hen thuis op die avond, waar Kilroy en ik elkaar hadden leren kennen: het leek nu onbeduidend, het was niet langer iets van ons.

Ik deed de auto van mijn moeder op slot en liep naar State Street, met het gesprek met Kilroy van die ochtend in mijn hoofd. Hij was ongeduldig geweest en zei dat hij niet begreep waarom ik bleef als Jamie me niet wilde zien. Toen ik zei dat ik het niet zo makkelijk kon opgeven werd hij kortaf en zei dat hij iets op had staan – ik wist dat dat niet waar was.

Het was stil in de kopieerzaak, niet al te druk voor een zaterdagmiddag halverwege het midden en het eind van het semester. Jamie stond achter de toonbank te praten met een van de mannen die de machines bedienden, een lange, slungelige vent die er al jaren werkte. Haar gezichtsuitdrukking veranderde nauwelijks toen ze mij zag. Ik wachtte tot ze uitgepraat waren, maar voordat ik iets kon zeggen draaide ze zich om en liep het magazijn in. Van de plaats waar ik stond zag ik haar de telefoon van de muur halen en een nummer intoetsen. Ik nam me voor geduldig te zijn en te wachten totdat ze was uitgetelefoneerd en haar taken haar terug zouden brengen naar de winkelruimte, maar iets in de manier waarop ze stond – met haar rechterhand op haar middel, haar hele gewicht rustend op haar ene been terwijl ze haar andere been als een danseres bij de knie gebogen hield – bracht me volkomen van mijn stuk. Het was zo vertrouwd, die houding, het hoorde zo bij Jamie. Liefde en spijt overmanden me als een onverhoedse koortsaanval, en om me heen tastend opende ik het halve deurtje dat het personeelsgedeelte scheidde van het winkelgedeelte en liep naar de plek waar Jamie stond.

Ze stond met haar rug naar me toegekeerd, maar in een oogwenk draaide ze zich om. Ze was nog aan het telefoneren, en ze keek nors en wendde zich af om zich even snel weer naar me toe te keren – alsof ze zich had gerealiseerd dat ze me in de gaten moest houden.

'Wat ben jij aan het doen?' vroeg ze nadat ze had opgehangen.

'Niks. Ik wilde jou zien. Ik… heb je mijn briefje gekregen?'

Ze stampvoette. 'Ja. En *dat maakt me geen donder uit*! Dit is mijn werkplek – verdwijn hier of ik roep de beveiliging.'

'Jamie,' zei ik. 'God.'

Ze liep rakelings langs me heen het magazijn uit. Voor in de zaak sprak ze met de lange man, intussen achterom kijkend naar mij. Even later kwam hij en ging in de deuropening staan. 'Luister eens,' zei hij.

Ik schudde mijn hoofd, niet in staat om iets te zeggen vanwege alle tranen op mijn gezicht. Ik beende hem voorbij en toen Jamie, die de andere kant uitkeek. Buiten op straat ging ik tegen een met berichten beplakte kiosk aan staan en snikte het uit – met harde, gierende uithalen waardoor mijn schouders schokten en ik amechtig naar adem snakte. De mensen gaapten me fluisterend aan. Ten slotte kreeg ik mezelf weer in de hand. Ik vond een papieren zakdoekje in mijn tasje, snoot mijn neus en veegde mijn gezicht droog. Voordat ik wegliep wierp ik nog een laatste blik op de kopieerzaak, en daar stond ze – ze stond me botweg door het raam aan te staren.

HOOFDSTUK 33

De muurkast in mijn slaapkamer rook naar karton. Naar dozen met papieren van mijn moeder en papieren van mij. In enkele nieuwere dozen zaten de spulletjes die ik mijn moeder van mijn etage had laten halen voordat hij werd onderverhuurd. Aan het gewicht kon ik voelen in welke dozen boeken zaten. Ik schoof ze opzij, vond de doos vol kleren en schoof hem de kamer in.

Ik was net thuis van de kopieerzaak, doodmoe en verdrietig, te geagiteerd om stil te kunnen zitten. Ik vond een mes en sneed de doos open, nieuwsgierig naar wat ik had achtergelaten. Toen ik het zag zonk het hart me in de schoenen. Wat had ik verwacht? Een leren jasje dat ik niet zou herkennen? Een elegant vestje? Dit waren de spullen die ik níet had ingepakt, en ik wilde niet degeen zijn die ze had gekocht, laat staan degeen die ze nog altijd in haar bezit had. Een Badgers-sweatshirt, een plooirok van breedgeribd corduroy, een stapel katoenen coltruitjes. Ik was ontzet. Ik deed de doos dicht en schoof hem terug de kast in, naast mijn oude Kenmore-naaimachine, de machine die was opgevolgd door mijn Bernina. Op de Kenmore had ik leren naaien. Overschakelen op de Bernina was net zoiets geweest als uit een twintig jaar oude pickup-truck stappen en achter het stuur van een BMW glijden.

De Kenmore was een kilo of vijf zwaarder dan de Bernina. Ik sleepte hem naar mijn bureau en zette hem er met een zware klap op. Mijn moeder was aan de andere kant van de muur in haar kantoortje met haar administratie bezig en verscheen ogenblikkelijk, met een nieuwsgierig gezicht. Toen ze de machine zag kwam er een glimlach op haar lippen. 'Moet je die oude rammelkast zien.'

'Nogal meelijwekkend, hè?'

'Waarom hebben we die toch gehouden?'

'Lage bloedsuikerspiegel,' zei ik. Dat was een uitdrukking van

Kilroy, waarmee hij alles verklaarde wat op zijn beloop werd gelaten. Ik wendde mijn blik af en bloosde een beetje.

'Gaat het wel goed met je?'

'Ik ben alleen moe.'

'Jamie is nog erg kwaad?'

Ik knikte.

Ze had in de deuropening gestaan, en nu kwam ze binnen en keek over mijn schouder naar de machine. Ze droeg een gebroken witte kralenketting over haar werkhemd, en ik bedacht dat dat haar onderscheidde van andere mensen die alleen woonden: dat ze een ketting omdeed op een dag waarop ze waarschijnlijk de deur niet uit zou gaan.

Ze zei: 'Heb je er iets aan om te weten dat ze waarschijnlijk een hoop van haar woede op jou botviert omdat het te moeilijk voor haar is om kwaad te zijn op Lynn en haar moeder?'

Ik glimlachte lauw. 'Niet echt.'

Ze legde haar hand op mijn schouder en klopte erop. 'Daar was ik al bang voor.'

Ik keerde me naar het bureau toe en liet mijn voorhoofd op mijn hand rusten. Ik hoorde haar achter me van houding veranderen, keek op en zei: 'Ik wou dat ik kon bedenken wat ik moet zeggen zodat we erover heen kunnen stappen en ik weer terug kan gaan naar New York.'

Ze hief haar hoofd op. 'Dat is wat je eigenlijk wilt, hè?'

'Ja.'

Ze had een nieuwe kaki broek gekocht die ze wilde laten inkorten, en even later speldde ik de pijpen voor haar en wist de naaimachine weer aan de praat te krijgen. In een mandje in mijn kast vond ik een oude naald, tezamen met wat garen en een lege spoel. Toen ik ernaar vroeg bleek dat ze nog wat ander verstelwerk moest laten doen, en dus bleef ik nog een paar uur doornaaien. Ik nam een rok in en repareerde de gescheurde voering van een blazer. Het werd donker, ik knipte mijn bureaulamp aan en werkte badend in zijn licht door tot er niets meer voor me te doen viel.

Op zondagmorgen liep ik naar het huis van de Fletchers. Mevrouw Fletcher was die dag naar Wellhaven gebracht, een psychiatrisch ziekenhuis dat tussen Madison en Janesville in lag, en ik staarde naar het lege huis, me afvragend hoe ze was vervoerd: vastgebonden op een brancard of met een lege blik in haar ogen achter in meneer Fletchers Lincoln Continental.

Esdoorns met hun gladde stammen. Platanen met vlekkerige bast, veeltakkige eiken die zich uitstrekten naar de hemel. Als New York een lawaaistad was, was Madison een bomenstad. Het was zo vroeg in het voorjaar dat ze nog bladerloos waren, maar er hing een sfeer van jong groen om ze heen, een sfeer die aangaf dat je over ongeveer een week de eerste minuscule, bleke voorboden van het groen te zien zou krijgen.

Ik liep de oprijlaan af naar de achtertuin. Omhoogkijkend naar het beige huis dacht ik aan een nacht toen Jamie en ik veertien waren geweest en zij naar beneden was geslopen en me op het gazon had getroffen, waar ik haar opwachtte met een paar clandestiene biertjes. Tien jaar later herinnerde ik me het levendig: hoe het natte gras had aangevoeld toen we tegen het hek van de achtertuin geleund zaten, en hoe het huis eruit had gezien, afgetekend tegen de donkere nacht. En hoe dapper we ons hadden gevoeld, hoe wild.

Terug aan de voorkant stond ik een ogenblik in gedachten verzonken, en daarna zette ik me weer in beweging en liep vier of vijf blokken verder. Ik bleef staan voor een bakstenen huis met een bord 'TE KOOP' op het gazon. Ernaast lag het huis dat ik in gedachten altijd het babyhuis had genoemd, al zat de baby intussen waarschijnlijk al in de derde klas, en daarnaast stond het huis van de Mayers.

Vanaf de plaats waar ik stond kon ik het profiel van het huis onderscheiden, alsmede de achterkant van een mij onbekend wit busje op de oprijlaan. Het was bijna twaalf uur, en ik probeerde me voor te stellen wat er zich binnenshuis afspeelde. Het was kerkdag, maar meneer en mevrouw Mayer gingen niet elke week naar de kerk, en de kinderen gingen bijna nooit. Mevrouw Mayer was in de keuken, dat lag voor de hand. Meneer Mayer was weg om te golfen, of zat misschien in de garage iets te repareren. Julie zat ver weg op Swarthmore. John junior – die sliep waarschijnlijk nog. En Mike…

Waar in huis zou Mike zitten? Wat zou hij aan het doen zijn? Wat deed hij de hele dag? De hele week? De directeur van de bank waar hij werkte had hem geregeld opgezocht in het ziekenhuis, zeker toen Mike eenmaal aan het revalideren was. Hij had Mike nadrukkelijk verzekerd dat er een baan op hem wachtte als hij zover was. Was Mike intussen zover? Was hij weer terug op de bank? Ik nam aan van niet, ik zag niet hoe hij weer aan het werk gegaan zou kunnen zijn zonder dat ik het wist. Zou niet iemand het aan mij of mijn moeder hebben verteld? Misschien ook wel niet.

Ik stond lange tijd stil voor het bakstenen huis, een heel lange tijd om stil te staan op een stukje trottoir in een woonwijk in Madison, Wisconsin. Uit het huis aan de overkant van de straat kwam een gesoigneerd uitziende oudere man in een rood windjack. Hij had een schop bij zich, en na een nieuwsgierige blik op mij te hebben geworpen begon hij de bloembedden langs zijn gazon om te spitten. De kolonel, zo placht Mike hem te noemen. Hij had altijd iets militairs over zich gehad, en dat had hij nog steeds.

Ik draaide me om en liep terug. Het was koel en de lucht was vochtig, maar de mensen begonnen naar buiten te komen om een wandelingetje te maken, dikke, onmodieuze mensen gekleed voor de kerk en jonge stellen met baby's in wandelwagentjes. 'Morgen,' zeiden ze in het voorbijgaan tegen mij.

In het huis van mijn moeder ging ik in de keuken zitten en dronk een kop koffie. Na een poosje ging ik naar boven om mijn schetsboek voor Piero's lessen te halen. De dingetjes die ik erin had geniet, de tekeningen die ik had gemaakt: ik kon mijn eerste impulsen niet meer goed navoelen. Ik pakte mijn kleurpotloden en probeerde iets te schetsen, maar wist niet hoe ik eraan moest beginnen.

Ik liep naar de telefoon en toetste Kilroys nummer in. Toen hij opnam vertelde ik hem dat ik gisteren Jamie in de kopieerzaak had opgezocht en dat ze me had weggestuurd. 'Zoals het nu is,' zei ik, 'weet ik niet waarom ik hier zelfs nog maar ben.'

'Ik wel.'

'Waarom dan?'

'Omdat jij jij bent.'

Zijn stem klonk gespannen, en ik voelde angst opkomen. 'Wat bedoel je?'

'Ligt dat niet voor de hand? Je kunt niet weggaan omdat je degeen bent die je bent, en ik kan het niet van je verlangen omdat dat zou inhouden dat ik zou willen dat je iemand anders was, terwijl ik wil dat jij jij bent.'

Ik wil dat jij jij bent. Ik sloot mijn ogen en stelde me voor dat hij hier bij me was – zijn gezicht, zijn kousenvoeten op mijn schoot. Ik wilde zijn voeten op mijn schoot of mijn voeten op de zijne, en zijn hand die de huid tussen de bovenrand van mijn sok en de zoom van mijn spijkerbroek streelde, zijn vingers die langs mijn scheenbeen omhooggleden tot het denim ze tegenhield.

'Vertel eens over Madison,' zei hij. 'Hoe ziet het eruit, hoe is het om er weer terug te zijn?'

'Saai,' zei ik. 'Doods.'

'Is het er zo of voel jij het zo?'

'Allebei.' Ik dacht aan mijn wandeling naar huis vanuit de straat van de Mayers. Zonder te zeggen waar ik was geweest, vertelde ik hem daarover: hoe vriendelijk iedereen was – goeiemorgen, goeiemorgen.

'Klinkt surrealistisch na New York,' zei hij. 'Het is of je gedebriefed bent zodat je last hebt van cognitieve dissonantie. Je moet worden gedesinfecteerd.'

We bespraken even wat ik nu zou gaan doen: een lange brief aan Jamie schrijven, of teruggaan naar Cobra Copy. 'Ik hou van je,' zei ik vlak voordat we ophingen, en er viel een korte stilte voordat hij reageerde.

'Net als ik ook. Of ik bedoel: net als ik ook van jou.' Hij zweeg weer even. 'Klinkt dat niet verwrongen?'

De volgende morgen bracht ik mijn moeder naar haar werk, zodat ik over haar auto kon beschikken. Daarna reed ik weer naar huis, me afvragend waarvoor ik hem zou gebruiken. Ik dwaalde door het huis, en zat steeds korte tijd in de verschillende kamers. Ik wilde niet gaan winkelen, ik wilde niet terug naar State Street, ik wilde nergens heen. Ik wilde niet blijven zitten waar ik zat. Ik moest Jamie bereiken, maar hoe? Ik ging naar buiten, stapte in de auto, startte de motor, zette hem weer af, startte hem weer en reed toen door de vertrouwde straten naar Mikes huis.

Er stonden geen auto's voor de deur, en ik belde nerveus aan, me afvragend wat ik zou doen als er niemand opendeed – of ik wel of niet terug zou gaan. Hoe graag wilde ik hem zien, hoe graag wilde ik mezelf erop betrappen dat ik het goede deed? Ik wachtte voor mijn gevoel een hele tijd, en toen hoorde ik een zwak gezoem en een stem die dezelfde twee woorden steeds weer herhaalde, al kon ik ze niet verstaan. Ten slotte deed ik de deur open, en daar was hij.

Hij zat in zijn rolstoel, met knokige knieën in een wijde kaki broek, en zijn armen op de armleuningen van de rolstoel. Zijn gezicht zag een beetje roze, en opeens begreep ik dat hij 'kom binnen, kom binnen' had geroepen omdat hij zelf de voordeur niet kon openen. Zijn gezicht was smaller dan vroeger, heel bleek, en op zijn bovenlip zat een mij onbekend snorretje. Toen hij mij zag werden zijn ogen groot en toen weer klein, en zijn lippen vertrokken zich in een scheve plooi. Hij opende zijn mond om iets te zeggen en sloot hem weer. Een diepe blos steeg van zijn hals naar zijn voorhoofd omhoog en ten slotte zei hij: 'Dat is denk ik wat ze sprakeloos noemen.'

Ik zette een stap naar binnen en bukte me na een ongemakkelijke aarzeling om hem op zijn wang te kussen, waarbij ik de rand van het snorretje niet helemaal miste. 'Ik had kunnen bellen, maar…' Ik brak mijn zin af. 'Is dit te raar?'

Hij staarde me aan. 'Ik heb me dit alleen zo vaak voorgesteld…' Hij schudde zijn hoofd. 'Laat maar, dat was stom. Hé, kom binnen of zo, laten we hier niet bij de voordeur blijven staan.' Hij lachte me flauwtjes toe. 'Of zitten.'

Hij bewoog een hefboom waarmee hij de rolstoel bediende. Hij was gemotoriseerd, in tegenstelling tot de rolstoel die hij bij de revalidatie had gehad, tenminste het exemplaar dat ik had gezien. Hij reed naar achter en ik sloot de deur en volgde hem door de huiskamer, waar de meubels anders waren neergezet om een pad te creëren.

Hij hield stil in de keuken. 'Je hebt me betrapt tijdens mijn slaapje halverwege de ochtend. Het ontbijt is achter de rug, mijn lauwetheepauze van elf uur moet nog komen en ik heb vandaag nog helemaal niet achter de computer gezeten.' Hij bewoog zich nog een laatste halve meter naar voren en kwam tot stilstand bij de tafel, die er nog net zo uitzag als altijd, behalve dat er nu vier in plaats van vijf stoelen omheen stonden.

Ik pakte een stoel tegenover hem en ging zitten. 'De computer?'

'Ik ben aangesloten op het netwerk van het kantoor van mijn vader. De opwindende wereld van de verzekeringen. We hebben een leuk regelingetje getroffen: ik ram hier dan tien of twaalf uur in de week wat op de computer, en ze betalen mij vijftien dollar per uur, dat allemaal om te zorgen dat ik me niet totaal nutteloos voel.'

'Mike.'

'Wat?'

'Niks. Het spijt me.'

'Dat heb je al gezegd.'

Mijn gezicht gloeide. De koelkast begon te zoemen, en ik was opgelucht door die minieme sfeerverandering in de keuken.

'Vergeet het,' zei hij. 'Dat was ongepast. Hoe gaat het met je – wat brengt je naar Madison, het Athens van het Midwesten?'

'Ik dacht dat het het Berkeley van het Midwesten was.'

'We telden niet meer mee toen iemand in Ann Arbor naakt rond ging lopen.'

We lachten allebei, harder dan eigenlijk nodig was.

'Ik zou je wel iets te drinken aan willen bieden,' zei hij, 'maar je zult het zelf moeten pakken.'

'Daar zit ik niet mee,' zei ik. 'Kan ik iets voor jou pakken?'

Hij wees me op een speciaal glas met een ingebouwd rietje en zei dat hij wat water wilde. Ik nam zelf ook wat water en ging weer zitten.

'Nou en?' zei hij.

'Waarom ben ik hier?'

Hij glimlachte. 'Laten we het houden bij waarom je in Madison bent.'

Ik haalde diep adem. 'Vanwege Jamie. Lynn is gewond geraakt en daarom ben ik naar huis gekomen.'

'Gewond?'

Ik likte langs mijn lippen. 'Aangerand.'

Hij had over het glas gebogen gezeten, met zijn mond om het rietje, en tilde nu zijn hoofd weer op. 'Is Lynn Fletcher aangerand?'

Ik knikte.

'Is ze in orde?'

'Voor zover je dat kunt verwachten.'

'God, dat is vreselijk.' Zijn armen gleden een stukje naar voren, en ik probeerde er niet naar te kijken – de benigheid, de spaanachtige platheid van zijn handen. 'Wanneer is dat gebeurd?'

'Vorige week – mevrouw Fletcher is helemaal van de kaart.'

'Dat kan ik me voorstellen.' Hij boog zich naar voren om nog een slok water te nemen. 'En hoe lang blijf jij nu hier?'

'Dat weet ik nog niet precies.'

Hij likte langs zijn lippen, en ik wist niet wat ik moest doen of welke kant ik uit moest kijken. Een ogenblik later stond ik op en liep naar het raam. Een eekhoorn was stil blijven zitten halverwege de stam van de boom in de tuin, en ik sloeg hem gade totdat hij weer naar boven klauterde. Ik draaide me om. 'Heb jij helemaal geen honger? Ik heb vreselijke honger, ik heb helemaal niet ontbeten.'

'Ik hoef niks,' zei hij, 'maar help jezelf. Mijn moeder is nu boodschappen aan het doen, maar er moeten nog wel wat kruimeltjes op de gebruikelijke plaatsen liggen.'

Ik vroeg me af hoe lang mevrouw Mayer al weg was en wanneer ze terug zou komen. Ik pakte een appel uit de koelkast en ging toen naar de provisiekast. Daarin stonden talloze rijen met etensblikjes, pakken noedels en rijst, en voordeelpakken graanvlokken. Onderin lagen verschillende pakken chips, afgesloten met reusachtige plastic clips. Ik beet in de appel en pakte wat Frito's. 'Corn chips?' vroeg ik.

'Zout is slecht voor me.'

Ik at er een stel en zette de zak terug. De laatste keer dat ik hier was geweest had Julie er op los zitten roken en me gevraagd of ik nog met Mike ging trouwen. *Wil je het?*

Ik keek hem aan en merkte dat hij me gadesloeg, minder scherp dan zonet maar ook minder ondoorgrondelijk. Zijn gezicht was geëmotioneerder gaan staan, de kromming van zijn wangen en de stand van zijn kin drukten verdriet uit. Plotseling werd ik erg bang.

Hij zag dat ik naar hem keek en verstrakte. 'Kom,' zei hij een ogenblik later. 'Dan laat ik je mijn kamer zien.'

Ik at de appel op, gooide het klokhuis weg en volgde hem weer terug door de huiskamer. De angst nam af, ervoor in de plaats kwam een misselijk makende opluchting omdat we ons verplaatsten.

We kwamen in de studeerkamer. Wat ooit een klein, donker kamertje met ruitjesbehang was geweest, was nu een lichte, luchtige kamer die op de een of andere manier groter leek. De muren waren wit en versierd met ingelijste afbeeldingen: een grote foto van zeilboten op Lake Mendota en een poster van een schilderij dat ik meende te moeten herkennen maar toch niet herkende: een hoekig landschap met een berg op de achtergrond.

'Cézanne,' zei Mike, toen hij zag waarnaar ik keek. 'Heeft mijn moeder gekocht.'

'Het is mooi,' zei ik. Dat was het ook: indringend, ondanks de zachte kleuren. Stond Cézanne op Kilroys lijst van goede kunst?

'En, wat vind je van mijn nieuwe kamer?'

Op zijn kamer boven hadden de muren volgehangen met ijshockeyposters, onder meer een reusachtige poster van Wayne Gretzky. Er waren planken vol ijshockeyprijzen geweest. Hier bestond het ijshockey niet. Ik herkende zijn oude streepjesdeken, uitgespreid over een ziekenhuisbed. Zijn computer. En de foto van mij die op zijn nachtkastje had gestaan en die nu op een groot plateau met een draaibare arm stond, zodat hij hem vanuit het bed kon zien. Ik keek naar mijn lachende gezicht en wendde vervolgens mijn blik af. 'Geweldig,' zei ik.

'Verschilt nogal van mijn oude kamer, niet?' zei hij met een lachje. 'Ik moest die kamer uit, op wat voor manier dan ook.'

Er viel een stilte: we wisten allebei hoe hij er uit had moeten komen. 'Hé, nu moet je dit eens zien,' zei hij, en hij rolde naar een donkere deuropening die ik nog niet had opgemerkt. Met de zijkant van zijn hand drukte hij tegen een paneel aan, en een grote, glanzend betegelde badkamer compleet met glimmende witte handgrepen voor gehandicapten werd in het volle licht gezet. 'Dat heeft een grote hap uit de eetkamer gehaald,' zei hij, 'maar wat zou het ook.'

'Wat zou het ook,' zei ik. Ik wist niets anders te zeggen, en dus zei ik het nog eens: 'Wat zou het ook.'

Ik ging op dinsdagmorgen direct naar Cobra Copy, op dinsdag-middag weer, op woensdag weer en op donderdag weer. Jamie was er maar wilde me niet zien. De eerste paar keren vluchtte ze uit het winkelgedeelte weg wanneer ik verscheen, maar daarna raakte ze eraan gewend en keek gewoon langs me heen, alsof de ruimte die ik innam totaal leeg was. Ik voelde me gemanipuleerd maar ook vreselijk triest. Toen ik naar haar toe liep en haar naam noemde kromp ze ineen, maar verder reageerde ze niet. Ze had iets keihards over zich gekregen en toonde zich daarin een mees-ter. Ze kon dat harde gezicht op zulke perfect uitgekiende momenten op- en weer afzetten, dat ik begon te geloven dat het allemaal maar poppenkast was, dat haar weigering om met mij te praten niet voortkwam uit haar gevoelens maar volledig uit een simpele beslissing die ze weigerde te herroepen. Zo nu en dan echter, misschien maar twee keer in die hele week, zag ik aan een bepaalde uitdrukking rond haar ogen dat ze het moeilijk had.

Ik besloot terug te gaan naar New York. Ik liet een lange brief aan Jamie achter in het huis van haar ouders, waar ze nog steeds zat. Daarin verontschuldigde ik me opnieuw en verontschuldig-de ik me nog meer: voor de afgelopen week, en ook voor het afgelopen halfjaar, het afgelopen jaar en elk moment vanaf de tijd dat mijn verandering was begonnen. Dat schreef ik zelfs: *Ik weet dat je de indruk moet hebben dat ik erg veranderd ben, al sinds een tijd voor Mikes ongeluk. Ik wou dat we erover zouden kunnen praten.*

Maar dat konden we niet. Dat was de boodschap die ze me elke dag overbracht, de brief die ze me niet terugschreef.

Ik had een ticket met onbepaalde geldigheidsduur gekocht en daarbij voor het eerst het maximaal toegestane bedrag van mijn creditcard besteed. Laat op de donderdag belde ik om na te gaan of ik de volgende dag terug kon vliegen, maar de eerste vlucht die er was vertrok op zaterdag om zes uur 's avonds. Ik boekte hem.

Op mijn kamer zette ik de Kenmore weer weg. Ik had de beschikking over mijn moeders auto, reed naar de levensmiddelenzaak en kocht kip. Onder het eten bespraken we de mogelijkheid dat mijn moeder in de zomer, als ze minder cliënten zou hebben, een bezoek aan New York zou brengen. Ongeveer een maand geleden had ik haar aan de telefoon verteld dat ik eindelijk een kamer in het oude huis had gekregen, en nu zei ze dat ze hem graag wilde zien, dat ze New York wilde zien en wilde zien hoe ik daar leefde. En zou ze Kilroy willen leren kennen? Ik vroeg het me af. Ik wist zeker dat ze hem zou willen leren kennen, maar zou ze hem graag willen leren kennen? De reden dat ik niet over hem had gesproken was misschien dat ik niet wist hoe ik hem moest beschrijven, los van de zonderlinge naakte feiten. Die waren net zomin bepalend voor hem als de informatie die hij had achtergehouden. Nu ik tegenover haar zat, ruim vijftienhonderd kilometer van New York, had ik het gevoel dat ik hem kende, dat ik hem heel goed kende op alle manieren die ertoe deden. Ik wist precies hoe hij me zou toelachen als hij me over twee dagen zou zien. Ik wist hoe zijn lippen zouden voelen op mijn oogleden, mijn wangen en mijn mond. Hoe het haar op zijn borst tegen mijn borsten zou kriebelen, prikkerig en toch ook aangenaam. Kilroy. Ik verlangde naar hem, ik kon niet verdragen dat ik nog twee dagen moest wachten voor ik hem weer zou zien.

Toen mijn moeder en ik afruimden ging de telefoon. Het was Rooster, die vroeg of ik de volgende dag met Mike en hem mee ging lunchen.

's Ochtends zag ik hem in zijn oude rode Honda achteruit de oprijlaan van de Nilssons afrijden, maar toen hij me om twaalf uur kwam oppikken reed hij in een splinternieuwe blauwe auto.

Terwijl ik instapte zei ik: 'Wat is hier aan de hand? Waar is je wagen?'

'Die heb ik ingeruild,' zei hij en haalde verveeld zijn schouders op. 'We hebben een vierdeurs nodig voor de baby.'

Ik voelde dat mijn mond half openviel. 'Voor de baby?'

Hij grinnikte. 'Ja, er is veel dat jij niet weet.'

We reden naar de Mayers, waar Mike al op ons zat te wachten, bovenaan een nieuwe helling bij de achterdeur. Die maandag was ik weggegaan voordat mevrouw Mayer was teruggekeerd, en terwijl ik nu naar het huis keek vroeg ik me af of ze ons kon zien. Ik wist dat ze er was, omdat het witte busje dat ik zondag op de oprijlaan had gezien er weer stond en ik van Rooster had gehoord dat ze haar Oldsmobile had ingeruild voor dat busje, een voertuig waarin een rolstoel paste.

Rooster had zijn eigen sleutels voor dat busje. Mike kwam de helling afgerold, Rooster liet de lift van het busje neer en bevestigde Mike en de rolstoel erin. Daarop vertrokken we.

Brenda's was een smerig klein tentje waar ik nooit erg op gesteld was geweest – het was de zaak waar Mike met de andere jongens naartoe was gegaan. Brenda bakte zelf de burgers: ze had een rond gezicht en droeg een gebloemd jak en een stretchbroek.

Ze zwaaide toen we binnenkwamen en smeet vier hamburgers op de grill.

'Doe er vandaag maar vijf, Bren,' riep Rooster terwijl hij ruimte vrijmaakte tussen de dicht op elkaar staande tafels, zodat Mike naar een schone tafel bij het raam kon rijden.

'Hoe weet je dat Carrie er geen twee wil?' vroeg Mike.

'Eén is prima,' zei ik. 'Misschien moet ik de komende tien jaar ooit nog eens een badpak aan.'

'Goed,' zei hij met een zacht snuivend geluid. 'Alsof dat voor jou een probleem is.'

Er was een moment van spanning, niemand van ons keek een ander aan, en vervolgens gingen we allemaal zitten. Of beter,

Rooster en ik gingen zitten – Mike rolde naar zijn plaats. Ik vroeg me af waarom ik er was, wiens idee het was geweest mij mee te vragen.

Toen het eten klaar was stond Rooster op en bracht het naar de tafel. Mike at makkelijker dan ik had verwacht, met een soort klamp die hij met Roosters hulp om zijn onderarm bond. Toen er een beetje ketchup op zijn schoot viel zag Rooster dat duidelijk, en even duidelijk negeerde hij het. Ze wisten met elkaar om te gaan.

We spraken over Joans zwangerschap: de ochtendziekte berustte op een mythe, Joan voelde zich de hele dag misselijk. Rooster had gisteren net de hartslag van de baby gehoord, en het was iets fantastisch. Na een poosje kwam het gesprek op New York, en ik vertelde over Parsons, en hoe daar misschien ooit een carrière voor me uit voort kon vloeien.

'En het is iets wat je graag doet,' zei Mike.

'Ja,' zei Rooster. 'Dat maakt een groot verschil.'

Er viel een korte, sombere stilte. Ik keek van de een naar de ander. 'Wat is er?'

Mike fronste zijn voorhoofd. 'Niks.'

Ik keek naar Rooster, die zijn schouders ophaalde. 'Niks dus,' zei ik.

Mike boog voorover om een slokje van zijn cola te nemen. 'Het gaat om dat baantje waarover ik je verteld heb. Dat computerbaantje. Ik haat het.'

Ik keerde me weer naar Rooster toe, in de hoop op een soort verduidelijking, maar voordat ik iets kon zeggen schreeuwde Mike tegen mij, zijn gezicht zag donkerrood. 'Wat had je nou? Waarom kijk je hem aan? Ik zeg hier wat, of niet soms?'

'Het spijt me ontzettend,' riep ik ontsteld uit.

Hij staarde me lang aan en slaakte toen een diepe zucht. 'Nee, het spijt mij,' zei hij. 'Het spijt me.'

Ik voelde me gespannen en beschaamd. Overal aan de muren van het tentje hingen foto's, en ik concentreerde me erop: foot-

424

ball- en ijshockeyteams van de Badgers van tientallen jaren, opgesteld in roodwitte teamkleding. Ik had ooit ergens opgevangen dat Brenda vijf zoons naar de universiteit had kunnen laten gaan, met meer dan een beetje steun van de sportafdeling.

'Het is vervelend,' zei Mike.

Ik keek hem weer aan, en zijn ogen stonden verdrietig – het grijs van een winterlucht tijdens de schemering. 'Vervelend?' vroeg ik.

'Ongelofelijk vervelend. En ik krijg er koppijn van. En het is volkomen zinloos. Ik bedoel, er wordt zo veel gekletst dat je productief moet zijn en een onafhankelijk leven moet leiden. Ik ben een volledig verlamde lul.'

Rooster strekte zijn arm over de tafel uit en gaf Mike een klap op zijn schouder. 'Misschien niet zozeer een verlamde lúl,' zei hij kalm.

Mike draaide met zijn ogen en glimlachte flauwtjes. 'Ja, dat hebben we ook nog.'

Nadat we Mike hadden afgezet stapten Rooster en ik weer in zijn nieuwe auto en bracht hij me terug naar het huis van mijn moeder. Allebei zwegen we gedurende de hele rit. Voor het huis zette hij de auto in zijn vrij maar liet de motor lopen. Ik keek uit het raampje. Een enorme wortel had het trottoir voor het huis omhooggeduwd, en ik herinnerde me hoe ik op rolschaatsen over de bult was gevlogen, alleen of samen met Jamie. Er was een moment waarop je van de grond loskwam, en de angst en de opwinding niet van elkaar te onderscheiden waren.

Naast mij ging Rooster anders zitten. Ik keek naar hem: hij staarde uit het raampje naar een denkbeeldig punt op de weg, met zijn handen strak om het stuur. Na een poosje bewoog hij een hand omlaag en zette de motor af.

'Ik dacht dat je niet over hem wilde praten.'

'Dat wil ik ook niet.'

'Laten we het toch maar doen.'

Hij draaide de sleutel terug, maar liet de radio aan. Die stond afgestemd op iets vreselijks, en hij joeg de afstemknop langs een stuk of zes zenders, ingespannen toekijkend terwijl de nummers voorbijflitsten. Ten slotte draaide hij de sleutel weer in de beginstand. 'Zo staan de zaken,' zei hij. 'Geloof het of niet, het is veel erger geweest.' Hij zweeg even en zei toen: 'Luister eens, Carrie, ik wil er niet...'

'Alsjeblieft.'

Hij trok de sleutels uit het contact en liet ze in het muntenvakje achter de handrem vallen. 'Oké, daar gaan we dan. Volgens mijn theorie gebeurde er in het najaar een heleboel. Zo was hij aan het revalideren, en de halo ging eraf, en hij werd uit het ziekenhuis ontslagen, en de bruiloft werd gehouden...'

'En ik zou naar huis komen.'

'...en jij zou naar huis komen, maar dat deed je niet, en toen werd het januari, en het was godvergeten koud, en Mikey...' Rooster brak hoofdschuddend zijn zin af. Hij liet zijn voorhoofd even op het stuur rusten, zijn schouders opgetrokken, zijn bovenarmen gespannen tegen de stof van zijn colbertje. Hij keek weer op. 'Mike voelde zich volkomen hopeloos, Carrie. Volkomen vastgelopen. Hij had iets van: *Nou, dat is het dan. Zo is het leven als verlamde.* Harvey – heb je over hem gehoord, Mikes kamergenoot van revalidatie? – had rond die tijd een zware inzinking, en Mike had niet veel om zich vrolijk over te voelen. Ik bedoel, hoe veel partijtjes schaak kan iemand spelen, hoeveel tv kan iemand kijken en hoeveel boeken kan iemand lezen? En dan heb je al die kleine dingetjes waar je niet aan zou denken, zoals in restaurants en winkels en zo, waar de mensen zijn begeleider aanspraken in plaats van hemzelf. "En wat wil hij drinken?" Niet te geloven, toch? Daarom viel hij vandaag zo tegen jou uit, omdat jij mij aankeek toen hij aan het praten was. Je wordt daar gevoelig voor.'

'Dat was zo stom,' zei ik. 'Ik voel me daar vreselijk over.'

Rooster keek me raar aan, en ik lachte wrang: als ik me daar al vreselijk over voelde...

'Daarbij komt dat Stu in feite heeft afgehaakt,' ging hij verder. 'Zelfs afgelopen zomer, ik weet niet of je dat toen hebt gemerkt, kwam hij hem bijna nooit opzoeken. En als hij al kwam, kwam hij altijd met iemand anders. Hij praatte dan meer met die ander dan met Mike.'

Ik ging terug in mijn gedachten. Ik kon me nauwelijks herinneren Stu in het ziekenhuis gezien te hebben, en ik nam aan dat dat Roosters gelijk bewees.

'Nadat Mike weer thuis was is Stu een paar keer met ons mee naar Brenda's geweest, maar dan was hij ongelofelijk gespannen. En toen, toen we een keer samen bij de Mayers waren, kreeg Mike een klein ongelukje met zijn urinezak, en daarna hebben we Stu nooit meer gezien.'

Ik zuchtte en schudde mijn hoofd.

'Maar hoe dan ook, Mike begon te zeggen dat hij dood wou.'

'Wat?' Ik was de kluts kwijt. 'Bedoel je dat hij...'

'Ik bedoel dat hij dood wou,' zei Rooster, en terwijl ik hem aanstaarde voelde ik dat een groot verdriet zich meester van me maakte. Het verspreidde zich door mijn lijf als een afgrijselijke drug, mijn hart pompte het naar de verste uithoeken van mijn vingers en tenen. Ik begroef mijn gezicht in mijn handen. Ik moest alsmaar denken aan maandag, aan hoe Mike er heel even had uitgezien toen we met zijn tweeën waren – zijn bleke kleur en zijn stoppelige snorretje, en hoe opeens zijn gezicht uit de plooi was geraakt.

'Hij heeft ons gevraagd of we hem wilden helpen,' zei Rooster. 'Hij heeft het aan mij gevraagd, hij heeft het aan zijn ouders gevraagd – hij heeft het zelfs een keer aan Joan gevraagd. Of we hem wilden helpen er een eind aan te maken.'

Ik keek naar hem op. Ik voelde geen tranen, dat punt was ik voorbij: ik voelde me ellendig, volkomen kapot. Hij hield zijn ogen even op mij gevestigd en wendde vervolgens zijn blik af. Ik

427

rook de auto, het nieuwe van de bekleding en het tapijt. Na een tijdje werd ik gek van mijn eigen handen. Ik stak ze uit en liet mijn vingers langs de ronding van het dashboard gaan, dat koel en ruw aanvoelde.

'Ik had het je misschien niet moeten vertellen,' zei Rooster.

'Ja, dat moest je wel. Ik ben blij dat je het hebt gedaan. Of blij – nou ja, je snapt het wel.'

Hij keek me weer aan. Hij keek me recht in mijn ogen en raakte toen mijn been aan, zijn vingers en de zijkant van zijn handpalm streken over mijn dij. Terwijl ik ernaar keek, naar zijn dikke vingers die vol zaten met kloven van de wind en waren begroeid met fijne, rood- en goudachtige haartjes, voelde ik een sterke drang om mijn hand op de zijne te leggen. Ik wilde mijn vingers om de zijne krullen en ze stevig vastpakken. Zijn vingers voelden zwaar op mijn been, en ze bleven er lange tijd liggen. Ten slotte trok hij zijn hand terug.

'Gaat het nog steeds zo?' vroeg ik. 'Speelt dat op de slechte dagen?'

Hij schudde zijn hoofd. 'Hij lijkt het achter zich te hebben. Ik bedoel, wie zal zeggen waar hij aan denkt als hij 's nachts alleen in zijn bed ligt, maar hij heeft het er niet meer over, en weet je wat? Dat vind ik al bijna best zo. Is dat niet afgrijselijk?'

'Nee.'

'Ik vind het afgrijselijk, maar ik kan er niks aan doen.' Hij zuchtte en keek uit het raampje. 'Ik zal je nog iets vertellen. Dave King heeft hem erg geholpen. Heel erg.'

Ik dacht aan het bandje dat Mike me had gestuurd. *Ik noem hem koning David. Hij vertelt me waar ik over in moet zitten en dan zit ik erover in.* Ik herinnerde me de avond toen ik buiten het ziekenhuis met Dave King had gesproken, en hoe hij me had willen vertellen over verlammingen en seks. Het leek me nu een grote fout dat ik hem niet had laten uitspreken.

Rooster startte de auto. 'Hé, ik moet weer gaan,' zei hij. 'Het spijt me dat ik je hiermee heb opgezadeld, goed? En zeg Mike niet dat ik het aan jou heb verteld.'

'Waarom niet?'

Een golf van angst trok over zijn gezicht en hij schudde nadrukkelijk zijn hoofd. 'Je mag het niet zeggen. Hij zou niet willen dat jij het weet. Hij *wil beslist niet* dat jij het weet. Ik meen het Carrie, je kunt niet altijd alles zeggen.'

'Oké, prima,' zei ik. 'Maar waarom?'

'"Zodat ik weet dat ze, als ze terugkomt, dat niet alleen uit medelijden doet."' Hij staarde me aan. 'Snap je?'

Ik antwoordde niet.

'Hij heeft niks meer te verwachten, Carrie. Nul komma niks meer. Maar als je het over hoop hebt: hij is een vent die nog op heel veel hoopt, en jij staat ergens bovenaan op zijn lijstje.'

HOOFDSTUK 35

Ik annuleerde mijn vlucht. Ik kon nog niet terug, niet na wat Rooster me had verteld. Kilroy was er niet blij mee, en doordat hij ongelukkig was werd ik ongelukkig. Toen ik mijn moeder vertelde dat ik nog wat langer bleef nam ze me vorsend op, alsof ze naar een verklaring zocht.

'Wil je dat echt?' vroeg ze ten slotte.

'Ja.'

Ze had haar afspraken van die middag afgezegd en was met Jamie naar Wellhaven gegaan. Mevrouw Fletcher zat, vertelde ze, in een eenpersoonskamer met uitzicht op een rustig terras dat langs de randen was beplant met roze en witte krokussen. Bij hun aankomst had ze roerloos in een leunstoel bij het raam gezeten. Mijn moeder was maar een paar minuten in de kamer gebleven, maar Jamie had haar later verteld dat mevrouw Fletcher uiteindelijk was gaan praten, en wel over vlees dat ze had laten ontdooien. Ze droeg Jamie op dat vlees, gebraden kalfsvlees, te zoeken en weg te gooien. Ze zei dat ze zich zorgen maakte omdat ze Jamie en haar zussen niet alles had geleerd wat ze moesten weten om een keuken draaiend te houden. Drie dagen voor kip, vier voor rundvlees. Laat niemand dat kalfsvlees nog klaarmaken, zei ze tegen Jamie. ('Alsof we dat ooit zouden doen,' had Jamie tegen mijn moeder gezegd. 'Alsof we niet bijna elke avond een kant-en-klaarmaaltijd in de magnetron kwakken.')

Mijn moeder vertelde me dat aan de keukentafel bij een glas witte wijn. Volgens haar kon het gesprek worden beschouwd als een goed teken, een aanwijzing dat mevrouw Fletcher zich betrokken voelde bij haar leven.

'Ziet Jamie het ook zo?'

Mijn moeder hief haar wijnglas op en nam een slok. Ze zette het glas weer neer en draaide de steel heen en weer tussen haar duim en wijsvinger. 'Jamie kan niet verder denken dan het ziekenhuis,' zei ze. 'Zij denkt dat het feit dat haar moeder in een ziekenhuis is opgenomen narigheid betekent, in plaats van dat het ziekenhuis wat doet aan de narigheid die al in haar moeder aanwezig was.'

Ik knikte. 'Dat doet me denken aan wat je tegen mij hebt gezegd.'

Ze hief haar hoofd op. 'Wanneer?'

'De eerste keer dat ik je vanuit New York belde. Ik zei dat ik door mijn vertrek een slecht mens was geworden, en toen zei jij dat mensen niet zozeer worden bepaald door wat ze doen als bepalen wat ze doen. Het is net zoiets.' Ik speelde met het zoutvaatje. Het was ook net zoiets als Kilroys uitspraak: *veertig geeft niet aan wat ik ben, ik geef aan wat veertig is.* Ik dacht: *en volgens mij houdt dat in: solitair.* Vervolgens schudde ik krachtig mijn hoofd, omdat ik die gedachte van me af wilde slingeren.

Mijn moeder sloeg me gade. Observeerde me: dat woord kwam zomaar opeens bij me op. Ze kwam overeind. 'Je herinnert je een hoop,' zei ze. 'Je hebt altijd een goed geheugen gehad.'

Ik dacht aan mijn vroege jeugd, toen ik hardnekkig had geprobeerd me mijn vader te herinneren. Misschien wilde ik nooit meer iets vergeten. 'Ik denk het, ja,' zei ik en keek toe ze naar de gootsteen liep, waar ze het laatste beetje van haar wijn uitgoot, de kraan aanzette en haar lege glas vol liet lopen.

Toen ik de volgende morgen Mike belde, nam mevrouw Mayer op. Ik zei dat ik aannam dat ze wel had gehoord dat ik weer terug was, en ze zei dat dat inderdaad het geval was. Toen Mike aan de lijn kwam vertelde ik hem dat ik nog een paar dagen bleef en dat ik graag langs wilde komen, als dat kon.

Toen ik kwam waren ze allemaal thuis: meneer Mayer, mevrouw Mayer en John junior. Het was haast of ze thuis waren gebleven om een glimp van mij op te kunnen vangen. Die indruk kreeg ik in elk geval van John, die vier of vijf keer zonder duidelijke reden de keuken in- en uitliep.

Mevrouw Mayer was meer dan ijzig. Zij deed open en hield de deur stevig vast, alsof ik haar ervan los zou kunnen trekken om haar tot een omhelzing te dwingen. Ze zag er ouder en slonziger uit, bijna een jaar na het begin van Mikes tragedie: haar permanent zat slecht en ze had meer rimpels op haar gezicht gekregen. Ze droeg een fel jadegroen nylon trainingspak van tien jaar oud dat een grijzig licht op haar huid wierp. Ze nam niet de moeite om aardig te doen.

Ik bleef ongeveer een uur. Mike en ik spraken over Rooster: hoe gelukkig hij was, en wat een mallotige vader hij zou worden – de videocamera altijd in de aanslag, de grote verwenner. Mike vertelde me over Harvey, die wat motorische functies in zijn arm had teruggekregen en weer in het ziekenhuis lag om meer therapie te krijgen. 'Het is een geweldige kerel,' zei Mike. 'Ik heb veel van hem geleerd.'

'Over?'

'Gewoon, over het leven,' zei hij, en vervolgens grijnsde hij breed, de eerste echte welgemeende glimlach die ik bij hem had gezien: vertrouwd en tegelijk vreemd, onder de schaduw van het snorretje. 'Luister naar mij,' zei hij. '"Gewoon over het leven." Ja, en hij is iemand die echt om anderen geeft.' Hij draaide met zijn ogen. 'Laat maar, je moet hem gewoon een keer ontmoeten, ik denk dat jullie elkaar wel zullen mogen.'

'Ik zou hem graag leren kennen,' zei ik.

Meneer Mayer verscheen, lang en breedgeschouderd. De kale plek op zijn hoofd glansde. Vanuit de deuropening keek hij naar mij, waarna hij binnenkwam, om de tafel heen liep, achter me ging staan en zijn handen op mijn schouders legde. 'Je zou je ogen toch op haar stukkijken, hè,' zei hij tegen Mike, en daarna woelde hij door mijn haar, boog zich voorover en drukte de zijkant van zijn gezicht tegen het mijne aan.

De zijde die ik het mooiste vond was een saliegroene jacquardstof die was bezaaid met schimmige blaadjes. Hij was er ook in mauve, maar het groen was interessanter, het was rookachtig en zacht. Misschien was het geen saliegroen maar celadongroen. Of licht olijfgroen. Ik hield van de namen van kleuren, en de minieme verschillen tussen sommige kleuren. Oudrose, pastelrose, zalmroze.

Het was maandagmorgen en ik was bij Fabrications. Ik was er alleen een kijkje komen nemen, half en half in de verwachting dat ik teleurgesteld zou worden na de zaak in New York, maar de winkel had nog steeds zijn oude greep op me niet verloren. De stoffen waren niet alleen schitterend, maar verleidelijk neergelegd: exquise bleke aardkleuren met daartussen witte en ivoorkleurige stoffen ter aankondiging van de komende lente.

Het belletje boven de deur weerklonk, en er kwam een erg lange vrouw met een tas van het warenhuis Marshall Field's binnen. Ze zei me gedag, en ik was even in de war: ik vroeg me af of ik haar kende. Maar nee, dit was gewoon weer Madison, Madisonse vriendelijkheid. Ik had nog altijd last van cognitieve dissonantie. Ik keek op mijn horloge. In New York zou mijn les patronen maken nu gauw beginnen, en ik miste hem weer. Nu al voor de tweede keer.

'Zou u me kunnen helpen?' vroeg de vrouw aan de verkoopster, een mollige blondine in een duidelijk zelfgemaakte jumper van blauwe keperstof met veel sierstiksels. 'Ik heb deze jurk gekocht en ik weet niet goed wat ik met de pasvorm aan moet.'

De verkoopster wees haar het achterkamertje, en een paar minuten later kwam de vrouw er weer uit met een rode zijden jurk aan die haar simpelweg niet paste, om maar te zwijgen over wat de kleur met haar gezicht deed. Terwijl ik toekeek spraken ze met elkaar, in een poging iets te verzinnen om de jurk te veranderen.

'Ik denk dat u de mouwen eraf moet halen,' zei de verkoopster op een gegeven moment. 'Dan kunt u de plooien eruit halen, hem hier innemen en dat opgeblazene wegwerken.'

'Of ik zou hem gewoon kunnen terugbrengen,' zei de vrouw.

'Of u zou hem gewoon kunnen terugbrengen.'

De vrouw zuchtte. Ze bekeek zichzelf in de spiegel, dezelfde grote passpiegel die mij afgelopen zomer tot de aankoop van de gewassen zijde voor mijn nachtpon en peignoir had gebracht. 'U vermaakt natuurlijk niet,' zei ze.

'Het spijt me,' zei de verkoopster en ze schudde haar hoofd. 'Ik heb thuis een kind van twee.'

De vrouw sloeg een laatste blik op haar spiegelbeeld. Ze had een lang gezicht en had haar schouderlange bruine haar met een brede haarband van haar voorhoofd weggeschoven. Toen ze zich naar het achterkamertje toekeerde stapte ik naar voren en zei tot mijn eigen verbazing dat ik haar had gehoord en toevallig zelf kleding vermaakte.

'Echt waar?' zei ze. 'Ik moet deze jurk vrijdag hebben en ik durf hem niet toe te vertrouwen aan de kleermaker bij de stomerij.'

De verkoopster zei dat ik hem direct mocht spelden, en in een hoekje gingen we aan het werk. Ik voelde me een beetje dwaas maar ook opgewonden, omdat ik precies wist wat ik moest doen.

Het probleem zat hem niet alleen in de mouwen. De vrouw had smalle schouders en brede heupen, en de jurk boog bij de hals en trok rond de buik – sleeplijnen in Parsons-taal. Met spelden uit een doosje dat ik ter plaatse aanschafte nam ik het lijfje in, paste de mouwen aan zodat ze minder wijd waren en minder afhingen en kortte de rok ruim twee centimeter in.

'Kijk,' zei ik, en ik leidde haar terug naar de spiegel. 'Is het zo niet beter? Als u de spelden even vergeet en uw ogen een beetje dichtknijpt ziet u de bedoeling. Ik kan niets aan de heupen doen, maar wel aan de rest.'

'Ik hoef mijn ogen niet dicht te knijpen,' zei ze. 'Het is geweldig, je hebt een wonder verricht. En voel je niet vervelend over de heupen – ik heb het keer op keer geprobeerd, en ik kan er ook niets aan veranderen.'

Het was niet moeilijk om het klusje voor vrijdag te klaren, en de Kenmore liet me niet in de steek, al waren er een paar hachelijke momenten toen het garen van de spoel in de knoop raakte en vettig werd. Ik rekende zestig dollar, en zowel de vrouw als ik waren tevreden. Toen ze terugliep naar haar auto nadat ze de jurk had opgehaald, draaide ze zich om en vroeg: 'Hé, zou je een keer een hele nieuwe jurk voor me kunnen maken?'

Terwijl ik daar op mijn moeders drempel stond zag ik de jurk meteen voor me – de halslijn, het silhouet, de vage blauw- en groentinten die haar ogen zouden laten spreken en haar haren beter zouden laten uitkomen. Ik zag hem zomaar voor me, een complete jurk. Het was opwindend, en ik schudde vol spijt mijn hoofd. 'Sorry,' zei ik. 'Ik ben hier alleen op bezoek.'

Kilroy bekoelde. Hij ging van een ietwat ongelukkige toestand van begrip over in een prikkelbaarder toestand van willen weten waarom ik alles direct moest oplossen, tijdens een in een opwelling ondernomen trip die al langer had geduurd dan gepland. 'Je wordt er weer in terug gezogen,' zei hij. 'Je moet inzien dat je hebt gedaan wat je kon. Jamie heeft er lang over gedaan om dit punt te bereiken, en ze zal er ook lang over doen om er weer van terug te komen.' Ik zei dat ik dat ook wel wist. Ik vertelde er niet bij dat ik mijn pogingen om haar te zien had opgegeven. Ik vertelde niet over Mike.

Ik zocht hem elke dag op. Korte bezoekjes, van een half uur of drie kwartier. Hij vond het prettig een wandeling door de buurt te maken op weekendmiddagen als de trottoirs leeg waren. Het was zeventien, achttien graden en de tulpen kwamen uit, in grote rijen van geel en rood.

Mevrouw Mayer tolereerde me maar net. Ze wierp me, met haar armen voor haar borst gekruist, schuinse blikken toe. Als ik aanklopte deed ze open en liep dan weg, terwijl ze riep: 'Mike, de deur.' Het was een straf, en een gerechtvaardigde: hem te ondergaan was een vorm van zelfkastijding, zoals je het lichaam kunt kastijden om de ziel te zuiveren – alleen kastijdde ik de ziel om de ziel te zuiveren. Ik overleefde het van moment tot moment.

Op zaterdag verscheen ik rond één uur. Meneer en mevrouw Mayer waren in golfkleding gestoken, liepen met clubs en schoenen door het voorste gedeelte van het huis en verdwenen om hun handschoenen te gaan zoeken. Mevrouw Mayer wenkte me terzijde.

'Hoe lang dacht je vandaag te blijven?'

'Ik weet het niet, waarom?'

Ze streek haar rok glad, een ouderwetse groenblauwe rok met een grote applicatie van een lieveheersbeestje bij de zoom. 'Het gaat erom dat John junior moet softballen, en ik heb er een hekel aan Mike te lang alleen thuis te laten. Het is ons eerste uitje dit voorjaar – we willen maar negen holes spelen.' Ze keek me aan, voor het eerst sinds mijn terugkeer ontmoetten onze blikken elkaar echt. Ze glimlachte me flauwtjes en neutraal toe: geen pressie.

'Goed,' zei ik. 'Geen probleem.'

Ze zuchtte zwaar. 'O, bedankt. Bedankt.'

Ik ging naar Mike in de keuken. Toen ze waren vertrokken schonk ik voor ons allebei wat ijswater in, waarna we naar de veranda gingen. De tuin stond er goed bij voor het voorjaar, misschien nog wel beter dan in het vorig jaar. Zelfs de blauwe druifjes stonden keurig verzorgd langs een stuk hekwerk. Ik bedacht dat mevrouw Mayer er heel wat najaarsdagen moest hebben doorgebracht, haar knieën kastijdend terwijl Mike zwoegde op zijn revalidatie.

'Dus je komt babysitten?'

'Mike.'

'Mijn moeder is een beetje overbeschermend. Ik krijg haar nauwelijks zover dat ze een boodschap gaat doen.'

Een paar huizen verder werd een motormaaier gestart. Ik zag de maaimachine bijna voor me: hoe een man van meneer Mayers leeftijd hem zijn garage uit had geschoven, hem vluchtig had

geïnspecteerd, de tank met benzine had gevuld en een schietge-
bedje had gedaan voordat hij voor de eerste keer sinds het najaar
aan het koord had getrokken.

'Die zul je in New York wel niet al te veel horen.'

Ik lachte hem toe. 'Niet al te veel.'

We zaten samen op de veranda. Een kardinaal streek op de
balustrade neer en we keken toe hoe hij erop pikte en toen weer
wegvloog. 'Mike?' vroeg ik na een poosje.

'Carrie?'

'Kunnen we vrienden zijn?'

Hij boog zich naar de roodhouten tafel om een slokje water te
nemen, ging toen weer rechtop zitten en staarde voor zich uit. 'Ik
hou van je tegen wil en dank,' zei hij, en zijn gezicht begon langzaam te kleuren. 'God, dat lijkt wel een regel uit een of ander
stom liedje.'

'Inderdaad.'

'Liefdesliedjes zijn zo idioot. Dat bedacht ik gisteren nog
– mijn moeder had een zender met oude hits aanstaan. Ik wil
maar zeggen, wanneer heeft er nou ooit iemand voor zijn lol
door de regen gelopen? Zo lekker voelt dat niet.'

We keken elkaar aan. Ik herinnerde me hoe ik met hem door
de regen had gerend, naar de studentensociëteit of mijn studentenhuis, en hoe zijn hand de mijne had omklemd alsof hij me zo
harder kon laten lopen. Hoe hij eruit had gezien met natte haren
op zijn hoofd geplakt, de lokken aaneengeklit tegen zijn voorhoofd terwijl hij zocht naar iets om zich mee af te drogen.

Hij reed van de tafel weg, naar de balustrade, en keerde toen
om zodat hij tegenover me kwam te zitten. 'Maar om je vraag te
beantwoorden,' zei hij, 'dat weet ik echt niet.'

'Ik wil het graag,' zei ik.

'Je woont hier niet eens meer, Carrie.'

Ik keek naar mijn handen. Hoe kon ik het allebei doen: in New
York wonen en bevriend zijn met Mike? *Mike was zo'n perfect
gentleman, hè? Een aardige jongen? Zo heb ik het me altijd voor-*

gesteld. Wat was het raar geweest om te ontdekken dat Kilroy jaloers was. Wat zou hij ervan vinden als ik Mike ging bellen en schrijven? Wat zou hij ervan vinden als hij erachter kwam dat ik hem had gebeld en geschreven zonder het ooit te vertellen?

Mike zat aan de andere kant van de veranda in zijn rolstoel, het grote zwarte apparaat dat hem zowel vrijheid schonk als gevangen hield. Hij droeg een grijs sweatshirt met een rits op een marineblauwe joggingbroek, en de stof lag zo op zijn lichaam dat ik goed de omtrekken van zijn ledematen kon onderscheiden, benig en spastisch. Hij had er pijn in, had ik begrepen, wat klonk als een buitengewoon wrede grap: geen beweging en geen gevoel, maar de zenuwen werden voor de gek gehouden om pijnboodschappen te blijven versturen. Daar zat hij in zijn rolstoel. Die liet zich nooit wegdenken.

HOOFDSTUK 36

Op maandagmorgen zat ik aan mijn moeders langwerpige eettafel van gepolijst hout. Ik had altijd van de eetkamer gehouden, van de witte muren, het donkere porseleinkastje en het dikke blauwe tapijt. Het was de kamer waar ik als tiener had genaaid, waar ik mijn werk over de lengte van de tafel had uitgelegd. Ik had mijn machine altijd aan het uiteinde neergezet, vlak voor een raam waar het ochtendlicht binnenviel.

Terwijl ik op dat plekje de krant zat te lezen en de zon schuin over mijn rechterschouder scheen, begon ik me ongemakkelijk te voelen. Hoe is het mogelijk dat je lichaam weet wanneer er iemand achter je staat? Er was geen geluid, geen verandering in schaduw of licht, maar ik voelde midden in mijn rug dat ik in elkaar dreigde te gaan krimpen. Ik ging er een poosje tegenin en draaide me toen uiteindelijk om. Daar was Jamie, die vanaf het trottoir naar binnen stond te kijken.

Ik stond op. Sloeg een hand voor mijn mond. Verstijfde. Tegen de tijd dat ik de voordeur had geopend was ze weer weg, en hoewel ik het trottoir oprende en beide kanten uitkeek, was ze verdwenen.

Ik probeerde weer aan de tafel te gaan zitten maar ik kon het niet. Ik reed naar de Fletchers en klopte aan – geen reactie. Ik reed voor het eerst sinds mijn terugkeer naar Miffland, ging het trapje naar Jamies huis op en klopte ook daar aan: niets. Ik stapte uit mijn moeders auto, liep naar State Street en ging binnen bij Cobra Copy. Geen Jamie.

Toch was ze bij me langsgekomen. Misschien alleen om me te zien, maar ze was gekomen. Ik probeerde haar later die dag te bellen – in het huis van haar ouders, in haar eigen huis, bij Cobra Copy, bij Bill – maar ik kon haar niet achterhalen, en zelfs tijdens mijn belpogingen begreep ik hoe absurd het was om te geloven dat ik haar kon opsporen: alsof ik zelfs nog maar wist waar ik het moest proberen.

Toen, terwijl ik daar zat met de telefoon in mijn hand, drong het tot me door: Wellhaven. Ze zat in Wellhaven, waar ze haar moeder opzocht. Mijn moeder had verteld dat mevrouw Fletcher graag bezoek kreeg. Jamie was er waarschijnlijk naartoe gereden om daar de middag door te brengen. Misschien was ze vertrokken direct nadat ze voor mijn moeders huis had gestaan. Misschien had haar auto met draaiende motor op de stoep gestaan terwijl zij naar binnen keek. Ik stelde me voor hoe ze alleen in haar kleine Geo over de snelweg in zuidelijke richting naar Janesville reed. Achter het stuur, haar haren over haar schouders strijkend, met de radio hard aan. En een pijnlijke plek in haar maag bij de gedachte aan de verblijfplaats van haar moeder.

Ze was bang van de wereld, mevrouw Fletcher. Dat had ik altijd geweten zonder het te kunnen verwoorden. Ze wilde niet op de snelweg rijden. Ze vond het vreselijk wanneer een van de meisjes als kind ergens anders bleef slapen – daarom bleef iedereen altijd bij de Fletchers slapen. Toen we op de high school zaten maakte ze bezwaar als Jamie na twaalven thuiskwam, maar op een gekwelde, formele manier, omdat Jamie duidelijk aan de winnende hand was. Arme mevrouw Fletcher, die de afgelopen zomer steeds was opgebleven tot ver na middernacht om te wachten tot Lynn thuis zou komen. Ik dacht aan de dag waarop ik Jamie en haar was tegengekomen, toen ik lunchte met Ania. *Ik zie je haast nooit meer*, had ze daarna tegen me gezegd.

Mevrouw Fraser had hetzelfde tegen Kilroy gezegd toen we zijn ouderlijk huis verlieten. Ik moest denken aan haar smalle hand op zijn jas, en aan de manier waarop hij omlaag had gekeken voordat hij de deurknop had beetgepakt. Met wie had hij gesproken in de tweeëneenhalve week dat ik weg was? Met iemand?

Die avond schreef ik Jamie een briefje dat ik haar bij het huis van mijn moeder had gezien, hoopte dat ze gauw weer met me wilde praten en dat ik bij haar moeder op bezoek zou gaan tenzij ik bericht terug zou krijgen dat zij dat niet wilde.

Ik wachtte tot donderdag en reed er toen heen, op een middag met zware grijze wolken, het soort middag waarop je op regen moet hopen. De inrichting was laaggebouwd en modern, en lag ver van de weg af op een goed onderhouden terrein. Het gazon was weelderig als een tapijt.

Bij de balie werd me gezegd dat ik mijn bezoek tot een half uur moest beperken. Ik bleef op een bank zitten wachten, terwijl een scherpe lucht van chemische schoonmaakmiddelen tot me doordrong. Ik droeg de mooiste kleren die ik had, mijn zwarte broek en mijn fluwelen shirt. Alweer. Uit wanhoop had ik wat ondergoed gekocht, en op een dag was ik zelfs teruggevallen op een slonzige bloemetjesjurk uit de doos in mijn muurkast, maar meestal rouleerde ik tussen de paar kledingstukken die ik had meegenomen, hoewel ze me steeds meer de strot uit kwamen.

Mevrouw Fletcher doemde op uit een lange gang. Haar haar was kort en dun, maar ze ging keurig gekleed in haar gebruikelijke rok en blouse, en aan haar voeten had ze haar gebruikelijke speciale gemakkelijke pumps. Ze keerde haar wang opzij en ik stapte naar voren om haar te kussen.

'Laten we een eindje rondwandelen,' zei ze. 'Dan laat ik je de tuin zien.'

We liepen het gebouw door en gingen een achterdeur uit die uitkwam op een binnenplaats. Vandaar voerde een grindpad ons naar een goed bijgehouden rozentuin.

'Zijn ze niet prachtig?' zei mevrouw Fletcher. Net als mevrouw Mayer was ze altijd een toegewijd tuinierster geweest.

'Heel mooi.'

'Mijn meisjes zorgen thuis voor de rozen.'

We liepen door tot bij een stel smeedijzeren stoelen die in rechte hoeken onder een boom stonden. Een niet geüniformeerde verpleger hield van dicht bij een oogje op ons.

'Hoe voelt u zich nu?' vroeg ik nadat we waren gaan zitten. Haar handen lagen weggestopt in de plooien van haar rok.

'O Carrie, je leert je kinderen pas kennen als het gezin op deze manier op de proef wordt gesteld. Ik voel me echt gerust in de wetenschap dat mijn meisjes voor hun vader zorgen, en hij voor hen.'

Ik keek mevrouw Fletcher in het gezicht. Ik vroeg me af wat ze bedoelde met 'zo op de proef worden gesteld', hoe ze het voor zichzelf kenschetste.

'Gisteren was Jamie hier met dat nieuwe gele shirt van haar aan, weet je welk shirt ik bedoel, schat?'

Ik zei dat ik het niet wist.

Ze kneep haar lippen samen. 'Ik heb daar toen niets over tegen haar gezegd, maar zou jij haar willen vertellen dat ze het absoluut niet samen met donkere spullen mag wassen? Het is heel belangrijk om geel apart te wassen. Rood ook. Ik zou het haar eigenlijk zelf hebben moeten vertellen.'

Ze begon te hoesten, en toen ze een hand uit de plooien van haar rok haalde om haar mond te bedekken zag ik dat hij ruw en rood was, met tot op het vlees afgebeten nagels.

'Zeker,' zei ik. 'Ik zal het haar zeggen.'

Sinds mijn komst hadden steeds donkerder wolken zich samengepakt, en nu begon het opeens te regenen. Zonder naar mij te kijken kwam mevrouw Fletcher overeind. Ze begon terug naar het gebouw te lopen, waarbij ze het pad negeerde en in plaats daarvan langzaam over het dikke gras voortstapte. Ik liep achter haar aan, mijn tempo aan het hare aanpassend. In korte tijd was ik doorweekt.

Op de binnenplaats bleef ze even staan om naar de lucht te kijken en daarna ging ze verder naar het gebouw. Vlak achter de deur wachtte ze op mij, waarna ze uit haar pumps stapte, ze met één hand oppakte en richting lobby liep.

Bij de uitgang stak ze haar vrije hand uit. 'Je bent een schat dat je bent gekomen,' zei ze. 'Ik ben zo blij dat Jamie zo'n goede vriendin aan je heeft.' Ze draaide zich om en liep weg, en ik bleef toekijken tot ze was verdwenen: haar doornatte haren, haar met modder bespatte panty, de schoenen die, donker van het water, aan haar ruwe vingers bungelden.

Weer buiten rende ik door de regen naar de auto van mijn moeder. Ik ging in de auto zitten en luisterde hoe de regen op het dak en de ruiten trommelde. Ik zat doodstil, alsof ik iets probeerde te horen wat door de geringste beweging zou worden overstemd. Ik hoorde auto's door plassen rijden en een verre donderklap, en merkte toen dat ik dacht aan iets wat dokter Spelman tijdens Mikes coma had gezegd: dat mensen na hoofdletsel soms anders leken.

Dat ging op voor mevrouw Fletcher. Als je niet beter wist, zou je denken dat ze dezelfde lieve, moederlijke vrouw was die ze altijd was geweest. Alleen haar familieleden en een paar anderen, misschien zelfs mijn moeder niet, zouden denken wat ik dacht: dat ik een andere lieve, moederlijke vrouw had bezocht, een onvolmaakte kopie van een vrouw die weg leek te zijn.

De volgende dag was het 1 mei, en voordat ik de deur uitging op weg naar de Mayers schreef ik een cheque aan Simon uit voor de huur. Ik had nog maar iets meer dan driehonderd dollar en moest zo gauw ik terug was in New York een baantje nemen: uitzendwerk, werk in een bibliotheek, wat dan ook. Ik moest er niet aan denken hoeveel geld ik had verspild door lessen op Parsons te verzuimen – tot vandaag al elf.

Door de regenbui was de lucht opgeklaard, en de meeste bomen waren nu uitgelopen. De nieuwe bladeren waren omgekruld en bleekgroen, een teer bleekgroen dat mijn hart beroerde, zo pijnlijk en verrukkelijk was het. Toen ik stopte om Simons cheque in een brievenbus te gooien trok ik mijn trui uit en schoof de mouwen van mijn shirt omhoog, vergenoegd over het gevoel van de koele lucht tegen mijn blote onderarmen.

Mevrouw Mayer stond me buitenshuis op te wachten, de riem van haar handtas over haar pols geslagen. Ik had haar gebeld met het verzoek of ze me wilde laten zien hoe ik het busje moest gebruiken, zodat ik Mike een keer mee kon nemen. Hoewel ik daarbij de lift had bedoeld, overhandigde ze me de sleutels en zei dat ze me eerst wilde zien rijden.

Ik stapte in en vervolgens kwam zij naast me zitten. De versnellingspook rees als een stugge plant uit de vloer op. Ik had nooit eerder achter het stuur van zo'n hoge wagen gezeten en reed wat ruw en rukkerig de oprijlaan af voordat ik de straat opging. Naast mij zweeg mevrouw Mayer, terwijl ze uit haar raampje naar de vertrouwde dingen keek. We reden een poosje door de stad, en toen zei ze dat ik de ringweg op moest gaan.

'Waar dacht je het busje voor nodig te hebben?'

Ik keek naar haar. Haar permanent was uitgezakt en hing in golven rond haar gezicht. Ze staarde recht voor zich uit, met haar beide handen stevig op haar tasje.

'Om te gaan lunchen,' zei ik. 'Of voor zomaar een uitstapje.'

Ze opende haar tasje en klikte het weer dicht. 'Hoe lang blijf je?'

Ik dacht aan Jamie, zoals ze maandag bij mijn moeders huis had gestaan. En aan Mike. 'Ik weet het nog niet. Misschien nog een week.' Ik zag Kilroy voor me op zijn bank, zijn armen voor zijn borst gekruist, en zuchtte.

Mevrouw Mayer opende nogmaals haar tasje en haalde er lippenstift uit. Ze trok de zonneklep omlaag, klapte het spiegeltje open en rolde kleur over haar lippen, een licht koraalroze. Met een scherpe klik deed ze de dop weer op de lippenstift. 'Mijn man en ik zijn al heel lang ouders, en het is vreemd wat je dwarszit en wat niet. Ik zeg je dit maar één keer. We hebben allebei het gevoel dat je niet betrouwbaar bent. We hebben allebei onze reserves om je te laten terugkeren in Michaels leven.'

Mijn gezicht gloeide. Ik staarde naar de weg, naar de gestage beweging van de auto voor me.

'Zullen we hier keren?' zei ze. 'Je doet het erg goed – ik wist niet dat je zo voorzichtig rijdt.'

Ik zette de richtingaanwijzer aan om de ringweg af te gaan. Ik stopte voor een verkeerslicht en reed vervolgens door de stad terug. 'Goed,' zei ze toen we terug waren op de oprijlaan. 'Dan zal ik je nu de lift laten zien.'

HOOFDSTUK 37

'Je komt niet terug, hè?' zei Kilroy.

'Jawel.'

'Nee. Je weet het alleen nog niet.'

We telefoneerden weer met elkaar, een dag na mijn les met het busje. Ik zat in de keuken van mijn moeder en keek door het raam naar de rand van de veranda van Rooster en Joan, waar nu een rij aardewerken potten met irissen stond – strakke bundels van groene stelen. Mijn moeder was gaan lunchen met een vriendin.

Kilroy kuchte, en ik keerde me van het raam af. Ik wilde teruggaan, maar nu nog niet. Ik wilde bij hem zijn, maar ik wilde ook bevriend zijn met Mike: *er voor hem zijn*.

Ik wist dat als Kilroy bij me was, er niets aan de hand zou zijn. Hij zou me aankijken, zijn gezicht zou vertellen dat hij me kende en daarmee zou de kous af zijn. Hij zou een hand naar me uitsteken, de aderen prominent en kronkelig, en daarmee zou de kous af zijn. *Kilroy*. Natuurlijk ging ik terug.

'Oké, wanneer dan?' vroeg hij. 'Ik wil een datum.'

Er stortte iets zwaars door me heen. Er viel een stilte op de lijn.

'Het spijt me,' zei hij.

'Nee, het spijt mij.'

Hij lachte scherp.

'Wat is er?'

'Dat is je grote truc, hè?' Hij maakte zijn stem hoger om mij na te doen: '"Het spijt me."'

Mijn hart bonsde en deed me aan iets denken: het geluid van mijn eigen voetstappen terwijl ik op mijn New Yorkse laarsjes door een rustige straat in Madison liep. Bons, bons, bons. Sorry, sorry, sorry. Waar, waar, waar.

'Stel nu eens,' zei ik. Ik wikkelde het telefoonsnoer om mijn vinger en schoof het er weer vanaf. 'Ik bedoel, ik zeg niet dat het zo is, maar stel nu eens dat ik hier zou willen blijven? Er zijn hier ook uitzendbureaus. Je zou hierheen kunnen komen.'

'Nee, dat zou ik niet kunnen.'

'Waarom niet?'

'Omdat ik in New York woon,' zei hij op strakke, beheerste toon. 'Ik wil in New York wonen.'

'Liever dan je bij mij wilt zijn?'

'Is dat een ultimatum?'

'Heb jij mij er niet net een gesteld?'

We praatten nog wat langer, zonder resultaat. Daarna liep ik de trap op en ging op mijn bed liggen. Ik voelde me duizelig. Ik dacht aan zijn handen op mijn armen, hoe ze precies de goede afmetingen hadden voor mijn armen, om mijn armen te strelen. Hoe ze voelden op mijn maag, vooral als ze koud waren – die verrukkelijke kilte. Zijn handen op mijn benen. Zijn handen op mijn borsten. Ik legde mijn eigen handen op mijn borsten en ze voelden zacht en week, ze voelden naar niets. Als zakjes vlees. Wat buitengewoon, bedacht ik, dat iemand je kon aanraken en je zo tot iets kon laten worden.

Ik nam Mike mee uit lunchen. De ene dag sandwiches, de andere dag een pizza. In het busje was hij rustig, maar als we eenmaal zaten te eten werd hij levendig. Het was goed om het huis van de Mayers en hun buurt te verlaten. Toen hij op een dag tegenover me zat in een restaurant op Monroe Street keek hij langs zijn karbonade, die hij me eerder voor hem in stukken had laten snijden, en zei: 'Mike Mayer laat zich zijn lunch goed smaken.'

Ik glimlachte. 'Smaakt het Mike Mayer echt?'

'Ja, het smaakt hem.'

We praatten en aten, en de zaak liep leeg totdat ten slotte alleen wij en twee vrouwen in tenniskleding nog over waren. We zaten in het streperige zonlicht dat werd gefilterd door de takken van een boom vlak voor het raam. Vanuit de keuken hoorden we stemmen en het geluid van kletterende borden. Achter in de zaak zat onze ober aan een tafeltje een sandwich te eten.

Ik vertelde Mike het verhaal van Jamie en mij. Ik ging terug tot de avond in augustus waarop ik Lynn bij de Alley had gezien, en zei dat ik dat nooit aan Jamie had verteld.

'Jongejonge,' zei hij toe ik uitverteld was. 'Nou nou.'

'Ik weet het.'

'Ik zou dat niet hebben kunnen voorspellen, maar Jamie heeft het helemaal voor zich gehouden. Je zou toch hebben verwacht dat ze er tenminste op zou hebben gezinspeeld. Bill en zij kwamen gisteravond langs, en toen ik iets over jouw bezoek zei wekte zij de indruk dat tussen jullie alles goed zat.'

Mijn bezoek.

'Ik denk dat ze het als een privé-kwestie beschouwt,' zei ik.

'Dat is het ook,' zei hij. 'Maar evengoed.' Hij boog zich voorover voor een slok water. 'En wat gebeurt er nu tussen jullie?'

'Op dit moment niks. Toen ik pas terug was ging ik haar in Cobra Copy staan aankijken en dan negeerde ze me. Dat is vijf of zes keer gebeurd. De ene helft van me wilde alleen zoiets schreeuwen als: "Moet ik nu een radslag maken? Zeg me wat ik moet doen en dan doe ik het."'

Mike glimlachte. 'En de andere helft?'

Ik keek omlaag naar mijn papieren placemat en ging met mijn wijsvinger langs de bobbelige rand. 'De andere helft vond dat zij in haar recht stond.'

'Maar je weet toch dat dat krankzinnig is, niet?' zei hij. 'Ik bedoel, ja, misschien had je haar over Lynn moeten vertellen, maar het is absoluut jouw fout niet.'

'Voor een deel wel.' Ik staarde hem een ogenblik aan, kon het toen niet meer verdragen en wendde mijn blik af.

'Carrie,' zei hij. 'Jezus. Zulke rotdingen gebeuren nu eenmaal.'

'Misschien wel, ja.'

We zwegen. Hij zat daar in zijn leuke ruitjeshemd, dat ongetwijfeld door zijn moeder was gestreken. Er leken de nodige spanningen tussen zijn moeder en hem te bestaan. Toen we van huis waren gegaan had ze geroepen: 'Wanneer denk je terug te komen?', waarna ik hem zacht had horen grommen.

We deelden een koekje, verlieten het restaurant en gingen naar het busje. De middagzon voelde aangenaam op mijn gezicht, de zon en de lucht hadden iets schoons over zich. Het trottoir was leeg en ik bekeek in het voorbijgaan de etalages. In één etalage hing een linnen overgooier aan een rek, en ik bleef staan. Naast mij hield Mike ook stil. De jurk was mooi grijzig paars, met wat fijn haakwerk langs de bandjes.

'Die zou jou goed staan,' zei hij.

Ik keek op hem neer, en toen onze blikken elkaar ontmoetten kwam er een bezorgde trek op zijn gezicht. 'Had ik dat niet moeten zeggen?'

'Nee, het is prima.'

'Weet je dat zeker?'

Ik knikte.

Hoog boven ons weerklonk het geluid van een vliegtuig. Ik keek omhoog naar de witte lijn in zijn kielzog. Ik zag hoe hij uiteenviel en vervaagde, waarna hij al gauw zou worden geabsorbeerd door het diepe blauw van de lucht.

Mike drukte tegen de hefboom van zijn rolstoel en we zetten ons weer in beweging. 'Daar gaan we,' zei hij. 'Mike Mayer verovert Monroe Street.'

Kilroy en ik praatten. Twee keer per dag, om de dag, het maakte niet uit. Om samen te zijn moest je samen zijn, en onze gesprekken werden somber en naargeestig. 'Ik hou van je' was een begrip dat lichamelijke nabijheid vergde. Toen ik hem in het najaar over mijn leven in Madison had verteld was het net geweest of ik hem het ene kostbare voorwerp na het andere had overhandigd om het in veilige bewaring te stellen. Nu vertelde ik hem over mijn contact met Mike, en het was of ik die voorwerpen een voor een weer terugnam.

Hij had niet veel te melden. Op een avond vertelde hij me over

een aftandse hond die hij om elf uur 's avonds had zien rond-
zwerven bij een punt vlak bij West Street waar wegwerkzaamhe-
den werden verricht. De hond had drie poten. Hij schuifelde
voort. En toen viel hij plotseling om, dood.

Ik vroeg of hij nog naar McClanahan's was geweest en hij zei:
'Ja natuurlijk.'

Ik voelde me gespleten. Als ik met Mike samen was, dacht ik
aan Kilroy. En als ik Kilroy aan de telefoon had, dacht ik aan
Mike.

Zijn moeilijke tijd was het eind van de middag. Hij was dan
moe, zijn nek deed pijn en hij moest een poosje naar bed, waar
hij op zijn zij moest liggen om te voorkomen dat er doorligplekken ontstonden van het te lang in de rolstoel zitten. Hij kon
zichzelf met een speciale plank naar zijn bed overbrengen
– ongelofelijk langzaam ging hij dan omhoog, zijn schouders
zwaar belastend terwijl hij centimeter na centimeter vooruit-
kwam – maar op moeilijker dagen liet hij zich door zijn moeder
verplaatsen. Als ik toevallig aanwezig was keek ik toe hoe zij haar
benen stevig neerzette en aan de slag ging, stil en geconcentreerd, haar gezicht getekend door de inspanning.

Op een late namiddag zaten hij en ik samen in zijn kamer,
rond de tijd waarop hij meestal ging liggen. Ik wist dat hij doodop was: ik was met hem gaan lunchen en had hem daarna meegenomen naar het winkelcentrum om nieuwe shirts te kopen.
Zijn gezicht zag bleek onder de lichte verbranding die de zon op
zijn jukbeenderen had veroorzaakt.

'Moe?' vroeg ik.

'Hoe kom je daar nu bij?' Hij glimlachte, en ik bedacht wat een
lieve lach hij had, spontaan, breed en goedgeluimd. Bij de lunch
had hij heel wat geglimlacht, toen hij me een lang verhaal had
verteld over een grap die Harvey en hij met een van de verplegers hadden uitgehaald, een vent die de bijnaam Bags had gekregen.

'Kan ik je in bed leggen?' vroeg ik. Ik was van plan geweest het te vragen, al had ik nog niet besloten het vandaag te doen. 'Ik denk dat ik weet hoe het moet.'

'Denken is niet genoeg,' zei hij. 'Geloof me.'

'Wat is niet genoeg?'

Ik draaide me om, en daar was mevrouw Mayer, die een kijkje bij ons kwam nemen. Ze deed dat vaak: ze stak haar hoofd naar binnen om te vragen of hij iets nodig had of kwam langs om hem eraan te herinneren dat hij wat water moest drinken. Het was zoals vroeger, toen ze smoezen verzon om vast te kunnen stellen dat we niet lagen te vrijen.

'Mij in bed leggen,' zei Mike. 'Carrie heeft aangeboden dat te doen.'

'Dat is niet mogelijk,' riep mevrouw Mayer uit. 'Geen sprake van.' Ze keek me aan met haar mond samengetrokken tot een dun streepje. 'Het is heel ingewikkeld. Als je een seconde je greep op hem verliest...'

'Zij zal haar greep op mij niet verliezen,' zei hij en draaide met zijn ogen. 'Ze zal natuurlijk heel voorzichtig zijn.'

'Mensen moeten erop worden getraind,' zei ze. 'Het is een kwestie van training.'

'Train haar dan,' snauwde hij. 'Of beter, waarom gaan jullie hier niet allebei weg, dan doe ik het zelf.'

Mevrouw Mayer sloeg haar handen ineen en bracht ze naar haar borst. Ze hield ze voor haar bloemetjesblouse alsof ze een klein, gewond diertje vasthad. 'O Mike,' zei ze. 'O schattebout.' Haar ogen waren groot, en ik dacht dat ze zou gaan huilen. Ik kon niet naar Mike kijken, maar ik voelde hoe hij naast me in zijn stoel zat, terwijl de woede zich opzamelde in zijn nutteloze lichaam.

Toen was het voorbij. Mevrouw Mayer liep de kamer binnen en zei: 'Goed, laten we haar trainen. Carrie, je zult zien, een betere fitnesstraining is er niet.'

Het was moeilijker dan het leek. Er was meer kracht voor nodig dan ik dacht te bezitten – ik kon niet bevatten hoe zij het deed. Ik ging voor de rolstoel staan en wurmde mijn handen onder zijn armen en om zijn rug, waar ik ze ineensloeg. Voorovergebogen voelde ik zijn oor tegen mijn gezicht en rook ik zijn zeep, zijn scheercrème en de muskusachtige, intieme geur van zijn lichaam. Ik trok hem omhoog, stukje bij moeizaam beetje, totdat we allebei min of meer rechtop stonden. De last van zijn lichaam was enorm. Ik wist dat ik hem om moest draaien, maar ik was doodsbang om me te bewegen, doodsbang dat hij me om zou gooien – mijn armen trilden. Uiteindelijk deed ik het gewoon, ik draaide ons om totdat het bed achter hem kwam, in een dans van dood gewicht. Ik liet hem zakken, en achter me slaakte mevrouw Mayer een overdreven zucht. Ik stond te hijgen en liet vervolgens zijn bovenlichaam neer. Onze blikken ontmoetten elkaar toen zijn hoofd het kussen raakte. Ten slotte tilde ik zijn benen op en streek de stof van zijn broek glad zodat hij niet op plooien zou hoeven te liggen.

'Nou,' zei mevrouw Mayer achter me. 'Nou.' Ze sloeg haar handen tegen elkaar alsof ze ze schoon wilde vegen. 'Zorg ervoor dat er volop steun voor zijn hoofd is.'

Mike en ik keken elkaar aan. Na een geladen ogenblik begonnen we allebei te lachen. 'Dank je,' zei hij.

'Graag gedaan.'

Drie keer in de week kreeg hij fysiotherapie. Ik bracht hem er op een dag naartoe en keek vanuit een stoel bij het raam toe hoe een oudere vrouw met een gedrongen, gespierd lichaam zijn ledematen aan een reeks bewegingsoefeningen onderwierp. Mike lag op een mat terwijl zijn armen en benen ronddraaiden, bogen en strekten, naar voren, naar opzij, naar voren en weer naar opzij. Ik stond op en keek uit het raam. Lake Mendota was een blauw mozaïek achter een verre groep bomen. Ik had het meer sinds mijn terugkeer nog niet echt gezien, niet van dichtbij, en niet vanuit stilstand. Nu, terwijl ik er vanuit de verte stukjes van bekeek, verlangde ik ernaar er zo dichtbij te kunnen zijn dat ik de wind zou kunnen voelen en zou kunnen zien hoe de lucht brak in het gerimpelde, blauwzwarte wateroppervlak. Buiten mijn zicht maar dicht bij lag Picnic Point, en ik dacht aan de lange wandeling daar, hoe je onder het lopen het meer dicht bij je voelde, het water dat klotste vlak achter de bomen.

Toen Mike klaar was zochten we Harvey op, in een kamer die wat verder van de hal lag dan Mikes oude kamer. Terwijl we door de vertrouwde gang liepen voelde ik weifelingen en aarzelingen, en ik bleef een paar passen achter Mike, zodat hij mijn gezicht niet zou kunnen zien.

Harvey lag in het achterste bed. Hij was een man met donker haar en een staalgrijze baard, een volle, onverzorgde baard als van een bergbeklimmer. Hij had heldere ogen en een vlotte lach, en hij begroette me bij mijn naam voordat Mike ons aan elkaar kon voorstellen. 'Dus eindelijk heb je haar meegebracht?'

'Het was haar idee,' grapte Mike. 'Van mij hoefden jullie elkaar niet te leren kennen.'

Ik nam plaats op een met vinyl beklede stoel bij de muur en luisterde naar hun gesprek. Van tijd tot wierp ik een heimelijke blik op de man in het andere bed, die een dikke slang aan zijn keel had. Hij droeg een halo en had zich niet naar mij toe kunnen keren als hij dat had gewild.

Er kwam een vrouw van ongeveer dezelfde leeftijd als mijn moeder binnen. Ze was lang en atletisch, droeg een spijkerbroek en oude sportschoenen en had haar haar in een nonchalant paardenstaartje. Ze keek eens extra goed naar mij, en boog zich toen voorover om Harvey en vervolgens Mike op hun wangen te kussen. 'Hallo jij,' zei ze, 'en hallo jij. En is dat Carrie?'

'Dat is ze,' zei Mike. Een moment was de sfeer gespannen, waarna hij verder ging: 'Carrie, dit is Maggie, Harveys vrouw.'

Maggie lachte me kiltjes toe. 'Nou,' zei ze. 'Dag.'

Ze sleepte een extra stoel aan en ging dicht bij Harvey zitten, waarbij ze een luide, voelt-dat-even-lekkerzucht slaakte, alsof ze wilde zeggen dat zij zich hier in elk geval perfect op haar gemak voelde. 'Het voer is in aantocht, schat,' zei ze. 'Moet ik de deur op slot doen?'

'Laat het daar alleen niet bij – waarom gooi je geen kleine atoombom op de keuken?'

Ze glimlachte en tastte in een zak die ze had meegenomen. Ze haalde er een met folie bedekte vuurvaste schaal uit. 'Geroerbakte groente met rijst, klinkt dat je goed in de oren?'

Harvey wierp haar een gespeelde ontstemde blik toe. 'Geen milkshake?'

Maggie wendde zich tot Mike. 'Is dat nou dankbaarheid? Moet die kerel me niet een beetje dankbaar zijn?'

Mike wierp me een ongemakkelijke blik toe. Ik kon zien dat hij wilde dat ze niet was gekomen – dat hij haar wel mocht maar haar niet vertrouwde. Ik vroeg me af hoe hij met haar over mij had gesproken, of zij misschien degeen was tegenover wie hij zich had beklaagd: een andere vrouw, onverzettelijk. 'Ja Harv,' zei Mike. 'Jij weet wel wanneer je iets lekkers krijgt.'

Harvey lachte. 'Geroerbakte groente met rijst klinkt heerlijk,' zei hij. 'Echt heerlijk.'

Maggie trok de folie van de schaal en zette hem op Harveys draaibare tafeltje. Ze haalde een vork uit de zak, spietste er een stuk courgette op en hield het bij Harveys mond. 'We letten nu goed op zuivel en citrusvruchten,' zei ze tegen Mike. 'Ter preventie, snap je.'

Mike keek mij verontschuldigend aan. 'Ter preventie van infecties aan de urinewegen,' zei hij.

'O, sorry,' zei Maggie. 'Ik ging ervan uit dat je dat wel wist.' Ze legde wat rijst op de vork en bood het Harvey aan. Zijn letsel zat hoger dan dat van Mike, herinnerde ik me. Geen biceps, dus hij kon niet zelf eten.

Een half uur later vertrokken we, richting lift, waarna we zwijgend afdaalden. Buiten bleef ik staan op een pleintje voor de ingang om in mijn tasje naar de sleutels van het busje te tasten. Het was druk op de parkeerplaats, maar wij stonden helemaal vooraan, op een plekje voor invaliden.

'Het kwam niet alleen door jou,' zei Mike.

Toen ik me omdraaide keek hij me recht aan, zijn grijze ogen samengeknepen tegen de zon. 'Ik hoopte enigszins dat dat zo was.'

'Mensen voelen zich meer op hun gemak als anderen voldoen aan hun waarden. Het bevestigt min of meer de manier waarop ze leven.' Hij keek me schaapachtig aan. 'Met dank aan Dave King,' voegde hij eraan toe.

Ik hielp hem het busje in en klom achter het stuur, maar ik startte de auto nog niet. Ik bedacht dat ik dolgraag met mijn vingers in Maggies neus zou willen knijpen om hem vervolgens krachtig om te draaien. En dat ik mevrouw Mayer zou willen zeggen dat ze eens moest ophouden met haar flauwekul. *Hier ben ik*, wilde ik zeggen. *Ik ben nu hier, goed?* Naast het busje bevond zich een zee van auto's, daarachter een universiteit, dan een meer, een stad – en dan een vlak stuk land, vruchtbaar en eindeloos. Stel je voor dat ik nooit meer door 14th Street zou lopen, met zijn bodegageurtjes en mensenmenigtes waar je je een weg omheen moest banen. Stel je voor dat ik nooit meer wakker zou worden door het gekrijs van een stuk of vijf sirenes op Seventh Avenue. Stel je voor dat ik nooit meer door SoHo zou kunnen dwalen, terwijl ik me voorstelde dat ik een bepaalde rok, een bepaald jasje en bepaalde schoenen aan zou hebben, zodat ik veranderde in iemand die ik me niet eens kon indenken.

Stel je voor dat ik Kilroy nooit meer zou zien.

Ik draaide me om en keek naar Mike. Hij keek afwezig uit het raampje, moe van de fysiotherapie, van het uitputtende gepieker over wat er met mij aan de hand was en wanneer ik weer wegging. Zijn schouders waren knokig en hoekig in zijn poloshirt. De spieren die hij nog kon gebruiken waren overbelast en pezig. Hij keek op. 'Wat is er?' vroeg hij. 'Waar denk je aan?'

'Dat niets wat ik nu doe genoeg is.' Mijn gezicht gloeide hevig, en ik wendde mijn blik af. Een rij vogels zat op de boog van een straatlantaarn, ongelijke zwarte bulten als knopen langs de schouder van een jurk.

'Dat is zo,' zei hij.

Ik draaide me om, om te zien hoe hij eruitzag: kwaad of geërgerd of wat dan ook, maar zijn uitdrukking was zacht. Zacht als room, zacht als melk, zacht als Wisconsin.

HOOFDSTUK 38

Er spatte water in de pan die ik afwaste, een braadpan waarin ik de courgette en ui had gesauteerd die ik had geserveerd bij gegrilde lamskoteletten. Ik deed er een streepje afwasmiddel bij en ging met een geel met rood pannensponsje over de bodem. Mijn moeder had onze borden al in de afwasmachine gezet. Ik had haar overreed om die te gebruiken, en nu bewoog ze zich achter me door de keuken, bezig onze placemats op te ruimen en de tafel schoon te vegen. De gezamenlijke avonden in de keuken, of we nu praatten of niet – ze hadden iets voorlopigs, iets onaangenaams over zich.

De telefoon ging, en ze liep naar de muur om hem op te nemen.

'Carrie,' zei ze, en stak de hoorn uit. Haar gezicht stond vragend, en mijn polsslag versnelde. Kon het Kilroy zijn? Ik belde hem, hij mij niet. Ik gebruikte daarbij mijn belkaart, zodat de bedragen niet op de telefoonrekening van mijn moeder zouden belanden. Terwijl ik mijn handen afdroogde ging er een golf van schuldgevoel door me heen omdat ik haar niet over hem had verteld. Waarom zou ik mijn moeder niet over Kilroy vertellen?

Ik nam de hoorn van haar aan en zei hallo.

'Luister eens, juffie, je bent al te lang vermist – ik wil een verklaring horen.'

Het was Simon, en ik ontspande. Ik draaide me om zodat ik tegen mijn moeder 'het is Simon' kon mompelen, maar tactvol had ze de ruimte al verlaten.

'En?' zei hij. 'Ik ben een en al oor. Wat is er gaande?'

Ik vertelde hem het een en ander – dat Jamie me niet wilde vergeven en dat ik geregeld bij Mike was en niet kon vertrekken.

'Nog niet,' zei hij. 'Je bent het "nog" vergeten.'

'Ik weet het niet zeker.'

Er viel een lange stilte, en toen zei hij: 'Carrie, ben je wel echt?'

'Ik weet niet wat ik ben.'

'God.'

Ik trok het telefoonsnoer uit naar de tafel en ging zitten. Simon en het oude herenhuis en de kamer die eindelijk van mij was: ik wilde hem nog steeds schilderen. Ik wilde een tapijt en een lamp kopen. Ik wilde een bestaan in New York. Ik wilde bij Kilroy zijn.

'Ik zie het al helemaal voor me,' zei Simon. 'Ik zal je één keer per jaar zien als ik naar Madison kom om mijn ouders op te zoeken. Je zult je haar platinakleurig laten blonderen en op een dag zal ik me realiseren dat je spullen hebt gekocht bij een magazijnverkoop.'

'Wat gemeen.'

'Beloof me dan dat je terugkomt.'

Ik raakte mijn wang aan, mijn vingertoppen waren verrassend koel. Ik kon niets bedenken om te zeggen.

'Carrie als in *carry*,' zei hij. 'Ik had het bij het rechte eind op die noodlottige dag in James Madison Park, alleen denk ik dat je iets anders dan een kano zult torsen.'

'Simon,' zei ik. 'Zo zit het niet.'

'Hoe zit het dan?'

Ik stond op en liep door de keuken naar het raam. Het was schemerig, de lucht was troebel violet. Ik zag een verlicht raam op de bovenverdieping van het huis van Rooster en Joan. Als ik haar voor het huis tegenkwam deed ze altijd haar best om me meer dan alleen gedag te zeggen. *Ik heb wat waterkerszaad over, ik wil graag weten wat je van deze positiejurk vindt, heb je soms zin om een glaasje limonade te komen drinken?* Als ik dat wilde kon ze een vriendin van me worden.

'Ander onderwerp,' zei ik tegen Simon. 'Vertel me eens iets leuks.'

'Dat is een flinke opgave.'

'Je bent ook een flinke jongen.'

Hij zweeg even. 'Oké, dit dan. Herinner je je Benjamin, mijn ex, nog? Hij is waanzinnig verliefd op een danseres.'

'O Simon, dat valt niet mee.'

'Een blonde danseres. Een blonde danseres uit Denemarken. Ik denk dan: als dit is wat je altijd al gewild hebt, wat heb je dan verdomme ooit met mij uitgespookt?'

'Dit hoeft niet te zijn wat hij altijd al wilde. Misschien weet hij het echt niet en probeert hij daarom een paar extreme dingen uit.'

'Dat is lief van je,' zei hij. Hij zweeg even, en toen ging hij verder: 'Ik mis je heel erg.'

Ik antwoordde niet, en hij schreeuwde: 'Denk je soms dat ik het niet meen? Ik *mis je heel erg*. Je bent heel belangrijk in mijn leven.'

Ik had sinds mijn vertrek nauwelijks meer aan hem gedacht en voelde me verschrikkelijk. Wat was er mis met me? Wat voor een vriendin was ik? 'Het spijt me,' zei ik, en vervolgens dacht ik *sorry, sorry, sorry* en voelde me nog ellendiger.

Er viel een ongemakkelijke stilte, waarna hij zei: 'En ik ben niet de enige, weet je – Lane zei gisteren nog dat ze zo graag wou dat je terug zou komen.'

'Hoe is het met haar?'

'Niet zo goed,' zei hij. 'Sinds de dood van juffrouw Wolf is ze…'

'Is juffrouw Wolf dood?' vroeg ik. 'O God, wanneer is dat gebeurd?'

'Wist je dat niet? Het moet vlak na jouw vertrek zijn gebeurd, want het is alweer even geleden, een maand misschien.' Hij zweeg even. 'Ze kreeg een hartaanval. Drie dagen ziekenhuis en toen was het gebeurd.'

'Wat afschuwelijk,' zei ik. 'Lane moet er helemaal van ondersteboven zijn. Was ze bij haar toen het gebeurde?'

'Ze was net weg. Toen ze thuiskwam stond er een boodschap van een verpleegster op het antwoordapparaat.'

Ik schudde mijn hoofd. Ik herinnerde me hoe bezorgd Lane

was geweest toen juffrouw Wolf verkouden was. Hoe ze vlak achter haar met opgeheven handen de trap van het Plaza was opgelopen, klaar om in te grijpen als juffrouw Wolf zou struikelen. 'Is ze thuis?' vroeg ik. 'Kan ik haar spreken?'

'Als je eerst belooft dat je terugkomt.'

'Simon.'

'Goed,' zei hij, 'maar we gaan het hier nog eens over hebben. Blijf aan de lijn.'

De telefoon kwam op iets hards terecht, en terwijl ik stond te wachten hoorde ik mijn moeder boven rondlopen. Voetstappen door haar slaapkamer, het zwakke geknerp van haar kastdeur. Over een minuut zou het water in haar badkamer gaan lopen. Ik werd opeens overweldigd door het besef dat ze deze geluiden maakte ongeacht of er iemand aanwezig was die ze kon horen.

Lane kwam aan de telefoon, haar stem was zwak en een beetje mat. Ze vertelde me over de dood van juffrouw Wolf, hoe ze drie dagen lang had zitten wachten of juffrouw Wolf het nog zou redden. *Ik weet hoe het is*, wilde ik zeggen, maar natuurlijk deed ik dat niet. Ik wist hoe het was om af te wachten of Mike het zou redden, maar het was volkomen anders geweest voor Lane, een dochter- of kleindochterfiguur die op haar eentje had zitten afwachten.

Ze liep met haar ziel onder haar arm en probeerde te besluiten wat ze nu moest gaan doen. 'Kom mij eens opzoeken,' zei ik, en tot mijn verbazing stemde ze toe, de volgende week.

De volgende middag hoorde ik dat Mike was opgehouden met zijn computerwerk. Hij was het zat om te moeten doen alsof het meer was dan iets om zich nuttig te voelen. 'Ik ben niet nuttig,' zei hij. 'En gegevens verzamelen voor godvergeten statistieken over levensverwachtingen verandert daar niks aan, en ook niet aan mijn gevoel over mezelf.'

We zaten samen in het busje, op weg naar huis van een tweede bezoek aan Harvey. We kwamen langs een autowasserij waar

Mike 's zomers in zijn highschooltijd eens had gewerkt. Een rij blauwe en gele vaantjes wapperde er in de wind. Ik had vlak om de hoek een baantje gehad, bij een drugstore die later gesloten was, en ik herinnerde me hoe ik na mijn werk naar de autowasserij was gelopen en had toegekeken hoe hij auto's uit de wasstraat had gereden en ze vervolgens had drooggemaakt, waarbij hij met zijn beide handen blauwe lappen rondwreef.

Ik keek naar hem, vastgegespt in zijn rolstoel. Zijn ooghoeken hingen af. Zelfs zijn snor hing vandaag, als omlijsting van zijn ongelukkig vertrokken mond.

'Hoe reageerde je vader erop?' vroeg ik.

'Hij was teleurgesteld. Nou ja, misschien niet teleurgesteld. Hij wil alleen…'

'Dat jij gelukkig bent?'

'Ik denk dat hij met iets minder al genoegen zou nemen.'

We reden zwijgend verder. Het was een heldere, groene dag, de schaduwbomen vlochten zich ineen voor de zomer die in het verschiet lag. De seringen bloeiden, in welig paars en satijngroen. Overal hing hun zware, bedwelmende geur.

'Maar mijn moeder,' zei hij, 'was er juist helemaal voor. "Waarom zou je je tijd doorbrengen met iets wat je haat als je het geld niet nodig hebt, schat?" Zij zou volmaakt tevreden zijn als ik zo was als die Tom.'

'Mike, dat is niet waar.' Tom was Harveys kamergenoot, die een hoge dwarslaesie had en nooit meer zonder beademingsapparaat zou kunnen ademen.

'Je weet wel wat ik bedoel.'

Dat wist ik: mevrouw Mayer wilde dat Mike zich steeds op haar kon verlaten. Ze besefte niet altijd hoe moeilijk dat voor hem was.

'Hij is een hoofd op een kussen,' flapte Mike eruit. 'Als ik er zo aan toe was, was ik liever dood.'

Ik remde en draaide me naar hem om. 'Mike.'

'Echt waar.' Hij keek me uitdagend aan, en in een eerste impuls

461

wilde ik mijn blik afwenden en eroverheen stappen, zand erover. *Dat heb je niet gezegd.* Maar hij had het wel gezegd.

'Ga je…' Ik aarzelde. 'Ga je me nog meer vertellen?' Onmiddellijk voelde ik hoe mijn gezicht helemaal warm werd. *Vertel me eens:* Kilroys formulering. Wat zou Mike zeggen? Hoe zou ik reageren? Ik was nerveus, maar dwong mezelf te wachten en de stilte niet met woorden op te vullen. Na een poosje zuchtte hij en stak van wal.

'Ik heb ergens gelezen dat je na zoiets als dit je hele leven blijft zoeken naar hetzij een verklaring, hetzij een remedie. Maar weet je wat het is? Er is geen verklaring en er is geen remedie. *Ze zijn er gewoon niet.* Ik ben een paar keer naar een kerk geweest, en het was idioot, het was alsof al die lui niets liever wilden dan dat ik zou besluiten dat God een plan met me had. Maar waarom zou dat verschil maken? Ik denk dat ik niet meer echt in God geloof ongeveer vanaf het moment dat ik niet meer in de kerstman geloof. Dat ik door mijn nek te breken weer gelovig zou moeten worden – wat is er in 's hemelsnaam zo troostrijk aan die gedachte? Zelfs als je maar half bij je verstand was zou dat je toch behoorlijk nijdig maken.' Hij schudde zijn hoofd. 'Volgens Dave King is het misschien het moeilijkst van alles om met gedachten aan zelfmoord te moeten leven, om ze te moeten accepteren als onderdeel van het geheel.' Hij staarde me aan. 'Breng je me nou nog thuis, of niet?'

Ik haalde mijn voet van de rem en reed de resterende afstand naar de Mayers. Bij de oprijlaan reed ik langzaam de bult op en stopte voor de garage. Ik zette de motor af. Mijn hart bonsde. Ik vroeg: 'Denk je vaak aan zelfmoord?'

Hij keek me aan en wendde zijn blik af. 'Ik dacht er vaak aan. Ik bedoel, ik denk er nog steeds aan, maar niet zo vaak meer.'

'Dat moet…' Ik zocht naar woorden. 'Dat moet zwaar zijn.'

Hij zuchtte. 'Het is vreselijk vermoeiend. Je ziet die beelden voor je en je wordt erdoor aangezogen, terwijl je er tegelijkertijd zo ver mogelijk bij vandaan probeert te blijven.'

'Mike,' zei ik zachtjes. 'God.'

Hij wendde zijn blik af. Na een poosje zei hij: 'Ik ben klaar om naar binnen te gaan.' Ik stapte uit het busje, liep naar de andere kant en wachtte terwijl de lift hem omlaag bracht. Achter hem aan liep ik de helling op. Zijn rolstoel zoemde. Bovenaan bleven we staan. 'Wil je nog even hier buiten zitten?' vroeg ik. 'Wil je misschien iets drinken?'

'Nee, dank je.'

We zwegen allebei. Ik leunde tegen de balustrade. Mevrouw Mayer was in de keuken. Door de schone ramen was haar bewegende vorm net zichtbaar.

'Mike Mayer heeft een sombere bui,' zei hij, en hij keek mij aan en glimlachte een beetje. 'Hij zit in zijn rolstoel en kijkt uit over het gazon in de achtertuin.'

De avond voordat Lane zou komen nam ik telefonisch met haar mijn klerenkast en mijn muurkast door, en vertelde wat ik wilde hebben – dat shirt, die rok, die broek. Toen ze vroeg of Kilroy wist dat ik haar vroeg zo veel van mijn spullen mee te brengen, zei ik dat dat niet zo was. Hij wist zelfs niet eens dat ze kwam. Ik had hem al in geen week meer gesproken. Er viel niets te zeggen voordat duidelijk was wat ik zou gaan doen. Toen ik Lane de volgende dag op het vliegveld zag, met een kleine schoudertas met haar eigen spullen en een reusachtige plunjezak met mijn spullen, leek het opeens zo voor de hand te liggen wat ik moest doen dat ik dacht: *goed dan*. Acht maanden eerder was ik abrupt uit Madison vertrokken, in een opwelling, zij het een die al lang in aantocht was geweest. Nu, de afgelopen weken, was ik heen en weer geslingerd tussen hier blijven en teruggaan – zonder er al te veel aan te denken, omdat denken me niet zo goed bij mijn keuze kon helpen als zien: het zien van mijn kleren, hier. Mijn leven, hier. Was dit het?

Lane en ik grijnsden elkaar toe, eventjes onwennig, en daarna omhelsden we elkaar stevig. Ze droeg een katoenen broek en een effen wit T-shirt, als een jongetje dat naar een zomerkamp ging.

'Goed om je te zien!'

Ik boog me voorover, tilde de plunjezak op en sloeg de lange band over mijn schouder. Ik zette me in beweging richting parkeerplaats, maar zij volgde me niet.

'Carrie.'

Ik draaide me om.

'Ik moet je iets zeggen.'

'Wat dan?'

Ze bracht twee vingers naar haar mond en blies er tegen. 'Juffrouw Wolf heeft mij haar brieven nagelaten.' Ze haalde haar hand weg, en ik kon zien dat ze op de binnenkant van haar onderlip beet. 'Ik heb het nog aan niemand in New York verteld.'

Ik zette de plunjezak neer. 'Wat bedoel je, dat ze je haar brieven heeft nagelaten?'

'Om ze te laten uitgeven,' zei ze. 'In een boek. De brieven die ze van anderen heeft gekregen en kopieën van een heleboel brieven die ze zelf heeft verstuurd.'

Nu begreep ik het, en ik begreep wat het allemaal met zich meebracht. Simon had me ooit verteld dat juffrouw Wolf een centrale figuur in het artistieke milieu was geweest – in verschillende milieus. Hoe had hij het ook alweer gezegd? Ze kende iedereen van Lionel Trilling tot Grace Kelly.

'Ga je het doen?' vroeg ik Lane.

Ze schudde langzaam haar hoofd. 'Ik heb nog geen beslissing genomen. Het is verleidelijk, en als ik het niet doe worden ze waarschijnlijk verbrand. Maar het is niet eerlijk om mij met die beslissing op te zadelen!' riep ze. 'Ik moet gaan bepalen hoe er van nu af over haar wordt gedacht! Als ik het niet doe is ze Monique Wolf, weet je nog, die schrijfster van wanneer was het ook alweer. Als ik het wel doe zou ze weleens de sensatie van de maand of het jaar kunnen worden, en dan zou ze voor de wereld in een heel ander perspectief komen te staan. Ze zou literair uiteindelijk heel wat kunnen betekenen.'

'Ik snap wat je bedoelt,' zei ik. 'En dat geldt dan ook voor jou.'

Lanes bleke gezicht vulde zich met kleur, en ze keek omlaag. 'Dat weet ik.' Met de neus van haar zwarte basketbalschoen trok ze achtereenvolgens een serie korte streepjes over de grond. 'Weet je wat het is,' zei ze, opkijkend. 'Ik weet niet of ik zo diep in haar leven wil wroeten. Ik weet niet of ik haar zo goed wil leren kennen.'

'Je hebt haar heel goed gekend.'

'Ik kende haar tot op een bepaald punt. Wil ik dat dat anders gaat worden?' Opeens vloeiden er tranen uit haar ogen, smalle stroompjes liepen langs haar wangen. Ze trok de hals van haar T-shirt omhoog om haar gezicht droog te vegen. 'Is dat niet stom?' snikte ze. 'Ik blijf maar huilen.'

'Het is niet stom, het is normaal.'

'Ik ben een wrak,' zei ze. 'Je moeder denkt vast dat ik een totale mafketel ben.'

Ik schudde mijn hoofd en sloeg mijn arm om haar heen. Haar schouder voelde knokig onder mijn hand. 'Nee, dat zal ze niet denken,' zei ik. 'En als ze het wel denkt zul je heel vertrouwd voor haar zijn.'

Mijn moeder kon het juist meteen goed met Lane vinden. We deden die avond bijna twee uur over het eten, al gauw vier keer zo lang als mijn moeder en ik gemiddeld aan tafel zaten. Mijn moeder maakte de indruk in Lane geïnteresseerd te zijn, alsof ze iets wilde proberen te begrijpen: mij misschien wel.

Lane vond haar geweldig. 'Ze houdt zich zo op de achtergrond dat je eerst denkt dat er niet veel in haar omgaat, en dan, pats, komt ze met ongelofelijk slimme antwoorden op de proppen.' Ze had het over een opmerking van mijn moeder over de dood van juffrouw Wolf: dat de schrijfster in Lane net zo veel moest rouwen om de schrijfster in juffrouw Wolf als de gezelschapsdame moest rouwen om haar werkgeefster. 'En als de lesbienne moet rouwen om de lesbienne,' zei Lane, waarop mijn moeder een nieuwsgierige blik op mij sloeg.

Later ging ze naar boven terwijl Lane en ik in de keuken thee bleven drinken. Lane vroeg naar Kilroy, en ik vertelde haar hoe onze interlokale telefoongesprekken onmogelijk waren geworden en hoe verscheurd ik me had gevoeld. En vervolgens vertelde ik verder: hoe ik in maart zijn ouders had ontmoet en in wat voor bedrukte stemming hij na dat bezoek was geraakt.

'Het lijkt er niet eens op dat hij niet op ze gesteld is,' zei ik. 'Het lijkt erop of hij het niet kan.'

'Weet je,' zei Lane, 'ik heb je dat eerder niet willen vertellen, maar weet je nog dat Maura het gevoel had of ze hem ergens van herkende?'

Ik herinnerde me Thanksgiving en de nieuwsgierige blikken van Maura. Ik knikte.

'Ze realiseerde zich waarvan. Hij heet toch Fraser, hè? Een van de grote figuren op Wall Street – een van de hele grote figuren – is een zekere Morton Fraser. Heet zijn vader zo?'

Zo heette hij inderdaad. Ik dacht aan onze tocht naar het Empire State Building laat op de avond van Thanksgiving en hoe hij, toen we onze blikken richting Wall Street hadden gekeerd, niet helemaal terloops had gevraagd: *wat doet Maura?* Alsof hij, zo begreep ik nu, vreesde dat zij het verband had gelegd – of zou leggen. Maar waarom kon dat hem wat schelen?

Ik vertelde Lane over het briefje dat ik had gelezen: *jij moet de datum evenzeer in je hoofd hebben als wij.* 'Wat zou dat kunnen betekenen?' vroeg ik. 'De herdenking van iets vreselijks, neem ik aan.'

Ze staarde me aan. 'Waarom vraag je het hem niet gewoon?'

Ik sloeg mijn vingers in elkaar en draaide mijn verlovingsring om en toen weer terug. Ik had Mike er een paar dagen eerder op betrapt dat hij ernaar staarde. Toen hij zag dat ik het had opgemerkt, wendde hij vlug zijn blik af.

'Dat kan ik niet,' zei ik.

'Vanwege wiens regels niet?'

'De zijne.'

'Waarom houd je je aan zijn regels?'

Ik dacht aan de avond bij McClanahan's toen ik hem over andere vrouwen had gevraagd. Aan de dag in het MOMA toen ik had gevraagd aan wie ik hem deed denken. Aan zo veel andere keren. 'Weet je,' zei ik. 'Ik hield me er niet helemaal aan. Het was meer zo dat er regels waren die ik dan brak, en dan gaf het niet.'

Lane keek me behoedzaam aan. 'Je spreekt in de verleden tijd.'

Ik dacht aan het ogenblik eerder op die dag, op het vliegveld, toen ik mijn plunjezak had gezien. Vervolgens dacht ik aan Kilroy, alleen in New York – aan zijn tengere gestalte die om een hoek verdween, door niemand opgemerkt – en mijn ingewanden trokken zich samen. Ik werd nog steeds heen en weer geslingerd, al stelde ik me voor dat er een moment zou aanbreken waarop dat zou veranderen: waarop ik niet langer heen en weer zou worden geslingerd tussen keuzes, maar tussen herinnering en spijt, en dan weer terug.

We sliepen de volgende ochtend lang uit, Lane op de vloer van mijn slaapkamer in een slaapzak die tenminste tien jaar niet was gebruikt. De inhoud van de plunjezak lag in stapels op mijn bureau, en na mijn douche haalde ik er een broek en een shirt vanaf en trok ze aan, opgewonden dat ik weer iets nieuws kon aandoen.

Met lunchtijd nam ik haar mee naar Mike. Ik was zenuwachtig, al wist ik niet van wie van hen beiden ik hoopte dat hij indruk op de ander zou maken. Goedbeschouwd ging het daar niet om: ik was zenuwachtig of ik in aanwezigheid van hen beiden een en dezelfde persoon kon zijn.

We leenden het busje en reden naar James Madison Park. Lake Mendota glansde in de zon, aquamarijn met witte schuimtopjes op de kleine golfjes. Zeilboten vlogen vooruit op een licht windje. Eindelijk het meer, die grote blauwe plas. Ik haalde diep adem, alsof ik het meer in kon ademen en de hele blauwe lucht erbij.

We namen plaats aan een picknicktafel en aten sandwiches die ik had klaargemaakt – het was dezelfde tafel waarop ik bijna een jaar geleden met Jamie had gestaan om naar de Paddle 'n' Portage te kijken.

'Dit is echt prachtig,' zei Lane.

'Madison op zijn best,' zei Mike. 'Precies op dit moment in mei.'

Lane glimlachte. 'Het leven, Londen, dit moment in juni.'

'Hè?' zei hij grijnzend.

'Virginia Woolf. Juffrouw Wolf was dol op haar.'

Ze had hem eerder wat over juffrouw Wolf verteld, en hij

knikte. 'Nou, daar zit wat in,' zei hij na een poosje. 'Woolf en Wolf.'

Ik was bang dat ze om hem zou lachen – of, erger nog, juist niet –, maar ze glimlachte en zei: 'Dat denk ik nu ook altijd.'

We aten onze sandwiches. Ik had een thermosfles ijsthee en Mikes speciale beker meegenomen, en vanaf zijn plaats aan het uiteinde van de tafel boog hij zich naar voren en dronk. Er kwam een jongen met blonde dreadlocks voorbij die het peaceteken naar ons maakte, en Mike en Lane wisselden een geamuseerde blik uit.

'Dus jij bent opgegroeid in Connecticut?' vroeg hij. 'Was je zo'n zeilmeisje – zomers in de jachthaven en zo?'

Lane schudde haar hoofd. 'In mijn deel van Connecticut is bijna geen water. Bovendien heb ik altijd de pest aan dat gedoe gehad. Op mijn tiende besloot mijn moeder dat ik eens uit mijn isolement moest komen, en dus stuurde ze me naar een zeilkamp in Maine waar ik twee weken op mijn stapelbed jongensboeken heb liggen lezen.'

Mike glimlachte. 'Geen meisjesboeken?'

'Daar werd ik misselijk van. En van al die pony's.'

Alledrie lachten we. Ik beet in een stukje wortel en kauwde er opgewekt op, met de zon in mijn rug en het meer voor me, een vredig gevoel binnen bereik.

'Waarom zat je in een isolement?' vroeg Mike.

Lane legde haar sandwich neer. 'Waarschijnlijk omdat mijn vader een paar jaar eerder was gestorven.'

'O, het spijt me,' zei hij. Hij aarzelde even en keek mij toen aan. 'Weet je, ik hoopte eigenlijk altijd dat jouw vader terug zou komen zodat ik hem namens jou de waarheid zou kunnen zeggen.'

Ik was verbaasd. 'Echt waar?'

'Ik ben bang van wel,' zei hij met een verlegen lachje.

Lane boog zich naar voren. 'Waarom dacht je dat Carrie niet voor zichzelf zou kunnen opkomen?'

Aanvankelijk reageerde hij niet, en even was ik bang dat ze hem had gekwetst. Maar toen haalde hij zijn schouders op en zei: 'Dat was niet aan de orde. Voor mijn gevoel was ik op de wereld gezet om voor haar op te komen.'

Het viel me zwaar om me goed te houden, en ik nam een lange teug van mijn ijsthee. Ik had dit altijd geweten, maar lange tijd had het me gestoord. Waarom? Waarom voelde het nu zo anders, zo goed? Ik wilde ook voor hem opkomen, er voor hem zijn – alle clichés die er bestonden: ik wilde het. Dat kon echter maar op één manier: door er te zijn, punt uit.

Lane vertrok twee dagen later, met de lege plunjezak opgevouwen in haar schoudertas. We stonden allebei een beetje te snotteren toen we elkaar ten afscheid omhelsden, en toen ik haar vliegtuig van de gate achteruit zag rijden vroeg ik me af wanneer ik haar ooit weer zou zien.

Ik had de kleren die ze voor me had meegenomen pas voor de helft opgeborgen, en toen ik terugkwam van het vliegveld ging ik verder. Elk kledingstuk onthaalde ik alsof het ging om een hereniging, alsof ik het in geen jaren had gezien en het een goede, oude vriendin van me was.

Iets waar ik niet om had gevraagd was de groene fluwelen jurk. Hij hing in mijn muurkast in het oude huis, en hoewel ik wist dat Lane of Simon me hem ooit zou toesturen, merkte ik dat ik me zelfs afvroeg of ik hem nog wel wilde. Ik herinnerde me de decemberdag waarop ik naar Bergdorf was gegaan, de griezelige stilte terwijl ik van de ene jurk naar de andere en van de ene droom naar de andere was gegaan, en me had voorgesteld dat ik iemand was die zulke kleren kon dragen. Misschien kwam het daardoor: ik had een jurk gemaakt voor een leven dat niet geschikt voor me was. Terwijl ik mijn kleren opborg bedacht ik dat ik de jurk maar moest laten waar hij was, als talisman voor een toekomstige bewoonster van het oude huis die een bestaan in New York probeerde op te bouwen.

Ik had wél om mijn zijden nachtpon en peignoir gevraagd, en daar waren ze. Na al die maanden in mijn onderste la, en met de reis in Lanes plunjezak daar nog eens bovenop, waren ze verkreukeld geraakt en er treurig uit gaan zien. Ik stelde mijn moeders strijkplank op en streek ze voorzichtig, waarbij de hete droge geur me weer helemaal terugbracht naar mijn oude etage. Ik herinnerde me duidelijk hoe gevangen ik me toen had gevoeld, maar ik herinnerde het me niet van binnenuit: wel het gevoel, maar niet hoe het had aangevoeld, niet precies. Was het iets wat ik kon doorgronden? De vraag joeg me angst aan, en ik dacht dat het antwoord ja moest zijn.

Toen ik klaar was met strijken hing ik de nachtpon en de peignoir elk op een hangertje. Ik stak mijn arm tussen ze in en bewoog ze op en neer. De stof voelde nog even verrukkelijk als ik me hem herinnerde. Er zou een dag komen dat ik ze zou dragen, dat wist ik zeker – een dag waarop ik me niet zou bekommeren om de reactie die ik daarop zou krijgen. Ik zou ze dragen met een gelukkig en trots gevoel. Zou ik me op dat punt in de toekomst dit moment herinneren? Zou ik terugkijken met de gedachte: *toen wist ik dat ik weer thuis was*?

Onderin de stapel lag mijn oudste spijkerbroek. Hij was strak opgevouwen en voelde raar aan, een beetje stijf. Toen ik hem uitschudde viel er een dun blauw dingetje op de vloer. Ik bukte me om het op te rapen. *Parapraxis en Eurydice. Gedichten door Lane Driscoll.* Het was Lanes boek – haar simpele uitgaafje. Ze had er geen woord van gezegd dat ze het had meegebracht. Ze had een fles wijn voor mijn moeder gekocht, en op een middag bloemen bij een stalletje, maar dit had ze voor mij achtergelaten zodat ik het zou vinden als ze weer weg was. Ik sloeg het open en zag dat er iets geschreven stond op de titelpagina, een opdracht. *Voor Carrie*, stond er. *Mijn vriendin voor altijd.*

HOOFDSTUK 40

Aarzelend stond ik bovenaan de keldertrap van de Mayers. Ik hoorde het gebons van de droger en rook de lucht van wasmiddel en verhitte katoen. Mike lag op zijn kamer te rusten, en ik liep naar beneden terwijl ik wenste dat er iets was waarop ik kon aankloppen. Dit was het domein van mevrouw Mayer.

Ze stond aan een lange tafel, met een grote wasmand aan haar voeten. Voor haar lag alles in keurige stapels, sokken netjes bij elkaar, opgevouwen shirts eveneens. Het was warm en bedompt.

'Neem me niet kwalijk,' zei ik.

Ze keek op en fronste haar voorhoofd licht. 'O, dag.'

Ik liep verder de trap af tot ik op de betonnen vloer stond. 'Kan ik even met u praten? Over volgend weekend?'

Ze kneep haar lippen samen. Het was bijna Memorial Day – de echte herdenkingsdag, de eerste na Mikes ongeluk, maar ook het weekend van Memorial Day, die meneer en mevrouw Mayer per traditie doorbrachten in Door County, op een jaarlijkse, door meneer Mayers kantoor georganiseerde bijeenkomst. Vanuit Door County waren ze vorig jaar naar het ziekenhuis geroepen, ze waren van de golfbaan gehaald en overgevlogen in een tweemotorig toestel dat toebehoorde aan een van de andere vice-voorzitters. Ik zat in de wachtruimte van de EHBO toen ze arriveerden. Meneer Mayer was voor zijn vrouw uit binnen komen snellen, zijn bril tegen zijn gezicht gedrukt houdend zodat hij niet af zou schuiven.

'Waar gaat het over?' vroeg ze. Ze tastte in de mand, legde een geruit boxershort op de tafel en vouwde het op tot een keurig vierkantje. 'Het besluit is al gevallen – ik ga niet.'

'Dat weet ik,' zei ik. 'Maar Mike wil heel graag dat u wel gaat.'

Ze fronste haar voorhoofd. 'Je hoeft mij niet te vertellen wat Mike wil. Ik weet dat John junior thuis is, maar dat is niet genoeg. Er kan van alles gebeuren.'

'Zoals?' Ik had Mike gevraagd wat haar tegenhield en hij had gezegd: 'Dat ik mijn rammelaar laat vallen, ach en wee.'

'Nou, bijvoorbeeld autonome dysreflexie,' repliceerde ze. 'Jij weet dat waarschijnlijk niet, maar er is een aantal dingen – zelfs zijn blaas of zijn darmen hoeven maar even vol te lopen – die zijn bloeddruk razendsnel kunnen laten oplopen. Iemand kan dan doodgaan als hij niet onmiddellijk de juiste behandeling krijgt.' Ze tastte opnieuw in de mand. Ditmaal haalde ze er een gestreept overhemd van meneer Mayer uit, dat ze met een vernevelaar besproeide en vervolgens tot een balletje oprolde en opzijlegde.

'Horen er bepaalde symptomen bij?' vroeg ik. 'Bij die stijgende bloeddruk?'

Ze hield weer een boxershort in haar hand, zuchtte en legde het neer. 'Waar wil je heen, Carrie?'

'Ik wil graag in het weekend hier blijven zodat u kunt gaan. Ik kom dan op vrijdag en blijf tot dinsdagmorgen, totdat u weer terugkomt. U kunt me alles zeggen wat ik moet weten. Ik neem alle verantwoordelijkheid op me.'

Haar mond verstrakte.

'Ik wil het doen,' zei ik. 'U kunt me uw hele verdere leven blijven haten, maar dat verandert niets aan het feit dat ik nu hier ben, dat ik terug ben en dat ik een deel van Mikes leven wil zijn. En dat zal ik ook zijn.'

'Carrie Bell, toch,' zei ze. 'Nou nou.' Ze glimlachte een beetje. 'Mijn man wil dat ik ga.'

'Gaat u dan,' zei ik. 'Wilt u dat soms niet? Een weekend eruit, antiekzaakjes aflopen? Een martini drinken op zaterdagavond? U vond het altijd heerlijk om eruit te zijn.'

Ze klopte op haar haren en keek even omlaag met haar hand op haar kin. 'John junior kan de katheter wel doen,' zei ze.

Ik ging er op vrijdagmiddag heen. Ik bakte een gehaktbrood dat mevrouw Mayer had klaargelegd en bereidde een salade die al in de schaal lag en alleen nog hoefde te worden aangemaakt. John had een vriend op bezoek, en gevieren aten we in de keuken. De kleine tv op het aanrecht stond afgestemd op een honkbalwedstrijd op een sportnet. John was al zwaar in training voor het ijshockeyseizoen in zijn laatste highschooljaar en nam drie porties gehaktbrood en minstens een liter melk.

'Dat hoort niet,' zei zijn vriend toen John een bak cottage cheese in de koelkast vond en er een grote berg van op zijn bord schepte.

'Hij moet er nog van groeien,' zei Mike, en van de andere kant van de tafel grijnsde hij me breed toe.

Na het eten gingen John en zijn vriend de deur uit. Ik ruimde af en ging daarna bij Mike in de huiskamer zitten. 'Wat zullen we doen?' zei hij. 'Een videootje huren? Ik ben niks meer waard, maar jij kunt er wel een gaan halen.'

Ik opende mijn mond om te protesteren dat ik hem niet alleen wilde laten, en hij keek me boos aan. 'Gewoon gaan.'

Ik reed zo snel als ik kon, pakte iets waarvan ik twee minuten later de titel niet meer wist en haastte me terug. Pas toen ik parkeerde kon ik mezelf ertoe brengen het rustiger aan te doen. Ik wilde niet zoals mevrouw Mayer worden.

Op zaterdagmorgen na het ontbijt zaten we in de keuken te wachten tot er werd aangebeld. Mikes verpleger moest om negen uur komen, om hem te helpen met douchen en met zijn stoelgang – om hem, zoals mevrouw Mayer zei 'zijn DB te geven', zijn darmbehandeling. Er kwamen rubberhandschoenen en een speciale zalf aan te pas – Mike wilde niet dat het door iemand uit het gezin werd gedaan.

Ik ging op de veranda zitten terwijl ze bezig waren. Ten slotte kwam hij naar buiten gerold, met zijn haren nog nat en een schaapachtige lach om zijn lippen. 'Weet je nog dat DB ooit stond voor decibel?' vroeg hij. 'De tijden zijn wel veranderd.'

We installeerden ons in het busje en reden naar het staatscapitool. De boerenmarkt van eind mei: er waren jonge kroppen sla, stelen rabarber, waspeentjes en aardappels. We begaven ons in de menigte rond de kraampjes. Ik kocht wat kruiden in potjes en een pot honing voor mijn moeder. Een boerenvrouw met verweerde vingers verkocht ons een groot stuk gebak, waar ik kleine stukjes afbrak die ik aan Mike voerde, waarna ik de naar amandel smakende kruimels van mijn vingertoppen aflikte. Groene appels, grote paarse bollen knoflook. Het was nog te vroeg voor morellen.

Toen we weer thuiskwamen was Mike doodop. Een klein uitstapje kon hem totaal uitputten. Hij deed een dutje terwijl ik het eten klaarmaakte, een kipschotel met knoedels volgens een recept van mevrouw Mayer. We aten vroeg en gingen daarna een eindje wandelen. De lucht was nevelig en kleurloos. We kwamen langs mensen die in hun tuin aan het werk waren. Ze kenden elkaar misschien niet echt, maar wisten wel van elkaar wie ze waren. Toen we weer omkeerden in de richting van het huis van de Mayers, kwamen we langs een man die een balspel deed met een klein meisje. Op zijn rug zat een baby in een draagzak die telkens wanneer de man de bal ving een tandeloos lachje lachte.

Toen we terugkwamen hoorden we hoe boven de douche aanstond en John het wijsje van een tv-commercial probeerde te zingen. Even later kwam hij met drooggeföhnde haren naar beneden.

'Afspraakje?' vroeg ik. Hij leek zo sprekend op Mike op zijn zeventiende, mager maar breedgeschouderd, met hetzelfde smalle gezicht.

'Ja, waar ga je heen?' vroeg Mike.

John grijnsde.

'John zou weleens een echte versierder kunnen zijn,' zei Mike tegen mij.

'Het komt allemaal door de Z,' zei John. Hij bedoelde de 280Z, de auto die Mike van meneer Mayer had overgenomen. John reed er nu in.

'Doe jezelf niet te kort,' zei Mike. 'Vlak die aftershave van je niet uit.'

Ik onderdrukte een lachje. John rook enigszins als een drogisterij.

'Hé, dat is mijn persoonlijke muskgeurtje,' zei John.

Mike rolde een meter naar achteren. 'Dat kun je wel zeggen, ja.'

Op zondag gingen we naar Rooster en Joan. Zij noemde hem Doug – in al die jaren dat ik hem kende had niemand hem zo genoemd. 'Doug, schat, kun je wat Dorito's in een schaal doen en ze hierheen brengen?' Rooster vond het prettig: Doug genoemd worden, schat genoemd worden, Dorito's in een schaal doen. Voor ons vertrek bracht hij ons naar de tweede slaapkamer en liet ons een houten wiegje zien dat hij al had gemaakt. Het was wit geschilderd, en aan één kant zat een plakplaatje van een konijntje.

Op maandag was het Memorial Day. We hadden geen plannen gemaakt, en ik werd vroeg wakker, met de drang om een activiteit te verzinnen – winkelen, naar een park of een film gaan, iets om ons door de middag heen te krijgen.

Mike had andere ideeën. Nadat zijn verpleger was vertrokken reed hij de keuken in waar ik aan het schoonmaken was en zei terloops, dat hij, als ik het goed vond, naar Clausen's Reservoir wilde rijden.

Hij nam me nonchalant op, in afwachting van mijn reactie. Mijn hart bonsde. Hoe kon hij daarheen gaan en er na terugkeer niet nog wat beroerder aan toe zijn? Hoe kon ik gaan? Daar zat hij in zijn stoel, zijn gezicht nog roze van zijn douche, zijn snor bijgeknipt. Hij had hierop gewacht, begreep ik. Al een hele tijd.

Er was veel verkeer. We reden langs boerderijen, kleine groepjes huizen en knooppunten vanwaar smalle wegen naar plattelandsdorpen leidden. Er was een feestelijk programma met hitnummers op de radio, maar met een nieuwe draai eraan. Het heette 'Out of Order', en de hits werden in een verkeerde volgorde gedraaid. 'Is dat niet ongelofelijk stom?' zei Mike.

Het parkeerterrein bij de plas was stampvol. Er stonden een hoop terreinwagens en motoren – voertuigen voor idioten, zoals Mike en Rooster altijd zeiden. Ik reed naar een plekje voor invaliden en zette de motor af. Door het raampje keek ik naar de heuvel die het water aan het zicht onttrok. Hij was grassig en stond vol wilde peen. 'Wat wil je?' vroeg ik. Het pad dat heuvelop ging was smal en stenig. Het was niet toegankelijk voor ons.

'In elk geval uitstappen.'

Ik stapte uit en liep om het busje heen om hem te helpen. Overal om ons heen waren kinderen aan het skateboarden, reden hele gezinnen op skates rond en pronkten jongens met hun gespierde, ingevette lijven voor meisjes met badpakjes die in een verbandtrommeltje pasten.

'Herinner je je meneer Fenrow nog?' vroeg ik. Meneer Fenrow had lesgegeven in het enige vak waarvoor we in het laatste jaar van de high school bij elkaar in de klas hadden gezeten, gezin en samenleving.

'Ja.'

Ik pakte zijn hoedje uit het busje en zette het zo op zijn hoofd dat zijn gezicht door de rand werd beschaduwd – hij mocht niet verbranden. 'Weet je nog wat hij toen tegen Mimi Baldwin zei?'

Er verscheen een rimpel bij zijn neus. 'Niet precies meer.'

'Hij organiseerde een kampeertocht voor leerlingen uit het laatste jaar – bij nader inzien geloof ik dat het er in ons jaar nooit van gekomen is. Maar toen hij een keer tijdens de les probeerde om er mensen warm voor te maken vroeg zij of we zwemkleding mee moesten nemen, en toen zei hij: "Dat hoeft geen probleem te zijn – twee pleisters en een kurk."'

Mike proestte het uit. 'Geen wonder dat die trip niks geworden is.' Hij drukte tegen de hefboom op zijn rolstoel en zette zich in beweging. 'We nemen even een kijkje,' zei hij. 'En dan kunnen we weer gaan.'

Het tentje met versnaperingen stond aan de andere kant van het parkeerterrein. Toen we het bereikten zweette Mike hevig en zag hij er niet goed uit. Vlak in de buurt stonden verschillende picknicktafels met een afdak van plastic golfplaat, en bij een daarvan liet ik hem wachten. Ik ging in de rij staan, keek naar hem om en bedacht dat hij er verschrikkelijk kwetsbaar uitzag, met zijn spastische benen die raar uit zijn wijde korte broek staken.

Er kwamen twee vrouwen achter me staan, en na een poosje besefte ik dat ze het over hem hadden.

'Hij ziet eruit alsof hij het ontzettend warm heeft,' zei een van hen.

'De stakker,' zei de ander.

'Hij zou zich waarschijnlijk heel wat lekkerder voelen als hij thuis gebleven was.'

Ik draaide me om en bekeek hen, vrouwen van achter in de dertig in badpakken met brede bandjes en daarover een sarong zodat je hun benen niet kon zien. Ik zei: 'Bedoel je niet dat jij je lekkerder zou voelen als hij thuis was gebleven?'

Ze keken elkaar verschrikt aan.

'Het spijt me zo,' zei de eerste.

'Hoort hij bij jou?' vroeg de tweede.

'Nee, ik hoor bij hém.'

Bezweet en prikkelbaar bracht ik onze frisdrank naar de tafel. We dronken onder de heldere schaduw van het plastic afdak, en geen van beiden zeiden we veel. Toen we uitgedronken waren vroeg Mike me om een paar hotdogs te gaan halen, en ik ging weer in de rij staan. Ik vermoedde dat hij niet zozeer hotdogs wilde, maar dat hij er nog niet aan toe was om weer te vertrekken.

Ten slotte gingen we terug naar het busje. Toen we bij het pad over de heuvel kwamen, bleef Mike staan. Hij keerde zijn rolstoel om zodat hij me aan kon kijken.

'De helikopter is daar geland,' zei ik, en ik wees naar de open plek waar de weg overging in het parkeerterrein. 'Jij lag nog op de pier, waar Rooster je uit het water had gehaald.'

Ik staarde naar de plek en liet mijn gedachten teruggaan. Het had achtentwintig minuten geduurd na het telefoontje van de vrouw bij de snackbar. De helikopter was met een enorm kabaal uit de lucht komen vallen, de rotorbladen ratelden alsmaar in de rondte. Terwijl ik daar bij Mike stond herinnerde ik me hoe het net had geleken of hij bij de landing omhoogstuiterde. Ik herinnerde me hoe Rooster naar de hulpverleners was toegerend en hoe Jamies hand in de mijne had gelegen.

'Waar dacht je aan?' vroeg Mike.

'Dat het mijn schuld was. Dat ik je tegengehouden zou hebben als ik niet kwaad op je was geweest.'

'O Carrie,' zei hij.

'O Mike. O iedereen.'

Die avond keken we tv. Het huis was donker, op één lamp dicht bij ons na. Ik zat op de bank in de huiskamer en Mike zat vlak naast me. John was weer uitgegaan, en de Mayers zouden pas de volgende morgen thuiskomen. Mike viel kort na negenen in slaap, zijn hoofd voorovergezakt. Toen hij even later weer wakker werd voelde hij zich gegeneerd.

Iets wat hij niet kon was zichzelf aan- en uitkleden – de bovenkant ging wel, maar de onderkant niet. 'Het kleden van de onderste extremiteiten,' zoals ze het bij de bezigheidstherapie noemden. Eigenlijk kon hij het wel, maar het kostte hem ongeveer een uur.

We gingen naar zijn kamer en ik knoopte zijn shirt los. Hij trok het uit en verplaatste zich naar zijn bed, waar ik de korte broek omlaagtrok. Ik rolde hem van de ene zij op de andere om de broek uit te doen.

'Alles goed?' vroeg ik. Hij sliep in zijn ondergoed, de slang van de katheter liep langs zijn been naar de verzamelzak.

'Ja, het is prima zo. Maar ik vroeg me alleen af…' Hij aarzel-

479

de. 'Zou jij je pyjama aan willen doen en hier bij me willen komen zitten? Net als bij een echt pyjamafeestje? Voor onze laatste avond?'

Ik ging naar boven, naar Julies kamer, waar ik sliep. Ik had een kort bloemetjesnachthemd meegenomen – eigenlijk een reusachtig T-shirt –, kleedde me uit en trok het aan.

Ik klopte zachtjes op de deur toen ik naar zijn kamer terugging. Ik ging in de leunstoel naast zijn bed zitten. Buiten zoefde een auto voorbij, even weerklonk het geluid van de radio en daarna was het weer stil. Tieners, misschien zelfs John.

'Weet je nog dat we zo rondreden?' vroeg hij. 'Waar ging het eigenlijk om? Om het drinken?'

'Om het rondrijden zelf.'

In de hal sloeg de klok van mevrouw Mayers grootvader tien uur. Ik keek naar Mike, die daar lag met het hoofdeinde van zijn bed omhoog, zijn armen half gebogen. Hij draaide zijn hoofd zodat hij mij kon zien. 'Als ik je zou vragen of je iets zou willen doen, zou je het dan doen?'

'Wat?'

Hij keek gegeneerd. 'Ik zou graag willen dat je je nachthemd uitdoet. Ik wil iets zien.'

Ik voelde me even uit mijn evenwicht gebracht, en het bloed stroomde naar mijn gezicht. Ik wilde mijn blik afwenden maar deed het niet. Hij keek me recht in de ogen. 'Niks dat je niet al eens eerder hebt gezien,' zei ik, maar hij glimlachte niet.

'Alsjeblieft?'

Ik stond op. Hij keek rustig toe vanaf het bed, met een klein groefje in zijn voorhoofd. Ik pakte de zoom van mijn nachthemd vast. Het was niet koud, maar ik had kippenvel op mijn armen en aarzelde. Ik wilde niet doorgaan. Ten slotte trok ik het nachthemd over mijn hoofd en liet het op de stoel achter me neervallen.

Ik stond in mijn ondergoed. Ik kruiste mijn armen over mijn borsten en liet ze toen weer zakken. Mijn tepels trokken zich samen. Ik wist niet wat ik met mijn handen aan moest, hoe ik ze moest houden – ik sloeg ze voor me in elkaar en wreef ze vervolgens droog tegen mijn dijen. Mike staarde me aan – hij staarde me alleen maar aan, en aan zijn gezicht was absoluut niets te zien behalve een heel lichte verstrakking van zijn kin.

'Ik voel me een beetje raar,' zei ik ten slotte, en hij zuchtte en wendde zijn blik af.

'Het is in orde,' zei hij. 'Het spijt me, je kunt je weer aankleden. Ik voelde niks. Dat wilde ik weten, en ik voelde niks.'

Ik trok het nachthemd weer over mijn hoofd. Niks. Dat je hele seksualiteit bevroren was, op slot zat: ik kon me haast nog beter voorstellen dat ik mijn ledematen niet zou kunnen bewegen. Seksuele opwinding was zoiets onwillekeurigs. Je kon het jezelf niet opleggen, het kwam gewoon – het besloop je of het bestormde je. En dan op een dag kwam het niet meer. Ik dacht aan de nachten op mijn etage, aan Mike die tussen mijn dijen was gegleden en het kreuntje dat hij had geslaakt als hij klaarkwam.

Hij staarde naar de muur. Na een poosje bracht hij het hoofdeind van zijn bed omlaag totdat hij plat op zijn rug lag. 'Zo,' zei hij.

Ik ging naar de zijkant van het bed. Zijn ogen ontmoetten de mijne, waarna hij zijn blik afwendde. Het was een smal bed, misschien iets breder dan een normaal eenpersoonsbed. 'Kan ik hier een minuutje zitten?'

'Ja.'

Ik ging zitten. De deken kriebelde tegen de onderkant van mijn benen, en ik verplaatste mijn gewicht en trok mijn nachthemd verder onder me. Het plafond was verblindend. Ik zat met mijn rug naar hem toegekeerd en draaide me gedeeltelijk om, zodat mijn dijbeen parallel aan zijn lichaam lag en ik, als ik omkeek, zijn gezicht kon zien. Aan de andere kant van de kamer hing de poster van Lake Mendota in zijn zilverkleurige lijst. Het meer was gefotografeerd vanaf een punt in de buurt van de sociëteit, en Picnic Point lag in een kromming aan de linkerkant. Ik sloot mijn ogen en probeerde me ons plekje voor de geest te roepen, de plek tussen de bomen waar we voor het eerst hadden gevreeën.

Hij hoestte.

'Lig je lekker?' vroeg ik. 'Moet ik nu naar boven gaan?'

'Nee, blijf,' zei hij. 'Blijf nog eventjes bij me.'

Ik knikte. Het was zo'n stille avond dat ik het zwakke tikje kon horen van een nachtvlinder die neerstreek op de zonwering. 'Zo,' zei Mike, en hij lag daar en ik zat.

HOOFDSTUK 41

Het was stil in het huis van mijn moeder, dat door de middagzon was opgedeeld in donkere en lichte gedeelten. Ik had mevrouw Mayers aanbod om me een lift naar huis te geven afgeslagen, en zweette nog een beetje van de wandeling. Mijn schouder deed pijn op het punt waar de band van mijn tas erop had gedrukt.

Onder het eikenhouten bureau waar mijn moeder post en andere spulletjes bewaarde stond een grote kartonnen doos. Ik smeet mijn tas onder aan de trap neer, zakte naast de doos door mijn knieën en zag mijn naam in grote viltstiftletters. Het adres van de afzender was met ballpoint neergekrabbeld: 188W18NYNY10019. Alles op één regel, als een code voor iets. Kilroy.

Ik haalde een mes uit de keuken en trok de doos onder het bureau vandaan. Ik sneed hem open, en daar was mijn Bernina.

Mijn Bernina, me toegestuurd door Kilroy.

Hij had hem zorgvuldig ingepakt, met blokken piepschuim in de hoeken om hem strak op zijn plaats te houden, zonder een centimeter speling voor beweging en beschadiging. Er was geen briefje: alleen de machine en, gewikkeld in luchtkussentjesplastic en strak in de doos geschoven, mijn foto van de Parijse daken.

Ik ging naast de geopende doos zitten en legde mijn gezicht in mijn handen. Het was vreselijk om te bedenken hoe hij het karwei had aangepakt. Hoe hij er waarschijnlijk aan had gedacht, het toen weer uit zijn hoofd had gezet en er toen weer aan had gedacht, steeds in de hoop dat ik zou terugkomen voordat hij het karwei kon afmaken. Zijn uitdrukking waarmee hij de doos had gekocht, hem naar huis had meegenomen en het piepschuim op maat had gesneden. In mijn verbeelding stak ik mijn armen naar hem uit en wendde hij zich van me af, vastbesloten om dit te doen.

Ik zeulde de machine naar boven en zette hem op mijn bureau. Ik vond een lap en veegde het stof van de buitenkant. Daarna haalde ik het klepje van de vrije arm en reinigde de geleiders en de onderkant van de steekplaat. Ik maakte het spoelhuis schoon, smeerde het, ging vervolgens achter de machine zitten met een stukje stof en stikte er een golvende bordeauxrode lijn op met het garen dat ik voor Kilroys overhemd had gebruikt en dat nog op de tweede pin zat waar ik het had laten zitten. De machine liep schitterend.

Ik had pijn in mijn keel. Ik wilde huilen, maar wilde geen huilerige klank in mijn stem hebben als we met elkaar praatten. Wat zou ik gaan zeggen? Het was te laat voor dit gesprek.

Om vijf uur ging ik naar de slaapkamer van mijn moeder om de telefoon te gebruiken. Het was zes uur in New York, en hij nam na het eerste overgaan op.

Ik zei: 'Ik dacht, ik wilde, ik zou…'

En hij zei: 'Ik nam aan dat je hem wilde hebben.'

Vervolgens zeiden we geen van beiden iets: urenlang, wekenlang. Ik hield de telefoon losjes vast, maar mijn handpalm werd toch glad, en ik moest de hoorn in mijn andere hand nemen. 'Ik voel me vreselijk,' zei ik ten slotte.

'Over wie?'

'Kilroy,' zei ik. Ik aarzelde even en zei toen: 'Over mezelf, over jou, over ons.'

'Dus heb je me vernietigd,' zei hij.

'Nee.'

'Misschien toch wel.'

Zijn stem klonk vlak – vlak bij *dus heb je me vernietigd* en vlak bij *misschien toch wel*. Ik had pijn in mijn borst, alsof ik diep had ingeademd maar niet kon uitademen.

'In feite,' zei hij, 'weet je dat echt niet. Je zult het nooit weten.'

'Kilroy,' zei ik. 'Doe dit alsjeblieft niet.'

'Wat niet?'

Ik zweeg. Ik wist dat hij zich maar zo voordeed, dat hij verschrikkelijk gekwetst was. Maar door dat te zeggen zou ik hem nog meer kwetsen. Ik zei: 'Weet je, ik meende het echt toen ik zei dat je hierheen kon komen.'

'En ik meende het echt toen ik zei dat ik dat niet kon.'

Er viel weer een stilte, en ik merkte dat ik op tranen aankoerste. Ik hield me in. Het zou niet goed zijn om te huilen, niet eerlijk: het zou de suggestie wekken dat ik vond dat ik meer voelde dan hij, terwijl ik wist dat dat niet zo was.

'Het doet me enigszins denken aan lemmingen,' zei hij.

'Wat?'

'Het idee dat ik naar Madison zou gaan.'

Ik dacht aan lemmingen, die kleine knaagdiertjes die ergens in Noorwegen massaal zelfmoord pleegden door zich halsoverkop van de rotsen af te storten omdat alle andere lemmingen dat ook deden. Madison als de rand van de wereld, omdat hij van het verkeerslawaai in New York hield. Toch wist ik waarom hij echt niet weg kon: de avenues van New York waren zijn slagaderen, de straten zijn aderen.

'Nu is gebleken dat lemmingen eigenlijk niet proberen dood te gaan,' zei hij. 'Wist je dat? Ze zijn blind of zo, ze weten gewoon niet waar ze op afstevenen.'

Ik voelde me ongeduldig – alleen Kilroy kon een gesprek over het uitmaken van een verhouding omvormen tot een verhandeling over suïcidale knaagdieren.

'Ik heb eens iemand gekend die dacht dat lemmingen mensen waren,' ging hij verder. 'Het was alsof hij niet doorhad dat ze maar vijf centimeter lang zijn en alleen gericht zijn op de grote run van de rots af. "Het is vreselijk!" zei hij. "Waarom probeert niemand ze tegen te houden?"'

Hij lachte, en ik lachte mee, een beetje halfhartig. 'Wie was dat?' vroeg ik zomaar, zonder dat het me wat kon schelen en zeker niet in de verwachting van een antwoord.

'Mijn broer.'

'Wat?' Ik voelde me misselijk. 'Ik wist niet dat je een broer had.' De angst pakte zich langs mijn lichaam samen, klaar om me te overmeesteren.

'Die heb ik ook niet meer,' zei hij. 'Mijn broer – hij dood. Dat komt uit *Heart of Darkness*, weet je wel: "Mijnheer Kurtz – hij dood." Je hebt *Heart of Darkness* toch wel gelezen?'

Ik zakte op het bed van mijn moeder neer en begon te trillen, beroerd van verwarring, ongeloof en woede. 'Kilroy.' Ik had het gevoel dat het bed bewoog en stak een hand uit om mezelf in balans te houden. 'Dit vertel je me nu?'

'Wat een toeval.'

Ik liet de hoorn op het bed vallen. Ik pakte hem weer op. 'Kilroy, mijn God. Wanneer? Hoe oud was hij? Hoe oud was jij?'

'Hij was eenentwintig, ik was zesentwintig. Het is veertien jaar geleden gebeurd.'

Op 20 maart. Dat weekend, van de ontmoeting met zijn ouders – ze hadden gewild dat hij langskwam vanwege de sterf-dag. Waren we daarom naar Montauk gegaan? Om de crème-kleurige kaart met de droevige, ingehouden smeekbede te ver-mijden? *Zou je niet langs willen komen en iets met ons willen drinken? Het zou zo veel voor je vader betekenen.*

'Hij had leukemie,' zei Kilroy. 'Vanaf zijn tiende, en het kwam steeds weer terug.'

Ik schudde mijn hoofd, alsof hij mij kon zien en ik hem kon zien. Wat had hij zorgvuldig gegarandeerd dat ik hem niet kon zien! 'Je ouders,' zei ik. 'Die dag dat we…'

Hij viel me scherp in de rede. 'Ik wil niet over mijn ouders pra-ten.'

Ik voelde me terechtgewezen. 'Kilroy,' zei ik na een poosje. 'Ik vind dit zo erg – ik wou dat je het me eerder had verteld.'

Hij snoof.

'Hoe heette hij?'

'Wat maakt dat uit?' zei hij bits. Vervolgens werd zijn toon zachter: 'Je zou me toch niet geloven.'

'Wat bedoel je?'

'Hij heette Mike.' Hij lachte. 'Serieus. Is het nu allemaal niet glashelder? Is het niet te perfect? Twee mensen, allebei op de vlucht voor een tragedie rond een Mike. Huil erom of kots ervan, kies zelf maar.'

Ik huilde, ik snikte het uit terwijl hij aan de andere kant van de lijn bleef zwijgen. Ik kon het niet geloven – ik kon het niet geloven. En toch, ik had het geweten. Toch? Dat er iets ontbrak? Dat ik, terwijl ik hem kende, hem niet echt had gekend? Er waren aanwijzingen geweest van een grotere waarheid, van een vreselijke worsteling. En aanwijzingen dat iemand er niet meer was. Die dag in het MOMA – hij moest op zijn broer hebben gedoeld. Het moest zijn broer zijn geweest die op Lanes school had gezeten en over wie hij die avond in de keuken van het oude huis bijna had gesproken. Over wie hij had willen vertellen en toen toch weer niet. Toch weer niet. Ik kon er niet tegen, alles wat hij verborgen had gehouden en alles wat hij me had laten zien en waarvoor ik geen oog had gehad.

'Carrie?' zei hij. 'Ik ga nu ophangen.'

'Niet doen,' huilde ik. 'Alsjeblieft, we moeten nog meer praten, ik…'

'Ik hang op,' zei hij. 'Hou je goed, hè?' En toen weerklonk de kiestoon.

Ik zakte op mijn moeders bed in elkaar en huilde harder, met schokkende schouders. Ik dacht aan de decemberdag waarop we door Gramercy Park waren gelopen, hoe hij het had gehad over zijn verlangen om in een andere eeuw te leven. En aan de avond van Thanksgiving: *Het was niet gek geweest om astronoom te zijn. En ergens afgelegen in een observatorium op een heuvel te wonen. Dromen over ontberingen. Over geïsoleerd zijn.* Ik ging in gedachten terug in de tijd, naar toen hij het jongetje Paul was geweest. Met een zusje dat Jane heette. En een broertje dat Mike heette. Paul, het slimmerdje van de familie, de grappenmaker. Ik had het aan de gezichten van zijn ouders gezien, hoe het vroeger was geweest. Nu was hij alleen, vanavond, alweer, nadat hij een tijdje had gedacht dat misschien, heel misschien... *Hetzelfde, hetzelfde*, had hij tegen zijn vader gezegd, over zijn bestaan. En toen, terwijl hij naar mij keek: *nu ja, bijna*.

Ik was gelukkig met hem geweest. Ik had van hem gehouden, ik hield nog steeds van hem. Mijn leven met hem kwam me voor de geest: hoe ik in zijn keuken had staan toekijken terwijl hij aan het koken was. Het strand in Montauk. De eindeloze wandelingen door de stad. Nu ik het wist van zijn broer, zou alles anders, beter en intiemer kunnen zijn. Toch?

Ik kon op een vliegtuig stappen en vanavond terugvliegen, naar New York, naar de drukte en de opwinding, het lawaai en de geuren van de stad. Naar *Kilroy*. Ik kon de sleutel die ik nog steeds had gebruiken om mezelf in zijn appartement binnen te laten. Als hij al sliep zou ik me stilletjes uitkleden en bij hem in bed kruipen. Zijn warmte, de droogte van zijn huid, zijn benige schouders. Hij zou mij voelen, mijn geur ruiken en geleidelijk aan wakker worden van mijn terugkeer. Ik stelde me voor hoe we elkaar zonder woorden zouden vinden, onze lichamen voorop, die het eerste contact zouden leggen.

Maar Mike. Mike die na zijn douche de veranda oprolde. Op zaterdagmorgen, met de woorden: *de tijden zijn wel veranderd*. Hij was nu beklagenswaardig: veranderd, net als de tijden. *Mike Mayer heeft een sombere bui*. Hij was beklagenswaardig en had zich teruggetrokken in zichzelf, vanwaar hij naar buiten en naar binnen keek. Was iemand een opeenstapeling van zijn vroegere persoonlijkheden, of werd hij steeds weer vernieuwd? Ik wilde hem blijven kennen en zien wat er nu met hem ging gebeuren. Ik wilde contact met hem blijven houden en zijn glimlach zien wanneer hij mij zag en mijn eigen glimlach voelen wanneer ik hem zag, die mijn mondhoeken omhoogtrok. Ik dacht aan de septemberavond waarop ik uit Madison was vertrokken. Hoe ik door het donker was gereden totdat ik de zon zag opkomen boven het Michiganmeer, hoe de adrenaline me op gang had gehouden, de adrelanine, de koffie en de wanhoop. *Is het nu allemaal niet glas-*

helder? Is het niet te perfect? Twee mensen, allebei op de vlucht voor *een tragedie rond een Mike.* Het was waar: ik had van Mike een tragedie gemaakt. En ik was ervoor gevlucht – voor hem. Ik dacht aan gisteren bij Clausen's Reservoir, hoe ik had geweten wat hij wilde horen. Over de helikopter. Over het wachten. Er was nog zo veel meer dat ik hem moest vertellen, en hij mij.

Dat zinnetje van Kilroy weer. Kilroy de luisteraar, de onder-vrager. Die zo veel over zichzelf niet kon vertellen. *Ik wil niet over mijn ouders praten.* Waarom niet? Omdat zij hadden gerouwd en verder waren gegaan, en hij niet? Ik wist het niet. Waarschijnlijk was het bij lange na niet zo eenvoudig, maar ik had het niet kun-nen achterhalen en ik wist het nu ook niet, als hij me er niet over wilde vertellen. *Ik kende haar tot op een bepaald punt*, had Lane over juffrouw Wolf gezegd. Wat ik over Kilroy wist, was wat ik steeds had geweten, helemaal van het begin af aan. Dat hij er niet over wilde vertellen, dat hij er niet over kón vertellen. Dat hij het niet kon riskeren.

Ik maakte een wandelingetje. De lucht werd verlicht door het namiddaglicht, en ik liep snel. Ik wilde de spanning in mijn spie-ren voelen, het lichte branden in mijn longen dat aangaf dat ik in beweging was. In het blok van de Fletchers trof iemand voor-bereidingen voor een barbecue: ik rook aansteekvloeistof en brandende briketten, een nostalgische lucht die niet verdween. Ik bleef staan en sloot mijn ogen. Het leek veelbetekenend dat ik voor me kon zien wat er vervolgens zou komen, hoe de lucht binnen een paar minuten zou overgaan in die van kip, lamsvlees of rundvlees.

Toen ik verder liep werd de lucht sterker. Bij de oprijlaan van de Fletchers begreep ik dat zij aan het barbecuen waren – meneer Fletcher en een paar van zijn dochters. Jamie, wist ik van mijn moeder, woonde weer min of meer thuis. Net als ik.

Ik liep langs het huis en bleef staan bij het lage tuinpoortje. De tuin was leeg, het gras was gemaaid en de randen waren geknipt, de pruimenboom zat vol purpperrode bladeren. De rozen stonden in bedden langs het zijhek, zo goed verzorgd dat mevrouw Fletcher er niets op aan te merken kon hebben. Op de betegelde patio steeg rook op uit een zwarte Weber-gril.

De hordeur van de bijkeuken zwaaide open en Bill verscheen met een schotel vlees in zijn hand op de veranda. Met zijn voet ving hij de deur op vlak voordat hij dicht zou klappen, waarna hij het trapje afliep en bleef staan bij de barbecue, dat alles zonder mij op te merken. Hij zette de schotel op de picknicktafel. Hij keek om zich heen, vond een lange vork die aan het handvat van de gril hing en pookte er de kolen mee op. Toen keek hij plotseling over zijn schouder. 'Jezus, een mens zo besluipen.' Hij aarzelde en kwam toen naar het tuinhek toe. Een ogenblik later omhelsden we elkaar onhandig, met het poortje tussen ons in. Ik vroeg me af of mijn gezicht nog vlekkerig was van het huilen. Kilroy zat op vijftienhonderd kilometer afstand, alleen. Zat hij met een boek op de bank in zijn appartement? Of zat hij bij McClanahan's aan de bar een biertje te drinken, volledig in zichzelf gekeerd? Hoe kon ik ooit hebben gedacht dat hij Joe in vertrouwen nam?

'Niet te geloven dat ik jou hier zie,' zei Bill.

'Dat noemen ze gevaarlijk leven,' zei ik. 'Biefstuk voor twee personen?'

'Zo ongeveer.'

Daar stonden we. Ik had Bill voor het laatst in het ziekenhuis gezien, ongeveer een week voor mijn vertrek. Bill met een korte broek en Teva's aan. Ik vroeg me af of Jamie nu ook trektochten maakte. Het was moeilijk te bevatten. Maar het was hoe dan ook moeilijk te bevatten dat ze elkaar hadden gevonden. Hoe zouden ze er samen uitzien, Jamie met haar blonde paardenstaartje en haar dunne armen, Bill met zijn donkere ogen en zijn vooruitstekende tanden? En dat zilveren knopje in zijn oor. Ik probeerde me te herinneren hoe hij er met Christine had uitgezien, en bedacht: leuk. Hij had er leuk uitgezien.

'Nou, ik moest maar gaan,' zei ik. Ik wendde even mijn blik af, trok mijn lippen naar binnen en ontspande ze weer. 'Hoe gaat het met haar?'

'Goed. Het gaat een stuk beter met haar.'

'Dan?'

'Dan het ging.'

Ik hief mijn hand op en zwaaide. 'Ik ben blij dat ik je heb gezien. Misschien kom ik je binnenkort nog weleens tegen.' Ik liep een eindje bij hem vandaan en keek vervolgens glimlachend om. 'Het is zo moeilijk om jou als Jamies vriend te beschouwen.'

'Zo voelde ik het eerst ook. Na een tijdje wen je eraan.'

Ik draaide me om en liep weg. Toen ik voorbij de stationcar van meneer Fletcher was riep hij mijn naam.

Ik keek om en hij gebaarde dat ik terug moest komen. 'Probeer het nog eens,' zei hij zachtjes toen ik dicht bij hem was. 'Oké? Ik snap dat je er misschien geen zin in hebt, maar ze mist je gewoon. Dat zie ik steeds.'

'Hoezo dan?'

Hij wreef met zijn hand langs zijn kaak. 'Gewoon zoals je dingen ziet aan mensen die je goed kent. Aan hoe ze een beetje verdrietig wordt als jouw naam valt.'

Ik haalde diep adem. Ik zwaaide nogmaals en liep terug naar het trottoir. De schemering viel in, en ik liep terug naar het huis van mijn moeder, waar ik aan mijn bureau ging zitten. Ik herinnerde me vaag dat er nog wat briefpapier in de onderste la lag, en toen ik hem opende moest ik glimlachen om wat ik zag: een doos met Snoopy-briefpapier die Jamie me in de derde klas voor mijn verjaardag had gegeven. Ik haalde er een vel uit en zag dat er nog maar één ander vel in lag, dat door iemand was beschreven.

Hartelijk gefeliciteerd met je verjaardag,
Hartelijk gefeliciteerd met je verjaardag,
Je ziet eruit als een aap

En zo ruik je ook.

Dat is maar een grapje. Lieve Carrie, hartelijk gefeliciteerd met je verjaardag, je bent mijn beste vriendin. Liefs en kusjes van Jamie

Ik legde het vel op mijn bureau en haalde de dop van een pen. Ik dacht een hele tijd na en schreef toen het volgende, vlak onder Jamies handtekening vol lussen uit de derde klas.

Het is waar, ik ruik als een aap – dat ruik ík zelfs. Mag ik je nog één keer zeggen hoe erg ik het vind en hoeveel spijt ik heb? Een verontschuldiging, ja, maar meer nog vind ik het heel erg wat je hebt doorgemaakt. Ik heb me altijd voorgesteld dat we samen oud zouden worden – of niet samen oud zouden worden, maar samen oud zouden zijn, dat we in bij elkaar passende schommelstoelen op de veranda van een verpleeghuis zouden zitten en herinneringen aan onze tienerjaren zouden ophalen. Zelfs toen ik al met Mike ging zag ik alleen maar ons tweetjes voor me, en ik stelde me ook niet voor dat we ziek zouden zijn, alleen maar hoe we rimpelig en met wit haar zouden lachen over de keer dat we ons huiswerk voor wiskunde maakten door chips in stukjes te breken om er op de vloer van jouw kamer berekeningen mee te maken.
Ik ben echt terug, en dit weet ik zeker: Carrie – Jamie = te veel verlies.

Ik vouwde het vel, deed het in een Snoopy-enveloppe en liep terug naar de Fletchers. De barbecuelucht was verdwenen, en ik stopte de brief in de brievenbus en liep in het plotseling ingevallen donker weer naar huis.

Toen ik thuiskwam was mijn moeder in de keuken. Ik vertelde haar wat over het weekend bij de Mayers – hoe vermoeiend alles voor Mike was, hoe simpelweg in leven blijven al erg veel van hem vergde. We hadden geen van beiden gegeten, en daarom maakten we een flinke salade en gingen met onze borden op de veranda achter het huis zitten.

'Heb je die doos gezien?' vroeg ze.

'Dat was mijn naaimachine.'

'Heeft Lane hem gestuurd?'

Ik prikte een plakje komkommer op mijn vork en stak het in mijn mond. Het was zo dun dat ik het met mijn tong dubbel kon vouwen. Dat deed ik, en vervolgens drukte ik tegen de zaadjes om ze los te maken. 'Iemand anders,' zei ik, en mijn moeder schudde in een snelle beweging haar hoofd.

'Ik vraag er niet naar.'

'Dat mag je wel.'

Ze keek naar me. 'Wil je dat ik ernaar vraag?'

Ik bekeek haar zorgvuldig: haar rustige, oplettende gezicht. 'Ik denk dat ik wil dat je het wilt – dat je het wilt weten.'

'Natuurlijk wil ik het weten.' Ze pakte haar wijn en dronk er wat van. De steel van haar glas ving een lichtflard en schitterde terwijl ze het glas weer liet zakken.

'Ik had daar een vriend.'

'Dat nam ik wel aan.' Haar vork kraste over haar bord. Ze maakte van een paar slablaadjes een klein hoopje en stak het in haar mond. We hadden een buitenissige salade gemaakt, met van alles en nog wat erin: asperges, gestoomde krielaardappeltjes, sperzieboontjes, kleine worteltjes en fijngehakte basilicumblaadjes van het plantje dat ik op zaterdag op de boerenmarkt voor haar had gekocht.

Ik ging verzitten. Er viel te veel te vertellen over Kilroy, in elk geval voor nu. Een mug zoemde in mijn oor en verdween weer. Het was aardedonker buiten de lichtkring van het zwakke verandalampje. 'Voelde je aankomen dat hij op ging stappen?' vroeg ik. 'Mijn vader? Waren er aanwijzingen voor, of kwam het zomaar uit de lucht vallen?'

Ze zette haar bord op de vloer. Ze hief opnieuw haar wijnglas op maar dronk niet – ze hield de rand tegen haar onderlip. 'Ik dacht dat hij zou gaan ontploffen,' zei ze ten slotte.

'Bedoel je dat hij iets gewelddadigs zou gaan doen?'

'Nee, ik bedoel dat ik herhaaldelijk een beeld voor ogen had dat zijn hoofd letterlijk ontplofte. Dichter bij een verlangen om hem te vermoorden kon ik waarschijnlijk niet komen. Dus, om antwoord op jouw vraag te geven, ik denk niet dat ik aan voelde komen dat hij op zou gaan stappen, maar het kwam ook niet zomaar uit de lucht vallen. Er gebeurde een heleboel in hem.' Ze kantelde haar glas en dronk wat wijn, waarna ze zich naar mij toekeerde en glimlachte. 'Hij was, om een van mijn cliënten van vandaag te citeren, geen vrolijke klant.' Ze boog zich voorover, en een ogenblik dacht ik dat ze haar bord zou pakken en naar binnen zou gaan. Maar ze zette haar glas neer en zakte dieper in haar stoel weg, waarna in mij iets tot rust kwam.

Ik zette ook mijn glas neer. 'Was je verschrikkelijk eenzaam?'

'Niet echt. Eerder opgelucht. Enorm opgelucht, zelfs, en natuurlijk ook erg kwaad. Maar ik had jou, en dat was hoofdzaak.'

Ik keek naar mijn handen. Ze had mij gehad, maar niet voor lang. Ik dacht aan alle keren dat ik bij de Mayers had gegeten, aan al die middagen in de weekends. Aan de Thanksgivings waarop ik haar meenam. De kerstdagen, waarop ik weg wilde maar niet ging. Ik keek over de veranda naar haar strakke kin, naar de nog jeugdige contouren van haar gezicht. Zeven jaar ouder dan Kilroy. Ze had iets met hem gemeen, de mogelijkheid om de kerst op haar eentje door te brengen met een dik boek als enig gezelschap. En nog iets anders: een soort berusting ten aanzien van het verlaten worden. Ze had vrienden en vriendinnen, ze had haar werk, maar op de een of andere manier was het essentiële, het belangrijkste haar al overkomen. Ik was terug, ja, maar ik wilde nooit meer het gevoel hebben dat er niets nieuws meer in het verschiet lag.

'Ben je nu eenzaam?'

Ze keek naar mij, mijn moeder in haar bordeauxrode linnen werkjurk, haar bril aan een koordje om haar hals. Ze schudde haar hoofd. 'De eenzaamheid is iets heel geks,' zei ze traag. 'Net een ander mens. Na een poosje houdt zij je gezelschap, als je er niets tegen doet.'

Ik zat aan de tafel in de eetkamer, de ochtendzon scheen op mijn naaimachine. Het was een week na mijn gesprek met Kilroy. Ik had de vrouw gebeld voor wie ik de jurk had vermaakt, en we hadden elkaar getroffen bij Fabrications, waar ik haar ertoe had bewogen om een prachtige korenblauwe zijden stof te kopen. Ik had haar de onelegante vorm ontraden die ze zelf op het oog had en het visioen weer tot leven geroepen dat ik enkele weken daarvoor had gehad, toen ze de rode zijden jurk was komen ophalen die ik voor haar had vermaakt. Een lijfje met een ronde hals op een gerende rok, wat precies paste bij haar lange lichaam en smalle schouders. Ik liet haar een paar patronen kopen, maar gebruikte ze vooral als uitgangspunt. Mijn ervaring op Parsons was me behulpzaam, maar ik had ook het gevoel dat ik dat achter me had gelaten, als een felgekleurde vlag die in de verte verdween. Zoals ik daar de lessen had gevolgd en door Piero was gestimuleerd: ik herinnerde me de opwinding en wist dat ik niet verder was gekomen dan het eerste begin. Die dag dat ik met Maté op een druk trottoir had gestaan en hem had horen orakelen – *ik wil dat vrouwen deze zomer citroengele jurken met witte borduursels gaan dragen*: die wereld zou ik uiteindelijk toch niet bereiken.

Maar dit had ik wel bereikt: het perfecte kledingstuk voor een vrouw uit het Midwesten. De rok had zes banen en liep aan de onderkant trompetvormig uit. Toen ik even na elven bezig was met de kniplijn en volkomen in beslag werd genomen door de vraag wat voor vorm hij moest krijgen, werd er aan de deur gebeld.

Jamie stond op de drempel. Blonde haren vielen langs haar gezicht, een roze topje toonde haar bleke schouders. Het zou mooier klinken als ik kon zeggen dat we allebei in tranen waren uitgebarsten en ter plaatse in elkaars armen waren gevallen, maar het ging juist erg stroef. Allebei stonden we met onze armen voor onze borst geslagen, eerst buiten en toen in de keuken, en ten slotte gingen we zitten, met glazen ijsthee in onze trillende handen geklemd. We praatten op de manier van twee mensen die iets ontzagwekkends en onmogelijks te bespreken hebben: we praatten over films, het weer en een nieuwe cd waarvan zij zich afvroeg of ik hem al had gehoord. Geleidelijk aan ontspande ik me. Ik besefte dat we niet alles tegen elkaar hoefden te zeggen op die morgen. Of gauw. Of ooit.

Ze bleef een half uur. Precies een half uur, alsof ze dat van tevoren had besloten. Toen ze opstond om te vertrekken vroeg ze of ik zin had om op een avond te komen eten. 'We koken om beurten,' zei ze. 'Je kunt het best op een van mijn avonden komen, ik ben de enige die weleens verse groente klaarmaakt.'

Ik zei dat ik graag zou komen eten. Op weg naar de voordeur kwamen we langs de eetkamer. Ze wierp een blik op mijn werk, en ik vertelde haar waar ik mee bezig was.

'Heb ik je niet gezegd dat je met naaien een hele hoop geld kunt verdienen?' Ze glimlachte en maakte een zijwaartse hoofdbeweging. 'Misschien geef ik je hierna wel een opdracht.'

'Waarom denk je dat ik voor jou betaalbaar ben?'

'Zeg, ik ben rijk – ik betaal geen huur meer.'

Ik keek haar in haar heldere groene ogen. Ik stak mijn hand uit en raakte haar arm aan, waarna ze haar blik afwendde. Ik zei: 'Blijf je nog een tijd thuis wonen?'

Ze knikte.

'Hoe gaat het met haar?'

'Afgelopen weekend is ze even thuis geweest. Mixie, Lynn en ik zeiden tegen elkaar dat het net was of we een superbeleefde logee hadden.'

'En je vader?'

Ze haalde haar schouders op. 'Die zei niet veel.' Ze keek me aan, wendde haar blik af en pakte haar schouders vast, zodat haar ellebogen elkaar voor haar borst raakten. 'Ik had jou geen verwijten mogen maken,' fluisterde ze.

Ik schudde mijn hoofd. 'Het is...'

'Dat had ik niet mogen doen.'

We kwamen bij de voordeur aan. Nadat ik hem had geopend stonden we elkaar aan te kijken, het moment om elkaar de hand te reiken was plotseling aangebroken.

Ik hield de deurknop vast. Zij bleef haar schouders vasthouden. Op het trottoir bleef een cyperse kat naar ons staan kijken, waarna hij verder trippelde.

'Je vader,' zei ik. 'Kookt die ook?'

Op haar gezicht verscheen een glimlach. 'Ben je gek? Dacht je dat hij dat van ons mag?' Haar lach werd breder. 'Hij is de grote tacobakker. Elke zondagavond maakt hij taco's.'

Na Jamies vertrek belde ik Mike en stelde voor te gaan lunchen. Daarna ruimde ik de eetkamer op en ging naar hem toe. Hij zat op de veranda te wachten, met een blauw en rood geruit hemd met korte mouwen aan en een tennishoedje stevig op zijn hoofd.

We hadden vaak exotisch gegeten, voor zover je in Madison exotisch kon eten – enchilada's en pad thai. Voor vandaag stelde hij het terras van de sociëteit voor. We reden erheen en ik vond een goed parkeerplaatsje op Langdon – de diploma-uitreikingen waren achter de rug en de zomercursussen waren nog niet begonnen. We gingen naar het meer en beklommen de helling naar het terras. Mike wachtte aan een tafeltje in de schaduw terwijl ik naar binnen ging om sandwiches te halen, bedenkend dat het aantal sandwiches dat we daar gegeten hadden in de honderden moest lopen. Toen ik terug was ging ik naast hem zitten, net als hij naar het meer toegekeerd.

We praatten niet veel. Het was zo'n middaguur waarop heel Madison aan het meer leek te zitten, studenten, professoren, administratief personeel en excentrieke typen. Ze zaten of wandelden in de zon. Het meer zelf was heel diep azuurblauw en lag er kalm bij onder een windstille lucht.

Ik zette een rietje in zijn ijsthee en plaatste die bij de rand van de tafel zodat hij zich voorover kon buigen om ervan te drinken. Hij had om een sandwich met kalkoen en Zwitserse kaas gevraagd, maar ik was vergeten te zeggen dat er geen sla bij moest. Een tijdje at hij zelfstandig te midden van een stortvloed van snippers ijsbergsla, totdat hij mij vroeg hem stukken te geven.

Hij slikte en keek naar mij. 'Dirk Nann heeft gisteren gebeld. Hij zei dat ze hulp konden gebruiken. Hij zei dat ik kan beginnen met twintig uur in de week en dan verder kan zien.'

Dirk Nann was zijn oude baas op de bank, en ik probeerde mijn opwinding te bedwingen. Mike kon wel blijven praten over de nutteloosheid van pogingen om nuttig te zijn, maar naar mijn idee was teruggaan naar de bank voor hem de allerbeste mogelijkheid. 'Ga je het doen?'

Hij maakte een grimas. 'Ik dacht dat ik nooit terug zou gaan. Het staat zo ver van me af. Contact met de klanten. Maar toen besefte ik dat het voornaamste wat ik niet zou kunnen is: mensen een hand geven.'

'Wat niet van belang is.'

Hij keek me aan, en diep achter zijn ogen roerde zich iets. 'Het is wel van belang. Maar het is niet het einde van de wereld.'

Hij gebaarde om zijn sandwich en ik hield hem omhoog zodat hij weer een hap kon nemen, met mijn hand eronder om op te vangen wat er viel. Zijn onderarmen rustten op de armleuningen van de rolstoel. Er waren sproeten zichtbaar tussen de haartjes. Ik legde de sandwich neer en legde mijn hand op zijn blote been, vlak boven de knie. 'Kun je daar iets van voelen?'

Hij aarzelde. 'Nee, maar ik denk dat ik met mijn ogen dicht zou weten dat hij er lag.' Hij sloot zijn ogen. 'Niks zeggen,' fluisterde hij.

Ik zei niets. Ik liet mijn hand liggen waar hij lag, gekromd over zijn been. Mijn diamant ving het licht. Ik ademde in en weer uit. Ik keek om me heen terwijl ik wachtte tot hij iets zou zeggen. Ik zag een paar corpsballen langskomen, een meisje op blote voeten met een golden retriever en een oudere vrouw met een paarse sjaal om haar hoofd die op een bankje in de zon zat. Ik dacht aan de last van hun levens en de lange, verborgen geschiedenis die ze allemaal met zich meedroegen. Dat de corpsballen ook zoons waren, en misschien broers. Dat het meisje van een ander continent kon komen. Dat de vrouw dacht aan mensen die niemand op dit terras ooit had gezien, om redenen die wij ons niet konden indenken. Ik keek over het water, en daar lag Picnic Point, een vinger land die het meer in wees. Ik herinnerde me het verhaal van Stu, dat hij met Mike en Rooster over het ijs had gelopen, en stelde me Mike daar voor, ingepakt in een donsjack en met grote laarzen aan terwijl hij de ene gevaarlijke stap na de andere zette in de snerpende kou van een decemberavond.

'Ik weet het niet zeker,' zei hij ten slotte, terwijl hij zijn ogen opende. 'Dit klinkt misschien nogal ziek, maar soms stel ik mezelf de vraag: zou je liever blind zijn, of zou je liever doof zijn?'

'En wat is dan je antwoord?'

'Een van de twee, maar niet allebei.'

Ik trok mijn hand weg, en naast mij haalde hij diep adem en slaakte vervolgens een zucht. 'Mag ik je iets vragen?' vroeg hij.

'Natuurlijk.'

Hij keek omlaag en bloosde licht. Daarna keek hij weer op en vonden onze ogen elkaar. 'Blijf je nu?'

'Ja,' zei ik, maar ik had een raar gevoel in mijn keel, en het kwam er hees en krasserig uit, ik kon zelfs nauwelijks een woord zeggen. 'Ja,' zei ik nogmaals.

Hij lachte een moeilijk te duiden, in zichzelf gekeerd lachje: het wees op tot rust gekomen tegenstrijdige emoties, al was het maar voor zo lang als het duurde. Hij boog voorover om een slokje te drinken en ging vervolgens weer rechtop zitten. 'Dus wat ga je nu doen, terugvliegen om je auto op te halen?'

Ik draaide me om en keek naar een meeuw die op een laag

muurtje zat. Hij keek uit over het water, zijn witte hals in een s-vorm gebogen. 'Ik heb hem verkocht,' zei ik.

Hij zoog zijn wang naar binnen en knikte. 'O. Verstandig. Het moet lastig zijn om in New York te parkeren.'

'Ik had het geld nodig. Je hebt er geen idee van hoe duur het is om daar te wonen.'

Hij fronste zijn wenkbrauwen een beetje. 'Ja, dat heb ik wel.'

Zo zaten we daar. Een groepje van vijf professoraal ogende figuren arriveerde bij het tafeltje naast ons. Allemaal hadden ze een baard, zagen ze er serieus uit en likten ze aan een ijsco in zomerse pasteltinten. Opzij van ons, verder weg, hupte de meeuw twee keer en zweefde toen weg, met breed uitgespreide vleugels.

Ik voelde Mikes blik op me rusten en vroeg me af wat hij kon zien, of er ergens in een klein, haastig neergekrabbeld hand-schrift *Kilroy Was Here* op me geschreven stond. Net zoals Kilroy *Carrie Was Here* op zich geschreven had staan, wat zou blijven, of hij het nu probeerde uit te wissen of niet. Hij was een land-kaart vol boodschappen die door niemand werden gelezen. Ik had ze met mijn vingertoppen bevoeld, maar het waren hiëro-gliefenteksten geweest, niet te ontcijferen. Ik vroeg me af wat voor gevoel het hem gaf dat hij mij over zijn broer had verteld. Ik haatte de gedachte dat hij er spijt van had. Een verlangen naar hem overweldigde me, en mijn keel zwol op. Een ogenblik later hield ik me bezig met mijn sandwich: ik boog me over de tafel voor een grote hap, en de scherpe smaak van de mosterd beviel me. Ik kauwde een hele tijd en leunde toen weer achterover in mijn stoel. Mijn linkerhand rustte op de rand van de tafel, en Mike keek ernaar: naar mijn ring, zijn ring, onze ring. Onze blikken ontmoetten elkaar. 'Je mag hem naar de lommerd bren-gen als je dat wilt,' zei hij.

'Dat zou ik nooit doen.' Ik draaide de ring om mijn vinger, deed hem af, deed hem aan mijn rechterhand en stak hem uit zodat hij hem kon zien. 'Nu is het een vriendschapsring.'

'Hoe is dat gebeurd?'

'Dat heb ik gewoon gedaan. Abracadabra.' Ik lachte naar hem. 'De ring is veranderd.'

'Als jij het zo wilt.'

'Ja, ik wil,' zei ik, en toen besefte ik wat ik had gezegd – *ja, ik wil* –, en onze blikken ontmoetten elkaar weer en allebei lachten we: eerst moeizaam en toen opgetogen, ons verkneukelend om een grap die alleen wij tweeën volledig op waarde konden schatten.

Wat later gingen we terug naar het busje. In plaats van naar de Mayers te gaan reed ik de andere kant uit. Ik reed langs het observatorium, schoot heuvelaf richting ziekenhuis en reed er voorbij. Tegen de tijd dat ik ging parkeren moest hij weten wat ik van plan was, maar hij zei niets. Ik zette de motor af en hielp hem uit de wagen.

Het pad was breed en glad, en naast elkaar bewogen we ons door het dicht beschaduwde bos en naar plekken waar het zonlicht vlekkerig doordrong. Er waren geen andere mensen in de buurt – geen joggers, geen picknickers, geen kinderen die op een van de laatste schooldagen van het jaar aan het spijbelen waren. Wat waren de bomen hoog: zo werd het een expeditie door een groene tunnel, met aan twee kanten onzichtbaar water.

Een poosje was Kilroy er ook, hij liep een pas of twee achter ons aan. Ik wilde dat de pijn die ik voelde bij me zou blijven – niets was zo treurig als de wetenschap dat hij zou verdwijnen. Ik keek alsmaar over mijn schouder maar zag alleen het pad, dat terugging in de richting waar we vandaan kwamen en tussen de bomen door kronkelde. Zes weken later zou ik een ansicht krijgen waarvan ik alleen maar indirect kon bepalen dat hij van hem kwam, want afgezien van mijn naam en adres was hij blanco. Op de foto stond een zonbeschenen lavendelveld voor een rij zilverachtige bomen. 'Heuvel in de Provence,' stond er in drie talen achterop. En in de inktring waarmee de Franse postzegel was afgestempeld stond het woordje 'Var'.

Maar dat lag nog voor me. Vandaag bewogen Mike en ik ons voort over het pad. De kleine open plek aan de linkerkant, waar we op mijn badhanddoek hadden gelegen – we gingen er langs zonder dat een van ons beiden er wat van zei. De plek was er al lang voor ons geweest.

Hoog in een boom zong een zangvogel een trillertje. Even later keek Mike naar mij op. 'We zouden nooit getrouwd zijn, hè?'

Ik strekte me uit en trok een glanzend blad van een struik waar we langskwamen. Ik streek met mijn vinger over het oppervlak en liet het blad toen weer vallen. 'Ik weet het niet,' zei ik. 'Het begon erop te lijken dat het misschien niet zo'n heel goed idee was.'

'Ik denk dat ik wel weet waarom,' zei hij. 'Het was net of we al getrouwd waren – we waren te ver gegaan.'

Ik knikte. We zouden er later meer over zeggen, allebei. Nu keek ik om me heen, naar de bomen en de lucht hoog boven ons. Ik ademde de zuivere geur van naaldhout in. Het pad werd donkerder en kronkelde naar rechts en dan weer naar links. We gingen een klein hellinkje op, en een merel sloeg met zijn vleugels terwijl hij op een tak ging zitten.

'Daar zijn we dan,' zei hij, en we betraden de laatste zonbeschenen open plek. Het water was bleekblauw en strekte zich overal om ons heen uit, zichtbaar tussen de boomtakken. Hij hield stil en glimlachte me toe. 'Nou, wat zeg je me daarvan,' zei hij. 'Mike Mayer keert terug naar Picnic Point.'

DANKBETUIGING

Voor hun steun bij het schrijven van dit boek wil ik de National Endowment for the Arts and Literary Arts van de staat Oregon danken. Ik ben dr. Edward James dankbaar voor zijn heldere uitleg van medische kwesties. Voor hun aanvullende technische hulp dank ik Kerstin Hilton, Mark Krasnow, dr. Nancy Marks, Patty Schmidt, R.N. en dr. Patti Yanklowitz.

Ik ben mijn literair agente, Geri Thoma, en mijn redacteur, Jordan Pavlin, bijzonder dankbaar voor hun welwillende, stimulerende en verhelderende opmerkingen.

Veel van mijn familieleden en vrienden hebben het manuscript in diverse fasen gelezen, en ik ben hun allen zeer erkentelijk. Mijn speciale dank gaat uit naar de volgende mensen, die zorgvuldig de ene versie na de andere hebben doorgenomen: Hallie Aaron, Jane Aaron, Amy Bokser, Scott Davidson, Ruth Goldstone, Jon James, Veronica Kornberg, Laurie Mason, Tony Pierce, Heidi Wohlwend en Diana Young.